BUSCH: KAMPF UM NORWEGENS FJORDE

FRITZ-OTTO BUSCH

KAMPF UM NORWEGENS FJORDE

FALL WESERÜBUNG NORD

ERNST GERDES VERLAG · PREETZ/HOLST.

Die Bilder stellten freundlicherweise zur Verfügung:

Vizeadmiral a. D. Rieve (6), Vizeadmiral a. D. Thiele (5), Kapitän z. S. Forstmann (3), Kapitän z. S. a. D. Zimmer (3), ferner Bibliothek für Zeitgeschichte, Weltkriegsbücherei (9), Süddeutscher Verlag (5)

Schiffs- und Gefechtsskizzen: G. Prochnow

Druck: Ernst Gerdes Verlag, Preetz/Holstein

Meinem Crewkameraden,
Vizeadmiral a. D. Kurt-Caesar Hoffmann,
damaligem Kommandanten der „Scharnhorst"
und seinem ehemaligen NO,
Kapitän z. S. a. D. Helmuth Gießler,
in herzlicher Dankbarkeit
für ihre kameradschaftliche Hilfe bei meinen Arbeiten.

„The two Admiralities thought with precision
along the same lines in correct strategy"
„Beide Admiralitäten dachten in genauer Übereinstimmung
in der gleichen strategisch richtigen Weise."

Sir Winston Churchill in „The Second World War"

VORGESCHICHTE

Die deutsche Marine hat sich selbstverständlich schon vor dem Ausbruch des zweiten Weltkrieges mit der Frage Norwegen beschäftigt. Anlaß dazu bot u. a. eine Studie des Vizeadmirals Wolfgang Wegener[1], in der er ausführte, daß sich die strategische Lage im ersten Weltkrieg durch die Gewinnung der Ostseeausgänge und besonders von Stützpunkten in Norwegen hätte wesentlich verbessern lassen. Die britische Blockadelinie Shetland—Norwegen wäre dann nicht mehr zu halten gewesen und mußte, etwa auf die Linie Shetland—Faroer—Island zurückgenommen, ihre Wirkung weitgehendst einbüßen. Sein Sohn, Korvettenkapitän Edward Wegener, damals Erster Artillerieoffizier des Schweren Kreuzers *„Admiral Hipper"*, griff 1939 in einer anderen Denkschrift diesen Gedanken erneut auf. Er glaubte von Norwegen aus die Wirkung der an sich schwachen deutschen Seestreitkräfte vervielfachen und deren Kraftfeld bis in die Gewässer um Island ausdehnen zu können.

Die Seekriegsleitung schloß sich diesen Gedankengängen jedoch nicht an. Sie kam vielmehr zu der Ansicht, daß eine allseitig und strikt beachtete Neutralität Norwegens für Deutschland die günstigsten Voraussetzungen schaffen und jede Kriegsausweitung mit unübersehbaren Folgen vermeiden würde. Durch die Erringung gewisser strategischer Vorteile schien ihr die Besetzung eines neutralen Landes keineswegs gerechtfertigt. Die Reichsregierung ließ eine in diesem Sinne abgefaßte Note bereits am 2. September 1939, also noch vor der englischen Kriegserklärung, in Oslo überreichen, in

[1]) „Die Seestrategie des Weltkrieges, 1929"

der der Wille zur Beachtung der Neutralität Norwegens unmißverständlich ausgedrückt und nur der Vorbehalt gemacht wurde, daß, wenn diese Neutralität von anderer Seite verletzt würde, sich Deutschland absolute Handlungsfreiheit vorbehielte.

Die Kriegsmarine war durch den Ausbruch des zweiten Weltkrieges mitten im Aufbau überrascht worden. Das Stärkeverhältnis zur britischen Flotte lag bei etwa 1 : 10. Letztere beherrschte eindeutig alle ozeanischen Verbindungen und schaltete, wie nicht anders zu erwarten, schon bald den gesamten deutschen Überseehandel aus. Frei blieben lediglich die Seewege in der Ostsee und durch das Kattegat, Skagerrak und die Schären nach Norwegen. Diese Wege waren immerhin wichtig genug, denn auf ihnen gelangte das für die Rüstungsindustrie lebensnotwendige schwedische Erz nach Deutschland. Von den nordschwedischen Gruben bei Kiruna und Gälliware wurden jährlich rund zehn Millionen Tonnen mit der Lapplandbahn nach dem Hafen Lulea am Bottnischen Meerbusen transportiert und von dort verschifft. Weitere drei Millionen Tonnen gingen mit der Erzbahn von der schwedischen Grenze nach dem Ofot Fjord, dem inneren Teil des großen West Fjordes, um dort in dem norwegischen Hafen Narvik von den Erzschiffen übernommen zu werden. Während Lulea aber von etwa Dezember bis Mai zugefroren und unbenutztbar war, blieb Narvik während des ganzen Jahres eisfrei.

Es ist somit verständlich, daß man deutscherseits, wenn auch nicht mit Angriffsgedanken, so doch mit steigender Sorge auf Norwegen blickte. Man erinnerte sich noch durchaus der gewaltigen Minensperre, die die Amerikaner im Frühjahr und Sommer 1918 zwischen den Orkneys und der norwegischen Küste geworfen hatten und die noch vervollständigt worden war, als die Norweger unter dem politischen Druck der Alliierten auch die eigenen Hoheitsgewässer verminten. Ähnliche Maßnahmen, noch dazu auf Grund der fortgeschrittenen technischen Mittel weit wirkungsvoller, konnten jederzeit erneut erfolgen und die deutsche Flotte in der Ost- und Nordsee einschließen. Tatsächlich hat dann auch nicht die Erwerbung von Stützpunkten sondern die Sicherstellung der von dort kommenden Erztransporte den Ausschlag für die spätere Besetzung Norwegens gegeben.

In England ließ Winston Churchill, der am 5. September 1939 wieder zum Marineminister berufen worden war, unmittelbar anschließend durch die Admiralität den Plan „Katharina" ausarbeiten. Mit schweren Seestreitkräften sollte der Durchbruch in die Ostsee erzwungen, dort die Seeherrschaft erkämpft und damit die deutsche Zufuhr abgeschnitten werden. Außerdem hoffte er, die skandinavischen Staaten gleichzeitig entscheidend zu einem Kriegseintritt beeinflussen zu können, zumal das Verhältnis dieser zu Deutschland schon sehr bald nach Kriegsausbruch durch die Versenkung norwegischer, schwedischer und dänischer Handelsschiffe, wenn auch meist aus britischen Geleiten, gelitten hatte. Die Admiralität erklärte jedoch ein solches Unternehmen aus verschiedenen Gründen für undurchführbar.

Dieselben Ziele verfolgte Churchill, als er in einer Denkschrift vom 29. September drastische Maßnahmen gegen die Erzzufuhr von Narvik nach Deutschland vorschlug. Gleichzeitig forderte er den Admiralstab auf, Punkte nördlich von Bergen zu benennen, die für eine Minenaktion geeignet seien. Das Kriegskabinett lehnte jedoch vorerst noch ab und beschloß nichts zu unternehmen, bevor nicht ein deutscher Angriff auf Norwegen zu erkennen sei.

Bis Anfang Oktober gelangten verschiedene Nachrichten über die britischen Pläne an die Seekriegsleitung. Einmal meldete der deutsche Marineattaché in Oslo, Korvettenkapitän Schreiber, daß man in Norwegen selbst mit einer möglichen Landung rechne, dann berichtete der Abwehrchef im Oberkommando der Wehrmacht, Admiral Canaris, persönlich dem Großadmiral. Er nannte als vermutliche Landungsstellen Kristiansand, Stavanger-Sola und Drontheim. Schließlich gab auch der Befehlshaber der Marinegruppe Ost, Admiral Carls, auf Grund ihm zugegangener Nachrichten seinen Befürchtungen Ausdruck und schlug gleichzeitig vor zu prüfen, ob nicht die Gefahr durch die Einrichtung von Operationsbasen im norwegischen Raum gebannt werden könne. Das mußte nicht notwendigerweise unter Gewaltanwendung geschehen, konnte vielleicht durch diplomatische Aktionen erreicht werden, wie es in Abmachungen mit Spanien und Rußland gelungen war.

Daraufhin wurde diese Frage in der Seekriegsleitung erneut geprüft. Großadmiral Raeder hielt jedoch die Neutralität der nordischen Staaten nach wie vor für den besten Schutz. Er betonte gleichzeitig, daß es sich in erster Linie um eine politische Entscheidung handele, die von der Staatsführung zu fällen sei. Nach einem Vortrag Raeders bei Hitler am 10. Oktober wurde Übereinstimmung erzielt, weitere Nachrichten abzuwarten und vorläufig nichts zu veranlassen, es sei denn, daß ein Eingreifen der Alliierten als unmittelbar bevorstehend gemeldet werde. Beide kriegführenden Parteien hatten also, wenn auch aus verschiedener Sicht, gleiche Entschlüsse gefaßt.

Die Lage änderte sich grundlegend, als Rußland am 30. November ohne vorhergehende Kriegserklärung und trotz eines 1932 abgeschlossenen, 1934 erneuerten und bis 1945 gültigen Nichtangriffspaktes, mit rund 30 Divisionen die finnischen Grenzen überschritt. Die Westmächte sahen eine Gelegenheit durch ein Eingreifen in Finnland auch ihren Zielen in Skandinavien näherzukommen. Um die ablehnende Haltung sowohl der Regierungen wie der Bevölkerung der skandinavischen Staaten für die notwendige Landung in Norwegen und den Marsch durch Nordnorwegen und Nordschweden zu überwinden, erklärten sie im Namen des Völkerbundes, zumindest aber im Einklang mit dessen Prinzipien zu handeln.

Am 16. Dezember sprach sich Churchill in einer Denkschrift nochmals für eine Unterbindung der Erzlieferungen an Deutschland aus und empfahl die Besetzung Narviks und Bergens. Das Kriegskabinett lehnte zwar erneut ab, beschloß aber vorbereitende Pläne für eine Landung in Narvik auszuarbeiten, das als Basis zur Unterstützung Finnlands gedacht war. Der Chef des Empire-Generalstabes erhielt den Auftrag, die Überführung einer Infanterie-Brigade dorthin zu prüfen. Gleichzeitig sollten Überlegungen angestellt werden, wie man einer deutschen Invasion in Südnorwegen begegnen könne. Parallel dazu liefen diplomatische Aktionen. Am 27. Dezember überreichten die Alliierten einen Antrag auf „direkte oder indirekte" Unterstützung. Am 6. Januar 1940 folgte eine scharfe englische Note, in der erklärt wurde, daß zur Verhinderung der Erztransporte von Narvik und der Benutzung norwegischer Hoheitsgewässer durch deutsche Handelsschiffe alle erforderlichen Maßnahmen ergriffen würden, einschließlich von Operationen britischer Seestreitkräfte in eben diesen Gewässern. Am 20. Januar schließlich forderte

Churchill die Neutralen offen auf, an die Seite der Westmächte zu treten.

Alle diese Schritte hatten aber nur den Erfolg, die neutrale Haltung Norwegens und Schwedens zu versteifen. Beiden Staaten konnte an einer Kriegsausweitung wenig gelegen sein, zumal sie bei deutschen Gegenaktionen zum Kriegsschauplatz werden mußten. Es wurde klar, daß auf diesem Wege die erstrebten Ziele nicht zu erreichen waren, nicht zuletzt weil der britische Premierminister Chamberlain sich nach wie vor gegen eine Neutralitätsverletzung aussprach. Doch nun drängte der französische Generalstab, dem im Januar der deutsche Aufmarschplan für den „Fall Gelb", d. h. für den Feldzug gegen Frankreich in die Hände gefallen war, zur eigenen Entlastung auf die Errichtung einer zweiten Front. Am 5. Februar beschloß daraufhin der alliierte Oberste Kriegsrat eine Landung von drei bis vier englischen bzw. französischen Divisionen in Narvik, um Finnland unterstützen zu können und gleichzeitig die Erzgruben von Gälliware zu besetzen. Am 6. Februar teilte der britische Außenminister dem norwegischen Gesandten mit, England beabsichtige die deutschen Erztransporte über Narvik endgültig zu verhindern.

Am 25. Februar erklärten die Außenminister Dänemarks, Schwedens und Norwegens erneut die Unabhängigkeit und Neutralität ihrer Länder, lehnten das finnische Gesuch um Erlaubnis zum Durchmarsch des englisch-französischen Expeditions-Korps ab und Anfang März ebenfalls die angebotene militärische Unterstützung im Falle eines deutschen Angriffs. Inzwischen waren aber auch den Finnen Bedenken wegen der möglichen alliierten Hilfe gekommen. In Besprechungen mit den Westmächten hatte sich herausgestellt, daß der größte Teil der Landungstruppen in Nordnorwegen und Nordschweden stehen bleiben und nur eine einzige Division tatsächlich zum Einsatz an der Front gelangen würde. Bei dem Verhältnis von 47 russischen zu 16 finnischen Divisionen blieb diese Verstärkung belanglos. Die finnische Regierung entschloß sich daher am 6. März zur Einleitung von Friedensverhandlungen. Rußland andererseits befürchtete einen Konflikt mit den Alliierten und deren Festsetzung im Ostseeraum und war gleichfalls zum Frieden bereit, der am 12. März in Moskau unterzeichnet wurde.

Noch am 9. März war der britische Vice-Admiral Edward Evans zum Führer der Seestreitkräfte, General Mackesy zum Befehlshaber der Landtruppen für das Unternehmen Narvik ernannt worden. Am Abend des 11. März flog Churchill nach Paris, um in letzter Minute den russisch-finnischen Friedensvertrag zu verhindern. Gemeinsam mit dem französischen Ministerpräsidenten Daladier erklärte er dem finnischen Gesandten, daß die Transportflotte mit den bereitgestellten Heeresverbänden sofort auslaufen könne und der Vormarsch über norwegisches und schwedisches Territorium auch ohne ausdrückliche Erlaubnis erfolgen würde. Am 12. März gab der britische Premier seine Zustimmung, betonte jedoch den Willen der Regierung nur dann zu landen, wenn das ohne größere Kampfhandlungen möglich wäre. Gleich anschließend wurde die finnische Kapitulation bekannt. Das britische Kriegskabinett zog seine Einwilligung sofort zurück, die Truppen erhielten Befehl zu warten. Der englische Seeoffizier und Marinehistoriker Macintyre bemerkt dazu: „Der Vorwand, unter dem alliierte Truppen mit einer gewissen Legalität hätten landen können, hatte sich in Luft aufgelöst."

Auf deutscher Seite kam die Norwegen-Frage im Dezember 1939 wieder ins Gespräch. Das Außenpolitische Amt der NSDAP unter Alfred Rosenberg hatte schon vor dem Kriege Verbindungen zu der norwegischen „Nasjonal Samling" und deren Führer Vidkun Quisling, einem ehemaligen Major, Staatsrat und Kriegsminister hergestellt. Durch Vermittlung erreichte dieser am 11. Dezember eine Aussprache mit Großadmiral Raeder. Was der Norweger berichtete, war dem OKM[1] bereits bekannt. Außerdem erklärte Raeder, daß „Politik nicht sein Arbeitsbereich sei". Am 12. Dezember unterrichtete er Hitler, der Quisling am 17. Dezember empfing.

Unter dem Eindruck dieser und anderer Nachrichten befahl Hitler am 13. Dezember dem Oberkommando der Wehrmacht, die Möglichkeiten eines militärischen Einsatzes zu prüfen. Es entstand die „Studie Nord", die aber in den nächsten Wochen mehrfach abgeändert wurde. In der Seekriegsleitung gingen die Auffassungen zu dieser Zeit auseinander. Der Chef der Operationsabteilung, Konteradmiral Fricke, hielt eine feindliche Landung wegen des damit verbundenen Risi-

[1]) Oberkommando der Kriegsmarine

kos für unwahrscheinlich, Großadmiral Raeder dagegen für bevorstehend. Die ernsteste Gefahr sah er darin, daß es von Norwegen aus den Alliierten gelingen könnte, auch Schweden zum Kriegseintritt zu veranlassen, wodurch „die Inbesitznahme Norwegens durch England kriegsentscheidend zugunsten Deutschlands sein würde". Am 27. Januar 1940 befahl dann Hitler die Bildung eines Sonderstabes innerhalb des Oberkommandos der Wehrmacht, in dem die drei Wehrmachtteile durch je einen älteren Offizier vertreten waren und der sich mit einem allgemeinen Operationsplan — „Weserübung" — für eine möglicherweise notwendig werdende Besetzung Norwegens befassen sollte.

Da trat am 16. Februar eine folgenschwere Verschärfung der Lage durch den Überfall des britischen Zerstörers *„Cossack"* auf das deutsche Troßschiff *„Altmark"*[1] ein. Die *„Altmark"* hatte das zu Kriegsbeginn im Atlantik operierende Panzerschiff *„Admiral Graf Spee"* begleitet und nach dessen Versenkung am 17. Dezember 1939 mit 303 Gefangenen, Besatzungsangehörigen versenkter feindlicher Handelsschiffe, die Heimreise angetreten. Bereits am 14. Februar stand sie in norwegischen Hoheitsgewässern, wurde mehrfach untersucht, bis dann am 16. im Jössing Fjord der Angriff der *„Cossack"* erfolgte, die einem Verband von sechs Zerstörern angehörte. Von den 133 Mann der deutschen Besatzung wurden sieben Seeleute getötet, mehrere verwundet, während einer ertrank. Die Gefangenen konnten befreit werden, für England zweifelsohne eine Prestigefrage. Einen Protest des Kommandanten des norwegischen Torpedobootes *„Kjell"* wies der Chef der 4. Zerstörerflottille, Captain P. L. Vian, mit dem Hinweis auf klare Befehle der britischen Admiralität zurück.

Den offiziellen norwegischen Protest beantwortete die britische Regierung mit einem Gegenprotest, gab allerdings eine „technische" Verletzung der Neutralität Norwegens zu. Gewiß blieb die Zwitterstellung der unter der Reichsdienstflagge fahrenden *„Altmark"* zwischen Kriegs- und Handelsschiff völkerrechtlich ungeklärt, auch hatte sie sich während der norwegischen Untersuchungen nicht absolut korrekt benommen. Diese Fragen zu klären wäre aber Aufgabe Norwe-

---

[1]) 14 367 BRT, 21 sm/h, außer 2 Fla-MG's befand sich die vorgesehene Bewaffnung nicht an Bord

gens gewesen, das noch kurze Zeit vorher die von dem Panzerschiff *„Deutschland"* gekaperte *„City of Flint"*, als diese norwegische Hoheitsgewässer benutzte, eingebracht und später freigegeben, das Prisenkommando dagegen interniert hatte. Durch das Verhalten der norwegischen Marinedienststellen an Land wie der der Kriegsschiffe im Falle *„Altmark"* mußten berechtigte Zweifel entstehen, ob Norwegen auch gegenüber England seine Neutralität wirkungsvoll schützen konnte und wollte.

Jetzt kamen die Ereignisse in Fluß. Am 21. Februar befahl Hitler operative Vorbereitungen zum Unternehmen „Weserübung", das vor allem auf Drängen der Luftwaffe auf Dänemark ausgedehnt wurde. Die Leitung erhielt der Kommandierende General des XXI. Armeekorps, General der Infanterie v. Falkenhorst, gleichzeitig auch den Befehl über die noch zu bildende „Gruppe XXI". Am 23. Februar legte Großadmiral Raeder in einer Lagebesprechung nochmals seine Ansicht dar, daß eine Neutralität Norwegens zwar in jedem Fall zu bevorzugen sei und die Gewinnung von Stützpunkten für die Marine in keiner Weise ausschlaggebend wäre, dagegen eine Besetzung durch die Alliierten unbedingt verhindert werden müsse. Er hielt es für unmöglich, den einmal gelandeten Gegner wieder zu vertreiben. Der Marinesachbearbeiter des Sonderstabes im OKW[1], Kapitän z. S. Krancke, stellte fest, daß die Operation den Einsatz fast der gesamten deutschen Seestreitkräfte verlange und damit deren Verlust zur Folge haben könne: ein ungeheures Risiko für die weitere Kriegführung. Raeder selbst betrachtete es schon als günstig, wenn die Verluste nur etwa ein Drittel betrügen.

Am 1. März billigte Hitler grundsätzlich den Plan der Unternehmung, behielt sich jedoch eine endgültige Entscheidung wie auch die Festsetzung des Ausführtermins entsprechend der Lage in Norwegen vor. Am 9. März erläuterte Raeder in einer Lagebesprechung die Grundgedanken der Operationen der Kriegsmarine, die gegen alle Lehren des Seekrieges ohne den Besitz der Seeherrschaft durchzuführen seien. Es wäre daher unerläßlich das Moment der Überraschung zu wahren. Die Besetzung der Häfen durch die mitgeführten Truppen müsse schlagartig erfolgen, die Transporter und Tanker der

---

[1]) Oberkommando der Wehrmacht

„Ausfuhrstaffel" möglichst gleichzeitig mit den Kriegsschiffen einlaufen, die „Seetransportstaffeln" dichtauf folgen und schließlich in späteren Geleitzügen die Masse der Truppen und des Materials hauptsächlich nach Südnorwegen überführt werden. Eine „friedliche Besetzung zum Schutz der Neutralität Norwegens" sei wünschenswert, wozu die Geschütze während des Einlaufens in Zurrstellung bleiben und Bewachungsfahrzeuge wie Küstenbatterien durch Signalsprüche unterrichtet, jeder Widerstand aber mit allen Mitteln gebrochen werden sollte. Den schwierigsten Teil des Unternehmens sah er in der Rückführung der Kriegsschiffe, d. h. in dem Durchbruch durch die dann zweifelsohne in See befindlichen weit überlegenen britischen Seestreitkräfte.

Am 15. März, also wenige Tage nach dem russisch-finnischen Friedensschluß, wurden Funksprüche abgehört, die den Aufschub, nicht aber die Aufgabe einer britischen Norwegenaktion bestätigten. Raeder konnte daher am 26. März erklären, daß die Gefahr zwar im Augenblick nicht so akut sei, die Engländer aber nach allen eingegangenen Meldungen und Berichten weiterhin versuchen würden, den deutschen Schiffsverkehr in den neutralen Gewässern zu verhindern und Zwischenfälle zu schaffen, die ihnen einen Vorwand zur Besetzung Norwegens geben könnten.

Früher oder später wäre man auf alle Fälle gezwungen, die Operation „Weserübung" durchzuführen, und er empfehle daher als Stichtag den **7.** April, den Beginn der Neumondperiode, weil besonders die Narvik-Gruppe für den weiten Seeweg lange Nächte brauche. Drei Tage später, am 29. März, berichtete Raeder in einer Lagebesprechung bei Hitler, daß sich, wie der deutsche Marineattaché in Oslo meldete, die Haltung Norwegens von Tag zu Tag versteife, die norwegischen Fla-Batterien die Erlaubnis zur Feuereröffnung ohne vorherige Rückfrage erhalten hätten und vermutlich auch an die Küstenbatterien der gleiche Befehl ergangen sei. Die Kriegsmarine habe ihre Vorbereitungen beendet. Außer den in den Werften liegenden Einheiten, dem Panzerschiff[1] *„Admiral Scheer"*, den Leichten Kreuzern *„Leipzig"* und *„Nürnberg"* sowie einigen Zerstörern und Torpedobooten, wären alle Schiffe der Gruppen I—V Narvik, Drontheim, Bergen, Kri-

[1]) später Schwerer Kreuzer

stiansand und Oslo zum Einsatz klar, ebenso die zur Deckung der Gruppen I und II bestimmten beiden Schlachtkreuzer und die Frachter und Transporter der Ausfuhr- und Seetransportstaffeln. Am 2. April endlich bestimmte Hitler den 9. April 05 Uhr 15 zur Durchführung des Unternehmens. Die ersten Verbände mußten demnach am 7. April die deutschen Häfen verlassen.

In Frankreich war am 21. April Paul Reynaud Nachfolger des wegen seiner erfolglosen Kriegspolitik gestürzten Ministerpräsidenten Daladier geworden. Durch ihn erhielten die Pläne Churchills eine entscheidende Unterstützung. Am 28. März kündigten die Alliierten auf Beschluß des Obersten Kriegsrates in Noten an Norwegen und Schweden Maßnahmen gegen die Erztransporte nach Deutschland an und am 2. April erklärte der britische Premierminister Chamberlain in einer Rede: "... unsere Kriegsschiffe haben praktische Maßnahmen zur Unterbindung des ungehinderten Verkehrs deutscher Handelsschiffe nach Skandinavien unternommen. ... weitere Maßnahmen werden erwogen ... wir haben noch nicht den Höhepunkt unserer operativen Wirkungsmöglichkeiten auf diesem Gebiet erreicht ..." Ein Protest des norwegischen Gesandten in London, Colban, am 1. April beim Referenten für nordische Politik im Foreign Office, Collier, gegen die Verletzung der norwegischen Hoheitsgewässer durch englische Seestreitkräfte blieb erfolglos.

Als ersten Schritt beschloß das britische Kriegskabinett die Durchführung der Minenoperation „Wilfred", eines „kleineren und unschuldigen Unternehmens"[1]. Drei Sperren, davon eine nur fingiert, sollten am 5. April in den norwegischen Hoheitsgewässern geworfen werden. Die Gruppe „WB", bestehend aus 2 Zerstörern, hatte das Legen von Minen auf der Höhe von Bud, südwestlich von Christiansund, vorzutäuschen, die Gruppe „WS" mit dem Minenleger *„Teviot Bank"* und 4 Zerstörern bei der Halbinsel Stadlandet, wo die Erzschiffe den nördlichen Schärenweg verlassen und eine Zeitlang über die freie See laufen müssen, eine Sperre zu werfen, die Gruppe „WV" mit 4 zum Minenlegen ausgerüsteten und 4 Begleitzerstörern eine solche auf der Höhe von Hovden am

[1]) Die Tarnbezeichnung „Wilfred" war der Name eines „kleinen und unschuldigen" Kaninchens in einer vor dem Kriege jedem Engländer bekannten Kinderbuchserie

Generaladmiral Saalwächter,
Marinegruppenbefehlshaber
West

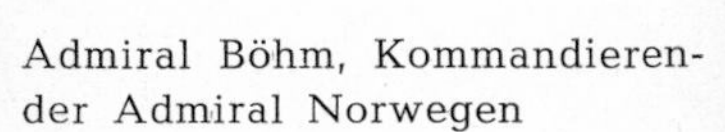

Admiral Böhm, Kommandierender Admiral Norwegen

Kapitän z. S. und Kommodore Bonte, Führer der Zerstörer

Generalleutnant Dietl, Kommandeur der 3. Gebirgs-Division

Südufer des nach Narvik führenden Westfjords. Das Unternehmen wurde wenig später, die Gründe werden in keinem der vorliegenden Berichte genannt, auf den 8. April verschoben. Wie der schon einmal zitierte englische Marinehistoriker feststellt, nahm der Verlust der drei Tage den Alliierten die Führung aus der Hand und übergab sie den Deutschen.

Für den Fall, daß diese Aktion zu deutschen Gegenmaßnahmen führen würde, sollte gleichzeitig das Unternehmen „R 4" oder „Stratford" durchgeführt werden. Ein Expeditionskorps zur „Hilfeleistung für Norwegen" wurde bereitgestellt, von dem je 2 Bataillone durch das 1. Kreuzer-Geschwader mit den Schweren Kreuzern *„Devonshire"*, *„Berwick"* und *„York"* sowie dem Leichten Kreuzer *„Glasgow"* von Rosyth im Firth of Forth nach Stavanger und Bergen, je 1 Bataillon durch Transporter, gedeckt von dem Leichten Kreuzer *„Aurora"* und 6 Zerstörern vom Clyde an der englischen Nordwestküste nach Drontheim und Narvik zu überführen waren. Die Truppen konnten in den der Landung folgenden Tagen durch weitere Transporte englischer und französischer Verbände auf etwa 18 000 Mann verstärkt werden.

Am 4. April traf in London eine Agentenmeldung aus Kopenhagen ein, die vor einem unmittelbar bevorstehenden deutschen Angriff auf Norwegen warnte. Britische Aufklärungsflugzeuge beobachteten Schiffszusammenziehungen in den deutschen Häfen und stellten die Schlachtkreuzer *„Scharnhorst"* und *„Gneisenau"* auf Wilhelmshaven-Reede fest. Trotzdem liefen am 5. April die Minenlegergruppen planmäßig aus. Da aber am gleichen Tage eine Nachricht aus Narvik einging, daß dort wahrscheinlich die 4 norwegischen Küstenpanzer versammelt seien, ließ der Chef der britischen Home-Fleet, Admiral of the Fleet[1] Sir Charles L. Forbes, den Befehlshaber des Schlachtkreuzergeschwaders, Vice-Admiral W. J. Whitworth, mit dem Schlachtkreuzer *„Renown"* und 4 Zerstörern zum Schutz der Gruppe „WV" — Westfjord — ebenfalls in See gehen. Am 7. April, als die 4 Kreuzer des 1. Kreuzer-Geschwaders im Firth of Forth und die Transporter im Clyde gerade ihre Truppen übernahmen, meldete die Luftaufklärung völlig überraschend einen deutschen Flotten-

---

[1]) etwa dem deutschen Großadmiral entsprechend

verband mit nördlichen Kursen im Nordausgang des Skagerraks. Die britische Admiralität erteilte daraufhin dem Flottenchef den Befehl, die deutschen Einheiten abzufangen. Admiral Forbes verließ am Abend mit den Schlachtschiffen *„Rodney"* und *„Valiant"*, dem Schlachtkreuzer *„Repulse"*, den Leichten Kreuzern *„Sheffield"* und *„Penelope"* sowie 10 Zerstörern Scapa Flow, das 2. Kreuzer-Geschwader mit den Leichten Kreuzern *„Galatea"* und *„Arethusa"* und 15 Zerstörern Rosyth, während das 1. Kreuzer-Geschwader seine Truppen, jedoch nicht deren Ausrüstung, wieder ausschiffte und später mit hoher Fahrt Anschluß an die Home-Fleet suchte.

Alle diese Maßnahmen hätten zwar einen Durchbruch deutscher Seestreitkräfte in den Atlantik verhindern können, ließen aber die ganze mittlere Nordsee ungedeckt. Die Möglichkeit, die deutschen Kampfgruppen vor der Erreichung ihrer Ziele zu stellen, wurde somit verspielt. Als die britischen Minenverbände am 8. April die geplanten Sperren legten, deren Lage der norwegischen Regierung gleichzeitig bekannt gegeben wurde, standen die deutschen Schiffe teilweise schon nördlich der Minenleger und ihrer Sicherungen. Am Vormittag versenkte der Schwere Kreuzer *„Admiral Hipper"* den zur „Renown"-Gruppe gehörenden, von seinem Verband abgekommenen Zerstörer *„Glowworm"*. Auf die Gefechtsmeldung ging Admiral Whitworth auf Südkurs, erhielt jedoch wenig später vom Flottenchef den Befehl, zur Bewachung des Westfjordes nach Norden zurückzulaufen. Die Meldung eines englischen Flugbootes über einen deutschen Flottenverband auf der Höhe von Halten, der Westkurs steure, veranlaßte Admiral Whitworth zu einer erneuten Kursänderung nach Nordwesten. Für die Engländer war das ein verhängnisvoller Entschluß, denn er gab den deutschen Zerstörern der Gruppe I den Weg nach Narvik frei.

Am Vormittag des 9. April gerieten die beiden deutschen Schlachtkreuzer in ein kurzes Gefecht mit der *„Renown"*, während schon in den frühen Morgenstunden die deutschen Landungen planmäßig durchgeführt wurden. Als die ersten diesbezüglichen Nachrichten in London eintrafen, befand sich die Home-Fleet etwa auf der Höhe von Bergen. Sie erhielt von der Admiralität sofort den Befehl nach dort vorzustoßen, wenn möglich auch nach Drontheim, um die deutschen Kampfgruppen anzugreifen. Als sich aber herausstellte, daß die Küstenbefestigungen vor Bergen bereits in deutscher Hand waren, gab man den Plan auf. Am Nachmittag beschloß der Oberste Kriegsrat eine Reihe von Maßnahmen, um die Lage wiederherzustellen, darunter die Besetzung der Faröer und die Landung englisch-französischer Heeresverbände in Norwegen. Da die wichtigsten norwegischen Häfen hierfür nicht mehr zur Verfügung standen, wurde durch diplomatischen Druck, jedoch vergeblich, versucht, Schweden zur Öffnung der Westküstenhäfen zu bewegen.

Der Kampf um Norwegen hatte begonnen. In einer Art Wechselwirkung zogen Überlegungen und Pläne der einen Seite immer neue Entschlüsse und Handlungen der anderen nach sich oder, wie es Vizeadmiral Ruge ausdrückt[1], löste der erste Anstoß, den Churchill gab, eine Kettenreaktion aus, die nun zur Entladung kam.

---

[1]) Der Seekrieg 1939—1945

GEMEINSAMER VORMARSCH DER SCHLACHTKREUZER MIT DEN GRUPPEN I UND II UND DIE BESETZUNG VON NARVIK UND DRONTHEIM

Deckungsgruppe:

Flottenchef Vizeadmiral Lütjens auf „Gneisenau"
Schlachtkreuzer „Gneisenau", Kapitän z. S. Netzbandt
Schlachtkreuzer „Scharnhorst", Kapitän z. S. K. C. Hoffmann

Gruppe I Narvik:

Führer der Zerstörer Kapitän z. S. und Kommodore Bonte
An Bord: Kommandeur der 3. Gebirgs-Division Generalleutnant Dietl
Zerstörer „Wilhelm Heidkamp", Korvettenkapitän Erdmenger
1. Zerstörer-Flottille, Fregattenkapitän Berger auf „Georg Thiele"
Zerstörer „Georg Thiele", Korvettenkapitän Wolff
3. Zerstörer-Flottille, Fregattenkapitän Gadow auf „Hans Lüdemann"
Zerstörer „Hans Lüdeman", Korvettenkapitän Friedrichs
Zerstörer „Hermann Künne", Korvettenkapitän Kothe
Zerstörer „Diether von Roeder", Korvettenkapitän Holtorf
Zerstörer „Anton Schmitt", Korvettenkapitän Böhme
4. Zerstörer-Flottille, Fregattenkapitän Bey auf „Wolfgang Zenker"
Zerstörer „Wolfgang Zenker", Fregattenkapitän Pönitz
Zerstörer „Bernd von Arnim", Korvettenkapitän Rechel
Zerstörer „Erich Giese", Korvettenkapitän Smidt
Zerstörer „Erich Koellner", Fregattenkapitän Schultze-Hinrichs

Der Reservezerstörer „Richard Beitzen", Korvettenkapitän v. Davidson, blieb auf der Weser und nahm an dem Unternehmen nicht teil.

Nach Narvik bestimmt waren 3 Schiffe der Ausfuhrstaffel und 2 der Tankerstaffel.

Eingeschifft waren rund 2000 Mann des verstärkten Gebirgs-Jäger-Regiments 139, eine Vorausstaffel des Stabes der 3. Gebirgs-Division sowie Marineartillerie- und Marinenachrichtenpersonal.

Gruppe II Drontheim:

Kapitän z. S. Heye, Kommandant „Admiral Hipper"
Schwerer Kreuzer „Admiral Hipper", Kapitän z. S. Heye
2. Zerstörer-Flottille, Fregattenkapitän v. Pufendorf auf „Paul Jacobi"
Zerstörer „Paul Jacobi", Korvettenkapitän Zimmer
Zerstörer „Theodor Riedel", Korvettenkapitän Böhmig
Zerstörer „Bruno Heinemann", Korvettenkapitän Langheld
Zerstörer „Friedrich Eckoldt", Fregattenkapitän Schemmel
Nach Drontheim bestimmt waren 3 Schiffe der Ausfuhrstaffel und 2 der Tankerstaffel.

Eingeschifft waren das Gebirgs-Jäger-Regiment 138, Kommandeur Oberst Weiss, mit der 1. Kompanie des Pionier-Bataillons 83, beide von der 3. Gebirgs-Division, eine Marine-Stoßtrupp-Abteilung unter Korvettenkapitän Hornack, Marineartillerie- und Marinenachrichtenpersonal sowie Bodenpersonal der Luftwaffe, zusammen etwa 1700 Mann.

„Gneisenau" und Scharnhorst" auf Wilhelmshaven-Reede. Fliegeralarm und Auslaufen.

Es ist Sonnabend, der 6. April 1940.

Draußen auf der Jade liegen zwei hellgraue Schlachtkreuzer mit geschwungenem Bug, langem Vor- und Achterschiff. Ihre niedrigen Decks werden überragt von schweren Türmen, Brücken und Gefechtsmasten. Aus den elegant nach hinten abgeschrägten Kappen der mächtigen Schornsteine flimmert kaum sichtbar hellbrauner Ölrauch.

Der Winter ist lang und streng in diesem Jahr. Eistreiben herrscht. Die Schollen klirren gegen die Ankerketten, drehen sich und gleiten mahlend und splitternd an den Bordwänden entlang. Im Vortop der *„Gneisenau"* weht mit schmalem schwarzen Kreuz und schwarzem Ball in der linken oberen Ecke die Flagge des Vizeadmirals Lütjens. Er vertritt den nach der Novemberunternehmung der Schlachtkreuzer erkrankten Admiral Marschall als Flottenchef.

Jetzt am späten Nachmittag steht die Sonne schon tief im Westen über den Außendeichen des Jeverlandes, als der Admiral auf seinem Flaggschiff und danach auf der *„Scharnhorst"* zu den auf der Schanz in Musterungsdivisionen angetretenen Besatzungen spricht. Schlank, mit schmalem Gesicht und scharfen Zügen steht er unter den erhobenen Drillingsrohren des achteren 28cm-Turms der *„Scharnhorst"*. Atemlos lauschen die Männer.

Seekrieg ist vom Land- und Luftkrieg sehr verschieden, vor allem für die großen Einheiten einer Flotte. Wochenlang, monatelang geschieht nichts. Dann laufen sie aus und suchen den Gegner. Nichts zeigt sich, die Kimm bleibt leer, und sie kehren erfolglos, enttäuscht, vielleicht sogar verbittert zurück. So war es bei ihrer ersten Fahrt hinauf unter die südnorwegische Küste Anfang Oktober mit *„Gneisenau"*, dem Leichten Kreuzer *„Köln"* und Zerstörern. Anders beim zweiten Vorstoß beider Schlachtkreuzer, der zum Gefecht und zur Versenkung des unglücklichen Hilfskreuzers *„Rawalpindi"* im November 1939 führte. Und dann kam wieder eine Enttäuschung, als im Februar dieses Jahres die Schlachtkreuzer mit dem Schweren Kreuzer *„Admiral Hipper"* und Zerstörern erfolglos die England-Norwegen-Konvois suchten. Und jetzt? Sie hören die Radiomeldungen, lesen die Berichte in den Zeitungen und beneiden Heer und Luftwaffe, die täglich am Feind stehen.

Die Besatzungen sind junge, frische und begeisterungsfähige Matrosen, weder Abenteurer noch Landsknechte. Aber sie wollen dabei sein, wollen nicht hinter den Kameraden in Feld- und Fliegergrau zurückstehen, wollen zeigen, was sie gelernt haben und sind bedrückt, weil sie so wenig Gelegenheit dazu bekommen. Sie wissen genau, daß ein Gefecht mit weit überlegenen feindlichen Streitkräften den höchsten Einsatz jedes einzelnen Mannes erfordert. Niemand an Bord hat eine nebensächliche Rolle und sein Versagen kann weitreichende Folgen haben.

Was der Flottenchef nun sagt und durch den Lautsprecher allen vernehmbar verkündet wird, macht der verhaßten Wartezeit ein Ende:

„In wenigen Stunden, um Mitternacht, werden wir in See gehen. Es ist ein größerer Vorstoß geplant, an dem alle verfügbaren Streitkräfte teilnehmen und der mit Sicherheit zu einem Zusammenstoß mit dem Gegner führen wird. Was unsere spezielle Aufgabe ist, gibt Ihnen Ihr Kommandant später nach dem Auslaufen bekannt."

Den Operationsbefehl kennen außer dem Flottenstab und den Kommandanten nur sehr wenige Offiziere. Äußerste Geheimhaltung ist Vorbedingung des Gelingens, und so wird die Tarnung des Unternehmens mit allen nur denkbaren Mitteln betrieben. Auf dem Flaggschiff beispielsweise hatte der Kommandant, Kapitän z. S. Netzbandt, vor wenigen Tagen einen Zettel samt Umlaufliste am schwarzen Brett der Offiziersmesse anheften lassen:

„Kommandant beabsichtigt am kommenden Sonntag, 7. April, einen Ausflug nach Varel. Omnibus mit 25 Sitzplätzen steht zur Verfügung."

Das sprach sich bald im ganzen Schiff herum. „Der Alte macht mit den Offizieren einen Ausflug", sagten die Männer, „vor Montag ist also bestimmt nichts los!"

Kapitän Netzbandt beabsichtigt vor dem Auslaufen, wenn die Kriegswachen zur Musterung antreten, die Ziele der Unternehmung und die Sonderaufgaben der beiden Schlachtkreuzer bekannt zu geben. Die Nacht ist jetzt in der Neumondzeit dunkel aber sternklar. Vollkommen abgeblendet liegen die Schiffe wie unheimliche, gespensterhafte Schattengebilde auf dem Wasser. Die Ruhe ist dahin, als gegen 23 Uhr 20 von dem an Land sitzenden Flagruko[1], das die jeweilige Luftlage auch an die Schiffe durchzugeben hat, Feindeinflüge gemeldet werden. Das ist nichts außergewöhnliches, nächtliche Einflüge finden häufig statt.

Die Fla-Kriegswache wird alarmiert. Auch auf der nicht weit hinter *„Gneisenau"* zu Anker liegenden *„Scharnhorst"* werden Fla-Geschütze und Fla-Waffen besetzt. Der Fla-Einsatzleiter, Korvettenkapitän Dominik, meldet sie um 23 Uhr 30 klar. Von der Brücke aus ist zu beobachten, wie weit voraus

---

[1]) Fla-Gruppen-Kommando

im Nordwesten von Jever bis zum Norden hin im ganzen Mündungsgebiet der Jade die Scheinwerfer der Inseln und der Küste aufblenden. Sie suchen, wischen hin und her und verfolgen offensichtlich, in Strahlenbündeln zusammengefaßt, feindliche Flugzeuge. Zuweilen, wenn ihre kalkweißen Bahnen hell aufglänzende Tragflächen fassen, spannen bunte Leuchtspurgeschosse ihre gelben, roten und grünen Bogen über den Himmel. Ihr mit den Flugzeugen ziehendes Netz verrät den Kurs, den die Engländer einschlagen. Der Kommandant, Kapitän z. S. Hoffmann, setzt das schwere, große Nachtglas ab und wendet sich an den neben ihm beobachtenden NO[1], Korvettenkapitän Gießler:

„Scheinen mehr Flugzeuge als sonst zu sein. Uns gilt das offenbar nicht. Die wären sonst längst hier. Die üblichen Nachtaufklärer, die sicherlich von der Unternehmung nichts wissen."

Das schwach zu vernehmende Abwehrfeuer verstummt, die Scheinwerfer blenden einer nach dem anderen.

„Sie haben die Gefahrenzone passiert, Herr Kaptän", meint Gießler, „wahrscheinlich ..."

„Fla-Einsatzleiter an Kommandant", ruft der BÜ[2], der das Kopftelefon auf der Brücke bedient, das den Fla-Einsatzstand mit der Brücke verbindet. „Aus Richtung Schillig starke Motorengeräusche."

Das Geräusch ist nun auch auf der Brücke zu hören, wo Offiziere und Ausgucks, ebenso wie die an den Fla-Geschützen aufmerksam horchen und angespannt in die Finsternis starren. Das laute Brummen der Motoren wird stärker und nähert sich schnell. Einer der Bordflieger, der bei Alarm auf die Brücke kam, tritt zum Kommandanten:

„Engländer, Herr Kaptän. Kein eigener Nachtjäger. Die röhren nicht so."

Wieder meldet sich das Telefon vom Fla-Einsatzstand im Vormars:

„Achtung! Tiefflieger von Backbord voraus!"

Einer der Ausgucks hat das Flugzeug plötzlich im Glas:

„330 Grad Flugzeug!"

„Leichte Flak! Voraus Tiefflieger. Feuer frei!"

---

[1]) Navigationsoffizier

[2]) Befehlsübermittler

Bellendes Krachen, zuckende Mündungsblitze, das Backbord IV 2 cm-Geschütz rattert los. Seine Leuchtspurgeschosse liegen gut bei der Maschine. Von Vormarsgalerie und Brücke eben auszumachen, kurvt der Schatten des Flugzeuges von Backbord nach Steuerbord. II. und III. 2 cm fallen ein, ebenso die Steuerbord III. 3,7 cm. Die Motoren des in einem wahren Hagel von Geschossen vor dem Bug hart herumschwenkenden Flugzeugs heulen auf. Mündungsfeuer blendet. Die Leuchtspurgeschosse fahren wie bunte ununterbrochen aufsteigende Perlenschnüre in flach gekrümmten Bögen über die See. Dann ist die Maschine in Richtung 90 Grad in der Dunkelheit verschwunden. Das Feuer wird eingestellt. In der tiefen Stille, die dem harten Gebelfer des Schnellfeuers folgt, ist auch kein Motorengeräusch mehr zu vernehmen. Der Fla-Einsatzleiter meldet sich beim Kommandanten:

„Haben Sie Genaueres ausmachen können, Dominik?" fragt Kapitän Hoffmann.

„Nicht viel, Herr Kaptän. Ging ja alles irrsinnig schnell. War ein zweimotoriges Flugzeug. Entfernung beim Feuereröffnen etwa 300, dann rasch abnehmend 150 und zuletzt wieder 300 Meter. Flughöhe nur 30 Meter, mehr nicht. Als er einschwenkte und vor dem Bug hochzog, etwa 60 Meter."

„Und Sie?" wendet sich der Kommandant an den Bordflieger.

„Zwomotoriger, das hab' ich auch feststellen können, Herr Kaptän. Hat womöglich das Schiff nicht vorher erkannt, da er nach dem ersten Feuerstoß plötzlich vor unserem Bug abdrehte, statt in der Dunkelheit zu verschwinden. Ich nahm ursprünglich an, er sei über eine Tragfläche abgestürzt. Vielleicht hat er dabei einen 2 cm-Treffer abbekommen. Er bot ja in der Kurve seine volle Silhouette, die von unserer Leuchtspur teilweise unterbrochen wurde."

„Ist anscheinend davongekommen", ergänzt Korvettenkapitän Dominik. „Ich habe festgestellt, daß kein Aufschlag im Wasser beobachtet wurde, obwohl man glauben sollte, daß kein Flugzeug bei dieser geringen Entfernung unbeschädigt bleiben würde."

„Allerdings", lächelt der Kommandant, der selbst ein gewiegter Artillerist ist, „aber wie das mit Trefferbeobachtungen bei Nacht ist, wissen wir ja alle nur zu genau. War wohl ein bewaffneter Aufklärer, der ganz routinemäßig etwa auf der Reede liegende Schiffe feststellen und melden sollte und uns im Tiefflug erst im letzten Augenblick bemerkte. Die anderen scheinen abgeflogen zu sein. Mehr werden heute wohl nicht erscheinen. Also, meine Herren, viel Zeit haben wir ja nicht mehr bis zum Auslaufen. WO[1], wenn irgend etwas los ist, ich bin in der Brückenkammer. Der Wachhabende hebt die Rechte und zeigt klar:

„Jawohl, Herr Kaptän."

Der Kommandant irrt. Es bleibt nicht der letzte Fliegeralarm dieser Nacht. Kurz vor dem geplanten Ankeraufgehen werden um 00 Uhr 07 noch einmal Flugzeuggeräusche hoch über dem Schiff gemeldet und Fliegeralarm gegeben. Kurz danach, um 00 Uhr 15 leuchten im Osten über dem Butjadinger Land Scheinwerfer auf, die aber bald wieder verlöschen. Um 00 Uhr 20 kann der Alarm beendet werden.

Schweigende Finsternis breitet danach ihre Schwingen über der Jade aus, auf der die beiden großen Schiffe auf den Befehl zum Ankerlichten warten, den das Flaggschiff nun endlich gibt. Um 00 Uhr 45 entsteht Bewegung auf den langen Vorschiffen. Winzige Lichtpunkte von Taschenlampen wandern wie Glühwürmchen hier und da umher. Die dunklen Gestalten der Kuttergäste erscheinen, der Erste Offizier, der Oberbootsmann, der Meister. Ein BÜ mit Kopftelefon zur Brücke baut sich neben dem IO[2] der *„Scharnhorst"*, Kapitän z. S. Schubert, auf. Durch die Stille tönt das Poltern der in der Klüse hochkommenden Backbordankerkette über das Wasser. Die Schlachtkreuzer gehen ankerauf und laufen in Kiellinie jadeabwärts.

Nach dem Passieren der Sperre Schillig-Reede zieht die Kriegswache auf.

„Wird genau hinhaun, Herr Kaptän", sagt aus der Friedenssteuerstelle tretend der NO. „Treffpunkt Feuerschiff F draußen um 06 Uhr 00."

Kapitän Hoffmann nickt:

„Heye mit seiner *‚Hipper'* und den vier Zerstörern der 2. Flottille kommt ja von Cuxhaven dazu, und unsere zehn

---

[1]) Wachoffizier

[2]) I. Offizier

Zerstörer, ich meine die der Gruppe Narvik, stoßen von Wesermünde her zum Verband. Das gibt immerhin während des Kriegsmarsches vierzehn Zerstörer als U-Bootssicherung für unsere drei schweren Einheiten."

„Jawohl, Herr Kaptän. Und nach Hellwerden Me 109 und He 111 als Luftsicherung", ergänzt Gießler und nimmt das Doppelglas von den Augen.

EIN SCHWERER KREUZER UND VIER ZERSTÖRER IN CUXHAVEN

„Admiral Hipper" und die Gebirgsjäger. „Flochef an K: Maschinenstörung!" Sammeln beim Kriegsfeuerschiff F. Kriegsmarschzustand 2, Dampf auf für 25 Seemeilen.

Auch auf der Elbe ziehen dünne Eisfelder mit dem Gezeitenstrom. Stärkere Schollen reiben sich knirschend an den mit Seetang und kleinen schwarzen Muscheln besetzten dunkelbraunen Ducdalben der „Alten Liebe", dem Bollwerk der Seebäderdampfer in Cuxhaven. Frost liegt in der Luft, und es ist bitter kalt.

Am Steubenhöft, der breiten, langen Pier des Amerika-Hafens, an der im Frieden die NewYork-Dampfer der Hamburg-Amerika-Linie ihre Fahrgäste von Bord gaben oder an Bord nahmen, hat heute am 6. April 1940, der schon seit März in Cuxhaven liegende Schwere Kreuzer *„Admiral Hipper"*, Kapitän z. S. Heye, festgemacht.

Die Besatzung wartet vergebens auf einen Auslaufbefehl. Warum liegen sie hier? Dazu die vier Zerstörer der 2. Flottille, die auch nicht wissen, wozu sie ausgerechnet hierher befohlen wurden. Urlaubs- und Postsperre seit heute morgen und das ganze weite Hafengelände obendrein noch polizeilich abgesperrt. Der Erste Offizier, Fregattenkapitän Zollenkopf, hat auf alle diesbezüglichen Fragen nur die kurze Antwort:

„Schwere Seuchengefahr im Hafen!"

Das glaubt so recht niemand. Das müßten sie ja mindestens gestern auf Landurlaub erfahren haben. Manche von der Besatzung ahnen, vor allem wegen der Postsperre, daß dies eine Tarnmaßnahme für irgendein bald stattfindendes Unternehmen ist. So lauern sie den Tag über vergebens auf den Seeklarbefehl. Gerüchte schwirren genug umher, aber außer dem Kommandanten und sehr wenigen Stabsoffizieren weiß niemand an Bord, was in Wirklichkeit anliegt. Selbst der Kommandantenaufklarer und die Aufklarer der Offiziere, die Schmutts in den Kombüsen, der Kommandanten- und die Offiziersstewards, die Männer aus den Schreibstuben, die „Schreibstubenhengste", die Postordonnanz oder das Steuermannspersonal, sonst zuverlässige Quellen, sie versagen diesmal achselzuckend und vollkommen, und die Funkgasten verraten sowieso nichts. Sie wissen nur zu genau warum!

Als am Spätnachmittag die Abenddämmerung langsam von Osten her über die Deiche und Marschen des Landes Hadeln heranwandert, rollen zwei schier endlose Güterzüge schnaufend vor den Amerikabahnhof. Was dann geschieht, hat außer den wenigen Eingeweihten an Bord keiner erwartet. Zu erkennen ist kaum etwas, als die Bremsen kreischen, die Züge halten und der weiße Dampf der Lokomotiven zischend ausströmt. Die strahlenden Bogenlampen, die früher die blinkenden Schienen und das bunte Gewimmel vor den hohen Schnelldampfern beleuchteten, sind, wie alle anderen im Hafengebiet, abgeblendet.

Die Wache an Bord und die vielen Freiwächter, die vom Oberdeck aus kopfschüttelnd das geheimnisvolle Treiben beobachten, wundern sich. Die Fenster der wenigen Personenwagen sind verhängt, die Türen der Güterwagen geschlossen. Verblüfft sehen die Matrosen ihren Ersten Offizier, gefolgt vom Artillerieoffizier, Korvettenkapitän Edward Wegener, dem Rollenoffizier, ein paar Leutnants und mehreren mit Schreibblöcken bewaffneten Feldwebeln und Bootsmaaten über die Stelling hinweg auf der Pier zu den Zügen gehen.

Ein Hornruf verwandelt plötzlich die Szene. Türen fliegen auf, aus den Abteilen und den rotbraunen Güterwagen ergießt sich eine Flut feldgrauer Soldaten mit Karabinern, MG's und schwerem Gepäck. Genagelte Gebirgsstiefel tragen sie, Kletterseile, Edelweißabzeichen an den schief über's Ohr gestülpten Feldmützen und an den Oberarmen der Feldblusen. Sie raffen ihre Waffen zusammen, treten an und werden ihren Offizieren gemeldet.

„Mann, o Mann!" ruft im Vorbeigehen der Läufer IO, der irgend etwas aus dessen Kammer holen soll, dem Läufer

Deck zu, der mit dem Bootsmaaten der Wache staunend den Betrieb vor dem Schiff verfolgt.

„Gebirgsjäger sind das, kommen zu uns an Bord!"

„Waaas?"

„Jawoll, Herr Bootsmaat!"

Und dann geht es erst richtig los. Auf Befehl des IO helfen die Kreuzermatrosen das zahlreiche Heeresgut an Bord zu schaffen, das die Jäger aus den Waggons laden und auf der Pier zu wahren Bergen türmen. Es sind stämmige, mittelgroße Männer aus der Steiermark und aus Kärnten, aus Salzburg, vom Dachstein und den Hohen Tauern, Gebirgler aus den Dörfern der Karawanken. Und was sie alles bei sich haben! Da sind MG's, Leichte Granatwerfer, Gebirgsgeschütze, Flammenwerfer, Kisten mit Granaten und Granatzündern, Gewehr- und MG-Munition, Motorräder mit Beiwagen, Fahrräder, Kisten mit Gerät zum Bau von Behelfsflugplätzen und mit Material für das Funk- und Bodenpersonal der Luftwaffe.

Die Matrosen greifen zu, heben, schleppen und zurren schließlich die unzähligen Kisten sach- und fachgemäß an Oberdeck fest. Sie tun ihre Arbeit mit überlegten, ruhigen Griffen und dem steten gleichmäßigen Tempo des Seemanns, das so nachlässig scheint und doch jede Arbeit schnell fördert. Gleich zu Beginn des Anbordmannens ist ein Befehl durchgegeben worden: „Die Tanks aller Motorräder entleeren! Benzinkanister, entzündbares und brennbares Material, Zünder und Flammenwerferfüllungen unters Panzerdeck! Munition in die Munitionskammern!"

Die Matrosen versuchen bei den Feldgrauen zu erfahren, was nun eigentlich anliegt.

„Wo kommt Ihr denn her?" erkundigt sich ein Obergefreiter bei einem Jäger. „Daß Eure Züge aus dem Westen anrollten, haben wir inzwischen erfahren!"

Die Antwort erfolgt im österreichischen Dialekt:

„Aus der Gegend um Berlin, Nauen, Frohnau, Döberitz hieß es ja wohl. Da ha'm sie uns gesammelt gehabt. Dann sind wir halt 'rumgefahrn, kreuz und quer durchs Reich. Gestern wurden wir wieder verladen, und kein Mensch wußte, daß wir heut' abend am Meer sein würden."

Ein Obermaat mischt sich ein:

„Wo soll'n wir Euch denn hinschippern, wißt Ihr das? Haben Eure Offiziere nichts davon gesagt?"

„Nein, die wissen so wenig wie wir. Und Ihr?"

„Genau wie bei uns!" brummt der Maat. „Wir haben auch keine Ahnung, noch nicht mal, wann wir auslaufen."

„Na, komm', faß an", ermuntert der Matrosengefreite, „zuuugleich! Verdammt schwer sind diese Kisten! Sieh Dich vor bei den Niedergängen, den Treppen meine ich, die sind steil und nicht für genagelte Bergschuhe gedacht!"

Er lacht, denn schon klirrt ein Jägerunteroffizier fluchend samt allem Zubehör ins Zwischendeck hinab.

Rund 1600 Mann Besatzung hat die *„Admiral Hipper"*, und es ist für den IO und den Rollenoffizier eine sorgenvolle Aufgabe, die Unterbringung der Truppe durchzuführen. Offiziere und Feldwebel verzichten auf ihre Kammern und Messen, die Mannschaftswohnräume sind gestopft voll, obwohl später während des Kriegsmarsches die Besatzung auf ihren Kriegswachstationen bleibt. Überall, selbst in den Gängen, hocken stehen und liegen die Gebirgsjäger. Sie bestaunen alles, sie wollen alles wissen und bestürmen die Seeleute mit Fragen, die diese geduldig und hilfsbereit beantworten. Sie haben nebenbei alle Mühe zu verhindern, daß die Jäger in ihrer Wißbegierde an sämtlichen Handrädern drehen, die in ihr Blickfeld kommen.

„Menschenskind", klärt ein Feuerwerksmaat einen Jägerunteroffizier auf, „was Du da in der Faust hast, ist ein Flutventil für 'ne Munitionskammer! Wenn Du weiterdrehst, flutest Du die ganze Kammer, ich meine, dann läuft die ganze Kammer voll Wasser. Klar?"

Allmählich erscheinen diejenigen, die ihre Arbeit beendet haben und untergebracht sind, an Oberdeck. Jäger lehnen an der Reling, Jäger klettern auf den Aufbauten herum, und alle schauen schweigend drein. Was da trotz der dunklen Nacht im Schein der Sterne zu erkennen ist, hat niemand von ihnen je zuvor gesehen. Da ist das für ihre Begriffe riesengroße Kriegsschiff mit seinen Masten, Türmen, Brücken und verwirrenden Aufbauten, den vielen Geschützen und Fla-Waffen. Da ist die lange Pier, und da sind die Zerstörer, die ebenfalls Truppen übernehmen. Drüben im alten Fischereihafen, der Leuchtturm, der Signalmast, der Mast mit den Semaphorarmen des Windanzeigers und die hohe Radarstation, die vielen Masten der Fischkutter mit den zum Trocknen aufgehängten Netzen und die der Hochseeschlepper mit den Antennen ihrer starken Funkstationen.

Zum ersten Male spüren sie den von Salz gesättigten, herben Duft der See, den fremden Fisch-, Tang- und Teergeruch eines Hafens. Sie blicken über den breiten Strom, dessen jenseitige Ufer nicht auszumachen sind. Sie sehen die Schatten ablösender Vorpostenboote abgeblendet seewärts gleiten, riechen den Rauch der aus ihren Schornsteinen quillt. Manche von ihnen fühlen den geheimnisvollen Ruf, das unruhig machende, aufreizende und Sehnsucht weckende Locken der Ferne, die weit draußen, dort wo dunkle See und samtener Himmel ineinander verschwimmen, wartet und winkt.

Vier Stunden dauert es, bis alle Gebirgsjäger untergebracht und das Heeresgut unter Deck verstaut oder an Oberdeck seefest verzurrt ist. Als der IO dem Kommandanten Meldung macht, wundert sich Kapitän Heye:

„Gute Arbeit, Zollenkopf! Mein Himmel, was stand da nicht alles auf der Pier. Na, denn woll'n wir mal!"

Pfiffe und Befehle. Matrosen erscheinen an Oberdeck. Festmacher werden von ihren dicken schwarzen Pollern losgemacht, eingeholt und an Deck auf große Trommeln gerollt. Die Stelling wird eingenommen. Aus dem Dunkel tauchen plötzlich Schlepper auf, bekommen ihre Trossen und beginnen, das schwere Schiff von der Pier zu zerren. *„Admiral Hipper"* legt ab und geht auf dem Strom vor Anker. Ein Gleiches tun die vier Zerstörer der 2. Flottille. Eine halbe Stunde vor Mitternacht werden Feindeinflüge in die Deutsche Bucht gemeldet, Fla-Geschütze und Fla-Waffen besetzt. Im Westen, über Wangerooge, fingern Scheinwerferstrahlen. Zuckender Feuerschein zeigt, daß die Insel- und Küstenbatterien feuern. Hier, in der Elbmündung, bleibt alles still. Der ferne Spuk ist bald vorüber.

Um Mitternacht geht *„Admiral Hipper"* mit den Zerstörern *„Paul Jacobi"*, *„Theodor Riedel"*, *„Bruno Heinemann"* und *„Friedrich Eckoldt"* ankerauf und läuft durch die dunkle aber sichtige und sternklare Nacht des Sonnabend/Sonntag die Elbe hinab.

Vorn auf der freien Brücke vor dem gedeckten Friedenssteuerstand steht mit den Ausguckposten, dem BÜ und dem Läufer Brücke der den Kreuzer fahrende WO. Der NO, Korvettenkapitän Hintze, gibt ihm den in dem schwierigen Fahr-

Schlachtkreuzer „Gneisenau“ mit Zerstörersicherung

Vernichtung des britischen Zerstörers „Glowworm“ durch den schweren Kreuzer „Admiral Hipper“

Zerstörer einlaufend in Drontheim

Schwerer Kreuzer „Admiral Hipper“ während der Truppen ausschiffung in Drontheim

wasser häufig wechselnden Kurs bekannt, den der WO dann dem Rudergänger zu steuern befiehlt. Der neben diesem stehende Posten Maschinentelegraf, für jede der drei Maschinen ist ein solcher Telegraf vorhanden, erhält die Befehle für gelegentlich notwendige Fahrtänderungen.

Die Friedenssteuerstelle, die vor dem nur im Gefecht benutzten gepanzerten Kommandostand liegt, ist mit allen für die Schiffsführung nötigen Apparaten und Geräten ausgerüstet. Auf *„Admiral Hipper"* wie auf allen modernen größeren Einheiten ersetzt eine elektrische Knopfsteuerung das altgewohnte Ruderrad mit seinen Speichen und Handgriffen. Auf dem Podest vor dem Rudergänger sind drei Druckknöpfe angebracht, auf die er leicht die Handballen legt. Ein Druck auf einen der beiden äußeren Knöpfe läßt das Ruder nach Steuerbord oder Backbord ausschlagen. Durch Druck auf den mittleren Knopf wird das Ruderlegen beschleunigt. Vor der Ruderanlage steht der Steuertochterkompaß, rechts davon der Reserve-Magnetkompaß. In die großen viereckigen Fenster der Vorkante des Steuerstandes sind runde Klarsichtscheiben eingelassen, die bei Regen oder Schneetreiben mit hohen Umdrehungen rotierend, klare Sicht für den Rudergänger schaffen.

Darüber befindet sich ein Echolotempfänger, der laufend die Wassertiefe zeigt. In der rechten vorderen Ecke über dem Niedergang zu dem ein Deck tiefer liegenden Kartenhaus ist ein kleiner Tisch für den NO und sein Steuermannspersonal eingebaut. Überall gewähren Sprachrohre und Telefone zu den wichtigsten Stellen im Schiff schnellste Übermittlung von Befehlen und Meldungen.

In der Backbordbrückennock, dem äußersten Ende der offenen Brücke, hockt der Kommandant auf einem Sattelsitz. Es ist kalt, und er hat den Kragen seines schweren blauen Mantels über dem dicken Schal hochgeschlagen. Hier und da tönt das Knirschen des von dem scharfen Bug des Schweren Kreuzers beiseite geworfenen Eises herauf, das nach achtern treibt und vom wirbelnden Schraubenwasser zermahlen wird. Kapitän Heye, mittelgroß und stämmig, sucht mit dem

Nachtglas die Kriegsseezeichen im Fahrwasser und beobachtet den dunklen Strich der Außendeiche an Backbord. Hinter ihnen lauern die Rohre der Küstenbatterien und dort, wo der Deich beim Seebad Döse nach Südwesten umbiegt, ragt das hohe, schlanke Gerüst der Kugelbake schwarz gegen den etwas helleren Himmel.

„Blinkspruch von ‚PJ'"[1], ruft halbleibs über der Reling des Signaldecks hängend der Signalmaat der Wache. „Flochef[2] an K[3]: ‚FE'[4] Maschinenstörung!"

Kapitän Heye sieht hinauf und hebt die Rechte:

„Aye, verstanden!" „Haben Sie gehört, NO, was der Pufendorf machen ließ?"

Fregattenkapitän v. Pufendorf ist der Chef der 2. Zerstörer-Flottille.

„Jawohl, Herr Kaptän!" sagt Hinze und sieht achteraus, wo ein Zerstörer hinter dem Verband zurückbleibt und offenbar gestoppt hat.

„Hoffentlich kann er bald wieder klarmelden", brummt ärgerlich der Kommandant.

Aber da kommt schon ein weiterer Blinkspruch: Der Flochef hat ‚TR'[5] detachiert um bei ‚FE' zu bleiben.

„Wird nicht allzu schlimm sein", meint Korvettenkapitän Hintze, „sonst hätte er das gemeldet."

Aus dem weiten Wattenmeer taucht an Backbord langsam der niedrige Umriß der Insel Neuwerk auf. Der massige alte Turm ist auszumachen, auf dem vor 650 Jahren, so um 1300, das erste Leuchtfeuer der deutschen Küsten brannte. Eine Gruppe von Gebirgsjägern, die all das Neue und Aufregende einer ersten Seefahrt nicht schlafen läßt, steht auf der langen Laufbrücke, die von den achteren Aufbauten nach vorn führt, am breiten, großen Heizraumlüftungsschacht, dem be-

---

[1]) Rufzeichen für „Paul Jacobi"

[2]) Flottillenchef

[3]) Kommandant

[4]) Rufzeichen für „Friedrich Eckoldt"

[5]) Rufzeichen für „Theodor Riedel"

liebtesten Aufenthaltsort der Seeleute. Warme stickige Luft faucht durch die Ventilatoren, und die Soldaten des Maschinenpersonals, die nach der Arbeit in den tief unter dem Panzerdeck gelegenen Räumen schnell noch etwas von der Oberwelt sehen und einen Klöhnschnack halten wollen, sind dort stets zu finden. Korvettenkapitän Zollenkopf, der aus seiner Kammer kommend über die Laufbrücke nach vorn geht, bleibt einen Augenblick stehen:

„Nanu? Warum mulscht Ihr nicht? Von der Gegend ist nicht viel zu erkennen. Nur der alte Turm auf Neuwerk. Schlaft lieber Vorrat ..."

„Wo geht es denn hin, Herr Kaptän?" fragt ein Maschinenmaat.

„Kriegen Sie noch zu erfahren. In zwei bis drei Stunden sammeln wir. Das kann ich Euch verraten, mehr nicht. Erzählen Sie den Jägern mal, was mit dem Turm los ist, wissen Sie?"

„Altes Leuchtfeuer, Herr Kaptän, mehr weiß ich auch nicht."

„Na, von Störtebecker haben Sie doch wohl 'mal gehört?"

„Doch, Herr Kaptän!"

„Also, der hat hier zuweilen mit seinen Liekedelern gehaust. Dann lagen seine Koggen im Priel, die *‚Sunte Mareiken'*, die *‚Agile'* und wie sie alle hießen. Übrigens gibt der Kommandant morgen, d. h. heute vormittag, sowie der Kriegsmarsch beginnt, unsere Aufgabe bekannt. Hier die Jäger! Wißt Ihr schon ein bißchen Bescheid an Bord? Findet Ihr zurück zu Euren Schlafplätzen? Besser", wendet er sich an den Maschinenmaaten, „Sie bringen sie runter, sonst verlaufen sie sich noch!"

Neuwerk gleitet vorüber, kommt achteraus. Der vierkantige Turm, der zu Zeiten Claus Störtebekers, Godeke Michels und des Magister Wigbold rauhen Gesang der wilden Gesellen, silbernes Lachen blonder Friesenmädchen, Zank, Streit, Schwerterklirren und fröhlichen Zutrunk in seinen von meterdicken Mauern umgebenen Räumen erlebte, schwindet in der Finsternis. Die breitbeinig über niedriges Dünengelände ragende Bake der Vogelschutzinsel Scharhörn, die vor den berüchtigten Sänden warnt, wird eine halbe Stunde später passiert.

Niemand außer der Wache ist an Deck, als der Schwere Kreuzer draußen in See auf südwestlichen Kurs dreht und den

Sammelplatz, das Kriegsfeuerschiff F vor der Jade ansteuert. Gegen 03 Uhr 00 ist der Treffpunkt erreicht. Von nun an läuft die Gruppe II, Drontheim, im Verband mit den Schlachtkreuzern und der Gruppe I, Narvik, unter Führung des Flottenchefs. —

Die beiden Schlachtkreuzer und die zehn Zerstörer dieser Gruppe stehen bereits beim Feuerschiff, als *„Admiral Hipper"* mit ihren restlichen zwei Zerstörern pünktlich von Norden her zum Verband stößt. Auf *„Gneisenau"* sieht der Kommandant seinen NO, Fregattenkapitän Busch, fragend an:

„Was ist denn da los? *‚Hipper‘* soll doch laut Operationsbefehl mit vier Zerstörern kommen? Das sind doch bloß zwo!"

„Einer wird wohl 'ne Panne haben und ein zwoter ist abgeteilt bei ihm zu bleiben. Sie kennen doch den Befehl aus dem ersten Weltkrieg, Herr Kaptän: allein fahrende Boote sollen stets zu zweien fahren!"

Der IO, Kapitän z. S. Schönermark, der das Sammeln der Gruppe beobachtet und die Bemerkung machte, lacht. Aber er hat recht. Die beiden Zerstörer schließen später wieder auf. Von der Admiralsbrücke läßt der Flottenchef, Admiral Lütjens, um 03 Uhr 11 an seinen Verband geben:

„Kriegsmarschzustand zwo, Dampf auf für 25 Seemeilen."

Ein zweiter Befehl folgt um 03 Uhr 57:

„Einsatz Bordflugzeuge heute nicht beabsichtigt, bleiben enttankt."

„Aha", meint der Kommandant der *„Scharnhorst"* als ihm der Spruch gemeldet wird, „wegen der vorgesehenen Luftsicherung. Da werden unsere Bordflieger wieder geneckt, wenn sie nichts zu tun haben und ihre Spiegeleier-Fliegerzulage zum Frühstück serviert bekommen."

Im Osten beginnt um 05 Uhr 10 die Dämmerung heraufzusteigen. Um 05 Uhr 16 ist die Tagmarschformation eingenommen. In breiter Dwarslinie mit je 2000 m Abstand laufen die drei schweren Einheiten nebeneinander, das Flaggschiff *„Gneisenau"* in der Mitte, *„Scharnhorst"* an Backbord und *„Admiral Hipper"* an Steuerbord. Ein starker Schirm von zehn Zerstörern sichert voraus, je ein Zerstörer seitlich und zwei achteraus.

Auf den in der leichten Dünung gemächlich sich wiegenden Booten und auf *„Admiral Hipper"* stehen die Gebirgsjäger dicht gedrängt an Oberdeck. Noch können sie oben bleiben und das ihnen so ungewohnte Bild eines Flottenverbandes auf Kriegsmarsch bestaunen. Man hat ihnen gesagt, daß sie beim Insichtkommen feindlicher Überwasserstreitkräfte oder Flugzeuge schleunigst unter Deck verschwinden müssen. Feldgraue an Bord der Kriegsschiffe würden verraten, daß eine Landungsoperation geplant ist.

Rosarot färbt sich der Himmel. Gelblichgrüne Flächen und Streifen lagern über der Kimm im Osten. Dann verkünden hell wie goldene Speerspitzen durchschießende Lichtstrahlen das Heraufkommen der Sonne. Dicht über der See wechseln die Farben in flamingorote Töne bis der orangefarbene Sonnenball selbst erscheint. Kurz danach zeigt der Himmel wie am Vortage ein zartes, seidiges Blau. Er ist wolkenlos, und die Sicht ist außergewöhnlich gut. Der NO der *„Scharnhorst"*, der die morgendliche Farbenpracht bewundert, nickt befriedigt und wendet sich an den Kommandanten:

„Gefällt mir gut, Herr Kaptän. Spätestens morgen haben wir das, was wir brauchen. Genau wie unser Wetterfrosch, der Bordmeteorologe voraussagte."

„Donnerwetter ja!" erinnert sich Kapitän Hoffmann und zieht einen Zettel aus der Manteltasche. „Er hat mir die Wetterlage 'raufgeschickt. Hatte noch keine Zeit sie zu lesen."

Er glättet das Formular mit dem blauen Gradnetz und den eingetragenen Wetterfronten und liest halblaut den Text:

„Wetterlage vom 7. April — also heute. Sonntag nebenbei, hatt' ich auch vergessen. Das mitteleuropäische Hochdruckgebiet wird von Nordwesten her abgebaut. Das Tiefdrucksystem — Ausdrücke haben die Brüder! — welches vom Nordatlantik bis in das Seegebiet westlich Mittelnorwegen reicht, verlagert sich ostwärts. Vorhersage für die nächsten 24 Stunden: Nordöstliche Nordsee Wind Süd bis Südwest im Süden 3—5, auffrischend, sonst 7—9. Gut, daß wir keine Feldgrauen an Bord haben! Weiter — morgen rechtsdrehend auf West bis Westnordwest. Heiter bis wolkig, von Westen her zunehmende Bewölkung. Regen, später Schauer. Mäßige Sicht — ausgezeichnet! — Temperaturen um 5 Grad, morgens absinkend — weniger schön. Na, nicht zu ändern. See 3—4, zunehmend. Sie haben Recht, Gießler. Na, hinter Hornsriff werden wir sehen. Das ist ja stets die Wetterscheide in der Deutschen Bucht.

Gegen 07 Uhr 00 kommen Flugzeuge in Sicht. Sie nähern sich schnell und feuern Erkennungssignale.

„Unsere Luftsicherung. Eigene Jäger, Me 109," erklärt einer der Bordflieger, der die herankurvenden Maschinen beobachtet. Kapitän Hoffmann, der längere Zeit die Sicherung fahrenden Zerstörer und nun die Flugzeuge nachdenklich im Doppelglas hielt, winkt den NO heran:

„Unsere Sicherung scheint mir nicht so ganz, Gießler. Sehn Sie, die Verteilung der Zerstörer war nicht bekannt. Die hätte man uns mitteilen sollen. Außerdem halte ich es für zweckmäßiger, wenn stets ein Zerstörer in der Peilung zur Sonne steht. Aus der Sonne heraus greifen Flugzeuge, wenn irgend möglich, doch immer an. Ist es nicht so?"

Der Bordflieger nickt:

„Jawohl, Herr Kaptän. Die Maschinen werden dann meistens zu spät entdeckt."

„Na also! Ein Zerstörer in dieser Richtung würde den gefährlichen Sektor gegen angreifende Flugzeuge sichern. Machen Sie doch eine Bemerkung darüber im KTB[1]"

„Jawohl, Herr Kaptän. Ich werde das gleich notieren."

Minen, feindliche Flieger, ein englisches U-Boot. Die Sturmfahrt der Zerstörer.

Vorn in der Sicherung am rechten Flügel hinter *„Hans Lüdemann"* läuft das Führerboot des FdZ[2], *„Wilhelm Heidkamp"*. Eng auf der Brücke zusammengedrängt stehen Kapitän z. S. und Kommodore Bonte und der Kommandeur der Gebirgsjäger, Generalleutnant Dietl mit ihren Stäben. Dazu der Kommandant, Korvettenkapitän Erdmenger, der WO und das Brückenpersonal. Der General und dessen Stab gelten als Gäste. Man verwehrt ihnen daher den Zutritt zur geheiligten Brücke nicht. Im Gegenteil. Es ist gut, wenn die Heeresoffiziere während der langen Kriegsfahrt einen Einblick in das Wesen der ihnen unbekannten Marine und in deren Tätigkeit erhalten.

Mittelgroß ist der Gebirgsjägergeneral. Er hat ein wetterzerfurchtes, braungebranntes Gesicht, aus dem stahlblaue Augen alles Geschehen aufmerksam beobachten. Der breitschul-

---

[1]) Kriegstagebuch

[2]) Führer der Zerstörer

trige FdZ im blauen Wachmantel spielt mit der Lederkappe der Okulare des schweren Doppelglases:

„Dies Sonntagswetter wird nicht lange halten, Herr General. Sie haben ja die Wetterkarte gesehn. Uns kann das wegen der feindlichen Luftaufklärung nur recht sein. Wenn wir heut' nacht die Enge passieren, werden wir bei Neumond voraussichtlich schon schlechteres Wetter haben."

„Aber zu unserem Vorteil, Herr General", mischt sich der kleine, ernste und sehr ruhige Kommandant ein. „Uns könnten die Engländer am leichtesten erwischen, denn wir haben von allen Gruppen den weitesten Weg, rund 1200 Seemeilen. Deshalb ist unser Verband auch aus den schnellsten Einheiten zusammengestellt worden."

Der General, die Wetterkarte noch in der Hand, sieht den Kommandanten aus scharfen Jägeraugen an:

„Scho' recht. Aber welche Enge moanen's denn?"

„Shetland—Bergen", erklärt der Kommodore. „Die engste und damit gefährlichste Stelle. Scapa Flow, ihr Hauptliegeplatz ist nicht allzuweit entfernt. Wenn sie rechtzeitig Wind von unserem Anmarsch bekommen, laufen sie von den Orkneys aus und legen sich vor unseren Kurs. Kommen Sie, Herr General, ich zeige Ihnen die Seekarte."

Sehr zur Erleichterung des Kommandanten, seines WO's und der Wache verschwinden die beiden samt ihren Stäben im Kartenhaus. Das viele Feldgrau auf der Brücke läßt wenig Raum für die Seeposten und Ausgucks.

Ein einsamer roter Felsblock auf graugrüner See unter blauem Frühlingshimmel kommt über die Kimm, Helgoland.

„Die gute olle Schnapsinsel", murmelt beinahe zärtlich der WO, als der Felsen, über dem schneeweiße Wolken in großer Höhe langsam dahinsegeln, näher rückt und wie ein Märchentraum, unerreichbar in der Ferne, passiert wird.

Auf allen Einheiten, auch auf den Zerstörern, sind nun Ziel und Aufgabe von den Kommandanten bekannt gegeben worden. Die Seeleute erklären den Gebirgsjägern bereitwilligst mit Hilfe schnell herbeigeholter Taschenatlanten und den meist in den Messen hängenden Karten die Lage der Häfen, die sie besetzen sollen. Narvik und Drontheim, sowie die ungefähren Kurse, die sie bis zur südnorwegischen Küste steuern müssen. Auf dem Führerzerstörer erscheinen wieder der General und die Offiziere seines Stabes auf der Brücke, gerade als der Ruf des Stabssignalmaaten alle aufhorchen läßt:

„Signal von HL[1]! Voraus treibende Minen!"

Von der Rah der plötzlich hart nach Steuerbord abdrehenden *„Hans Lüdemann"* weht das bunte Minenwarnsignal.

„Hart Steuerbord", befiehlt der WO dem Rudergänger, der gleichmütig auf die Tasten der Ruderanlage drückt.

Treibende Minen? Nichts Besonderes, kommt auf Kriegsmarsch oft genug vor. Von allen Einheiten geheißt, weht jetzt das Signal im Winde aus. Hart Backbord überliegend folgt der FdZ-Zerstörer der Schwenkung seines Vordermannes, des Führerbootes der 3. Zerstörer-Flottille. Die Jägeroffiziere sehen sich ein wenig betroffen an. So ganz gefahrlos scheint das alles trotz der ruhigen See, der Sonne und der heiteren Marinedöntjes, die ihnen die Seeoffiziere erzählen, doch nicht zu sein. Schweigend beobachten sie, wie der hinter ihnen laufende Zerstörer *„Bernd von Arnim"* und danach sogar die *„Gneisenau"* das Manöver mitmachen. An Backbord, hinter den schäumenden Heckseen der abgedrehten Einheiten, erkennen sie nun mit ihren Zeissgläsern drei, vier schwerfällig sich drehende und wälzende große Kugeln mit gefährlich aussehenden langen, dünnen Hörnern.

„Englische Kontaktminen", erklärt der Kommandant den Stabsoffizieren. „Wenn die sich von ihren Verankerungen losreißen, treiben sie mit dem Gezeitenstrom umher. Die Entschärfervorrichtung, die sie nach internationaler Vorschrift haben und die wirksam wird, wenn sie an die Wasseroberfläche kommen, funktioniert leider nicht immer. Nebenbei, Treibminen, wie sie hin und wieder von Zeitungen fälschlicherweise genannt werden, gibt es überhaupt nicht mehr. Sie sind international verboten und überdies für die eigenen wie für die feindlichen Schiffe gleich gefährlich."

„Sehn Sie, Herr General", bemerkt der Kommodore, „jetzt drehn auch *‚Paul Jacobi'*, *‚Hipper'* und *‚Friedrich Eckoldt'* ab. Fast die ganze Mahalla! Aha, PJ[1] und BA[2] machen sie unschädlich."

---

[1]) Rufzeichen für „Hans Lüdemann"

[1]) Rufzeichen für „Paul Jacobi"

[2]) Rufzeichen für „Bernd von Arnim"

Während alle anderen auf den alten Kurs zurückdrehen, nehmen *„Paul Jacobi"* und *„Bernd von Arnim"* die bereits weit achteraus herumschwabbernden Minen unter Feuer ihrer 3,7 und 2 cm. Zwei oder drei gehen mit gewaltigem Donner und riesigem Wasserschwall hoch.

Der Verband steht auf der Höhe von Horns Riff und das bisher strahlend schöne Wetter ändert sich langsam. Im Nordwesten bezieht sich der Himmel zusehends. Die Kimm, bisher klar und scharf, wird wie mit einem breiten Pinsel bleigrau verschmiert und von schiefergrauen Wolken überzogen. Um 11 Uhr 40 gibt der Kommandant dem FdZ einen eben eingelaufenen Funkspruch. Der Kommodore liest und zieht die Augenbrauen zusammen:

„Lassen Sie noch einmal an alle Ausgucks und Geschütze durchgeben, Erdmenger: scharf auf feindliche Flugzeuge achten! Stimmt der angegebene Standort?"

„Genau, ich habe selbst verglichen!"

„Selten bei Fliegermeldungen", knurrt der FdZ. „Allerdings ist es ja auch sehr schwer für sie."

Er tritt zum Kommandeur:

„Herr General, wir sind also bereits gemeldet. Das Marinegruppenkommando West, Generaladmiral Saalwächter, hat dem Flottenchef eine Nachricht gefunkt. Wir hören natürlich alles mit, was durch den Äther kommt. Allerdings haben wir keinen BNO[1] wie die schweren Einheiten, d. h. einen Experten, der auch gekodete feindliche Funksprüche zuweilen entschlüsseln und mit seinem Spezialpersonal den gesamten feindlichen Funkverkehr laufend überwachen kann. Die Mitteilung wurde um 11 Uhr 31 abgehört. Ich lese vor: ‚Feindliches Flugzeug hat gemeldet: ‚09 Uhr 48 Kreuzer, Zerstörer, Flugzeuge'. Sie halten unsere einander ähnlichen Schiffstypen ja nie auseinander, Herr General, und mit den Flugzeugen sind entweder die Me 109 oder die He 111, die wir später als Luftsicherung hatten, gemeint. Der Feindfunkspruch lautet weiter: ‚Kurs 350 Grad auf 55 Grad 30 Minuten Nord, 7 Grad 37 Minuten Ost'. Da standen wir ungefähr querab Horns Riff und Blaavands Huk, einem dänischen Leuchtfeuer. Wir rechnen nun in absehbarer Zeit mit feindlichen Bombern. Und kein Schwanz in unserem ganzen Verband hat diesen Vogel

[1]) Bordnachrichtenoffizier

bemerkt! Aufklärer natürlich, in sehr großer Höhe und bei diesem schönen Wetter."

Er wendet sich an seinen IAsto[1], Korvettenkapitän Heyke:

„Was meinen Sie, wann werden die Bomber hier sein?"

Der verschwindet für ein paar Minuten im Kartenhaus, kehrt zurück und meldet:

"09 Uhr 48 hat der Bursche gefunkt, Herr Kommodore. Sagen wir rund 10 Uhr 00. Jetzt ist es nahezu Mittag. Die Startplätze an der englischen Ostküste kennen wir, die Bombergeschwindigkeiten auch. Sie müßten in etwa einer Stunde erscheinen, wenn wir Kurs und Fahrt nicht ändern. Vorausgesetzt natürlich, daß die angesagte Wetterverschlechterung ihren Start nicht verhindert."

„Das schlechte Wetter kriegen wir jetzt über'n Hals! Ausgezeichnet!" brummt der FdZ. „Der Wind frischt langsam auf, vielleicht ist es weiter westlich so, daß sie nicht starten können."

Dreiviertel Stunden später ist die Sonne hinter hochziehenden Regenwolken verschwunden. Die graugrüne See wird bleifarben und fängt an, kleine Schaumköpfe aufzusetzen. Die Dünung, die vor dem am Morgen gemeldeten Tief herläuft, ist länger geworden. Die Zerstörer beginnen, in der erwachenden See zu arbeiten. Gischt und Spritzwasser fliegen über die Back und das Mitteldeck, die von den Feldgrauen geräumt werden müssen. Zuweilen weht der Schaum bis hinauf zu den Brücken. Schon hängen manche der braven Kärntner und Steiermärker halbleibs über der Reling und opfern.

„Die armen Kerle", meint mitleidig kopfschüttelnd der FdZ, „denen fällt jetzt schon das Essen aus dem Gesicht. Die werden sich wundern, wenn's in ein paar Stunden erst richtig losgeht, und dazu die Enge unter Deck! Himmel, da fällt mir ein, Gerlach! Die Jäger sollen unter Deck verschwinden!"

Korvettenkapitän Gerlach, der IIAsto[2], läßt den Befehl an alle Zerstörer durchgeben.

Der Flottenverband steht mit nordwestlichem Kurs auf der Höhe des Skagerraks südwestlich von Kap Lindesnaes, der Südspitze Norwegens, als wieder ein Funkspruch zur Brücke

---

[1]) I. Admiralstabsoffizier

[2]) II. Admiralstabsoffizier

gebracht wird, den der IAsto den Offizieren des Divisionsstabes der Jäger bekannt gibt:

„Wir tun was wir können, meine Herren! Es wird alles geboten!" Er hebt die Linke und sieht auf seine Armbanduhr. „Vor ein paar Minuten, 12 Uhr 45 genau, haben wir die Meldung eines eigenen Flugzeuges abgehört. Es hat ganz in der Nähe unseres Vormarschkurses ein aufgetaucht fahrendes englisches Minen-U-Boot gesichtet und mit Bombenwürfen unter Wasser gedrückt ..."

„Was? Ein englisches U-Boot?" fragt verwundert ein Jägermajor.

„Sie sagen es. Mit denen besetzen sie ständig Aufklärungsstreifen. Etwa in der Linie Helgoland-Hornsriff-Skagen-Lindesnaes-Utsire. Ich zeige Ihnen das gleich auf der Seekarte. Sie beobachten die Bewegungen unserer Überwasserstreitkräfte und melden sie. Mit U-Booten müssen wir immer rechnen, so wie wir die Nase in die Deutsche Bucht stecken. Den Engländern geht es vor ihren Häfen mit unseren Booten genauso. Das in Klammern!"

„Mein Himmel, Minen, Flieger, U-Boote!" bemerkt der Major kopfschüttelnd. „Ganz schönes Programm!"

„Na, ja, schließlich ist Krieg, nicht wahr? Kommen Sie meine Herren, ich zeige Ihnen alles auf der Karte."

Anderthalb Stunden bleibt es ruhig. Nichts ereignet sich. Dann reißt ein Signal und ein Ruf alles hoch:

„Fliegeralarm! Flugzeuge an Steuerbord!"

„Alle Gebirgstruppen unter Deck!" befiehlt sicherheitshalber noch einmal der Kommandant.

Die Alarmklingeln schrillen ihr kurz-kurz-lang-kurz, den Morsebuchstaben F für Fliegeralarm über die Decks.

„An Steuerbord? Von Osten?" wundert sich der FdZ. Überall drehen und heben sich die Rohre der Fla-Geschütze und Fla-Waffen. Unter der in etwa 3000 m stehenden Wolkendecke erkennen die Männer auf der Brücke und an den Geschützen, im Artilleriestand und hinter den E-Meßgeräten[1] in 2500 m Höhe sich schnell nähernde und größer werdende Punkte.

---

[1]) Entfernungsmeßgerät

„Bristol-Blenheim Maschinen!" erklärt der IIAsto. „Britische Langstreckenbomber, 6 ... 9 ... nein, zwozehn Stück, ein ganzes Geschwader!"

Als erste eröffnen die großen Schiffe mit ihren 10,5 cm Geschützen und sämtlichen Fla-Waffen das Feuer. Gleich danach wird die Feuererlaubnis für die vierzehn Zerstörer gegeben. Mit einem Schlag ist die Hölle los. Orangerote Mündungsblitze fahren aus allen Rohren. Der Pulverqualm klebt mit dem achterlichen Südwest an den Schiffen und hüllt sie teilweise ein. Durch das harte Bellen der Flak und das unausgesetzte Rattern der Maschinenwaffen heulen Sprenggranaten und zischen Leuchtspurgeschosse gegen einen Himmel, der bald von rot und grellgelb aufblitzenden Sprengpunkten und schwarzen Detonationswolken übersät ist. Die Ketten der Bomber stieben, den wie bunten Mäusen hintereinander herjagenden Leuchtspurgeschossen ausweichend, auseinander. Nur eine Kette hält durch und wirft ihre Bomben. Sie sind für die schweren Einheiten bestimmt.

Die Geschützführer, Richtnummern und E-Messer, die das Ziel in ihren Visieren haben, sehen die Bomben wie Streichhölzer aus den geöffneten Bombenschächten fallen. Diejenigen, die mit bloßem Auge oder ihren Doppelgläsern den Angriff verfolgen können, beobachten, wie die Bomben herabsausend größer und größer werden, um schließlich jaulend in die aufschäumende See zu klatschen. Die erste Serie schlägt an Steuerbordseite des Führerbootes der 3. Flottille, *„Paul Jacobi"*, wirkungslos ins Wasser. Drei weitere Serien fallen weiter achteraus. Querab von *„Admiral Hipper"* und *„Friedrich Eckoldt"* stehen ihre Aufschlagsäulen.

Im Funkraum des Flottenflaggschiffes *„Gneisenau"* hören sie die Meldung der Bomber mit. Sie wird vom BNO entschlüsselt und gibt Zusammensetzung und Standort des deutschen Verbandes an. Treffer seien nicht beobachtet worden.

Das gleiche gilt auch für das Abwehrfeuer. Keine Treffer, wie meist, wenn mehrere Einheiten dasselbe Ziel beschießen. Außerdem ist inzwischen die Sicht schlechter geworden.

Vizeadmiral Lütjens nimmt die Meldung entgegen und sieht seinen Chef des Stabes, Konteradmiral Bakenköhler, stirnrunzelnd an. Der in der Marine durch seinen unerschütterlichen Humor bekannte Stabschef zuckt die Achseln:

„Bedauerlich, Herr Admiral. Jetzt sind wir erst wirklich entdeckt, wie die Wilden zu Columbus sagten! Sie werden uns weitere Bomber und die ganze Home-Fleet auf den Hals schicken, falls sie das nicht sowieso schon veranlaßt haben wegen der Meldung der Hudson-Maschine heute vormittag."

Gegen 16 Uhr 00 verschlechtert sich bei weiter auffrischendem Wind die Sicht. Der Südwest, der links herum drehend auf Süd springt, weht nun mit Windstärke 5—6. Strichweiser Regen setzt ein. Die See wird unruhig. Zornig klingt ihr Rauschen den wieder an Oberdeck erschienenen Gebirgsjägern in die Ohren. Aber sie helfen beim Ausguck. Sie suchen mit den scharfen Augen von Gams- und Adlerjägern die Kimm ab, die nun kein gerader Strich mehr ist, sondern eine tanzende, zuckende, mehr und mehr verschwimmende Linie bildet. Die bisher so spielerischen kleinen Schaumköpfe wandeln sich in lange, hintereinander herlaufende Brecher. Der Verband hat bei seinem nordwestlichen Kurs Wind und See von Backbord achtern.

Auf *„Gneisenau"* steigen um 16 Uhr 30 Signale zur Rah, die von allen wiederholt, steif auswehen. Auf dem Führerzerstörer erklärt der FdZ dem General die Bedeutung:

„Der Flottenchef hat Kiellinie für die schweren Einheiten und U-Bootssicherung für die Zerstörer befohlen. Das bedeutet, daß die drei ‚Großen' nicht mehr neben-, sondern hintereinander laufen und wir mit den Zerstörern einen Schirm rings um den Verband zu bilden haben."

„Niederrrr!" ruft im gleichen Augenblick ein Signalgefreiter.

Die beiden Schlachtkreuzer und der Schwere Kreuzer formieren aus der Dwars- die Kiellinie, die Zerstörer preschen mit hoher Fahrt auseinander, nehmen ihre Positionen vor, hinter und seitlich der Kampfgruppe ein und beginnen, ihre Zickzackkurse zu steuern. Der Wind heult, eine schwere Regenbö pladdert herab. Die drei großen Schiffe schlingern mit den langsamen, weit ausholenden Bewegungen der Wale, die sich schwerfällig von einer Seite auf die andere wälzen. Generalleutnant Dietl, der vom Seegang unberührt eine Zigarette aus dem Etui nimmt und sich müht, sie hinter der Brückenreling geduckt anzuzünden, dreht sich um:

„Was machen's denn nacha, wenn's halt nix mehr sehn könn'?"

Kommodore Bonte reicht Feuer und lächelt:

„Ganz einfach, Herr General. Wir passen doppelt scharf an unseren Horchanlagen und der Funkmeß auf. Die Horchanlage funktioniert ausgezeichnet, vor allem in kaltem Wasser. Das haben wir auf den bisherigen Fahrten festgestellt. Sie bleibt dauernd besetzt und meldet jedes Schraubengeräusch auf beträchtliche Entfernung. Und die Funkmeß, sehn sie drüben bei den Großen und bei uns das komische Gerät im Vortop, dies gegitterte Ding, das wir Matratze nennen?"

Der Divisionskommandeur nickt:

„Freili! Dös, wo sich langsam dreht moanen's?"

„Jawohl. Es ist das FuMG, das Funkmeßgerät, in See ebenfalls stets besetzt. Mit ihm wird systematisch die Kimm ringsum, d. h. der Horizont abgesucht. Es zeigt jedes Schiff sobald es darüber hervortritt auch bei vollkommener Unsichtigkeit, Regen, Schneetreiben, Nacht oder Nebel auf einer Scheibe als leuchtenden Punkt an und gibt die Entfernung dazu. Es empfängt elektrische Impulse innerhalb seiner Reichweite, die von der Höhe des Standortes abhängig ist. Übrigens ist diese Geschichte ganz geheim, Gekados sozusagen, geheime Kommandosache."

„Und die Engländer? Haben die ..."

„Soviel wir wissen nur an ihren Küsten. Vielleicht probeweise auf der *‚Nelson'*."

Der Kommodore weiß ebensowenig wie alle anderen, daß die Engländer ihr Radar[1] bereits auf Schweren Kreuzern probeweise fahren. Das Gerät, dessen Vorhandensein an Bord britischer Schiffe erst während der „Bismarck"-Unternehmung 1941 festgestellt wird, hat allerdings um diese Zeit nur eine Reichweite von etwa 12 Seemeilen.

Etwas später wird ein Funkspruch auf die Brücke gebracht. Der Kommandant zeigt ihn dem General:

„Funkaufklärungsmeldung. Vom Gruppenkommando West um 17 Uhr 35 an Flotte, Herr General. Unsere Funkaufklärung meldet, daß die englischen Leichten Kreuzer *‚Arethusa'* und *‚Galatea'* seit 11 Uhr 20 mit mehreren Zerstörern auf die deutschen Einheiten angesetzt sind."

---

[1]) radio detection and ranging

„Merkwürdig, Herr Kommodore", mischt sich der Kommandant ein, „nur diese leichten Streitkräfte, keine schweren Einheiten?"

„Offenbar nicht, falls der Beobachtung kein Funkspruch entgangen ist."

„Hoffentlich stimmt das".

„Anzunehmen, Erdmenger. Unser B-Dienst würde das sicher festgestellt haben."

Eine grobe See läuft jetzt, die in langen Abständen schwere, schäumende Brecher aufwirft. Auf ihren dunklen Rücken legen sich weiße Schaumstreifen in die Windrichtung. Das Rauschen dröhnt ununterbrochen. Während dieser Zeit kann der FdZ dem General die Zuverlässigkeit des FuMG beweisen. Noch während der Abenddämmerung, kurz vor 18 Uhr 00 und noch einmal um 19 Uhr 30, meldet das Gerät fremde Schiffe in 80 bzw. 190 Hektometern, d. h. 8 und 19 km Entfernung.

Von der Flotte wird Nachtmarschformation befohlen. Die Zerstörer scheren aus der Sicherung aus und formieren sich hinter den Großen zu einer langen Doppelkiellinie. Seitenabstand 1000 m. Die beiden an der Spitze laufenden Boote können sehr bald bei der schlechten Sicht und der völlig finsteren Neumondnacht die schweren Einheiten nicht mehr ausmachen. Für die im achterlichen Seegang stark arbeitenden und 30 bis 40 Grad gierenden, d. h. vom Kurs nach Steuerbord oder Backbord abweichenden, Zerstörer wird das Fühlungshalten eine Unmöglichkeit.

Unheimlich schnell ist dieser Seegang aufgekommen. Die Zerstörer rollen so stark, daß zuweilen sogar die Fla-Maschinenwaffenstände mitsamt der Fla-Waffen im Wasser verschwinden und ihre Bedienungmannschaften krachend gegen die Aufbauten geschleudert werden.

Die Ruderverhältnisse der mit 26 Seemeilen laufenden Zerstörer sind ausgesprochen schlecht. Steuern und Kurshalten werden immer schwieriger. Bei der Gewalt der Seen, die das Heck herumwerfen, läuft plötzlich der Spitzenzerstörer der Backbord-Kiellinie, *„Hans Lüdemann"*, nicht weniger als 90 Grad nach Steuerbord aus dem Ruder. Infolgedessen bricht er unmittelbar hinter dem Heck eines der in der Steuerbordkiellinie laufenden Zerstörers durch. Kurz danach rammt der Führerzerstörer, *„Wilhelm Heidkamp"*, um ein Haar aus dem gleichen Grund die *„Anton Schmitt"*. Es geschieht nicht selten, daß die schwere achterliche See ebenso schnell läuft wie die Boote. Die Vorschiffe, die nicht genügend Auftrieb haben, wühlen sich in das Wasser. Hierbei wirkt die Back wie die vorderen Tiefenruder eines U-Bootes und droht den Zerstörer unterschneiden zu lassen. Nur sofortige energische Fahrtverminderung kann dann helfen. Dies in der absoluten Finsternis durchgeführte Manöver birgt andrerseits die Gefahr, daß der Hintermann auf das Heck des vor ihm laufenden Bootes aufrennt.

Kurz vor 23 Uhr 00 bittet der Kommandant den FdZ ins Kartenhaus und reicht ihm einen Funkspruch:

„Lagebeurteilung vom Gruppenkommando West an Flotte, Herr Kommodore. Um 22 Uhr 37 beurteilte das Gruppenkommando die Lage folgendermaßen: der Gegner hat eine nach Norden gerichtete deutsche Unternehmung erkannt und leichte Streitkräfte angesetzt. Von einer englischen Großaktion ist bisher nach wie vor nichts beobachtet worden."

„Wenn das man stimmt, Erdmenger! Scheint mir nicht so ganz. Aber wenn Saalwächter und sein Stab das so beurteilen, immerhin sind da unter anderem Konteradmiral Ciliax, Kapitän z. S. Meyer, Fregattenkapitän Waue, um nur ein paar zu nennen, schön und gut. Warten wir das Weitere ab. Wo stehn wir jetzt?"

„Etwa anderthalb Stunden vor der Shetland-Bergen-Enge, Herr Kommodore."

„Ein tolles Wetter! Woll'n wieder auf die Brücke."

Er öffnet die Kartenhaustür. Automatisch schaltet sich das Licht, das sonst nach draußen scheinen würde, aus. Fast reißt ihm der Sturm die Tür aus der Hand.

Die Fühlung der Zerstörer untereinander bricht dauernd ab. Sie kann nur durch zeitweises Einschalten der Kielwasserlaternen mühsam aufrecht erhalten bzw. vorübergehend wiederhergestellt werden. Schlinger- und Stampfbewegungen schlimmsten Ausmaßes treten auf. Das Steigen und Bocken der langen, schmalen Fahrzeuge, das Hinabtaumeln in die dunklen, schaumgetigerten Wellentäler, dem ein rasches, steiles Hinaufgleiten folgt, ist schlimmer als das, was die Zerstörer auf ihren Nordseefahrten jemals erlebt haben.

Alles geschieht unter dem Brüllen der Brecher und dem unheimlichen Gurgeln der über Vorschiff und Deck schlagenden schweren Seen, unter dem Heulen des Sturms und dem

Klatschen grünlichweiß leuchtenden Seewassers gegen die Aufbauten bis zum Artillerieleitstand hinauf. Pfeilschnelle Böen pfeifen und schrillen in der Takelage. Überschüttet von wehendem Schaum, gepeitscht von harten, fliegenden Gischtsträhnen, die mit ungeheurem Schwung die Offiziere, das Ausgucks-, Steuermanns- und Signalpersonal auf den Brükken trotz Ölzeug und Südwester völlig durchnässen, rollen die Zerstörer durch die grobe See.

Aber die ausgezeichnete Fahrkunst und Seemannschaft der Kommandanten und WO's verhindert Zusammenstöße und Katastrophen.

Nur ganz wenige Gebirgsjäger sind noch an Oberdeck. Auf *„Erich Koellner"* hockt der LJ[1], Kapitänleutnant (Ing) Heye, mit ein paar Kameraden auf dem durchlaufenden Süll des Steuerborddecks beim achteren Torpedovierlingssatz, weil das Oberdeck selbst ständig überspült wird. Urplötzlich rauschen, es ist noch zu Beginn des Unwetters, mit elementarer Gewalt schwere Brecher an Deck. Einer der ersten überschwemmt die ahnungslos Sitzenden mit tonnenschweren Wassermassen, in denen sie atemlos nach Luft schnappend völlig verschwinden. Glücklicherweise erwischt der Leitende irgendeinen Vorsprung an einem der Torpedorohre. Er krallt sich eisern fest, während ihm das kalte Salzwasser über dem Kopf zusammenschlägt und seine Beine angehoben und achteraus geschleudert werden. Als sich die Fluten nach endlos scheinender Zeit verlaufen haben, sieht Heye, daß er zwischen dem achteren Rohrsatz und den Decksaufbauten eingeklemmt ist. Einer der Gebirgsjägeroffiziere ist von der gleichen See gegen eine Relingsstütze geworfen worden. Er erhebt sich mühsam mit einer schweren Kopfwunde. Sie helfen ihm und entdecken neben dem verwundeten Offizier den abgerissenen Ärmel einer Unteroffiziersjacke. Sie gehört dem kurz vor dem Auslaufen an Bord gekommenen Maschinenmaaten Muth, den der Brecher hoffnunglos über Bord fegte.

Die Seen reißen alles mit, was nicht doppelt und dreifach seefest gezurrt ist. Wucht und Gewicht der Wassermassen knicken eiserne Relingstützen und Stahlrohre wie herbsttrokkene Äste. Brecher schlagen einige der BMW-Beiwagenmaschinen über Bord. Kästen mit Heeresmunition arbeiten

---

[1]) Leitender Ingenieur

sich los und gehen polternd außenbords. Wasserbomben werden übers Deck weggefegt, versinken und detonieren, so daß die vorauffahrenden schweren Einheiten annehmen, die Zerstörer seien im Gefecht oder würden von feindlichen U-Booten angegriffen. Auf allen Booten, mit Ausnahme von *„Wilhelm Heidkamp"*, gehen in dieser Nacht Menschen über Bord. Allein die Gruppe I verliert 10 Mann, meist Heeresangehörige, ohne daß Rettungsversuche unternommen werden können.

Verletzte mit Knöchelbrüchen, Schlüsselbeinfrakturen, Armverstauchungen, Beinschäden und Blutergüssen gibt es auf allen Zerstörern. Sie werden von den Ärzten und dem Sanitätspersonal verbunden, mit schmerzstillenden Injektionen versehen und auf die wenigen vorhandenen Kojen verteilt.

Der Wind weht nun mit Stärke 7—8, und der Seegang ist entsprechend. In den Kammern, Wohnräumen und Messen liegen die unglücklichen Feldgrauen und versuchen vergebens gegen die Seekrankheit anzukämpfen, der selbst ein Teil der Zerstörermatrosen zum Opfer fällt. Die Boote schlingern bis zu 50 Grad nach jeder Seite, die helle See überspült die Torpedorohrsätze und jede Bewegung über Oberdeck ist lebensgefährlich. In Ölzeug gehüllt, den triefenden Südwester auf dem Kopf, dicke dunkelblaue Schals mehrfach um den Hals gewunden, versucht die Ablösung durch die rauschend das Oberdeck überschwemmenden Brecher zu ihren Kriegswachstationen zu gelangen. Sie lauern auf das Ablaufen einer See und das Wiederaufrichten des Zerstörers, ehe sie losstürzen, eines der Strecktaue packen, die schon vor dem Losbrechen des Wetters auf beiden Decksseiten gespannt worden sind, und mühsam mit zappelnden Beinen Hand über Hand, von jeder überkommenden See völlig durchnäßt, vorwärtshangeln.

Trotz aller Schwierigkeiten, die Sturm und Seegang verursachen, arbeitet das technische Personal ausgezeichnet. Es gelingt, die vielfach auftretenden Störungen in verhältnismäßig kurzer Zeit zu beseitigen.

So geschieht z. B. auf dem achtern laufenden Zerstörer *„Erich Koellner"*, Fregattenkapitän Schultze-Hinrichs, folgendes.

Plötzlich meldet der Signalmast der Wache: „HK[1] aus Sicht gekommen!"

Schultze-Hinrichs ruft zum Signaldeck hinauf:

„Könnt ihr von da oben das Kielwasser von HK noch ausmachen?"

„Nein, Herr Kaptän!"

Der Kommandant bedient sich jetzt der neuesten Art der Befehlsübermittlung innerhalb eines Verbandes, des Funksprechverkehrs auf Ultrakurzwelle. Allerdings weiß man noch nicht, daß dieser unter gewissen Voraussetzungen erheblich weiter abzuhören ist als man annimmt.

„UK an HK: K an K, bitte Kielwasserlaterne anstellen! Los dafür eh' wir noch weiter sacken!"

Der Spruch wird abgegeben, und sie warten. Endlich, nach einigen Minuten, entdeckt der Kommandant voraus in einiger Entfernung einen schwachen Schein auf der See:

„WO! Sehn Sie die Kielwasserlaterne?"

„Jawohl, Herr Kaptän, hab' sie!"

„Also los, aufdampfen!"

Ein Befehl an den Posten Maschinentelegraf, und der Zerstörer nimmt höhere Fahrt auf, um an den wieder in Sicht gekommenen Vordermann heranzuschließen. Da hüllen von achtern kommend Rauchwolken das ganze Boot ein. Die Maschinenanlage hat eine Störung, und der achterliche Wind treibt den Qualm, der jede Sicht verhüllt, nach vorn. Ein Ruf vom Maschinenleitstand zur Brücke.

„Von Maschine an Kommandant: Rohrreißer im Steuerbord dritten Kessel!"

Es ist nicht der erste Schaden, der auf den Zerstörern während des Vormarsches eintritt und beseitigt wird. Da dringt durch einen der Luftschächte das Seewasser eines Brechers in den achteren Maschinenraum. Kurzschluß in einem der drei elektrischen Kraftwerke ist die Folge. Die elektrische Gesamtleistung fällt um ein Drittel, bis der Schaden behoben ist. Die 2. Dynamomaschine im vorderen Maschinenraum versagt. Diese Störung ist schon schwerwiegender. Die Kommandoelemente, Maschinentelegrafen und die Ruderanlage fallen aus.

„Boot steuert nicht mehr!", ruft oben auf der Brücke der Rudergänger.

---

[1]) Rufzeichen für „Hermann Künne"

„Läuferkette!" schreit der WO durch den Sturm.

Die Befehle für die Maschine müssen von Mann zu Mann durch diese Läuferkette übermittelt werden. Bis sie bei den ständig über Deck waschenden schweren Seen zustande kommt, schlägt der steuerlos gewordene Zerstörer quer zur See. Er schlingert entsetzlich, bevor er mit den Schrauben gesteuert werden kann, was bei dem hohen Seegang, noch dazu von achtern, schwierig genug ist. Erst danach kann die Reparatur ausgeführt werden.

So geht es auf allen Zerstörern. Über das Maschinenpersonal ergießen sich wahre Sturzbäche kalten Seewassers. An den Hilfsmaschinen treten Schäden auf, die umgehend zu beseitigen sind. Bei all dem finden die Füße der angestrengt und mit Anspannung aller Kräfte unter bisher ungewohnten Schwierigkeiten arbeitenden Männer keinen sicheren Halt. Die glitschigen, ölgetränkten und glatten eisernen Flurplatten scheinen im Seegang auf und nieder, hin und her zu tanzen. Die schweißüberströmten, wild umhergeschleuderten Soldaten des technischen Personals beißen die Zähne zusammen und schuften, bis die Störungen beseitigt sind. Kein Wort des Lobes ist hoch genug für das, was sie in diesen Tagen und Nächten leisten.

In der Brückennock der *„Wilhelm Heidkamp"* steht der Kommodore, neben ihm Generalleutnant Dietl. Der Kommandeur ist einer der ganz wenigen Gebirgsjäger, 2000 auf Gruppe I, 1700 auf Gruppe II, die völlig seefest bleiben. Sturm, Regen, Gischt, Nässe, Kälte und der Aufruhr der Elemente ringsum machen diesem stahlharten, drahtigen Gebirgsmann ebenso wenig aus wie die tollen Bewegungen des Zerstörers in dem wütenden Seegang. Aufmerksam beobachtend, für alle Dinge um ihn herum lebhaft interessiert, bleibt er auf der überwaschenen Brücke. Nur selten zieht er sich zu einer kurzen Rast in die ihm zur Verfügung gestellte Brückenkammer des FdZ zurück.

Kurz vor Mitternacht wird ein Funkspruch abgehört und zur Brücke gebracht. Kommodore Bonte winkt dem General auffordernd zu. Beide verlassen die Nock und gehen gleitend, rutschend, sich anklammernd, vorstürzend oder mühsam steigend, je nachdem ob sich das Deck beim übermäßigen Schlingern und Stampfen senkt oder hebt, zum Kartenhaus. Am Kartentisch sich haltend, zieht der FdZ ein durchnäßtes Funkformular aus der Manteltasche. Er glättet es und liest im Schein der starken Gelenklampe, die ihren grellweißen Strahl über die ausgebreitete Seekarte schickt, eine Mitteilung des Marinegruppenkommandos West an Flotte:

„Saalwächter hat dem Flottenchef eben mitgeteilt, daß seit 17 Uhr 00 das englische Funkbild sehr unruhig geworden ist. Mehrere dringende Funksprüche der Admiralität an den C-in-C[1], an Schlachtkreuzer, Kreuzergeschwader und U-Boote gerichtet, sind abgehört worden."

Der Kommodore dreht sich zum Kommandanten um, der gerade das Kartenhaus betritt:

„Sagen Sie mal, Erdmenger, war da nicht irgend eine Meldung von einem unserer U-Boote?"

„Doch, Herr Kommodore. Das Boot meldete, daß ein englischer Schwerer Kreuzer mit zwei Zerstörern hohe Fahrt laufend den Pentland Firth mit Nordostkurs verlassen hätte. Uhrzeit des Auslaufens war nicht angegeben."

Der FdZ wendet sich wieder dem General zu:

„Möglicherweise denken die drüben wirklich, wir wollten zum Atlantik durchbrechen. Nach ihren Fliegermeldungen, die wir abhörten, könnte das sein."

Daß der C-in-C dies tatsächlich annimmt, weiß Kommodore Bonte natürlich nicht. Betreffs der U-Bootsmeldung über den Kreuzer und die zwei Zerstörer kann wegen der fehlenden Zeitangabe auch heute nicht gesagt werden, welche Streitkräfte das Boot eigentlich sichtete. Der Schlachtkreuzer *„Renown"* war mit vier Zerstörern schon am 5. April ausgelaufen, die Home-Fleet selbst erst am Abend des 7. April und die Leichten Kreuzer, die mit mehreren Zerstörern das weiter südlicher gelegene Rosyth am Vormittag des 7. verließen, konnten auch nicht gemeint sein.

Inzwischen hat der Verband die Enge Shetland-Bergen bei völliger Finsternis ohne Zwischenfall glücklich passiert. Die Zerstörer können jedoch die hohe Fahrt von 26 Seemeilen nicht mehr halten. Sie bleiben einzeln oder in Gruppen weit hinter den drei schweren Einheiten zurück.

Als der Stabsobersteuermann den Standort auf der Karte mit feinem Bleistiftstrich auf der Kurslinie einträgt, greift der

---

[1]) Commander in Chief, Flottenchef

FdZ mit dem Stechzirkel die Entfernung nach Scapa Flow ab, nach der General Dietl gefragt hat.

„Ich muß wirklich annehmen, die Engländer glauben, wir brächen zum Atlantik durch!" sagt er nachdenklich. „Anders kann ich mir ihr Verhalten nicht erklären. Die ganze Home-Fleet müßte doch auf die erste Fliegermeldung hin gestern um 11 Uhr 00 vormittags ausgelaufen sein! Wenn sie sich wirklich erst seit gestern nachmittag 17 Uhr 00 rühren, werden sie uns nicht mehr erwischen."

„Wieviel san's denn da heroben überhaupt?"

„Nach den Feindnachrichten, die wir noch vorm Auslaufen erhielten, Herr General, rechnen wir im Bereich der Nordsee und des Nordmeers mit dem Vorhandensein von etwa 5 englischen, vielleicht auch 2 französischen Schlachtschiffen, rund 14 Kreuzern, 1 oder 2 Flugzeugträgern und 6 Zerstörerflottillen. Daß ein französischer Kreuzer im Anmarsch auf Scapa ist, wissen wir. Wo die feindlichen U-Boote sich normalerweise aufzuhalten pflegen, haben Sie ja schon gehört."

Dietl nickt und alle Fältchen in seinem guten, klugen Gesicht verziehen sich zu einem freundlichen Lächeln:

„Scho gut! Bringen's mi bloß hiin! Dös andere mach' i nacha scho!"

Es ist ein Satz, den die Brücke bereits häufiger gehört hat. Der Kommodore und der Stabsobersteuermann, selbst der sonst stets ernste Kommandant lächeln.

„Bestimmt, Herr General", versichert Bonte, „das habe ich heute ja auch schon einmal gesagt!"

Auf *„Diether von Roeder"*, Korvettenkapitän Holtorf, die als letztes Boot in der Backbordkiellinie läuft, stehen sie auf der Brücke und starren in die Dunkelheit, die nur von den Brechern und dem geisterhaft feinen Schein des seit einiger Zeit stark phosphoreszierenden Wassers schwach erhellt wird. Der Vordermann ist in dem Gewoge kaum noch zu erkennen, taucht hier und da schemenhaft auf dem schaumgestreiften Rücken einer See auf und verschwindet wieder, wenn der schmale, lange Schiffskörper in ein Wellental hinabgleitet.

Der große, schlanke und hellblonde Kommandant überlegt. 1000 m ist der Abstand von der Steuerbordreihe, deren Boote oft, nur nebelhaft am Schein des über sie hinwegsprühenden vom Meeresleuchten erhellten Gischts zu ahnen, bedrohlich nahe heranscheren. Der eigene Zerstörer giert wie irrsinnig hin und her. Nur der hervorragende Gefechtsrudergänger kann den Grundkurs einigermaßen halten. Nicht immer gelingt es, wenn das Boot in rasender Fahrt hinabschießt und wieder zu steigen beginnt, schleudert das Heck, wie vom Hieb eines Schmiedehammers getroffen, ausweichend herum. Tief neigt sich die Leeseite ins Wasser, während die Back völlig unterschneidend in der See verschwindet, die in breitem, wuchtigem Schwall wie vom Schneeflug aufgerissen hochschäumt und davonrauscht. Ruckend und zitternd wie ein Vollblut schüttelt sich das Boot, bohrt die Nase in die See und richtet sich langsam wieder auf. Stunden um Stunden dauert dies wahnsinnige Schlingern. Es ist, als ob Riesenfäuste das Fahrzeug mit aller Gewalt vom Kurs wegbrechen und in die Finsternis stoßen wollen.

Die Enge haben sie nun längst passiert und taumeln im freien Seeraum nordwärts. Korvettenkapitän Holtorf, der sich im stillen wundert, wie ein Boot dies aushalten kann, hat seinen Entschluß gefaßt. *„Diether von Roeder"* ist ein wenig schneller als die anderen. Sie steht als letzte in der Backbordreihe, aber die dauernden Rammpositionen, die der Seegang heraufbeschwört, sind zu gefährlich. Nach Backbord ist freier Seeraum. Kurz entschlossen stößt er seinen WO freundschaftlich in die Rippen.

„Woll' n' paar Grad vom Kurs nach der freien See zu abfallen!" schreit er ihm in die Ohren. „Morgen früh, wenn die Sicht besser ist, werden wir den Verband schon wieder in Sicht kriegen und einholen. Klar?"

Der WO zeigt klar, gibt dem Rudergänger den Befehl. Langsam dreht der Zerstörer auf den neuen Kurs. Seeposten, Ausgucks und alle, die auf der Brücke stehen und sofort begriffen haben, sehen grinsend zu ihrem Kommandanten hin. Der Alte ist richtig, denken sie, der handelt auch' mal auf eigene Verantwortung! Die eine Sorge ist der Korvettenkapitän los, aber diese Sturmnacht ist rein wie verhext. Dinge passieren, die sich sonst nie ereignen. Plötzlich leuchten mit dem Überholen des Zerstörers strahlend hell, frech und verräterisch „Drei Weiß", drei weiße Lichter des Nachtsignalapparates am Vormast auf. Wütend dreht sich Holtorf um:

„Schweinerei verdammte! Was ist da los? Seid Ihr wahnsinnig geworden? Ausschalten!"

Unberührt von dem Zustand, den die drei Weiß auf der Brücke und Signaldeck auslösen, schwingt der Zerstörer zurück, die Lichter verlöschen geisterhaft, wie sie aufblitzten.

„Das fehlt uns gerade noch, wie ein Weihnachtsbaum hier herumzuschippern, und die Engländer anzulocken. Meine Herrn!"

Weiter pflügt der Zerstörer. Eiskaltes Wasser flutet rauschend über die Decks. Jetzt wälzt er sich erneut schwerfällig zur anderen Seite: schon leuchten wieder die drei weißen Lampen, als müßte das so sein. Der sonst so vergnügte, gutmütige Korvettenkapitän schäumt:

„Verdammt nochmal! Macht endlich Euern verfluchten Zauberladen aus! So ein Mist!"

Irgendjemand reißt kurzentschlossen das Kabel heraus, die Lichter verlöschen.

„Schluß im Kabel, Herr Kaptän!" brüllt eine Stimme von achtern.

Dann herrscht eine Weile Ruhe auf der Brücke. Nur der Sturm heult, die See rauscht, und die Stimmen des Windes im Takelwerk schrillen und pfeifen, während die Flaggleinen klappern und die See über Deck gurgelt. Schon will der Kommandant beruhigt im Kartenhaus einen Blick auf die Seekarte werfen, als ein Schrei durch die Nacht gellt. Mit einem Ruck fährt Holtorf herum und starrt entsetzt, geblendet auf die Back. Sie steht in Flammen. Hell flackert sekundenlang gelblich grelles Feuer, zuckt hoch, verlöscht. Auf dem Vorschiff ist kein Mensch. Die vorderen Geschütze sind schon seit langem unbesetzt. Bei dem Seegang könnte sich keiner dort halten. Holtorf sieht seinen Ersten Offizier an, der zu einer Meldung auf die Brücke kommt:

„Verstehn Sie das?"

„Keine Ahnung, Herr Kaptän. Ich wundre mich über nichts mehr. Brennendes Öl kann's unmöglich gewesen sein. Elmsfeuer sieht auch ganz anders aus. Und die Brennstoffkanister der Motorräder der 85er[1] habe ich sämtlich mittschiffs auf dem Mitteldeck verstauen lassen."

---

[1]) So nannte die Marine alle Angehörigen des Heeres nach dem vor dem ersten Weltkrieg in Kiel garnisonierenden Infanterie-Regiment Herzog von Holstein (Holsteinisches) Nr. 85.

Der Kommandant nickt:

„Nein, das ist es alles nicht. Komische Sache. Wenn die Engländer das gesehn ... Mein Himmel, da ist's ja schon wieder!"

Noch einmal flammt die Back wie in Feuer getaucht. Der Wellenbrecher ist strahlend hell erleuchtet, mit dem Arbeiten des Zerstörers zucken Lichter und Schatten unruhig über das Vorschiff. Dann ist die unerklärliche Erscheinung beendet.

„Erst die Bomber bei Skagen", knurrt Holtorf, „dann drei Weiß und jetzt die Festbeleuchtung. Wenn die lieben Vettern nicht bald erscheinen, freß' ich 'nen Besen!"

Aber es bleibt bei den beiden Feuererscheinungen, die niemand erklären kann, obwohl die ganze Brücke und das gesamte Signaldeck, Offiziere und Matrosen, sie beobachtet haben.

Weit auseinandergezogen, teilweise abgehängt von der Gruppe der schweren Einheiten, viele Zerstörer nicht mehr in Sicht von Vorder- oder Nebenmann, rollt der Verband nordostwärts. In der Finsternis, weit im Osten donnert eine himmelhohe Brandung gegen die Schären und Felsenriffe der norwegischen Küste, um deren kahle, starr emporragende Berghäupter der Südweststurm die niedrig dahinjagenden Wolken peitscht.

Es ist interessant, wie der Nachfolger des vor Narvik gefallenen Kommodore Bonte, Fregattenkapitän Bey, in seinem KTB über die Zerstörer urteilt: „Beide Zerstörertypen, 34 und 36, haben sich bei dieser Sturmfahrt in gleicher Weise als nicht ausreichend seetüchtig und manöverierfähig erwiesen." Die Beurteilung des späteren Typs Z 34 im operativen Führungshandbuch des OKM lautet: „Anfällig im Schiffsantrieb, Bewaffnung gut, See-Eigenschaften eingeschränkt, sehr rank." Trotzdem haben sich alle Typen im allgemeinen bewährt, beweisen aber einmal mehr, wie wenig die deutschen Konstruktionen für einen Atlantikkrieg d. h. einen Krieg gegen England, gedacht waren.

Operation „Wilfred" läuft an. Der Zerstörer „Glowworm" verliert seinen Verband.

Was geschah nun inzwischen auf englischer Seite tatsächlich? Es ist der 5. April, noch zwei Tage bevor die ersten deutschen Kampfgruppen ihre Häfen verlassen. Schiefergraue Wolken hängen über der öden Felsen- und Hügelwelt der Orkneys. Bleigrau und stumpf breitet sich die weite Reede von Scapa Flow zwischen dem Kreis der großen und kleinen Inseln, die diesen Natur- und Heimathafen der britischen Home-Fleet umgeben und einigermaßen vor den Atlantikstürmen schützen.

Die dunkelgrauen Kriegsschiffe haben im Südteil der Bucht zwischen der großen Insel Hoy und den kleineren Inseln Cava, Farra und Burray vermoort. Das heißt, sie liegen hinter zwei an verschiedenen Stellen ausgebrachten Ankern, von denen der eine bei Ebbe, der andere bei Flut trägt, so daß jede Einheit beim Herumschwojen im starken Gezeitenstrom nur einen Drehkreis beansprucht, der wenig mehr als die Schiffslänge ausmacht.

Der ewige Salzwind von Westen streicht über die baumlosen Heide- und Torfflächen der niedrigen Hügel. Hier und da hocken nahe dem Ufer zusammengedrängt strohgedeckte Hütten und Häuser wie frierende Schafherden. Nur die Westküste von Hoy ragt als meilenweit gezogene hohe Felsmauer senkrecht aus der See. An ihr schäumen die weißen Brecher der breitlaufenden Dünung. Aus dem Wasser ragen die geschützstarrenden Formen der schweren Einheiten der Schlachtschiffe *„Rodney"* und *„Valiant"* sowie die der Schlachtkreuzer *„Renown"* und *„Repulse"*. Weiter entfernt liegen die schlanken Silhouetten der Leichten Kreuzer *„Sheffield" und „Penelope"*. 10 Flottenzerstörer sind wie ein Pack dunkler, grauer Wölfe dicht zusammengedrängt auf ihren Ankerplätzen in der Nebenbucht zwischen Hoy, Fara und Flotta im Südwesten auszumachen. Fischdampfer, Vorpostenfahrzeuge und die Verkehrsboote der Kriegsschiffe kreuzen die Reede.

Auf einem Begleitzerstörer des Schlachtkreuzgeschwaders, der *„Glowworm"*, Kommandant Lieutenant-Commander[1] Gerard Brodmead Roope, wissen sie, daß an diesem Tag die Gruppe „WS" mit ihrem Minenleger und den 8 Zerstörern, die irgendwo in der Bucht vor Anker liegt, auslaufen wird.

Die Offiziere sitzen mit dem Kommandanten nach dem Lunch in der Messe, lesen Zeitungen, blättern in bunten Magazinen und reden über die Minenunternehmung. Der

---

[1]) Kapitänleutnant

Torpedooffizier, Lieutenant[1]) Robert Ramsay, legt die uralte Nummer des „Punch", in der er gelangweilt blätterte, neben die Kaffeetasse und wendet sich an den Kommandanten:

„Glauben Sie, daß wir auch auslaufen, Sir? Haben Sie irgendetwas erfahren? Die Großen haben jedenfalls normale Bereitschaft, ihre Boote ausgesetzt und treffen keinerlei Vorbereitungen, in See zu gehn ..."

„Unwahrscheinlich, daß wir auslaufen, Torps[2]). Würden wir längst wissen. Knobeln wir noch einen aus?"

Da die drei anwesenden Offiziere zustimmend nicken, nimmt der Kommandant den ledernen Würfelbecher, schüttelt ihn und läßt die Würfel auf den Tisch rollen. Sie spielen eine Weile, trinken ihren pink Gin, den mit einem Schuß Angostura vermischten Wacholderschnaps, und sehen erstaunt auf, als der Adjutant die Messe betritt:

„Scheinwerferspruch vom Captain D — dem Destroyer-Flottillenchef — Sir! 18 Uhr seeklar!"

„Aha, also doch! Großartig, endlich mal wieder 'raus aus diesem Loch! Sonst noch 'was?"

„Nein, Sir. *‚Renown'* macht beschleunigt Dampf auf und setzt ihre Boote ein. Die wird uns ja nähere Befehle geben."

„Natürlich. Lassen Sie schon 'mal die Karten 'rauspuhlen. Die von Nordnorwegen meine ich, die anderen sind ja oben. Übersichtskarten, Spezialkarten, den ganzen Zauber, Sie wissen ja. Ich hab' 'ne Ahnung, daß wir da 'rauflaufen!"

„Aye, aye, Sir!" sagt der Leutnant, kippt den vom Kommandanten wegen der willkommenen Meldung gereichten Gin kunstgerecht hinunter und geht hinaus.

Noch vor 18 Uhr verläßt *„Teviot Bank"* mit ihren 8 Zerstörern die Reede. Danach läuft auch *„Renown"* mit 4 Zerstörern aus.

„Haupteingang, Schloßportal!" grinst der Navigationsoffizier den Kommandanten an, als der Verband zwischen den Inseln Flotta und South Ronaldsay, durch den Hoxa-Sund in den wegen seines außergewöhnlich starken Gezeitenstroms, seiner vielen Wirbelbildungen und seines unberechenbar durcheinanderlaufenden Seegangs berüchtigten Pentland Firth zwischen den Orkneys und Schottland läuft.

---

[1]) Oberleutnant

[2]) Als Abkürzung übliche Bezeichnung für den Torpedooffizier

„Wissen Sie, daß hier einmal eine ganze Wikingerflotte vergebens durchzukreuzen versuchte?" fragt der Kommandant.

„Nein, Sir! Ich weiß nur, daß einem einlaufenden Kreuzer im ersten Weltkrieg die halbe Brücke von der See abmontiert wurde!"

„*‚Renown'* gibt Kurs Ost!" meldet der als Signalmeister fungierende älteste Signalgefreite, der Yeoman of signals.

Als der Verband frei von den Pentland Skerries, den Felsinseln am Ostausgang des Pentland Firth, steht und die vier Zerstörer sich mit Zickzackkursen zur U-Bootssicherung um den Schlachtkreuzer verteilt haben, befiehlt Admiral Whitworth Nordostkurs. Der WO auf dem Steuerbord querab des riesigen Schlachtkreuzers stehenden Zerstörers blickt mißbilligend über Himmel und See:

„Ziemlich dunstig, Sir! Riecht nach Nebel, sieht mir nach schlechtem Wetter für morgen aus!"

Der Kommandant streicht mit der Rechten über das schmale, glattrasierte Gesicht:

„Richtig! Der Barograph steuert unentwegt Süd, das Barometer fällt eisern, und der Seegang nimmt auch langsam zu. Sowie wir aus Lee der Orkneys sind, werden wir die Nase wegstecken und rollen. Egal, Hauptsache, wir sind draußen!"

Sie stehen auf der hochliegenden offenen Brückenplattform, die, anders als auf deutschen Zerstörern, mit ihrem Peilkompaß über dem geschlossenen Steuerstand liegt. Hinter der Brücke befinden sich Artillerie und Torpedoleitstand. Kommandant, NO, WO und die Ausguckposten haben bei dem scharfen Wind und der fühlbaren Kälte die Kapuzen der hellbraunen Marinewachmäntel, der Düffel, über den Kopf gezogen und die Hände in den breiten, tiefen Taschen verschwinden lassen. In der Leenock, der vom Wind abgewandten Seite der offenen Brücke, unterhält sich der Erste Offizier mit dem Artillerieleutnant über den Operationsbefehl. Er war mit dem Motorboot des Flottillenzerstörers kurz vor dem Auslaufen an Bord gekommen.

„Diese Minengeschichte!" knurrt der IO nachdenklich. „Die Norweger werden uns kaum stören, aber vielleicht sind die Jerries, die Deutschen unterwegs."

„Die? Das glaub' ich nicht, Sir! Und wenn sie sich wirklich soweit rauswagen, werden sie von unseren U-Booten oder

der RAF[1]) gesichtet und gemeldet. Der C-in-C wird ihnen den Weg abschneiden, egal, wo sie 'rumschippern!"

„Sagen Sie das nicht, junger Mann! U-Boote taugen nicht zum Aufklären, zu niedriger Turm, keine Augenhöhe und keine Sicht. Und die RAF sieht auch nicht alles und wenn, sind ihre angegebenen Standorte meist meilenweit von den wirklichen entfernt. Im vorigen Jahr liefen die Schlachtkreuzer *‚Scharnhorst'* und *‚Gneisenau'* schon einmal unbemerkt durch die Shetlands-Bergen-Enge!"

„Allerdings, Sir! Stimmt. Aber wenn sie jetzt noch in ihren Häfen liegen, können sie nicht mehr rechtzeitig zur Stelle sein, selbst wenn ihre Luftwaffe uns finden sollte."

Schweigend blicken sie hinaus. Der Südwest ist stärker geworden. Dunkle Wolkenmassen haben die Sterne verdeckt. Lange, weißmähnige Wellenreihen rollen mit hellem Rauschen heran und verschwinden nach Nordosten. Ein Storm Petrel, ein kleiner, dunkelbrauner Sturmvogel mit weißem Ring kurz vor den braunen Schwanzfedern, streicht dicht über die Seen hin.

„Sehn Sie? Morgen wird's Bäckerjungs wehn!" meint der Erste und setzt das Doppelglas mit dem er dem Vogel nachsah, wieder ab. „Dieser kleine Sturmwarnungsvogel ist mindestens so zuverlässig wie der schwarze Sturmwarnungsball!"

Während der ereignislos verlaufenden Nacht frischt der Wind immer mehr auf. Der IO hatte Recht. Die See wird gröber. In der Wetterküche des Nordatlantik, zwischen Grönland und Island, irgendwo im Nordwesten braut Unheil. Dort steht breitbeinig der Sturmriese, bläst in sein Muschelhorn und schwingt die Hetzpeitsche über die Rücken der langen Seen. Aber der Wind weht dort, wo der Verband heftig rollend durch die See pflügt, immer noch aus Südwesten. Auf *„Glowworm"*, die derart arbeitet, daß sie auf beiden Seiten Wasser nimmt, werden, wie auf allen Zerstörern, an Oberdeck Strecktaue ausgebracht,

Als die Morgenwache aufzieht, schlägt Lieutenant-Commander Roope, der seit dem Auslaufen ununterbrochen auf der windigen und nassen Brücke ausharrt, dem NO auf die Schulter. Der steht hinter dem kleinen, persenningverkleideten Schutzverschlag an der vorderen Brückenreling und trägt

---

[1]) Royal Air Force

im Schein seiner Taschenlampe mit Zirkel und Dreiecken den letzten Standort auf der Seekarte ein. Sie haben gerade die Shetland passiert und hier, im freien Seeraum, rollt der Zerstörer wie toll und trunken vor der nachlaufenden See.

„Ich hau' mich 'nen Augenblick hin, Pilot![1]) Wenn's noch dicker wird, wahrschauen, ja?"

Der Navigationsoffizier dreht sich um und legt kurz die Hand an den Mützenschirm.

Der Kommandant wirft noch einmal einen Blick auf die See. Über dem Wasser wabern Dunstschleier. Die Sichtigkeit ist in der letzten Stunde noch schlechter geworden. Kaum kann er Backbord querab den hohen, ungewissen Umriß des abgeblendet fahrenden großen Schlachtkreuzers ausmachen. Roope steigt den steilen Niedergang zum Ruderstand hinab. Breitbeinig steht der Rudergänger auf einer Holzgräting hinter Rad und Kompaß. Er wirft dem Mann eine Bemerkung zu und geht in seine im gleichen Deck neben dem Kartenhaus gelegene Brückenkammer, die er in See an Stelle des im Achterschiff liegenden Wohn- und Schlafraums benutzt und von der er im Notfall die Brücke schneller erreichen kann.

Das lange Stehen auf dem schwer rollenden Zerstörer hat ihn müde gemacht. Passieren kann hier in diesem Seeraum vorläufig nicht viel. Aufatmend zieht er den Lederriemen des schweren Nachtglases über den Kopf und hängt es an den Haken der Kammertüre, entledigt sich des nassen Düffels und hängt ihn über das Glas, das mit den Bewegungen des Zerstörers schurrend am Blech der Türe hin und her gleitet. Er läßt sich auf die lederbezogene Koje nieder. Hier, in der warmen Kammer brennt sein Gesicht vom Sprühwasser, das oben jedesmal, wenn die *„Glowworm"* mit dem Vorschiff in die See schlägt, eiskalt, klebrig und salzig über die Brückenreling klatscht. Erleichtert reibt er die rotgeränderten, salzverkrusteten Augen und bewegt die Finger, die trotz pelzgefütterter Handschuhe klamm und steif geworden sind. Mühsam zieht er die langen Gummistiefel von den Beinen, legt sich auf die Seite und versucht zu schlafen. Nach wenigen Minuten pfeift es schrill am Sprachrohr neben dem Kopfende der Koje. Roope fährt hoch, klappt den Deckel des Sprachrohrs auf:

---

[1]) Als Abkürzung übliche Bezeichnung für den Navigationsoffizier

„Kommandant. Was ist los?"

„Brücke an Captain, Sir!" hört er die erregte Stimme des Yeoman of Signals, „Mann über Bord, Steuerbordseite!"

„Um Himmelswillen! Ich komme!"

Mann über Bord bei diesem Seegang, durchzuckt es ihn, als sich der Zerstörer im gleichen Augenblick schwer nach Backbord überlegt. Roope streift die Seestiefel über, klammert sich aufstehend an dem heruntergeklappten Schlingerschutz der Koje fest und reißt Düffel und Nachtglas vom Haken. Das Überliegen des Zerstörers sagt ihm, daß der WO nach Steuerbord abgedreht hat und versucht, den Mann zu retten. Während Wasserglas, Bücher und andere Gegenstände aus ihren Halterungen und Gestellen an Deck poltern, stürzt der Kommandant auf die Brücke. Eiskalter Gischt empfängt ihn, schlägt ihm ins Gesicht. Er reißt das Doppelglas hoch:

„Wo?"

Der TO[1]), der seit Beginn der Morgenwache um 04 Uhr 00 den Zerstörer fährt, reckt den rechten Arm in die Finsternis:

„Drüben, Sir, bei dem Licht, bei der Kalziumfackel!"

Der Zerstörer, der nun im Drehen quer zur See liegt, schlingert derart, daß sich die Männer auf der Brücke mit beiden Händen an die Reling klammern müssen. Sie starren auf das gelbe, grelle Licht der wie irrsinnig tanzenden Nachtrettungsboje. Ein Mann der Bedienung des unteren Heckgeschützes hatte sie geistesgegenwärtig sofort geschlippt, als der Matrose über Bord gewaschen wurde.

„Ich übernehme, Ramsay!" ruft der Kommandant dem WO zu. „Wer war's?"

Der Torpedooffizier nennt den Namen. Erklärt, daß es ein BÜ vom IV. Geschütz ist.

„Der GF[2]) meldete durch Telefon zum Artillerieleitstand, von dort wurde es mir heruntergerufen, und ich ließ sofort wenden . . ."

„Richtig! UK an *'Renown'*: habe Mann über Bord, drehe ab!"

Dies ist eine Angelegenheit, die dem zu dieser Zeit bestimmt schlafenden Admiral gemeldet werden muß. So läßt die Antwort auf den Ultrakurzwellenspruch ein wenig auf sich warten. Aber dann wird von dem mächtigen Schlacht-

---

[1]) Torpedooffizier

[2]) Geschützführer

kreuzer, der jetzt schon Backbord achteraus von der *„Glowworm"* steht, der Entscheid mit der Vartalampe geblinkt:

„Verstanden! Genehmigt!"

Inzwischen ist an Deck des Zerstörers Bewegung entstanden. Der IO, der geweckt worden ist und an Oberdeck erscheint, hält sich am Gestänge des Vierlings-Torpedorohrsatzes auf dem Mitteldeck fest und gibt seine Befehle. Ein Boot auszusetzen ist bei der hohen und sehr groben See unmöglich. So legen Matrosen, irgendwo an Relingsstützen, Jeckstagen und Strecktauen sich haltend, Bootshaken, Rettungsbojen mit Leinen und Tampen klar und werfen das Kletternetz über die Bordwand. Auf der Brücke erklärt der Kommandant dem Rudergänger:

„Wir gehn über den Bug 'ran, falls wir den Mann sehn. So habe ich das Boot besser in der Hand. Verstanden?"

„Aye, aye, Sir!"

Das Vorschiff des Zerstörers, der nun gegen die See andampft, wird von den anrollenden Brechern bis hinauf zu den vorderen Geschützen mit tonnenschwerer Wucht überlaufen. Roope reißt eins der Megafone aus seiner Halterung und ruft die GF's der beiden 12 cm Buggeschütze an:

„Vorschiff räumen! Los, ehe noch ein Mann über Bord geht!"

Die Bedienungen, die solange der Zerstörer vor der See lief hinter ihren Geschützschilden verhältnismäßig gesichert standen, jetzt aber von jedem Brecher völlig durchnäßt werden, eilen achteraus.

„Er hält sich an der Nachtrettungsboje!" gellt die Stimme eines Ausgucks. „Deutlich auszumachen jetzt!"

„Tatsächlich! Dem hat der liebe Gott erheblich den Daumen zwischen den Block gehalten!" meint der Kommandant und tritt zum Sprachrohr:

„Beide Langsam Voraus! Aufdrehn und dann die Boje eben in Lee halten, der Rudergänger!"

Die Befehle werden von unten wiederholt. Maschinentelegrafen klingeln und Roope schafft es, kurz bei der Boje aufdrehend, diese an der dem Wind abgewandten Seite zu halten. So entsteht um sie herum ruhiges Wasser, und außerdem treibt der Zerstörer, der jetzt wieder quer zur See liegt, langsam auf sie zu. Als *„Glowworm"* nahe genug heran ist, läßt der Matrose die Boje fahren, greift in das an der auf und nieder schwingenden Bordwand herabhängende Kletternetz, verschwindet noch einmal völlig im Wasser und taucht wieder auf. Kameradenfäuste packen zu und zerren ihn an Deck. Wie ein Hund sich schüttelnd, steht er da, speit Salzwasser und wird vom Ersten Offizier zum nächsten Niedergang gezogen.

„Hier! Der Messesteward!" ruft der IO. „Nehmen sie ihn wahr, abreiben, Rum, in die Koje mit ihm! Irgendeine Offizierskoje, ist ja ganz egal! Ist der Doc[1]) gewahrschaut?"

„Steht schon hinter Ihnen, Sir!" meldet sich der Schiffsarzt, den der IO übersehen hat. „Ich werde für ihn sorgen. Kommen Sie!"

Der Gerettete hebt die Rechte grüßend an den Kopf, wie englische Seeleute das auch ohne Kopfbedeckung zu tun pflegen.

„Sir! Ich wollte ein Telefonkabel klarieren, die Dinger vertörnen sich doch immer, dabei ..."

„Halten Sie die Klappe, Mann! Will jetzt gar nichts wissen. Los, Doc, ab mit ihm!"

Die Männer nehmen das Kletternetz wieder ein, bergen Leinen, Bojen und Bootshaken. Der Erste hangelt sich am Strecktau nach vorn, zur Meldung beim Kommandanten. Der Zerstörer dreht auf den alten Kurs zurück.

„So", meint der Lieutenant-Commander zum WO, „die *'Glowworm'* gehört wieder Ihnen! Neuer Kurs 60 Grad. Umdrehungen für 25 Meilen! Wir müssen bei dem Manöver ziemlich zurückgeblieben sein, aber mehr dürfen wir bei dem Seegang nicht laufen!"

Die unwahrscheinlicherweise gelungene Rettung des Matrosen wird der Grund, daß der Zerstörer seinen Verband nicht mehr erreicht und ahnungslos seinem Verderben entgegensteuert. Aber das ahnen sie an Bord noch nicht.

Als der Morgen des 6. April unendlich zögernd heraufdämmert, hat sich die Sicht weiter verschlechtert und die Kälte hat zugenommen. Die ständig von Schaumfetzen übersprühte Brücke bietet nicht den geringsten Schutz gegen das Unwetter. Offiziere und Ausgucks können mit frostklammen Händen

---

[1]) Doktor, Arzt

kaum noch ihre Doppelgläser halten. „*Renown*“ und ihre 3 Zerstörer sind nirgends zu sehen. Die Funkanlage kann nicht benutzt werden, da jeder Funkspruch auch dem Gegner den Standort verraten würde.

„Mir ist das unklar!“ erklärt während des Vormittags der NO. „Wir laufen Kurs nach Stadlandet, wo die Minen gedroppt werden sollen. Sie haben das ja der Besatzung bekannt gegeben, Sir. Da muß doch der Verband oder dieser Minenleger mit seinen Zerstörern irgendwo stecken?“

Lieutenant-Commander Roope zuckt die Achseln und wischt sich mit dem Ärmel des Düffels zum hundertsten Male das Salzwasser aus dem Gesicht:

„Versteh' ich auch nicht. Wahrscheinlich hat die ‚*Renown*‘, die alte Lady, ihre Röcke geschürzt und ist mit hoher Fahrt vorausgebraust. Allerdings können ihre Zerstörer auch nicht mehr laufen, als wir jetzt. Vielleicht hat sie aus irgendeinem Grunde Kurs geändert. Wir werden jedenfalls suchen, bis wir sie gefunden haben!“

Sie schweigen. „*Glowworm*“ arbeitet wie die Wagen der Berg- und Talbahnen in den Seebädern Scarborough, Little Pool, Blackpool oder Littlehampton, wo jeder, der mag, auf die billigste Weise seedoll werden kann. Das dauernd die Decks überflutende kalte Seewasser dringt durch alle möglichen undichten Stellen, durch Sprachrohre und Niedergänge ins Innere des Bootes. Im Mannschaftsraum, in Offiziers- und Unteroffiziersmesse schwappt es den Freiwächtern, die dort an mit Schlingerleisten versehenen Backen vor ihrem Mittagessen hocken, um die Knöchel. Von der Decke tropft ununterbrochen das Schweißwasser und läuft wie rostrote Tränen an den Eisenwänden herab. Unter Deck ist es keineswegs mehr gemütlich. Nur die Seefesten stauen schimpfend das zusammengehauene Stew, das einzige, was der Schmutt bei diesem Wetter noch gerade zu kochen fertig brachte.

So vergehen Sonnabend und Sonntag. Tiefhängende Wolken jagen vor dem Sturm, verdecken tagsüber die Sonne, nachts die Sterne. Der NO braucht den Sextanten gar nicht erst aus dem Mahagonikasten zu nehmen. Eine astronomische Schiffsortbestimmung ist unmöglich. Er kann nur mitkoppeln, d. h. die gesteuerten Kurse und die zurückgelegten Distanzen auf der Seekarte eintragen. Mag der Teufel wissen, wohin Stromversetzung und Abdrift durch Wind und Seegang den einsamen Zerstörer vertrieben haben! Am Sonntag abend winkt der Kommandant den in der Steuerbordnock auf einem Sattelsitz hockenden Navigationsoffizier heran. Er hat endgültig genug von dieser verdammten Sucherei!

„Hören Sie, wenn wir weiter mit dieser Braßfahrt hinter unserem Verband hertorkeln, fällt uns der Schlitten noch total auseinander. Wir haben schon genug Seeschäden! Gehn Sie mit der Fahrt auf 10 Meilen herunter. Morgen früh bei Hellwerden können wir wieder hochgehn."

Der NO gibt den Befehl dem WO weiter. Der zeigt erfreut mit der erhobenen Rechten klar und tritt ans Sprachrohr:

„An Maschine: Umdrehungen für 10 Meilen!"

Alle an Bord atmen auf, als das Rollen, das ruckweise Stampfen und Schlingern nachläßt und in weichere, ausgeglichenere Bewegungen übergeht.

Auch in der Nacht vom 7. zum 8. April kommt nichts in Sicht. Trotz schärfsten Ausgucks, Radar hat der Zerstörer noch nicht. Keine Spur von *„Renown"* oder der *„WS"*-Gruppe. Der Morgen des 8. bringt einen fast zum Orkan angewachsenen Sturm, der mit heulenden Böen einherfegt. Die See hat eine grünliche Färbung angenommen. Sie ist mit weißen Reihen überkämmender Brecher durchsteppt. In den langen Wellentälern ziehen weiße Schaumstreifen. Grau, bleifarben jagen die Wolken, als der Kommandant aus seiner Brückenkammer kommend langsam den Niedergang zum Steuerstand heraufsteigend die Brücke betritt. Ramsay meldet als WO Kurs und Fahrt und fügt den nun schon zur Gewohnheit gewordenen Satz hinzu:

„Nichts in Sicht, Sir! Ungefährer Standort 60 bis 65 Meilen Westnordwest von Drontheim."

Lieutenant-Commander Roope nickt und hebt das Glas zum üblichen Rundblick. Kurz darauf macht ein Ausguck die verhängnisvolle Meldung, die den letzten Kampf der *„Glowworm"* einleitet:

„Grün 20[1]) ein Fahrzeug!"

Es ist der deutsche Zerstörer *„Hans Lüdemann"*!

---

[1]) grün = Steuerbordseite, 20 = 20° von recht voraus

Sammeln der Zerstörer. Menschenverluste und Seeschäden. „Zwo Salven waren das!" Der Schwere Kreuzer kommt zu Hilfe. Der Untergang der „Glowworm". Rettung der Schiffbrüchigen.

Um 04 Uhr 00 am Morgen des 8. April rast der Südweststurm mit Stärke 9. Mit hoher Fahrt läuft der deutsche Flottenverband weiter nach Norden. Vier Zerstörer haben durch Schäden, die infolge des Seegangs aufgetreten sind, den Anschluß verloren und stehen z. T. mehr als 20 Seemeilen zurück. Da sie jedoch unbedingt wieder aufschließen müssen, läßt der Flottenchef für das Gros auf 22 Knoten[1]) heruntergehen.

Um diese Zeit erhält die weit achteraus stehende *„Erich Koellner"* von der noch hinter ihr laufenden *„Hermann Künne"* einen UK-Spruch:

„K an K: Verband hat anscheinend auf Nordostkurs gedreht!"

Fregattenkapitän Schultze-Hinrichs geht ins Kartenhaus, wo er einen Blick auf die Seekarte und den gekoppelten Standort wirft. Nach kurzer Prüfung kehrt er auf die Brücke zurück und stellt sich hinter den WO, der mit dem Doppelglas Ausschau nach den anderen Booten hält. Nur *„Hermann Künne"*, die weit achtern rollt, ist auszumachen.

„Wir stehn etwa 20 Seemeilen zurück", erklärt der Kommandant, „Fahrt vermehren! Wir müssen unbedingt Anschluß gewinnen."

EK[2]) vermehrt Fahrt und taumelt durch die grobe See nordostwärts. HK[3]) bleibt zurück und ist bald hinter den schwingenden Rücken der gewaltigen Sturmsee verschwunden. Eine Stunde danach, gegen 05 Uhr 00 morgens setzt die Dämmerung ein. Auf der Brücke schütteln sie verwundert die Köpfe.

„Verrückte Beleuchtung, Herr Kaptän!" meint der WO, „haben Sie so 'was schon gesehn? Sieht aus, als ob wir versehentlich kehrtgemacht hätten! Stockdunkel im Osten und Morgenrothimmel im Westen, die Kimm dort ist auf einmal klar geworden."

---

[1]) Seemeilen pro Stunde

[2]) Rufzeichen für „Erich Koellner"

[3]) Rufzeichen für „Hermann Künne"

„Wahrscheinlich Vorbote eines neuen Sturmtiefs", urteilt der Kommandant. „Die letzte Wettermeldung ..."

„30 Grad an Backbord mehrere Masten!" ruft ein Signalhauptgefreiter.

„Gut! Genaue Peilung — aha! Hab' sie schon!"

Der Kommandant beobachtet wie alle auf der Brücke weiter. Kriegsschiffsmasten zweifellos. Müssen dicke Schiffe sein. Sind die Engländer schon da? Ein schneller Rundblick. Von den eigenen Zerstörern taucht nur zuweilen HK, die aufgeschlossen hat, auf dem Rücken einer See auf.

„Näher 'ran!" befiehlt der Kommandant. „Erstmal sehn, wer das überhaupt ist. Sie werden uns kaum ausmachen können, wir stehn für sie vor dem dunklen Osthimmel. Los, nochmal Fahrt vermehren! Der Rudergänger: die Masten recht voraus halten!"

Mit über 30 Knoten holt EK allmählich auf. Der Kommandant setzt langsam das schwere Doppelglas ab:

„Sind unsere eigenen, na also! Und die anderen Zerstörer kommen auch von überall her in Sicht!"

Weit zerstreut, hin und her geworfen, oft hinter Wellenbergen verschwindend, streben die meisten der restlichen Boote ihren Tagespositionen zu. EK schneidet bei der hohen Fahrtstufe oft derart mit dem Vorschiff unter, daß selbst das hochstehende zweite Geschütz auf der Back von Wassermassen überflutet wird. Sofort muß dann die Fahrt vermindert werden.

Von achtern donnern unablässig Brecher über das ganze Mitteldeck bis hinauf zu den 3,7 cm Flakständen. Die Reling wird fast in ihrer ganzen Länge weggerissen. Ein Motorrad mit Beiwagen bricht los und rumpelt außenbords. Die übrigen werden vom Gewicht und der Wucht der Wassermassen verbeult, verbogen und zerschlagen.

Ein Brecher schleudert einen unglücklichen Maschinengasten so hart gegen die Aufbauten, daß er bewußtlos liegen bleibt. Ungeachtet der Gefahr eilen ein paar Matrosen herbei, nehmen ihn auf und schleppen ihn unter größten Schwierigkeiten bis zum vorderen Turbinenraum. Unmöglich, ihn bei den unberechenbaren Bewegungen des Zerstörers ins Wohndeck zu tragen. Neben einem Knochenbruch hat er schwere äußere Verletzungen und bekommt eine Morphiumspritze.

„Diether von Roeder", die nachts einen westlicheren Kurs einschlug, steht jetzt weit südwestlich des Verbandes. Der Morgen ist hell, klar und wie frisch gewaschen aus der See aufgestiegen, anders als dort, wo EK zur gleichen Zeit stand. Nichts ist in Sicht als die unruhige, dunkle weite Wasserfläche. Mutterseelenallein steuert das Boot mit der bei diesem Seegang möglichen Höchstfahrt den mutmaßlichen Standort der Kampfgruppe an. Endlich tauchen feingetuscht gegen den Himmel Kriegsschiffsmasten auf. Sie wachsen langsam über die Kimm und werden als die Masten von drei, vier, dann sechs Zerstörern erkannt. Der Anschluß ist erreicht.

Korvettenkapitän Holtorf atmet auf. Daß noch drei weitere Boote, darunter *„Erich Giese"* mit zerschlagenem Ölbunker und Wasser im Brennstoff, hinter DR[1]) dreinhinken, weiß er noch nicht. Er ist heilfroh, die anderen wiedergefunden zu haben, gähnt ausgiebig und läßt sich wesentlich erleichtert sein Frühstück auf die Brücke kommen. An die achtere Kante der Reling tretend, blickt er über das Oberdeck und schüttelt den Kopf:

„Sieht ja toll aus heute morgen, der Vogel! Junge, Junge! Und aufklaren können wir die Wulling erst in ruhigerem Wasser."

Auf allen Zerstörern sieht es so aus: Torpedowagen sind aus den Schienen gerissen, Dinghis, kleine Beiboote, in Stücke geschlagen. Material der Gebirgsjäger ist trotz dreifacher Sicherung mit Hanf- und Stahlleinen außenbords gegangen. Überall fehlen Stücke der Reling, die dicken eisernen Stützen sind wie morsche Holzpfähle von der Tonnenlast der Brecher glatt weggebrochen.

Um 08 Uhr 00 steht der Flottenverband nordwestlich von Stadlandet, der vorspringenden Halbinsel, bei der die mittelnorwegische Küste nach Nordosten umbiegt. Abstand etwa 70 Seemeilen. Auf Nordostkurs läuft er nun parallel zur weit hinter der Kimm liegenden unsichtbaren Felsküste. Die bei Tagesanbruch noch klare und sichtige Luft hat sich stellenweise zu diesigem Dunst, strichweise sogar zu leichten Nebelschwaden verdichtet.

Auf der Brücke der *„Admiral Hipper"* stehen Seeposten, Ausgucks und BÜ's mit hochgeschlagenen Mantelkragen, die

---

[1]) Rufzeichen für „Diether von Roeder"

blauen Wollschals über Mund und frostrote Nasen gezogen. Von den vier für den Schweren Kreuzer abgeteilten Zerstörern der Gruppe II ist nichts zu sehen. Sie sind in der Sturmnacht allerdings mehr oder weniger gesammelt zurückgeblieben.

Plötzlich grollt, vom starken achterlichen Wind getragen, undeutlich aber vernehmbar fernes dumpfes Rummeln über das Wasser. Alles horcht auf: wie sich Artilleriefeuer anhört, das wissen sie. Ein-, zweimal, dann ist es wieder still. Nur die See rauscht und der Sturm heult. Der Kommandant tritt an die Achterkante der Brücke und sucht mit dem Glas:

„Geschützfeuer, unverkennbar!"

„Zwo Salven waren das!" bemerkt der AO, Korvettenkapitän Wegener. „Mittleres Kaliber, wahrscheinlich Zerstörergeschütze. Kriegswache Achtung!" wendet er sich an den Haupt-BÜ, der den Befehl durchsagt.

Aus dem Funkraum kommend erscheint der I. FTO[1]) und übergibt dem Kommandanten einen um 08 Uhr 15 abgegebenen Funkspruch des weit zurückstehenden Zerstörers *„Hans Lüdemann"*, Korvettenkapitän Friedrichs, Führerboot der 3. Z-Flottille. Chef Fregattenkapitän Gadow. Das Boot gehört zur Narvikgruppe.

„HL"[2]), sagt der I. FTO, „hat einen Zerstörer unbekannter Nationalität gesichtet, der mit langsamer Fahrt auf Gegenkurs lief, Herr Kaptän. Ein zwoter Funkspruch meldete den Unbekannten kurz darauf als den kanadischen Zerstörer *‚Restigouche'*. Das war alles bis jetzt."

„Und dann hat einer von ihnen oder beide zwo Salven gefeuert", bemerkt Kapitän Heye, „das haben wir gehört. Dieser Engländer oder was er ist, müßte doch, als er HL sichtete, angenommen haben, daß er auf die Sicherung eines Verbandes von uns gestoßen ist! Er wird Fühlung halten."

Der NO, Korvettenkapitän Hintze, stimmt zu:

„Sehr wahrscheinlich, Herr Kaptän. Wird auf Gegenkurs gegangen sein und HL folgen." Er winkt dem Adjutanten, der wie der IO und andere bei „Kriegswache Achtung!" auf die Brücke kommen, zu. „Fragen Sie mal bei der Funkbude an, ob nichts weiter abgehört wurde. Irgend etwas Neues

---

[1]) I. Funkoffizier

[2]) Rufzeichen für „Hans Lüdemann"

müßte doch inzwischen von unseren Nachzüglern oder dem Engländer vorliegen. Ich kann mir diese Stille nicht erklären."

Der Adjutant geht zu einem der Brückentelefone, spricht kurz mit dem Funkraum und hängt den Hörer wieder an den Haken:

„Nichts, Herr Kaptän. Vollkommene Funkstille."

Kapitän Heye steckt die Hände in die Manteltaschen:

„Hmm. Der Zerstörer muß doch zu irgendwelchen englischen Streitkräften gehören. Der schippert doch nicht alleine in dieser Gegend herum! Vermutlich segelt hier irgendwo ein englischer Verband. AO[1])! Lassen Sie doch durchgeben, schärfsten Ausguck nach Norden und Nordosten zu halten, da kam der Vogel wohl her, ja? NO! Bitte das Gleiche für die Ausgucks, Horchraum und FuMG."

Eine halbe Stunde vergeht, ohne daß sich etwas ereignet, und die Spannung, die im ganzen Schiff herrscht, läßt allmählich nach. Die Spitzenzerstörer, die aufkommen, sind nun besser auszumachen, aber es wird noch eine Weile dauern, bis sie den Anschluß erreicht haben. Der Kommandant denkt an den Flochef der 3. Z-Flottille. Er kennt ihn, sieht den drahtigen kleinen und schlanken Kapitän, wie er die Fäuste auf die Reling gestützt, die weiße Mütze verwegen schief über dem rechten Ohr mit blauen Augen den Gegner beobachtet. Sehr gerade, sehr selbstsicher und auch in dieser Lage vergnügt und guter Laune.

„Der Gadow wird sich ärgern", sagt der Kommandant zum NO, „daß er laut Operationsbefehl über das Verhalten gegenüber feindlichen Streitkräften während des Vormarsches, abhauen muß, statt 'ranzugehen, was ihm bestimmt wesentlich mehr liegt!"

Ein Telefon summt. Korvettenkapitän Hintze geht selbst zum Apparat und nimmt den Hörer ab. Der wachhabende II. FTO[2]) ruft an, und der NO gibt den Spruch dem Kommandanten weiter:

„Neue Feindberührung, Herr Kaptän! *'Bernd von Arnim'*, die offenbar auf den gleichen Zerstörer stieß. Ihre Meldungen sind verstümmelt, wurden um 09 Uhr 02 abgehört. Anschei-

---

[1]) Artillerieoffizier

[2]) II. Funkoffizier

nend schießt sich BA[1]) mit dem Engländer herum. Funksprüche werden gleich 'raufgeschickt. Der I. FTO ist wieder unten, bleibt dort, für den Fall, daß weitere FT's einlaufen."

Zugleich rollt erneut Geschützdonner weit aus der Ferne durch das Rauschen der See. Es dröhnt jetzt in längeren Abständen und lebt wieder auf, gerade als die Zuhörer annehmen, das Gefecht sei abgebrochen. Zu sehen ist nichts. Ungeduldig schlägt der Kommandant auf die Reling:

„Zum Teufel! Ich möchte endlich wissen, was da eigentlich gespielt wird! Warum kommen die andern, die da achtern rumschwabbern BA nicht zu Hilfe? Warum veranlaßt der Pufendorf nichts?"

„Herr Kaptän", beschwichtigte der NO, „Pufendorf hat bestimmt alle FT's mitbekommen und wird schon etwas veranlaßt haben."

Um 09 Uhr 22 erhält *„Admiral Hipper"* vom Flottenchef den Befehl, der offenbar schwer bedrängten BA zu Hilfe zu kommen. —

Was ist inzwischen nun eigentlich geschehen?

Was er nicht wissen kann, ist dies: Fregattenkapitän von Pufendorf, dessen Stander auf *„Paul Jacobi"* weht, hat etwas veranlaßt. Auf dem Führerzerstörer sind die verstümmelten Funksprüche von BA auch abgehört worden. Der Flochef läßt daraufhin seine vier Zerstörer auf dem bisherigen Kurs mit Höchstfahrt vorstoßen. Nach kurzer Zeit bekommen sie Mündungsfeuer in Sicht. Unglücklicherweise holt im gleichen Augenblick PJ[2]) in dem schweren Seegang mit 55 Grad über. Fünf Mann werden über Bord gespült und sind sofort im Gewühl der hohen Seen verschwunden. An Rettungsversuche ist nicht zu denken, da durch den starken Wassereinbruch einige Kessel und damit die Backbordturbine ausfallen. Der Zerstörer verliert sofort Fahrt, kann auch gar nicht schneller laufen, wenn er den Schaden beheben will. Die Führung geht an *„Friedrich Eckholdt"*, Fregattenkapitän Schemmel, über. Es gelingt der 2. Flottille nicht mehr, in das Gefecht einzugreifen.

HL bekommt gegen 08 Uhr 00 morgens ein Fahrzeug in Sicht, das man beim Näherkommen als einen auf Gegenkurs liegenden Zerstörer anspricht. Langgezogener Rumpf, schräge

---

[1]) Rufzeichen für „Bernd von Arnim"

[2]) Rufzeichen für „Paul Jacobi"

Masten, zwei schräge Schornsteine und auffallend hoher Brükkenaufbau. Der Fremde läuft mit geringer Fahrt. Der Flochef, der den gegen die haushohe See andampfenden Zerstörer beobachtet, setzt das Doppelglas ab:

„Kanadischer Zerstörer *‚Restigouche'* würde ich sagen."

Der Kommandant stimmt ohne weiteres zu. Wenn der Flochef das annimmt, wird's schon richtig sein, denkt er. Ich hab' die Silhouetten des „Weyer" nicht so im Kopf und dieses Taschenbuch der Kriegsflotten hier auf der klatschnassen Brücke aufzuschlagen ist unmöglich. Ins Kartenhaus kann ich jetzt nicht, hier kann jeden Augenblick der Deubel los sein! Aha, da ist der Flochef wieder! Was sagt er?

„Erstmal weg hier, eh' der uns erkennt. Los, abhaun Friedrichs! Neuer Kurs Nordwest!"

Der Zerstörer dreht an und gleichzeitig blinzelt drüben von der hohen Brücke langsam und deutlich der Spruch eines Signalscheinwerfers:

„W-h-a-t n-a-m-e?"

Gadow grinst und ruft dem Signalmaaten der Wache die für solche Fälle vorgesehene Antwort hinauf:

„Geben Sie 'rüber, Svenska, mit v, verstehen Sie? Svenska destroyer Goeteborg. Verstanden?"

„Jawohl, Herr Kaptän!"

Diese Antwort wird ebenfalls schön langsam hinübergeklappert. HL braust mit Höchstfahrt davon, und der Flochef läßt seinen ersten Funkspruch senden. „Zerstörer hat gefeuert!" rufen mehrere gleichzeitig.

„Seh' ich, seh' ich! Also Engländer", meint gelassen Fregattenkapitän Gadow.

Die Aufgabe ist Narvik, nicht sich mit anderen Zerstörern herumzuschlagen. Der Fremde hat mit seinen zwei achteren 12 cm Geschützen auf 80 Hektometer Entfernung geschossen. Die beiden Salven liegen kurz, d. h. hinter dem Heck der HL. Dann ist er in der groben See nicht mehr auszumachen.

„Bernd von Arnim", Korvettenkapitän Rechel, hat Dreiviertelstunden später 60 bis 70 Seemeilen nordwestlich des Ramsoefjords bei Drontheim, Steuerbord voraus, den gleichen Zerstörer in 70 Hektometer Entfernung in Sicht. Der Engländer läuft jetzt hohe Fahrt und steuert Gegenkurs. Von seiner Brücke blitzt ein unbekanntes Erkennungssignal, das der

deutsche Kommandant um 09 Uhr 02 mit dem Befehl „Feuererlaubnis!" beantwortet.

Der bei seiner hohen Fahrt schnell achteraus gekommene Fremde dreht auf Parallelkurs und erwidert das Feuer. Ein laufendes Gefecht an Backbord beginnt. Rechel versucht mit kleinen Kursänderungen seine Batterie von 5—12,7 cm Geschützen zum Tragen zu bringen. Er will aus dem gleichen Grunde wie HL seinen Gegner abschütteln, läßt daher 29 Seemeilen laufen und setzt einen entsprechenden Funkspruch ab. Er merkt aber sehr bald, daß der Engländer über ausgezeichnete See-Eigenschaften verfügt und diese hohe Fahrt mühelos mithält.

„Nebeln!" ruft Rechel. „So werden wir ihn nicht los, 33 Seemeilen!"

Kaum ist die Fahrt aufgenommen, als das Vorschiff unterschneidet, zwei Mann über Bord gerissen werden und schwere Seeschäden entstehen. Rechel muß wieder auf 27 Seemeilen herunter, während seine drei achteren Geschütze den Gegner unter Feuer halten. Das Gefecht wird von dem weit voraus stehenden Flochef auf HL beobachtet. Ihm ist bei der Entfernung jedoch nicht klar, daß BA ihren Gegner einfach nicht abschütteln kann. Erregt wendet er sich an seinen Kommandanten:

„Sehn Sie sich das an, Friedrichs! Der Rechel kennt doch den Operationsbefehl: Verbot von Kampfhandlungen usw . . ." Er unterbricht sich und sieht achteraus, wo deutlich das Mündungsfeuer der Salven beider Zerstörer und die Aufschläge im Kielwasser von BA zu erkennen sind.

„UK-Posten! An BA! Fch[1]) an K: ‚Denken Sie an Ihre Hauptaufgabe'!"

Bei richtiger Erkenntnis der Lage wäre Fregattenkapitän Gadow zweifellos der immer weiter zurückfallenden BA zu Hilfe gekommen. Diese Hilfe bringt nun auf Befehl des Flottenchefs *„Admiral Hipper"*.

Der Schwere Kreuzer geht nach Empfang des Befehls der Flotte, hart nach Steuerbord abdrehend, auf Gegenkurs. Durch alle Decks gellt der gleichzeitig gegebene Alarm. Die Besatzung stürzt auf ihre Klarschiffstationen. Korvettenkapitän

---

[1]) Flottillenchef

Wegener, der AO, reißt die Brückenschottür zum Inneren des Gefechtsmastes auf, eilt hinauf und betritt den Vormarsstand.

Es weht jetzt mit Stärke 9, in Böen 10. Kapitän Heye merkt bald, daß selbst der seetüchtige Kreuzer bei dem ungewöhnlich starken Seegang die hohe Fahrt nicht halten kann. Er stampft auf dem neuen Kurs direkt gegen die See, und wenn der Bug in die tiefen Wellentäler einhaut, begräbt sie das ganze lange Vorschiff. Wellenbrecher und der vordere Turm „Anna" bilden kein Hindernis und werden überflutet. Seewasser, Gischt und Schaum fliegen abfedernd über beide 20,3 cm Türme und die Brückenreling bis zur Decke des gepanzerten Kommandostandes. Das schwere Schiff stampft sich fest, so daß der Kommandant nach kurzem Versuch auf eine mittlere Fahrtstufe heruntergehen muß.

Meile um Meile nähert sich *„Admiral Hipper"* dem Kampfplatz. Der Lärm des Geschützfeuers wird immer deutlicher hörbar. Nach etwa einer halben Stunde meldet der Vormarsleitstand:

„Steuerbord voraus Mündungsfeuer!"

Kurz darauf sichtet ein Brückenausguck, danach auch Kommandant und NO, die beiden kämpfenden Zerstörer. Korvettenkapitän Hintze sieht als Führer des KTB gewohnheitsgemäß auf seine Armbanduhr. Es ist 09 Uhr 50.

Der AO, der laufend die gemittelten Entfernungen der E-Messer an die Geschütze gibt, läßt laden. Aber in dem Dunst der über der See liegt, in Abschußqualm und Schornsteinrauch, ist selbst mit der scharfen Optik des Zielgebers noch nicht auszumachen, welcher von den beiden in der See taumelnden Boote eigentlich der Engländer ist. Der Kommandant kann die Feuererlaubnis nicht geben, obwohl er BA zu erkennen glaubt. Das Verhalten beider Zerstörer ist so merkwürdig, daß Kapitän Heye laut und zornig schimpft:

„Was zum Teufel soll das eigentlich? BA fordert dauernd Erkennungssignal an! Nicht beachten!" ruft er zur Signalbrücke hinauf. „Keine Zeit für den Unsinn jetzt! Die kennt uns doch! Großer Himmel, die feuert ja auf uns! Und der andere dreht auf uns los, verdammt noch mal!"

Der Schuß liegt glücklicherweise kurz. Und der mutmaßliche Engländer fängt im Anlaufen zu morsen an!

„Zerstörer fragt ‚What name'!" ruft der Signalmaat der Wache.

Kapitän Heye hebt die Rechte:

„Aye! Das ist der Tommy, Mensch! Feuererlaubnis!"

„BA fordert immer noch Erkennungssignal!"

„Nicht beantworten! Die wird schon merken, wenn ..."

Betäubender Donner unterbricht ihn. Die beiden vorderen Türme haben auf 84 Hektometer Entfernung das Feuer eröffnet. Es ist 09 Uhr 57.

Vor und hinter dem mit hoher Fahrt hart nach Backbord abdrehenden Gegner, es ist, wie sich jetzt herausstellt *„Glowworm"*, brechen die hohen Aufschlagsäulen der ersten Salve aus der See. Der Engländer schießt, nebelt sich sofort wirkungsvoll ein und qualmt schwarz. *„Glowworm"* wird ausgezeichnet geführt. Sie ändert dauernd Kurs, taucht plötzlich aus dem Rauch auf, feuert und verschwindet wieder. Obwohl sie nun ziemlich nah heransteht, trifft sie nicht. Bei diesem Seegang ist ein Zerstörer mit seinen ruckweisen, harten Bewegungen keine günstige Plattform für Artilleriegefechte.

Alles entwickelt sich nun sehr schnell: Noch ehe die zweite Salve drüben einschlägt, taucht der Engländer erneut aus dem Qualm auf und Kapitän Heye beobachtet, wie zwei Matrosen am vorderen Rohrsatz hinter dem zweiten Schornstein arbeiten und ihn offenbar zum Torpedoschuß klarmachen. Zwei Stahlfische verlassen den Vierersatz und springen ins Wasser.

„Gegner hat zwo Torpedos losgemacht!" schreit irgend jemand aus dem Kommandostand.

Kapitän Heye steht, wie die meisten Kommandanten im Gefecht, auf der Brücke. Im gepanzerten Stand fühlt er sich beengt. Es ist etwas anderes bei freier Sicht mit einem Blick die Gefechtslage erfassen zu können, als hinter dem Sehrohr zu beobachten.

„Aye! Schon gesehn!" bestätigt er. „Wir haben den Engländer recht voraus und können die Aale jederzeit gut ausmanövrieren."

Vorausgesetzt, denkt der NO im Stand, der Kreuzer dreht bei dieser See schnell genug an. Aber er sagt nichts. Nur läßt er durchgeben:

„Gut auf Laufbahnen achten!"

„Recht voraus Laufbahn in Sicht!" wird vom Fla-Einsatzstand auf der Vormarsgalerie gemeldet.

Der Kommandant hat sie bereits gesehen: sie führt direkt auf den Bug zu:

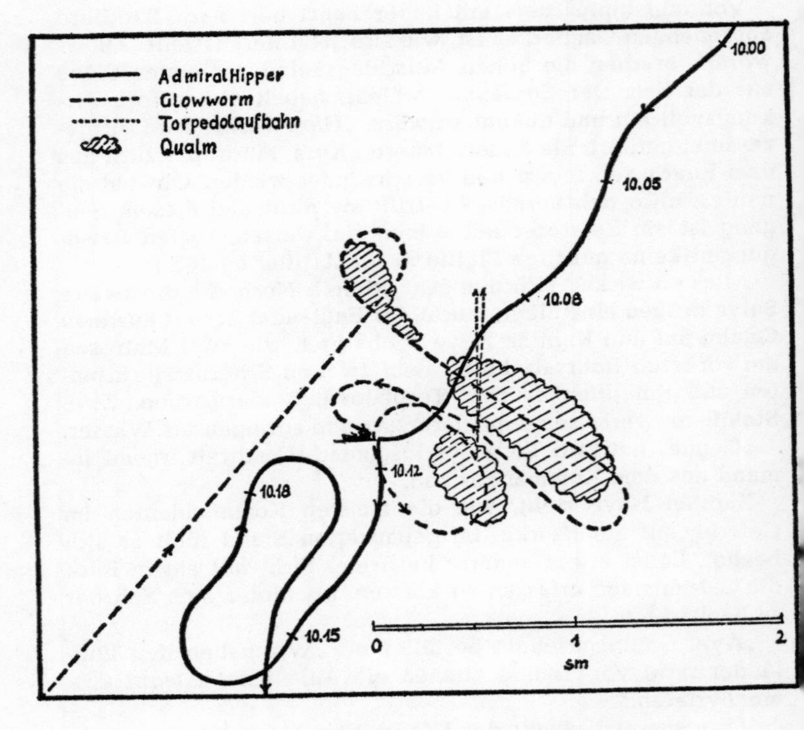

Das „Glowworm"-Gefecht am 8. 4. 1940

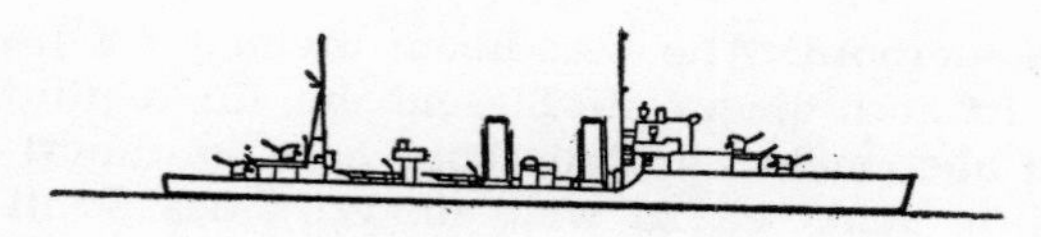

Brit. Zerst. Glowworm (35)
4—12; 10TR—53,3 1335 t; 35,5 kn; 98, 10,0, 2,6 m

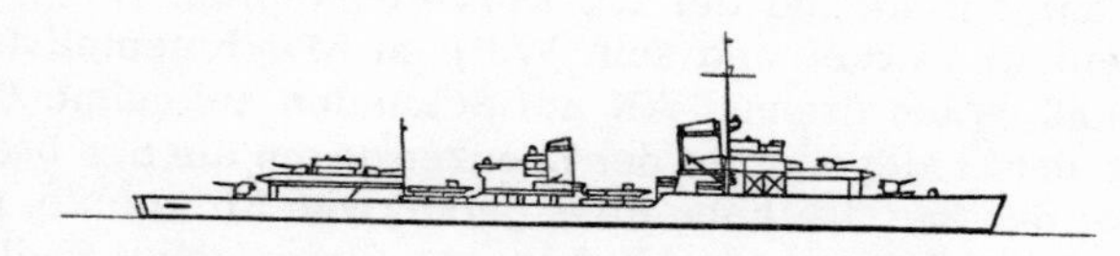

Dtsch. Zerst. Bernd v. Arnim (36)
5—12,7; 4—3,7; 8TR—53,3; 2270 t; 38,0 kn; 116, 11,3, 3,8 m

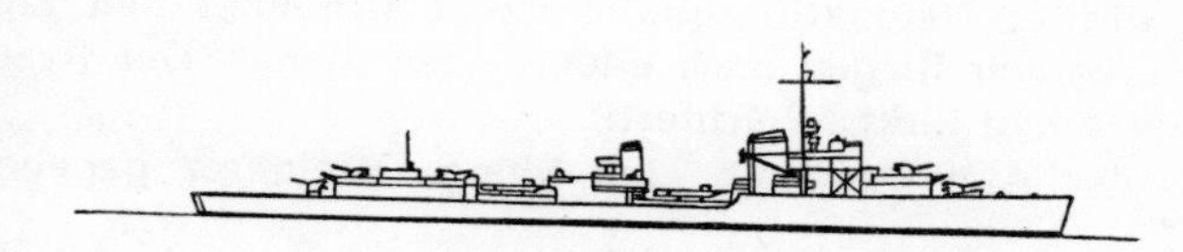

Dtsch. Zerst. Hans Lüdemann (37)
5—12,7; 6—3,7; 8TR—53,3; 2411 t; 38,0 kn; 120, 11,8, 3,8 m

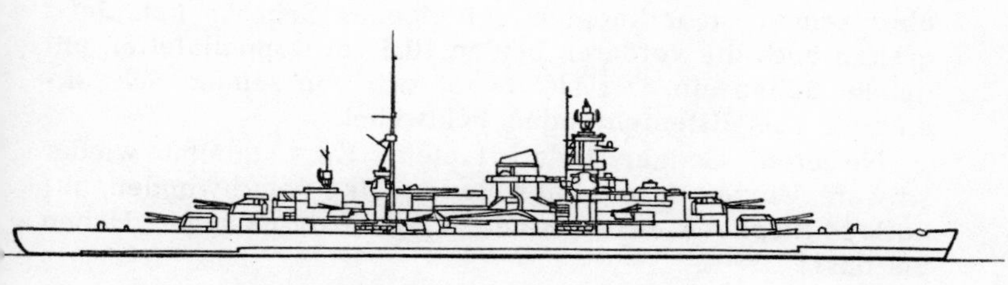

Dtsch. Schw.-Krz. Admiral Hipper (37)
8—20,3; 12—10,5; 12—3,7; 12TR—53,3; 3 Flgz.; 13 900 t; 32,5 kn; 195, 21,3, 7,7 m.

„Hart Steuerbord! Alle Maschinen dreimal AK[1]) voraus!"

Und da ist auch die zweite Blasenbahn, die deutlich neben der ersten aber mehr an Steuerbord herangeschnürt kommt. Ungefährlich, denkt er, zu weit ab. Wird das Schiff schnell genug andrehen? Werden die Turbinen schnell genug hochgefahren? Er weiß, bei diesem außergewöhnlichen, nur in Gefahrenmomenten gegebenen Kommando haben unten in den Maschinenräumen die Fahrmaate die großen Räder, die den Dampfeintritt zu den Turbinen regeln, so schnell wie möglich aufgedreht und der LJ, Korvettenkapitän (Ing.), Diplomingenieur Fischer und sein WJ[2]) im Maschinenleitstand wissen, daß es bei dreimal AK auf Sekunden ankommt. Gott sei Dank, denkt Heye, dreht der Kreuzer gegen die See besser an als vor der See. Ich habe alles getan, was ich konnte, nun muß der liebe Gott 'mal 'n bißchen ans Ruder gehn. Endlich! Der Bug dreht langsam, dann schneller werdend. Der erste Torpedo passiert haarscharf an Backbord, der zweite läuft unschädlich an Steuerbord ins Weite.

Zur gleichen Zeit schlägt die zweite Turmsalve mit einem Doppeltreffer auf der Brücke der *„Glowworm"* ein. Flammen lodern, dichter Detonationsqualm wölbt sich über den Zerstörer, Trümmer fliegen nach allen Seiten umher. Der Kreuzerkommandant nickt erleichtert:

„Gut, der AO! Das muß eine Menge Kleinholz gegeben haben!"

Er geht zur ein wenig geöffneten Panzertür des Kommandostandes:

„Zerstörer immer recht voraus halten!"

Der NO, der inzwischen seinen Platz im Stand eingenommen hat, gibt den Befehl an den Rudergänger weiter, der über seinen Steuerknöpfen ein eigenes Sehrohr hat. Jetzt greifen auch die vorderen beiden 10,5 cm Doppellafetten mit hellem Bellen ein. Der NO beugt sich von seinem Sehrohreinblick zum listenführenden Feldwebel:

„Notieren! Gegner ändert laufend Kurs, qualmt wieder schwarz. Uhrzeit dazu! Hinter Rauchwolke verschwunden, nur noch Mastspitzen auszumachen ... jetzt nichts mehr. Haben Sie das?"

---

[1]) Äußerste Kraft

[2]) Wachingenieur

„Jawohl, Herr Kaptän."

Der Engländer hat bestimmt noch Torpedos. Mindestens im achteren Rohrsatz, wahrscheinlich noch zwei im vorderen, überlegt der Kommandant. Worauf soll er die vorher verschossen haben? Wenn der Bursche, geschickt geführt wie er ist, plötzlich aus dem Rauch vorstößt und die Aale losmacht ... nicht auszudenken!

„Hier! WO: 'rein in den Rauch!"

Halb wendet sich Kapitän Heye an seinen BÜ, der mit dem Kabel seines Kopftelefons in der Hand treulich neben ihm auf der freien Brücke steht:

„Muß allerhand abbekommen haben!" sagt er, mehr für sich als zu dem Matrosengefreiten. „War immerhin großartig, wie er mit seinen 12 cm gegen uns anging! Irgendwo muß er ja in diesem biestigen Qualm stecken ..." —

Was sich während des Gefechts auf *„Glowworm"* ereignet, ist aus den Aussagen der Überlebenden und anderen englischen Berichten einigermaßen bekannt.

Das lange Gefecht mit *„Bernd von Arnim"* war beiderseits ergebnislos verlaufen. Die See hatte zwei Matrosen des Engländers über Bord gespült, denen keine Hilfe gebracht werden konnte, als sie winkend in ihren Schwimmwesten von Wellenkämmen überschäumt achteraus trieben. *„Glowworm"* versuchte den alten Trick, auf die Aufschläge der 12,7 cm der BA zuzudrehen, um der nächsten Salve auszuweichen. Bei dem starken Überholen brach ihr NO, gegen den Kartentisch geschleudert, den rechten Arm.

„Runter zum Doc!" befahl der Kommandant, aber der NO wollte im Gefecht seinen Platz nicht verlassen und blieb oben.

Als *„Admiral Hipper"* erschien, hatten sie geglaubt, einen englischen Kreuzer vor sich zu haben, waren ebenso wie BA darauf zugelaufen und hatten ihre Frage hinübergeblinkt. Und dann schlug als Antwort die erste Salve bei ihnen ein.

„Jerry! — Deutscher!" schreit Lieutenant Ramsay, der TO seinem Kommandanten zu. „Schwere Türme!"

Lieutenant-Commander Roope stürzt zum Sprachrohr:

„An Maschine: schwarzqualmen! Full speed ahead — AK voraus!"

Und zum Artilleriestand hinauf:

„Frage Entfernung? Feuererlaubnis!"

„50 Hundert!" meldet der Artillerieleutnant.

Die Messung stimmt nicht. *„Glowworm"* steht um diese Zeit 84 Hundert ab, wie die auf diese Entfernung deckende Salve der *„Admiral Hipper"* beweist.

Die Zerstörergeschütze feuern, aber ihre Aufschläge liegen kurz.

„Hart Backbord! Stand by all tubes! — Klar bei Torpedos!"

Der Kommandant ist sich bewußt, daß er mit seinen tapfer feuernden 12 cm Geschützen nicht gegen die schwere Artillerie des Kreuzers anfechten kann. Hier haben nur die 10 53,3 cm Torpedos Aussicht auf Erfolg. Von ihnen werden zwei abgeschossen. Zur gleichen Zeit schlagen aus Rohren der beiden vorderen Türme des Schweren Kreuzers zum zweiten Male meterlange orangerote Feuerstrahlen. *„Glowworm"* dreht an. Künstlicher dunkler, stinkender Ölqualm wälzt sich aus beiden Schornsteinen und wird vom Sturm in drehenden, wirbelnden Wolken über die See getrieben. Ohrenbetäubendes Krachen, zuckende Flammen, umherfliegende Trümmer und sirrende, kreischende Sprengstücke und Splitter. Die zweite Salve donnert in den hohen Brückenaufbau.

Ein glühendheißes Sprengstück reißt dem NO die Wange auf. Er preßt ein Taschentuch über den blutenden Riß. Ein Sublieutenant fällt.

„Torpedos laufen!" meldet Ramsay durch den Tumult dem Kommandanten.

Auf dem Artillerieleitstand ist die Feuerleitanlage zerschlagen. Die Telefonkabel zu den Geschützen sind zerfetzt ausgefallen. Jede Verbindung ist unterbrochen. Die Batterie feuert selbständig weiter, zwei Backgeschütze, zwei achtern. Sie schießen sowie die Geschützführer beim Schlingern ihr Ziel in den Visieren haben, ohne sich um den Aufruhr ringsum zu kümmern. Denn jetzt heulen neben den großkalibrigen Granaten auch die 10,5 cm des Kreuzers heran, peitschen ringsum die See hoch, schlagen an Deck ein und hämmern auf Aufbauten und Waffen. Sie reißen Feuerfunken aus Stahl und Eisen, zersieben die Bordwände und rasieren die Relingsstützen weg. Mitten in die Bedienung des III. Geschützes fährt ein Geschoß, fegt sie auseinander wie Spreu und zerstört das Kanon. In den schon getroffenen Artillerieleitstand haut ein zweiter Treffer. E-Messer und der Maat am Zielgeber fallen. Die komplizierten Apparate sind nun ein einziger schwelender Trümmerhaufen und die Artilleriemechaniker, die heraufeilen, die Schäden zu beseitigen, müssen es aufgeben. Sie finden nur zerfetzte Bleche, glühende Armaturbretter, heruntergerissene Telefone und verbogene Sprachrohre.

Von einer heranjaulenden Granate getroffen, die über den Zerstörer hinwegpoltert, fällt die Steuerbordsignalrah auf die Verbindungsdrähte zwischen dem vorderen Schornstein und der Sirene. Schauerlich klagend, ununterbrochen heulend wie ein schwerverwundetes Tier brüllt und warnt sie. Niemand bringt sie zum Schweigen, es ist Wichtigeres zu tun.

Im Schmettern der Einschläge, im zornigen Bellen der eigenen Geschütze, in gierig leckenden Flammen und atemberaubendem Rauch stehen diejenigen, die noch nicht gefallen oder schwerverwundet sind, an den restlichen drei Geschützen, feuern, mannen Munition, laden, feuern. Auf der Brücke fällt der Erste Offizier, den schon zweimal verwundeten NO zerreißen Sprengstücke. Der Luftdruck einer 20,3 cm Granate wirft den Yeoman of Signals über Bord. Aus mehreren Splitterwunden blutend halten sich nur noch der Kommandant und der TO auf der halbzertrümmerten Brückenplattform. Vorübergehend verstummt das Feuer. Der Rauchschleier, den der LJ mit seinen Öldüsen schuf, hüllt den brennenden, schwerangeschlagenen Zerstörer barmherzig ein. —

Auf *„Admiral Hipper"* hat der AO für einen Augenblick die Augen von den Gummimuscheln seines Zielgebers genommen, als die riesige Rauchwolke den englischen Zerstörer in ihren Mantel hüllt.

Der ihm gegenüber am zweiten Einblick stehende Obermaat tut das Gleiche.

„Halt! Batterie haaaalt!"

Auf der Brücke jagen Kapitän Heye, während der Kreuzer auf den Qualm zusteuert, Fragen, Vermutungen, Pläne durch den Kopf. *„Glowworm"* muß doch zu irgend einem englischen Verband gehören. Sie hielt uns für einen Engländer! Sie muß weg, sonst ruft sie uns die anderen auf den Hals. Ist es richtig, daß ich hier blindlings in den Rauch hineinfahre, wo sie noch über fast alle ihre Torpedos verfügt? Gut geführt wird sie und tapfer ist sie auch, das muß man wirklich sagen ...

„Herr Kaptän, der FTO meldet, Zerstörer funkt dauernd!" ruft ein BÜ.

„Da haben wir's!" brummt der Kommandant. „Der meldet natürlich Gefechtsberührung, Standort, alles was dazu gehört.

Er muß weg, gefährdet mit seiner Funkerei die ganze Unternehmung. Hoffentlich sehn wir ihn eher als er uns."

„Admiral Hipper" steckt bereits im Rauch, in der ölig stinkenden, klebrigen Wolke. Nur kurze Zeit, dann sind Bug und Vorschiff aus dem schmierigen Dreck heraus ...

„Da ist der Engländer! Steuerbord voraus! Feuererlaubnis!"

Meine Herren, denkt Heye, auf ganz kurze Entfernung, was hat der bloß für merkwürdige Kurse gesteuert, um an dieser unmöglichen Stelle zu stehn ... aber da feuern schon die vorderen 10,5, und Fla-Waffen spucken ihre bunten Leuchtspurgeschosse in den brennenden, qualmenden Zerstörer, der sofort wie ein wütender Terrier mit seinen 12 cm gegenan bellt. *„Glowworm"* hat offensichtlich hart Backbord Ruder liegen. Sie schwenkt, einen Halbkreis beschreibend auf den Schweren Kreuzer zu. Viel Zeit zu Überlegungen ist nicht. Was Kapitän Heye veranlaßt, tut er aus rein seemännischem Instinkt, aus der Notwendigkeit, den Gegner so oder so zu vernichten, ehe er seine achteren Torpedos losmachen kann. Er stürzt zum Kommandostand, schreit hinein:

„Hart Steuerbord! Klar zum Rammen!"

Diesmal gehorcht *„Admiral Hipper"* nicht gleich. Der Seegang wirft den Bug zurück, ehe das Ruder wirkt. Dann erst kommt sie langsam herum. Auch beim Engländer scheint irgend etwas nicht in Ordnung zu sein. Ist er manövrierunfähig? Später sagen die Überlebenden aus, daß *„Glowworm"* steuerlos war, weil ihr Ruder in Backbord Hartlage klemmte.

Bald können die Geschütze des Schweren Kreuzers nicht mehr feuern, da der Gegner nun in den toten, der Artillerie nicht erreichbaren Vertikalwinkel gekommen ist. So stehen die Bedienungsmannschaften und das Brückenpersonal, unfähig weiteres zu veranlassen, tatenlos umher und sehen mit angehaltenem Atem dem entgegen, was im nächsten Augenblick unabwendbar mit ohrenbetäubendem Krachen, Funkensprühen und dröhnendem Getöse geschieht. Kurz hinter dem Steuerbordanker schmettert der englische Zerstörer gegen die Bordwand des Kreuzers. Die ungeheure Wucht des Zusammenpralls schüttelt das Schiff durch, läßt es hart nach Backbord krängen und wieder zurückschwingen. Die Back der *„Glowworm"* wird zusammengequetscht. Das Boot federt zurück und wird mit seinem ganzen Vorschiff unter die nun nach Steuerbord sich neigende Bordwand der *„Admiral Hipper"* gepreßt. Der Zerstörer schliert, während Eisen und Stahl, Funken und Flammen sprühen, kreischend achteraus. Er schlitzt die Bordwand des Großen 40 m lang auf, hebt die vordere Steuerbord 10,5 cm Doppellafette aus ihrem Podest, zermalmt den Steuerbord Kutter, reißt die Löffel des vorderen Steuerbord Drillingsrohrsatzes weg und tötet einen Matrosen, der nicht mehr schnell genug zur Seite springen kann.

Mechanisch nimmt der Kreuzer-NO die Uhrzeit 10 Uhr 13.

Schweigend blicken die an Oberdeck stehenden Männer hinab auf das blutgetränkte Zerstörerdeck, auf die überall umherliegenden Gefallenen und Schwerverwundeten, die Verwüstung, die lodernden Flammen und den Brandrauch. Sie erkennen den Kommandanten, der allein mit einem Offizier noch auf der Brücke steht. Sie beobachten, wie er zum Sprachrohr sich neigt und offenbar einen Befehl gibt, den sie wegen des Heulens der Sirene nicht hören können. Sie beobachten, wie Schraubenwasser am Heck aufwirbelt. Die Turbinen sind anscheinend noch intakt, denn sie ziehen langsam, dann schneller werdend den Zerstörer zurück, der abtreibt und in einiger Entfernung, quer zur See schlingernd, in Rauch und Flammen gehüllt und mit seinem eingedrückten Vorschiff immer tiefer sackend gestoppt liegen bleibt.

Trotz gegenteiliger Behauptungen sowohl deutscher wie auch englischer Quellen, wird von beiden Seiten das Feuer nicht wieder aufgenommen. *„Glowworm"* ist kampfunfähig, brennt lichterloh und sinkt durch das in die zertrümmerte Back und die vielen Einschüsse eindringende Seewasser tiefer und tiefer. Kein deutscher Kommandant würde trotz der noch wehenden englischen Kriegsflagge, auf dies dem Untergang geweihte Wrack und seine tapfere Besatzung weiterfeuern!

Der IO der *„Admiral Hipper"* hat, wie alle Ersten Offiziere auf den schweren Einheiten, seine Gefechtsstation in der Kommandozentrale tief unter dem Panzerdeck. Er ist mit dem Schiffssicherungsoffizier Leiter des Schiffssicherungsdienstes. Außer letzterem, einem Ingenieuroffizier, stehen ein Steuermannsmaat, ein Obermaschinist, mehrere Maschinengefreite und einige Matrosen bei ihm. Die Aufgabe der dem IO unterstellten Leckwehrgruppen ist die Beseitigung der im Gefecht auftretenden Schäden, wie Abdichten und Absteifen der Schotten und Schottüren, Feuerbekämpfung, Aufklaren von Trümmern usw.

Da der IO als Vertreter des Kommandanten bei dessen Ausfall über den Gang des Gefechts jederzeit unterrichtet sein muß, koppelt der Steuermannsmaat auf der Seekarte an seinem kleinen Kartentisch links vom IO mit, d. h. er trägt Fahrt- und Kursänderungen ein und muß jederzeit den Standort des Schiffes angeben können. Über seinem Tisch befinden sich die meisten der auch in der Friedenssteuerstelle und dem Kommandostand angebrachten Schiffsführungsapparate wie: Chronometer, Fahrtmesser, Ruderlageanzeiger usw. Außerdem steht in der Zentrale der Mutterkompaß aller an Bord befindlichen Kreiselkompaßtöchter. Der Erste Offizier kann durch einen mit Schottüren gesicherten, leicht gepanzerten Schacht direkt von der Zentrale in den Kommandostand hochsteigen.

Den Zusammenstoß haben sie unten, wie alle im Schiff, nur zu deutlich gespürt. Fregattenkapitän Zollenkopf hat im gleichen Augenblick die Klarmeldungen aus den unter Wasser liegenden Abteilungen angefordert. So erfährt er, daß der Raum für die Kühlmaschinenanlage und die Fleischlast durch das Aufreißen der Außenhaut vollgelaufen sind. Zwar haben die wasserdichten Schotten und Schottüren der angrenzenden Abteilungen gehalten, sie müssen aber wegen des Wasserdrucks bei fahrendem Schiff gesichert und mit Leckhölzern abgesteift werden. Der Fregattenkapitän sieht den neben ihm stehenden Ingenieuroffizier an, der bereits seine Tabellen und Schiffspläne befragt und die Antwort bereit hat:

„528 Tonnen Wasser im Schiff, Herr Kaptän. 4 Grad Steuerbordschlagseite. Können wir leicht beheben, ich lasse leere Zellen der Backbordseite gegenfluten."

Nachdem der IO dem Kommandanten telefonisch gemeldet und ein paar Befehle durch die Lecksicherungstelefone gegeben hat, eilt er mit dem Schiffssicherungsingenieur, dem Obermaschinisten Bischoff und dem Pumpenmeister nach vorn. An der Gefahrenstelle arbeitet schon eine Leckgruppe daran, Schotten und Schottüren der anliegenden Abteilungen der beiden getroffenen Räume mit Rundhölzern zu stützen.

Mit langsamer Fahrt stampft *„Admiral Hipper"* durch die aufgewühlte See. Außer dem Wrack sind nur BA und ein Zerstörer der 2. Z-Flottille in Sicht. Kapitän Heye überlegt. Steht nun ein englischer Verband hinter der Kimm oder nicht? Die Horchgeräte haben nur die Schraubengeräusche der beiden eigenen Boote gemeldet. Nichts deutet auf die Anwesenheit von feindlichen U-Booten oder Überwasserstreitkräften hin. Der Kommandant sieht achteraus. Vom Wrack her rollt der Donner einer schweren Kesselexplosion über die See.

Er beobachtet ein, zwei Flöße, ein paar kleine Schlauchboote und Seeleute, die in ihren Schwimmwesten langsam nach Norden treiben. Egal, denkt er, ich muß diese Unglücklichen retten, gleichgültig, ob wir dabei überrascht werden. Außerdem können wir immer noch schnell verschwinden, wenn das nötig wird:

„Signaldeck! Blinkspruch an unsere beiden Zerstörer: ‚Schiffbrüchige bergen!'"

Er wendet sich an den Gefechtswachhabenden, der, wie die anderen Offiziere und Gefechtsposten, den Kommandostand verlassen hatte. Alle stehen wieder auf der Brücke oder im Friedenssteuerstand auf ihren Stationen:

„Auf Gegenkurs gehn. Wir laufen in die Nähe der Schiffbrüchigen. Lee machen natürlich! Läufer!"

Der Läufer, der ebenfalls achteraus sah, kommt herbeigestürzt:

„Hör zu, mein Sohn! Sause zu Oberbootsmann Wörle, er soll alles an Deck zur Übernahme der Engländer klarmachen. Seefallreeps, Pahlsteks, na, er weiß Bescheid. Dann zum Schiffsarzt, er möchte das Lazarett zur Aufnahme von Verwundeten vorbereiten. Betreuung von Geretteten. Ein Arzt soll sich an Oberdeck klarhalten zum Wahrnehmen von Verwundeten. Alles verstanden?"

Der Matrose wiederholt, legt die Hand an die Bordmütze und poltert den Niedergang hinab. *„Admiral Hipper"* läuft nun mit Kleiner Fahrt auf die Überlebenden zu, die in der weithin mit Öl bedeckten See treiben oder mit Flößen und Schlauchbooten auf das große Schiff zustreben. Inzwischen ist das „Klarschiff zum Gefecht" aufgehoben worden, die Kriegswache ist wieder aufgezogen. Die Gebirgsjäger, die nach Beendigung des Gefechts an Oberdeck erscheinen, drängen sich dort und auf den Aufbauten. Sie treten willig zurück, als der Oberbootsmann Platz für seine Vorbereitungen fordert.

„Ihr könnt gerne helfen, wenn wir sie an Deck holen", sagt er gutmütig, „sind tapfere Burschen und haben sich sehr ordentlich gewehrt. Schade, daß ihr nicht sehn konntet, wie die gekämpft haben! Mit ihrem kleinen Zerstörer gegen uns!"

Seefallreeps werden herbeigeschafft, rote Rettungsbojen an langen Hanfleinen befestigt, um sie den Schwimmern zuwerfen zu können. Pahlsteks in Leinen geknotet, sollen übergestreift ein Hochziehen der Männer an Deck ermöglichen. In andere Leinen schlägt man Knoten, um den Erschöpften das Festhalten zu erleichtern. Sie werden an Bord belegt, d. h. um Deckspoller befestigt und die losen Enden über die Bordwand gehängt. Schiffsärzte und Sanitätspersonal legen angewärmte Wolldecken und Handtücher, Spritzen und Operationsmaterial klar und bereiten heiße Getränke vor. An Oberdeck steht einer der jüngeren Ärzte mit ein paar Sanitätsgasten, zum Wahrnehmen der Verwundeten. Indessen unterrichtet der Oberbootsmann seine Männer:

„Ihr müßt ihnen helfen. Seht euch den Öldreck an! Kein Mensch kann mit ölverschmierten Händen an einer Leine hoch, er kann sich höchstens festhalten. Also nicht zu schnell aufholen, sinnig, sinnig, klar? Paar von euch müssen 'runter auf die Seefallreeps, zupacken, hochziehn, festhalten und hochstemmen, sonst gleiten sie ab. Außerdem werden alle total erschöpft sein."

Ein Oberbootsmaat mischt sich ein:

„Das ist das Verdammte bei dieser Ölfeuerung! Der Brennstoff, der durch die Einschußlöcher ausläuft, wenn so 'n Schiff absäuft, versaut die ganze Gegend. Wir werden Mühe haben, diesen Dreck von den armen Kerlen 'runterzukriegen, alles verklebt, Augen, Nase, Ohren . . ."

„Keine Sorge", unterbricht lächelnd der Assistenzarzt, der die Bemerkung gehört hat, „das machen wir schon! Holt ihr sie bloß an Bord!"

„Admiral Hipper" liegt jetzt gestoppt und Lee, d. h. ruhiges Wasser schaffend, bei den ersten Schwimmern und Flößen, und das Rettungswerk beginnt. Seeleute und Gebirgsjäger wetteifern, die frierenden vollkommen verschmutzten Überlebenden stützend, haltend und schiebend über die Seefallreeps an Bord zu holen. Von Deck aus ziehen andere, vornehmlich die Feldgrauen, die über Bord hängenden Leinen ein, an denen weitere Schiffbrüchige in den Pahlsteks hängend oder sich an den Knoten festklammernd vorsichtig an Oberdeck gehievt werden.

37 Mann, darunter nur ein Offizier, der TO der *„Glowworm"*, Lieutenant Ramsay, werden geborgen. Leider gelingt

es nicht, den tapferen Kommandanten, Lieutenant-Commander Roope, zu retten. Er hat eine Leine ohne Pahlstek ergriffen und ist schon fast auf der Höhe der Reling, als er plötzlich wohl durch Herzschlag oder Schwächeanfall losläßt und vor den Augen der entsetzten Seeleute zurückfällt. Eine sofort nachgeworfene Rettungsboje nützt nichts mehr. Er ist bereits wie ein Stein in die Tiefe gesunken. —

Während des verzweifelt gefahrenen letzten Anlaufs der *„Glowworm"* detonierte ein Volltreffer im Schiffsinneren. Er vernichtete die Befehlszentrale und den neben ihr liegenden Funkraum. Fast alle Männer, die dort ihre Gefechtsstation hatten, fielen. Darunter auch der Funker, dessen Notrufe an *„Renown"* jäh abbrachen. Da alle Telefone versagten, sollten Melderketten gebildet werden, die aber nicht mehr zusammengestellt werden konnten. Kurz danach schlug eine Granate unter dem achteren Rohrsatz ein. Die als Gefechtsverbandsplatz dienende Kommandantenkammer wurde zerstört, Schiffsarzt, Sanitätsgasten und Verwundete fielen, unter ihnen der gunner, ein alter Artilleriedeckoffizier, Mitkämpfer vom Skagerrak und der Mole von Zeebrügge im ersten Weltkrieg.

Da auch sämtliche Munitionsaufzüge versagten, schwiegen die Geschütze. Einspringende Hilfsmunitionsmanner wurden verwundet oder getötet, so daß keine Munition mehr an die Geschütze gebracht werden konnte. Dann kam der Zusammenstoß. *„Glowworm"* trieb als zerschossenes, hilfloses und brennendes Wrack quer zur See. Auf ihrer Brücke standen nur noch der Kommandant und sein TO.

„Gegner hat Feuer eingestellt", bemerkte Ramsay, „hat auch gestoppt oder läuft nur sehr geringe Fahrt."

Schweigend sieht der Kommandant über sein brennendes, verwüstetes Boot, über die Gefallenen und Verwundeten und die Überlebenden, die zur Brücke und zu ihm heraufschauen. Unendlich müde, aus Splitterwunden blutend und schweren Herzens gibt Roope seinen letzten Befehl:

„Abandon ship — Schiff verlassen!"

Der Befehl wird wiederholt, weitergesagt, hinuntergegeben in die Munitionskammern, Turbinen- und Kesselräume. Alle, die noch leben, kommen herauf, schleppen ihre Schwerverwundeten herbei, legen sie sorgsam an Oberdeck.

Der Kommandant verläßt mit dem TO die Brücke und tritt unter seine Männer. Er drückt, wie von *„Admiral Hipper"* aus beobachtet wird, jedem einzelnen die Hand. Da alle Boote zerschossen sind, werfen sie zwei oder drei von den Splittern verschonte Carleyflöße, die wenigen nicht zerfetzten oder verbrannten kleinen Schlauchboote, Holzgrätings und Planken außenbords. Über das schon sehr geneigte Deck lassen sie die Schwerverwundeten hinabgleiten und gehen dann selbst, einer nach dem anderen, in die eiskalte und ölbedeckte See. Wenn eine Woge sie hochträgt, spähen sie mit brennenden Augen angestrengt nach dem deutschen Kreuzer, der langsam, hoch und überragend auf sie zutreibt. Und dann sind sie gerettet. 111 Mann aber finden ein nasses Grab.

Der deutsche Gefechtsbericht und die Aussagen der nach Kriegsende aus der Gefangenschaft zurückkehrenden Besatzungsangehörigen bewirkten, daß ihr Kommandant, Lieutenant-Commander Gerard Brodmead Roope noch nach seinem Tode das Victoria Cross, die höchste englische Kriegsauszeichnung für sein und seiner Besatzung tapferes Verhalten verliehen bekam. —

Wie üblich machen nach dem Gefecht die Waffenleiter dem Kommandanten ihre Meldung.

„Wissen Sie, Zollenkopf", meint der nachdenklich, „eigentlich haben wir Glück gehabt, daß uns die *,Glowworm'* hinterm Steuerbordanker erwischte!"

„Wieso, Herr Kaptän?" fragt verwundert der Erste Offizier.

„Sehn Sie, ich hatte vor, sie auf den Bug zu nehmen und mittendurch zu fahren. Das ging daneben, weil wir nicht schnell genug drehten. Da wir eine erhebliche Braßfahrt liefen, hätten wir bestimmt vorn ziemliche Beschädigungen gehabt. Was das für unsere Manövrier- und Steuerfähigkeit, ganz abgesehn von der verminderten Geschwindigkeit gehabt hätte, dürfte klar sein. Nee, das Leck an Steuerbordseite, das uns kaum behindert, ist mir lieber!"

„Allerdings, Herr Kaptän! Ich wußte nicht, daß Sie das vorhatten."

„Sagen Sie 'mal, Wegener", erkundigte sich Heye beim AO. „Wissen Sie schon, was wir verschossen haben?"

„Hat mir der Oberfeuerwerker gerade gemeldet, Herr Kaptän", erklärt der AO, zieht ein zerknülltes Papier aus der

Manteltasche und liest die Zahlen vor. „31 Schuß 20,3, 130 Schuß 10,5, Flamaschinenwaffen zusammen 288 Schuß."

„Na, immerhin — was ist los, FTO?"

„Befehl von der Flotte, Herr Kaptän. Gruppe II detachiert nach Plan!"

„Gut. Auf gen Drontheim! NO: woll'n uns 'mal die Gegend dort näher auf der Karte ansehn. Kurs zunächst beibehalten."

Der Kommandant und der NO ziehen sich ins Kartenhaus zurück.

> *„Flotte an FdZ: planmäßig entlassen!" Vorpostenboote und leere Batteriestellungen. „Stoppen Sie sofort!" „Eidsvold" und „Norge". Ausschiffung der Gebirgsjäger.*

Die Schlachtkreuzer setzen mit einem breiten Aufklärungs- und Sicherungsstreifen von Zerstörern ihren Vormarsch fort. Vizeadmiral Lütjens rechnet nach dem Gefecht der *„Admiral Hipper"* mit dem Erscheinen englischer Streitkräfte und hat sich entschlossen, die Narvikgruppe bis zum Eingang des Westfjords zu begleiten. Die FuMG stellen mehrfach auf 180 bis 190 Hektometer Schiffe fest, denen der Verband mit entsprechenden Manövern ausweicht.

Gegen Mittag hat auch *„Erich Koellner"* seine Position am linken Flügel der Sicherung erreicht. Nur *„Erich Giese"* steht mit Kompaßversager und leck geschlagenem Ölbunker noch etwa 50 Seemeilen zurück. Ihr Kommandant, Korvettenkapitän Smidt, bekommt um 12 Uhr 00 mittags auf 250 Hektometer einen britischen Zerstörer auf Südwestkurs in Sicht. Eine Meldung hierüber gibt er nicht ab. Wahrscheinlich gehörte der Engländer zu der aus 2 Zerstörern bestehenden Bodoe-Minenlegergruppe „WB", die sich nach Ausführung ihrer Aufgabe auf dem Rückmarsch befand.

Das Wetter hat sich am Nachmittag des 8. April geändert. Nach anderthalbstündiger Flaute ist überraschend schnell ein Westnordweststurm aufgekommen, der mit Stärke 8 bis 10, dann 10 bis 12 zum Orkan anschwillt. Aus Südwesten steht noch eine sehr hohe Dünung, so daß für eine Weile eine schwere Kreuzsee läuft. Die 10 Zerstörer, die gegen 15 Uhr 00 auf der Höhe des Polarkreises stehen, taumeln wie betrunken hin und her.

Auf EK[1]) reißt ein Brecher den Maschinengefreiten Böker, der sich dienstlich an Oberdeck befindet, über Bord. Ein anderer Maschinengefreiter wird von der gleichen See zwischen die Torpedoschienen geworfen. Er bleibt ohnmächtig liegen und muß mit gebrochenen Schlüsselbeinen und schweren Fleischwunden zum Gefechtsverbandsplatz geschafft werden. Im Vorschiff ist das Seewasser in alle Wohnräume gedrungen. Es schwappt rauschend um die Spinde und die unteren Kojen im Zwischendeck. Kapitänleutnant Reitsch, der Erste Offizier, Bruder der berühmten Fliegerin, kommt zur Meldung auf die Brücke:

„Unter Deck ist's grauenhaft, Herr Kaptän. Ich habe alle Schottüren abriegeln lassen müssen. Hinter ihnen liegen die unglücklichen Gebirgsjäger wie Sardinen in der Büchse. Seedoll natürlich. Ein furchtbarer Mief da unten, sogar unsere Kriegswachposten, die wegen des ständig überwaschenen Oberdecks nicht ablösen können, sind teilweise seekrank. Kein Mensch kann trotz der Strecktaue über Deck gehn."

„Das haben wir gemerkt!" lächelt Schultze-Hinrichs. „Und die Maschine? Sie hält bis jetzt einwandfrei die befohlenen Umdrehungen. Was meint Heye?"

„Der LJ? Der flucht wie ein Kümmeltürke, weil sein Personal auch nicht ablösen kann. Wache und Freiwache müssen unten bleiben. Aber sonst ist er quietschvergnügt, wie immer, unverwüstlich!"

„Seegang 6, mein Guter! Wahrschau!!"

Sie ducken sich, als wieder einmal eine See gegen die Brücke schwingt und ihre Gischt samt beträchtlichen Wassermassen in langwehenden Fetzen über dem Artillerieleitstand bis zu den salzverkrusteten Schornsteinen schleudert.

Um 15 Uhr 01 läuft beim FdZ ein Funkspruch des Gruppenkommandos West ein. Bonte steht mit General Dietl im Kartenhaus und liest den Text:

„An Alle. 14 Uhr 48 gesichtet 2 Schlachtkreuzer, 1 Schwerer Kreuzer, 6 Zerstörer Quadrat 7360. Nördlicher Kurs. 20 Seemeilen."

Der Kommodore zieht die Quadratkarte über die auf dem Kartentisch ausgebreitete Seekarte und weist mit dem Stechzirkel auf das Gebiet:

---

[1]) Rufzeichen für „Erich Koellner"

„Das angegebene Quadrat liegt hier: 100 Seemeilen nordwestlich von Kraakenes, etwa auf der Höhe von Stadlandet. Ungefährlich für uns, wir stehn ja weit nördlicher. Offenbar eine Meldung von einem Langstreckenaufklärer Herr General. Müssen Teile der Home-Fleet sein, die sich ja in See befindet."

Es ist 16 Uhr 33, als ergänzende Nachrichten vom Gruppenkommando eintreffen: zwischen Orkneys, Shetlands und norwegischer Küste sollen mehrere Gruppen englischer Kreuzer und Zerstörer stehen.

In der Abenddämmerung gegen 21 Uhr 00 ist der Eingang zum Westfjord erreicht, der sich meilenweit zwischen dem norwegischen Festland und der Kette der Lofoten-Inseln hinzieht. Ein weit geöffnetes Haifischmaul, anfangs scheinbar uferlos, allmählich enger werdend, schließlich in den langen von hohen Felsbergen gesäumten Ofotfjord übergehend. An dessen innerem Ende, zwischen zwei schmalen Nebenfjorden, dem Rombaken- und Beisfjord, liegt Narvik.

Obwohl der Westnordwest noch mit Stärke 9 weht, ist die Luft dunstig und unsichtig. Leichtes Schneetreiben setzt ein, stöbert in den Atempausen vor den Sturmböen her und wirbelt stärker werdend in dichten, großen Flocken herab. Von achtern, wo zuweilen die schemenhaften Umrisse der beiden Schlachtkreuzer auszumachen sind, blinzelt es, gleichzeitig mit einem UK-Spruch, gelblich in kurzen und langen Morsezeichen durch den tanzenden weißen Wirbel:

„Scheinwerferspruch vom Flaggschiff!" meldet der Stabssignalmaat auf *„Wilhelm Heidkamp"* „Flotte an FdZ: ‚Planmäßig entlassen!' Hier, aufschreiben: Flotte gibt ihr Besteck!"

Er ruft die folgenden Buchstaben und Zahlen einem Stabssignalgefreiten zu. Dann gibt WH[1]) ihr „Verstanden!" nach achtern. *„Gneisenau"* und *„Scharnhorst"* schwenken auf Westkurs und kommen bald in Schneetreiben und Dunkelheit aus Sicht.

„Die beiden werden unser Ein- und Auslaufen draußen sichern, Herr General", erklärt der Kommodore. „Nach den bisherigen Funksprüchen ist allerdings kaum anzunehmen, daß sie hier oben westlich der Lofoten auf feindliche Streitkräfte stoßen."

---

[1]) Rufzeichen für „Wilhelm Heidkamp"

Dietl nickt. Daß infolge eines wahren Wirrwarrs von Befehlen des C-in-C, Gegenbefehlen der Admiralität und eigenen Entscheidungen des Admirals Whitworth auf *„Renown"*, dieser Schlachtkreuzer mit seinen Zerstörern gar nicht weit entfernt herumschlingert, ahnen weder der Flottenchef noch der FdZ.

Ein UK-Befehl des Kommodore geht an die Gruppe I. Die 10 Zerstörer sollen auf WH sammeln. Im Kartenhaus des Führerbootes vergleicht der Kommandant das Besteck der Flotte mit seinem eigenen. Die Einsteuerung in den Fjord ist bei der Unsichtigkeit nicht so einfach, wie es der Karte nach scheint. Kapitän Erdmenger sieht seinen Obersteuermann fragend an:

„Ich vermute, wir stehn ganz richtig mitten vor dem Westfjord. Einen einwandfreien Standort konnten wir ja seit Sonntag vormittag nicht mehr bestimmen."

Der Obersteuermann lacht:

„Nein, Herr Kaptän. Sonne, Mond und Sterne: hast Du keine, ausgefallen! Der FdZ meinte vorhin, wir stünden vor der Südspitze der Lofoten. Das scheint mir aber nicht so. Echolot nützt hier nicht viel, zeigt stundenlang 400 und mehr Meter Wasser, und dabei kann man plötzlich einen senkrecht aus der Tiefe steigenden Felsklotz dicht neben der Brücke, oder noch schlimmer, vor dem Bug haben!"

„Stimmt. Wir halten erstmal Kurs durch, ich melde dem Kommodore."

Er geht hinaus. Der Sturm reißt ihm die Kartenhaustüre aus der Hand, daß sie krachend zuschlägt. Die See ist vollkommen weiß von Schaum und Gischt. Die hinter WH laufenden Boote sind kaum zu erkennen. Wie Schneepflüge sehen sie aus mit ihren wehenden Gischtfahnen, die über die langen schmalen Schiffskörper in schäumenden Bogen hinwegbrausen und sie oft völlig einhüllen. Kapitän Erdmenger meldet dem FdZ und fügt hinzu:

„Möglicherweise sind die norwegischen Feuer gelöscht, außerdem könnte man sie in diesem tollen Schneetreiben sowieso nicht ausmachen."

Kommodore Bonte zieht einen nassen Lederlappen aus der Manteltasche und versucht zum hundertsten Male, die Okulare seines Doppelglases sauber zu wischen:

„Ich habe eben eine Meldung aus der Funkbude bekommen. Ein Funkfeuer ist gepeilt worden."

Er nennt die Peilung. Der Kommandant überlegt kurz. Er hat die Seekarte, die er gerade einsah, genau im Kopf:

„Muß nach der Peilung Skraaven-Funkfeuer sein. Äußerste Lofoten-Insel." Er zögert und fügt hinzu: „Zwischen den Schneeböen glaubte man einmal das Aufblitzen eines Leuchtfeuers an Steuerbord zu erkennen. Sicher ist es nicht. Ich bin aber der Ansicht, daß wir südlicher stehn, als Sie annehmen. Ich schlage daher Kurswechsel auf 80 Grad vor."

„Einverstanden!" Er dreht sich um: „Herr General, wenn uns dieser Westnordweststurm weiter südlich gepackt haben würde, hätten wir wegen des Andampfens gegen die See Narvik zur befohlenen Zeit vielleicht gar nicht erreichen können, weil dann der Brennstoff knapp geworden wäre. Ich muß die sonst kaum vertretbare hohe Fahrt aber durchhalten, um nicht das ganze Unternehmen zu gefährden."

„Bringen'S mi nur hiin, wie is mir wurscht!" wiederholt der unerschütterliche Gebirgsjäger seinen schon so oft auf der Brücke vernommenen Spruch.

Im nächsten Augenblick duckt er sich mit der Gewandtheit eines zünftigen Seemanns hinter das Relingskleid, als das Vorschiff mit hartem Ruck in die See haut und die grünglasigen Streifen eines schweren Rollers gegen die Brücke klatschen. Nach einiger Zeit wird der FdZ ins Kartenhaus gerufen. Der Kommandant zeigt einen Funkspruch des Gruppenkommandos, der um 23 Uhr 33 aufgenommen wurde:

„Lagebeurteilung, Herr Kommodore. 2 englische Schlachtkreuzer werden in See vermutet. Eine schwere Kampfgruppe soll in der Nordsee stehn und der Westfjord von feindlichen leichten Streitkräften bewacht werden."

„Immerhin", meint Bonte gelassen, „wenn sich die Vettern wirklich in oder vor dem Westfjord 'rumtreiben, sind sie bei dem Wetter machtlos. Geschütze können nicht besetzt werden und bei dem Schneegestöber sehn sie uns genau so wenig wie wir sie!"

Ein kurz vor Mitternacht einlaufender Funkspruch ergänzt den vorigen. Er teilt mit, daß am Tage des 8. April ein englischer Kreuzer mit Zerstörern im Westfjord gewesen sei. Gegen 03 Uhr 00 morgens am 9. reicht der II Asto, Korvettenkapitän Gerlach dem FdZ eine um 02 Uhr 49 eingegangene neue Mitteilung des Gruppenkommandos:

„Die Norweger haben die sofortige Löschung der Funk- und Leuchtfeuer von Lister bis Narvik befohlen. Skraaven hat das offenbar noch nicht mitgekriegt, Herr Kommodore. Glücklicherweise wird es draußen jetzt etwas ruhiger."

Der FdZ erklärt dem General, der ins Kartenhaus gekommen ist, die Lage:

„Lister liegt hier bei Lindesnaes, Südspitze von Norwegen. Sie haben Recht, Gerlach. Es läuft zwar immer noch eine grobe See, aber der Lofotenschutz macht sich doch schon bemerkbar."

Merkwürdigerweise gab die norwegische Admiralität den Befehl zum Löschen der Feuer erst drei Stunden später bekannt. Er kam jedoch sichtlich nicht überall an. Das wichtige Leuchtfeuer von Skraaven wurde zwar abgestellt, aber andere, wie die Außenfeuer der Lofoten und die Leuchtfeuer im inneren West- und Ofotfjord blieben, wie sich später herausstellte, in Betrieb.

Die Zerstörer laufen nun mit 27 Seemeilen den Westfjord hinauf. Von WH wird ein Signal durchgegeben:

„Kiellinie!"

Nebliger, milchiger Dunst wabert über dem Wasser. Das Fühlunghalten bleibt schwer, selbst wenn der Vordermann vorübergehend seine Kielwasserlaterne anstellt. Im Kartenhaus überliest der Kommandant noch einmal die wichtigsten Punkte des Operationsbefehls:

„Die Kampfgruppe der 3. Gebirgs-Division setzt sich überraschend am ‚Wesertag' früh in den Besitz von Narvik, des Übungsplatzes Elvegaardsmoen und der Befestigung südlich des Ramsundet, der engsten Fjorddurchfahrt 35 km westlich von Narvik. Sie soll den norwegischen Teil der Narvik-Lulea-Bahn mit dem Hafen Narvik und hierdurch die Erzausfuhr aus den schwedischen Gruben für Deutschland sichern. Grundsatz für die Besetzung ist möglichst friedliche Durchführung."

Korvettenkapitän Erdmenger schüttelt den Kopf. Immerhin, denkt er, hoffentlich klappt das. Aber friedliche Durchführung? Wie stellen die hohen Herren vom grünen Tisch sich das eigentlich vor? Kennen sie diese Norweger so wenig? Die sind englandfreundlich, und man kann es ihnen nicht einmal verdenken. Außergewöhnlich nationalstolz dazu. Die werden sich wehren. Bestimmt! Er steckt die dünnen Blätter des Befehls in die innere Jackettasche und tritt auf die Brücke hinaus.

Es ist allmählich lichter geworden. Hinter den Felsbergen steigt mit mißmutigem Gesicht der graue Tag über die Grate. Im Fjord glättet sich zusehends das Wasser. Die ersten Gebirgsjäger erscheinen wieder an Oberdeck. Sie blicken staunend auf diese Urweltgegend, die sich zwischen den Schneeböen vor ihren Augen auftut. Im Osten zeichnen sich unter gelblichen Wolkenmassen die schneeverhangenen Schluchten und Kämme der gletscherbedeckten norwegischen Bergwelt ab. Die lange Kiellinie der mit hoher Fahrt dahinstürmenden Boote hat mit ihrer Spitze gegen 04 Uhr 00 morgens die auf der Festlandsseite liegende Insel Baroe passiert und läuft nun den Ofotfjord hinauf. Der FdZ läßt sich die Seekarte mit dem eingetragenen Standort auf die Brücke geben und zeigt sie dem unverdrossen in seiner Nock ausharrenden Dietl. Der sieht kurz auf das Blatt, hinüber zur achteraus gleitenden Insel und voraus über den Fjord und die ihn säumenden Bergkulissen:

„Na, was moanen'S? Schaffen mir's no?"

Der Kommodore nickt lächelnd:

„Um 05 Uhr 15 stehn wir vor Narvik, Herr General!"

Der letzte Zerstörer, *„Diether von Roeder"*, hat Baroe noch voraus, als im Dunst zwei kleine Fahrzeuge in Sicht kommen, die bald wieder im neu einsetzenden Schneetreiben verschwinden. Korvettenkapitän Holtorf setzt das Glas ab:

„Laufen lassen, wahrscheinlich Küstenkolcher."

Sie sehen den schmalen Kielwasserstreifen nach, als die Funkbude die Brücke anruft:

„Einer von denen funkt in offener Sprache: ‚8 Kriegsschiffe im Ofotfjord!'"

„So 'ne Sauerei!" schimpft der Kommandant. „Hätt' ich die bloß angehalten!"

Es waren Vorpostenboote. Eines davon, die *„Kelt"*, gab den Funkspruch ab.

Von der Rah des Führerbootes der 3. Z-Flottille *„Hans Lüdemann"* weht jetzt ein buntes Flaggensignal:

„Detachiert nach Plan!"

Es gilt außer für HL[1]) für *„Anton Schmitt"*. Später kommt noch *„Diether von Roeder"* dazu. Die auf den erstgenannten beiden Zerstörern eingeschifften Gebirgsjäger und Marineartilleristen haben laut Operationsbefehl die in der Ramnes-Hamnes-Enge angenommenen Küstenbatterien zu besetzen. Danach sollen die Boote nach Narvik zur Brennstoffergänzung gehen. Um 04 Uhr 40 stoppen HL und AS[2]) im Klarschiffszustand. Die 1. und 6. Kompanie des Gebirgsjägerregiments 139 sowie die Marineartilleristen werden in den Beibooten übergesetzt. Während die Zerstörer dann dem Lofoten- und dem Festlandsufer zudrehn, erscheint eben noch im Dunst auszumachen vor AS ein auslaufendes norwegisches Küstenwachboot. Auf seinen Rettungsbojen steht der Name „Senja". Korvettenkapitän Böhme, läßt ein internationales Signal heißen:

„Umkehren, nach Narvik zurücklaufen!"

Da sich der Norweger nicht beirren läßt, wird ihm aus dem oberen 12,7 cm Buggeschütz ein in den Bergen endlos widerhallender Warnungsschuß vor den Bug gefeuert. Umsonst: er hält Kurs und Fahrt bei und richtet sogar seine winzige 4,7 cm auf den Zerstörer.

„Der Bursche hat Mut!" meint anerkennend der Kommandant. „Aha, er will etwas von uns, was ruft er da?"

Das Wachboot steht nun querab, der norwegische Kommandant hält seine Hände als Trichter vor den Mund und ruft, verblüffenderweise in Deutsch:

„Was wollen Sie hier?"

Böhme reißt eins der Brückenmegafone aus seiner Halterung:

„Warten Sie, ich schicke ein Boot mit Offizieren!"

In der gerade von der Ausschiffung der Gebirgsjäger zurückkehrenden Motorjolle fahren zwei Offiziere hinüber zu dem Norweger, der inzwischen als Fischereischutzboot identifiziert worden ist. Sie grüßen höflich, und der Ältere reicht dem kurz die Rechte an die goldumbordete Mütze legenden Kommandanten ein sorgfältig für diese Fälle vorbereitetes und in norwegischer Sprache abgefaßtes Schriftstück:

---

[1]) Rufzeichen für „Hans Lüdemann"

[2]) Rufzeichen für „Anton Schmitt"

„Lesen Sie bitte, Kaptän. Das Deutsche Reich wird zur Sicherung Norwegens gegen eventuelle britische Übergriffe Truppen landen."

Aus hellen blauen Augen sieht der Norweger die beiden an. Dann liest er ohne eine Miene zu verziehen die offizielle Erklärung und steckt sie sorgsam zusammengefaltet in die breite Tasche seines kurzen dicken Wachmantels.

„Wir bitten lediglich keinen Widerstand zu leisten", fährt der Deutsche fort, „er würde für beide Teile nur unnütziges Blutvergießen zur Folge haben. Geben Sie uns das Verschlußstück Ihres Geschützes und die Sende- und Empfangsröhren Ihrer Funkstation. Und kehren Sie bitte nach Narvik zurück. Das ist alles."

Der Norweger wirft einen Blick auf den großen Zerstörer mit seinen 5 — 12,7 cm Geschützen, einen weiteren auf seine Männer, die ihre Kanone verlassen haben und schweigend die Verhandlung verfolgen. Dann kneift er die Augen ein wenig zusammen und nickt bedächtig:

„Well."

Während die Motorjolle zu AS zurücktuckert, macht *„Senja"* kehrt und läuft den Ofotfjord hinauf nach Narvik zurück. —

Was an Unvorhergesehenem urplötzlich geschehen kann, zeigt folgender Vorfall. Die Aufgabe *„Diether von Roeders"* ist die Sicherung der ausgeschifften Truppen von HL und AS. Notfalls soll er die Küstenbatterien mit Schnellfeuer eindekken und niederkämpfen. Ein wenig ungemütlich, wenn die mit ihren angeblich dort eingebauten 15 cm Geschützen auf die mitten im Fjord liegenden Zerstörer feuern sollten! Landbatterien sind stets im Vorteil gegen Schiffe, aber — Befehl ist Befehl.

DR[1]) steht etwas achteraus und rauscht nun mit 34 Seemeilen den Fjord hinauf. HL und AS sind hinter einem Felsvorsprung verschwunden, Korvettenkapitän Holtorf greift in die Manteltasche, um sein Zigarettenetui herauszufischen, als eine Stimme vom Ruder her über die Brücke schallt:

„Ruderversager!"

Rudergänger ist der Matrosenobergefreite Sauer, Kommandantenaufklarer und der beste, infolgedessen der Gefechtsrudergänger an Bord. Nebenbei hat er seit dem Auslaufen

---

[1]) Rufzeichen für „Diether von Roeder"

unglaublicherweise mit einer Unterbrechung von nur vier Stunden am Ruder gestanden und jeden Versuch einer Ablösung stur abgelehnt:

„Solange der Alte auf der Brücke steht, bleib' ich auch!"

Auf seinen Ruf hin springt der lange, blonde Holtorf selbst hinter Sauer, gibt dem fahrenden WO einen Wink und übernimmt das Kommando:

„Beide Maschinen zwomal stop! Beide Maschinen dreimal AK zurück!"

Unter dem rasend einsetzenden Mahlen der Schrauben zittert und schüttert das schmale, lange Boot!

„Wie liegt das Ruder?"

„Ruder klemmt 5 Grad Backbord!"

Ein schneller Blick voraus: dicht beim jenseitigen, dem Lofotenufer, ragt eine schwarze Spiere, eine Stange, aus dem Wasser. Neben ihr liegt ein bösartig aussehender, naß glänzender Felsblock. Das Boot gleitet unaufhaltsam auf die Lücke zwischen Spiere und Felsen los. Wenn es den gleichen Dreh behält, muß es die Schäre rammen. Kein Zweifel. Bei 34 Meilen Fahrt ist ein Zerstörer auch mit dreimal AK zurück nicht so einfach abzustoppen. Dem Kommandanten steht das Herz still. Er starrt ins Wasser neben der Brücke. Wird das klargehn? Wird er das Boot noch vor dem Felsen zum Stehen bekommen? Atemlos beobachtet er den Fahrtstrom, der langsam achteraus treibt, schließlich direkt vor der Schäre steht und in riesigen weißen Wirbeln Schaumkreise auf das dunkle Fjordwasser zeichnet. Endlich, eine Ewigkeit scheint es dem Kommandanten.

„Meine Tante!" sagt Holtorf erleichtert und kann endlich sein silbernes Etui aus der Tasche holen.

Vorsichtig, behutsam zieht er das Boot zurück und geht mit Kleiner Fahrt in die Fjordmitte, als der LJ die Brücke betritt:

„Herr Kaptän! Der Kollektor an der E-Maschine war unklar. Es wurde automatisch auf die andere E-Maschine geschaltet und das Ruder nach kurzer Zeit klargemeldet. Ein Verschulden trifft niemanden."

Holtorf dankt kurz, tippt mit dem Zeigefinger der Rechten an den Mützenschirm. Nein, der LJ kann ganz gewiß nichts dafür, aber *„Diether von Roeder"* wäre um Haaresbreite aufgerannt. Er sagt nichts. —

Mit AK rauschen sie zur Enge. Dort liegen HL und AS ganz friedlich im Fjord. An den verschneiten Hängen krabbeln, als kleine Punkte auszumachen, die Jäger hoch. Kein Schuß fällt. Vom Führerzerstörer blitzt ein Scheinwerferspruch:

„Sofort Boote zur Unterstützung aussetzen, dann Baroe gehn als Vorpostenzerstörer!"

Holtorf läßt seinen IO auf die Brücke bitten:

„Sehn Sie? Kaum kriegt uns der Gadow in Sicht, schon sind wir dran! Und die braven Tiroler Hilfsvölker, die Steiermärker meine ich, haben wir auch noch an Bord. Na, egal!"

Zwei Beiboote werden ausgesetzt und zu HL geschickt. DR dreht auf Gegenkurs und läuft den Fjord hinab, Kurs Baroe. Nach ein paar Meilen kommen voraus erneut zwei Vorpostenboote in Sicht. Der WO lacht:

„Unsere Freunde von heut' morgen! Von denen der eine den Funkspruch abgab, Herr Kaptän!"

„Tatsächlich! Signal: ‚Stoppen Sie sofort!'"

Die Flaggen wehen aus, nichts erfolgt.

„WO: auf Rufweite gehn. Her mit 'nem Megafon!"

DR dreht an den nächsten heran und der Kommandant brüllt in Deutsch hinüber:

„Sofort einlaufen Narvik!"

„Protestera!" schreit der Norweger zurück.

„Na, denn nicht! AO: Backbord 3,7 cm Doppelschuß hinters Heck!" Bännngg, bännngg, bellt die Fla-Waffe. Auf den ehemaligen Fischdampfern verlassen die Bedienungsmannschaften schleunigst ihre kleinen Kanonen. Die Fahrzeuge drehen unter heftiger Qualmentwicklung und laufen jetzt doch gehorsam Richtung Narvik.

Helle Sonne liegt hier draußen über dem Fjord. Sehr gute Sicht herrscht, und nur zuweilen tanzen Schneeböen kurz heran und verhüllen die wilde Gebirgslandschaft für Augenblicke. Ein tief beladener schwedischer 6000 Tonnen-Dampfer für Harstad wird angehalten und ebenfalls nach Narvik geschickt. Gegen Mittag schon weit draußen im breiten Westfjord steigen Mastspitzen über die Kimm.

„Kriegsschiffsmasten. Sollten die Engländer schon hier sein?"

Der Kommandant entert selbst ins Krähennest hoch, beobachtet, kommt wieder herunter und sieht den WO lachend an:

Die Besetzung von Narvik

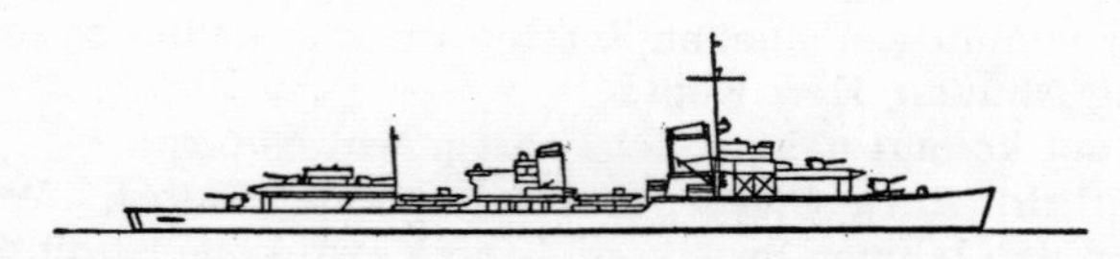

Dtsch. Zerst. Georg Thiele (35)
5—12,7; 4—3,7; 8TR—53,3; 2 232 t; 38,2 kn; 114, 11,3, 3,8 m.

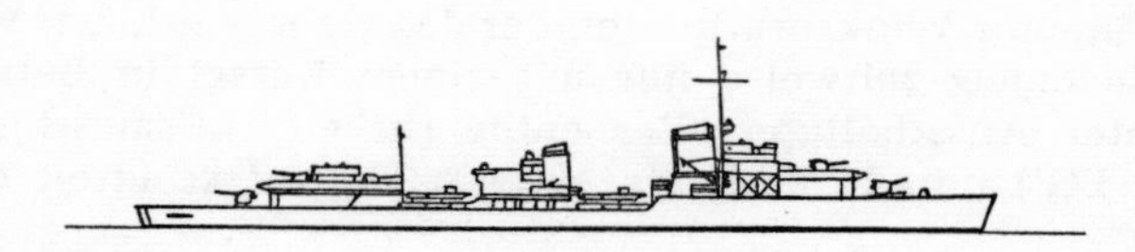

Dtsch. Zerst. Wolfgang Zenker, Bernd v. Arnim, Erich Giese, Erich Koellner (36—37)
5—12,7; 4—3,7; 8TR—53,3; 2 270 t; 38,0 kn; 116, 11,3, 3,8 m.

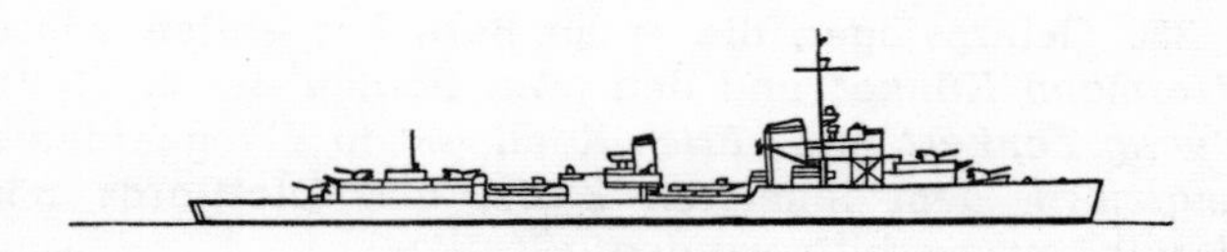

Dtsch. Zerst. Hans Lüdemann, Hermann Künne, Diether v. Roeder (37)
5—12,7; 6—3,7; 8TR; 2411 t; 38,0 kn; 120, 11,8, 3,8 m.

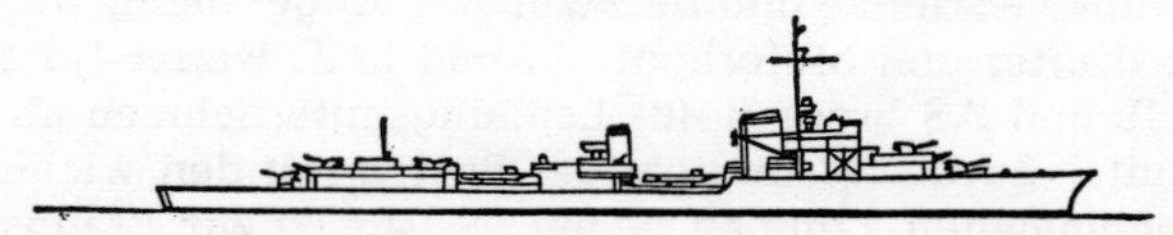

Dtsch. Zerst. Wilhelm Heidkamp, Anton Schmitt (38)
5—12,7; 6—3,7; 8TR—53,3; 2411 t; 38,0 kn; 120, 11,8, 3,8 m.

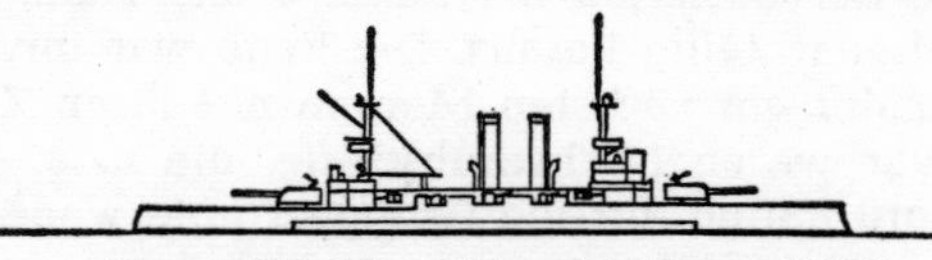

Norw. Küst-Pz. Eidsvold Norge (1900)
2—21; 6—15,2; 8—7,6; 2—4,7; 3645 t; 17 kn; 95, 16,0, 5,4 m.

„Einer von unsern eigenen Zerstörern. Wer kann das sein?"
„Keine Ahnung, Herr Kaptän!"
Das Boot kommt näher, viel Fahrt macht es nicht.
„Natürlich! ‚*Erich Giese*' ist das ja!" ruft Holtorf. „Winkspruch an den lahmen Burschen: ‚K an K, wo kommst du denn her?'"
Die Antwort wird schnell gegeben:
„K an K, humpele mit einer Maschine dem sicheren Port zu."
Ein längerer Winkspruch folgt, der das Nähere erklärt: Wegen Ölmangels zeitweise nur mit einem Kessel in Betrieb und unter Ausschaltung aller entbehrlichen Hilfsmaschinen kommt EG[1]) gerade noch bis Narvik. Holtorf schüttelt den Kopf:
„Signaldeck! Rübergeben: ‚Mensch, hast du Dusel gehabt!'"
Wenig später wird auf DR ein Funkspruch von HL aufgenommen:
„Sofort nach Plan Narvik-Hafen einlaufen. Ablösung folgt!"
„Nach Plan? Unsinn!" wundert sich der Kommandant. „Ich muß doch ganz woanders hin!"
Die 250 Gebirgsjäger, die er an Bord hat, sollen wie die auf *„Hermann Künne"* und den zwei Booten der 4. Flottille *„Wolfgang Zenker"* und *„Erich Koellner"* in Elvegaarden am Herjangsfjord, dem innersten Zipfel des Ofotfjords nördlich Narvik, ausgeschifft werden.
DR läuft zur Ramnes-Enge zurück, erfährt durch Megafonspruch der beiden noch dort liegenden Zerstörer, daß die vermuteten Batterien wohl in den Fels gesprengt und ausgebaut jedoch ohne Geschütze und Besatzungen vorgefunden wurden. Sie setzt Kutter und Motorboot ein und läuft weiter fjordaufwärts. HL und AS brechen das Landungsunternehmen ab und gehen unter Zurücklassung einiger Posten mit den wieder an Bord genommenen Truppen gegen 08 Uhr 00 zur Brennstoffergänzung nach Narvik.
Das Fehlen der Batterien bei Ramnes und Hamnes stellte sich später als nachteilig heraus. Die Enge war unverteidigt, als die Engländer am nächsten Morgen mit ihren Zerstörern einliefen. Zwar waren Nachschubschiffe, die u. a. auch Geschütze an Bord hatten, für die Gruppe I unterwegs, doch la-

---

[1]) Rufzeichen für „Erich Giese"

gen z. B. *„Bärenfels"* und *„Main"* am 8. April weit südlich in Haugesund wegen Lotsenmangel fest. *„Bärenfels"* wurde später nach Bergen umgeleitet, wo sie am 14. April einem englischen Fliegerangriff zum Opfer fiel, *„Main"* nach dem Auslaufen am 9. von dem norwegischen Torpedoboot *„Draug"* versenkt, *„Alster"* am 10. von britischen Seestreitkräften bei Bodoe vor dem Eingang des Westfjords aufgebracht und *„Rauenfels"* am gleichen Tage von dem vorher durch die deutschen Boote schwerbeschädigten britischen Zerstörer *„Havock"* vor der Insel Baroe durch Artilleriefeuer versenkt.

Vor Elvegaarden, wo die Ausschiffung der Heereseinheiten zur Besetzung des Übungsplatzes Elvegaardsmoen um 06 Uhr 00 begonnen hat, geht DR vor Anker und setzt ihre Gebirgsjäger an Land. Gegen 18 Uhr 00 abends sind Truppen und Heeresgut ausgeschifft. Widerstand wird nicht vorgefunden, ein paar norwegische Reiter, die das Aussetzen der Boote beobachten, galoppieren bald durch den aufstiebenden Schnee in Richtung des Lagers davon.

Da läuft ein Funkspruch für DR ein:

„Sofort Narvik, Brennstoff ergänzen!"

Holtorf geht Anker auf und passiert gegen 19 Uhr 00 die Huk von Framnesodden in den Hafen von Narvik einlaufend. Er windet sich durch zahlreiche deutsche, englische und schwedische Dampfer und geht in der Nähe des Walfangmutterschiffes *„Jan Wellem"* zu Anker.

Dieser 12 000 Tonner, vollbeladen mit Proviant, U-Bootsausrüstungen und vor allem Öl, ist aus der von den Russen zur Verfügung gestellten „Basis Nord" in der Sapadnaja-Liza-Bucht bei Murmansk kommend bisher als einziges Versorgungsschiff der Gruppe I eingetroffen. Längsseit *„Jan Wellem"* liegen bereits *„Hermann Künne"* und *„Hans Lüdemann"* zur Brennstoffübernahme.

„Wo ist denn die *‚Kattegat'*, der 8000 Tonnen-Tanker für uns? Kann sie nirgends entdecken", fragt Holtorf seinen WO.

Der sieht den Kommandanten verwundert an:

„Haben Sie den Funkspruch heute vormittag nicht bekommen, Herr Kaptän?"

„Keine Ahnung. Allerdings hab' ich den Funkmaaten ein paarmal weggejagt bei dem Durcheinander. Natürlich gefragt, ob das, was der da 'ranschleift wichtig wäre."

„War vom Gruppenkommando West, Herr Kaptän. Teilte dem FdZ um 11 Uhr 45 mit, daß mit der ‚*Kattegat*' nicht mehr zu rechnen sei. Grund nicht angegeben."

Der Tanker war von dem norwegischen Fischereischutzboot „*Nordkapp*" vor Narvik angehalten und von der eigenen Besatzung versenkt worden.

„Dann wird's mit dem geplanten Auslaufen heute abend 20 Uhr 00 wohl kaum noch 'was werden! Egal, erstmal mulschen, nichts wie mulschen!"

Er gähnt ausgiebig, gibt die üblichen Befehle und steigt steifbeinig den Niedergang hinab. Er ist, wie alle an Bord, totmüde, hat er doch seit dem Auslaufen am 7., abgesehen von kurzen Aufenthalten in der Brückenkammer, kein Auge zugetan. —

Der FdZ ist nach Detachierung der Boote für die Ramnes-Enge und Elvegaarden mit „*Wilhelm Heidkamp*", dem Führerboot der 1. Z-Flottille „*Georg Thiele*" und „*Bernd von Arnim*" weitergelaufen. Jede Sicht nehmende dichte Polarschneeböen fegen mit fast waagerecht daherjagenden großen, dicken Flocken über den Fjord. Das Schneetreiben hat sein Gutes: es nimmt den bei Liland an der Lofotenseite des Ofotfjordes liegenden norwegischen U-Booten „*B 1*" und „*B 3*", die von den Zerstörern gar nicht bemerkt werden, jede Angriffsmöglichkeit.

Vor der Hafeneinfahrt taucht plötzlich, kaum 1000 m voraus der Schatten eines größeren Schiffes aus dem tanzenden Gestöber: zwei Masten, zwei Schornsteine, Kriegsschiffsrahen, Aufbauten und vorn und achtern je ein Turm mit Fla-Waffen auf der Decke, das norwegische Küstenpanzerschiff „*Eidsvold*".

Auf der Brücke der WH haben sie sehr schnell den Typ des Fremden erkannt und der FdZ, dem ungeheuer viel an der befohlenen friedlichen Durchführung seiner Aufgabe liegt, will gerade einen Befehl für ein Signal geben, als auch schon von drüben ein Warnschuß gefeuert und gleichzeitig das internationale Flaggensignal geheißt wird, das sie alle nur zu gut kennen:

„Stoppen Sie sofort!"

Dicht hinter dem Heck des Führerbootes schlägt die Granate ins Wasser. Kommodore Bonte läßt stoppen, während die beiden anderen Zerstörer planmäßig in die Hafeneinfahrt abdrehen.

„Flaggensignal, Erdmenger: ‚Sende Boot mit Offizier!'" Schnelle Beratung mit dem FdZ-Stab, während die Motorpinaß klar gemacht und ausgesetzt wird. Korvettenkapitän Gerlach, der II Asto steigt mit einem Signalgasten ein und fährt zum Norweger hinüber.

„Hat der nun gestoppt oder liegt er zu Anker?" fragt der Kommodore.

„Schwer auszumachen", meint der WO, „hat Boote längsseit. Aber er liegt gestoppt, nicht vor Anker."

Die Befehle auf Grund deren *„Eidsvold"* vor der Narvik-Einfahrt und das Schwesterschiff *„Norge"* im Hafen selbst gefechtsklar mit geladenen Geschützen liegen, hat ein Kapitän des Lofotengeschwaders später in einer Zuschrift zur Richtigstellung einer englischen Veröffentlichung genannt. Sie befanden sich schon seit dem 8. April 08 Uhr 00 morgens auf ihren Positionen. Der Befehlshaber, Fregattenkapitän Askim, erhielt dann am 9. gegen 05 Uhr 00 morgens von der norwegischen Admiralität die telefonische Anweisung, auf einlaufende deutsche Kriegsschiffe das Feuer zu eröffnen, nicht aber auf englische.

„Wilhelm Heidkamp" ist von ihrem Kommandanten in eine Position manövriert worden, aus der heraus sie notfalls von der Torpedowaffe Gebrauch machen kann. Diese Stellung läßt sich jedoch unter der Einwirkung des starken Gezeitenstroms nicht lange halten und wird immer ungünstiger.

Da meldet der WO:

„Küstenpanzer geht mit den Maschinen an, dreht auf!"

„Beide Maschinen AK voraus!" ruft Korvettenkapitän Erdmenger kurz entschlossen. Inzwischen verhandelt der II Asto drüben mit dem norwegischen Kommandanten, Fregattenkapitän Willoch, der verständlicherweise sehr erregt ist. Schließlich bittet er um 10 Minuten Bedenkzeit.

„Der Kommandant der *‚Norge'* im Hafen ist der Dienstältere", erklärt er, „ich muß mich mit ihm in Verbindung setzen."

Korvettenkapitän Gerlach nickt:

„Gewiß, Herr Kaptän, selbstverständlich! Ich werde warten."

Er steigt in sein Boot, läßt ablegen, hält sich aber in der Nähe. Nach einiger Zeit wird die Pinaß wieder längsseit gewinkt und Kapitän Willoch gibt, die Rechte am Mützenrand ernsten Gesichts seinen Bescheid:

„Ich habe den Befehl meiner Regierung Widerstand zu leisten."

Der II Asto erwidert den Gruß, geht von Bord und läßt Kurs auf WH nehmen. Noch im Ablaufen beobachtet er, wie die Rohre der 21 cm-Türme langsam auf den Zerstörer gerichtet werden.

„Roter Stern! Schnell!" ruft er dem Signalgasten zu.

Das verabredete Gefahrensignal wird gefeuert, ein roter Stern steigt in steilem Bogen hoch und leuchtet rubinrot durch das Schneegestöber. Auf WH runzelt der FdZ die Stirn.

„Mußte das wirklich sein?" fragt er ärgerlich. „Warnschüsse berechtigen laut Operationsbefehl noch nicht zum eigenen Waffengebrauch. Die andere Seite muß den ersten scharfen Schuß abgeben."

Er wendet sich an Dietl, erklärt kurz seine Bedenken:

„'*Eidsvold*' hat ihre Rohre auf uns gerichtet. Auf diese lächerliche Entfernung kann eine einzige 21er Granate tötlich für einen leichtgebauten Zerstörer sein. Aber ist sie überhaupt gefechtsklar?"

Der General zieht unwillig die Augenbrauen zusammen, fährt mit der Hand durch die Luft, sagt ein einziges Wort:

„Schiass'n!"

Er ahnt nicht, wie sehr es dem ritterlich und menschlich empfindenden Kommodore widerstrebt, einen womöglich nicht kampffähigen Gegner zu vernichten. WH hat nun gedreht, passiert mit hoher Fahrt den Norweger und schlägt einen Bogen.

„Klar zum Torpedoschuß mit achterer Rohrgruppe!" ruft der Kommandant seinem TO zu. „Los dafür! Wenn die feuert..."

„Ist fertig!" meldet der BÜ.

Erdmenger sieht den FdZ an:

„Frage: Torpedoschußerlaubnis?"

„Ja!" gibt innerlich widerstrebend der Kommodore zurück.

„Llllos!"

Ein Druck des TO auf den Knopf, mehrfaches Aufklatschen. Ein Viererfächer rast auf den Küstenpanzer los. Zwei Torpedos treffen. „*Eidsvold*" bricht in einer ungeheuren Detonation in der Mitte auseinander. Hohe Rauch- und Wassersäulen steigen auf. Trümmer fliegen umher. Schwerfällig kenternd sinkt das Schiff in wenigen Sekunden.

Sofort eilen Boote auf die Untergangsstelle zu. Sie können nur acht Überlebende der kurzen Tragödie retten. Vier von ihnen birgt die Motorpinaß des Zerstörers.

Als *„Wilhelm Heidkamp"* mit Großer Fahrt der Einfahrt zusteuert, rollt an den Berghängen widerhallend Salvenfeuer vom Hafen her. „Schwere- und Mittelartillerie!" urteilt der AO. „Dazwischen feuert einer unserer Zerstörer!"

Zwei heftige, das Geschützfeuer überdonnernde Detonationen folgen. Generalleutnant Dietl horcht auf.

„Torpedos!" erklärt der TO. „Da hat einer von uns den zwoten Küstenpanzer erledigt!"

Es stimmt, genau sogar. Als *„Bernd von Arnim"* und *„Georg Thiele"* in dichtem Schneetreiben die Huk von Framnesodden an der Nordseite der Einfahrt passieren, finden sie die weite Bucht voller Schiffe. Etwa 25 deutsche, englische und schwedische Frachter liegen im Hafen. Einige haben an der hohen Erzpier, dem sog. Malmkai festgemacht, andere ankern auf der Reede. Zwischen ihnen läuft mit Langsamer Fahrt das Küstenpanzerschiff *„Norge"*.

Auf den nördlichen Uferfelsen brennt der deutsche Dampfer *„Bokenheim"*. Ihr Kapitän hatte sie, in der Annahme, daß die einlaufenden Zerstörer nur Engländer sein könnten, auf Strand gesetzt und zerstört. BA[1]) und GT[2]) winden sich mühsam durch die vielen Schiffe und gehen zur beschleunigten Ausschiffung der Gebirgsjäger an die kurze, sogenannte Postpier im inneren Hafen. Noch während BA anlegt, wird von *„Norge"* ein Morsespruch geblinkt.

„Kriegsschiff macht Anton-Anton-Anton! Herr Kaptän!"

Korvettenkapitän Rechel sieht kurz hinüber:

„Nicht beachten! Schnell die Jäger an Land! Beeilung!"

Die bereits mit Gepäck und Waffen an Deck stehenden Soldaten hören es und springen eiligst auf die Pier, als die 21 cm und 15,2 cm der *„Norge"* ihr Feuer eröffnen.

„AO: Feuererlaubnis!" schreit der Kommandant. Im gleichen Augenblick bellen die 12,7 cm und sämtliche Fla-Maschinenwaffen laut und hell los.

---

[1]) Rufzeichen für „Bernd von Arnim"

[2]) Rufzeichen für „Georg Thiele"

Obwohl die Entfernung gering ist, liegt die erste Turmsalve des Norwegers kurz und die nächsten jaulen und poltern hoch über die Häuser und Lagerschuppen der Postpier hinweg in die Stadt. Auch die 15,2 cm schießen nicht besser. Es ist wie ein Wunder.

An den Ausstoßrohren der *„Bernd von Arnim"* arbeiten die Bedienungen wie die Teufel, um sie für einen Fächerschuß seeklarzubekommen. Umsonst. Gestängevereisungen und Seeschäden in der Feuerleitanlage erlauben nur die Abgabe von Einzelschüssen. Erst der sechste Torpedo trifft als Oberflächenläufer das Heck, der siebente kurz danach mittschiffs. Ohne selbst einen Treffer erzielt zu haben, kentert der Küstenpanzer und sinkt nach einer Minute mit langsam drehenden Schrauben. 9 Mann der Besatzung, darunter der Kommandant, werden vom Verkehrsboot des Zerstörers geborgen, 88 von Rettungsbooten der Handelsschiffe.

„Wilhelm Heidkamp", die kurz danach die Untergangsstelle passiert, findet nur noch Trümmer, die auf einer sich ständig verbreiternden Öllache umhertreiben. Der FdZ, der offenbar die Kriegsschiffsbeiboote nicht erkennt, läßt ein Signal heißen:

„Beteiligung an Rettungsaktion!"

Charakteristisch für die Persönlichkeit des Kommodore ist seine Handlungsweise nach der mündlichen Meldung des Kommandanten der BA über die Versenkung der *„Norge"*. Nach Beendigung des Vortrags erhebt sich Bonte plötzlich und faßt den überraschten Korvettenkapitän Rechel bei den Schultern:

„Ich bin Ihnen ja so dankbar, daß Sie dem Küstenpanzer den ersten Schuß ließen! Ich mußte den anderen versenken, ohne daß er sich vorher gewehrt hatte."

Die Truppen, die in Narvik einrücken, finden keinen Widerstand. Der norwegische Standortälteste, Oberst Sändlo, übergibt die Stadt mit dem größten Teil der Garnison. Zwei Kompanien setzen sich längs der Erzbahn auf die schwedische Grenze ab. Sicherungstruppen der Gebirgsjäger besetzen die wichtigsten Punkte, errichten mit Hilfe von Marineartilleristen und Matrosen rings um Hafen und Stadt Verteidigungsstellungen, legen Telefonleitungen und fahren Material und Proviant.

Im Laufe des Vormittags werden die durchweg bewaffneten englischen Erzdampfer durch Prisenkommandos der Zerstörer besetzt und die Besatzungen heruntergeholt, um eine Selbstversenkung zu verhindern.

Schon um 08 Uhr 10 meldet der FdZ dem Marinegruppenkommando West die Erfüllung der Aufgabe und die nunmehrige Übergabe des Befehls in Narvik an den Heeresbefehlshaber. Da die Funkstelle der 3. Gebirgs-Division mit dem Gruppenkommando XXI in Hamburg, später in Oslo, keine Verbindung herstellen kann, übernimmt die Marine vorläufig die Übermittlung.

Die erste und wichtigste Teilunternehmung der Norwegenaktion ist trotz des langen, durch weit überlegene englische Seestreitkräfte äußerst gefährdeten Anmarschweges gelungen.

> *„Recht voraus Flugzeug!" Norwegen, das Land der Edda. Ein Bordflugzeug fliegt Aufklärung. „Beide Kriegswachen auf Stationen!" Scheinwerfersperre, Bewacher und Batterien. „Schwere — Feuererlaubnis!" Drontheim wird besetzt.*

„Admiral Hipper" hält nach Rettung der Überlebenden der *„Glowworm"* zunächst den nordöstlichen Kurs bei. Gefechtswerte sind bei der Ramming, mit Ausnahme des Steuerbord vorderen 10,5 cm, nicht beschädigt worden, die 4 Grad Schlagseite durch Gegenfluten ausgeglichen. Die vollgelaufenen Räume wirksam abgesteift, halten mit Schottwänden und -türen den Fahrtdruck aus. Fregattenkapitän (Ing.) Fischer, der Leitende Ingenieur, hat keine Bedenken gegen die befohlenen Fahrtstufen.

Kommandant und NO stehen vor der großen Übersichtskarte, die auf dem Kartentische liegt. Auf ihr hat der Obersteuermann die bisherigen Kurse und Standorte eingetragen. In der Ecke sind mehrere Spezialkarten der Küste von Aalesund bis Drontheim und Namsos gestapelt. Kapitän Heye richtet sich auf und legt das Vergrößerungsglas, mit dem er die von Riffen, Schären und kleinen Felsinseln gesäumte norwegische Küste verfolgte, aus der Hand.

„Seit Sonntag vormittag kein vernünftiges Besteck, Hintze. Dies verfluchte Mistwetter! Die Einfahrt von Drontheim ist sehr schwierig, kennen wir ja von unseren Friedensfahrten her. Ich will einen sicheren Schiffsort haben, eh ich diese Mausefalle ansteure. Irgendwo in der Gegend nah an die Küste gehn, gibt mehr als genug einsame Schären, auf denen kleine Leuchtfeuer stehn. Eine 'rauspuhlen, peilen. Klar? Vorschlag?"

Der NO gleitet nun seinerseits mit dem großen messinggefaßten Glas über die wildzerrissene Küstenlinie, stutzt und liest in dem aufgeschlagen bereit liegenden Segelhandbuch nach:

„Hier, Herr Kaptän. Haltenbankfeuer. Kleine unbewohnte Schäre, unbesetzter Leuchtturm. Nicht allzuweit von der Drontheim-Einfahrt."

Der Kommandant läßt sich die Schäre zeigen, überfliegt die kurzen Bemerkungen des Handbuchs und nickt erfreut:

„Großartig! Inzwischen stehn wir weit von der Küste nach See zu mit wechselnden Kursen und mittleren Fahrtstufen auf und ab. Schon damit unsere Zerstörer nicht noch mehr beansprucht werden, als sie es ohnehin schon sind."

Durch Stunden ereignet sich nichts. Unter dem grauen Sturmhimmel, der mit dunklen Wolken tief über einer See hängt, die mit schaumgestreiften langen Rücken in ewigem Einerlei wandert, schlingert der Schwere Kreuzer mit seinen vier Zerstörern. Kurz nach 14 Uhr 00 überreicht der BNO dem Kommandanten die Meldung eines Do 26-Langstreckenaufklärers, die um 13 Uhr 48 aufgenommen wurde. Es ist die Meldung über einen englischen Flottenverband 60 Seemeilen nordwestlich Aalesund, die auch Admiral Lütjens und der FdZ erhielten.

„2 Schlachtschiffe, eins davon ‚*Nelson*'-Klasse, 1 Schwerer Kreuzer, 6 Zerstörer, Fahrt 25 Seemeilen, Kurs Nord."

Dem Kommandanten kommt ein Gedanke. Mehrmals haben sie über „*Glowworm*", die sie für einen Sicherungszerstörer halten, diskutiert und sich gewundert, zu welchem Verband der Zerstörer eigentlich gehörte. Die Gefangenenaussagen hatten keinen Anhalt über diesen Punkt ergeben. Kapitän Heye wendet sich an den NO:

„60 Meilen nordwestlich Aalesund? Die ‚*Glowworm*' kam doch von Norden, als sie auf unsere Zerstörer traf?"

„Jawohl, Herr Kaptän."

„Gehörte also nicht zu dieser Gruppe. Muß demnach noch eine zwote irgendwo 'rumschwabbern, weiß der Teufel!"

Niemand denkt an die schon ein paarmal durch Funk wiederholte englische Warnmeldung vor neu ausgelegten Minenfeldern an der norwegischen Küste und daß der Zerstörer in irgend einem Zusammenhang damit stehen könnte.

„Los, Hintze, an die Karte. Woll'n uns das 'mal näher ansehn."

Der NO trägt den gemeldeten Verband mit Kurs, Fahrt und Uhrzeit ein. Die Engländer stehen für *„Admiral Hipper"* im Südwesten. Der Kommandant zieht den schweren Lederhandschuh von der Rechten, stopft ihn in die Manteltasche, nimmt das durchsichtige Kursdreieck und verlängert mit dem Bleistift die Kurslinie.

„Hm. Wir müssen nach unseren Berechnungen die Haltenbank um Mitternacht peilen, wenn wir zur befohlenen Zeit in Drontheim sein wollen. Ich muß wissen, wann die Burschen dort sein können, vorausgesetzt, daß der Beobachter Kurs und Fahrt einigermaßen richtig geschätzt hat. Geben Sie doch 'mal den Stechzirkel her!"

Der Obersteuermann reicht ihn herüber. Kapitän Heye nimmt am Kartenrand 25 Seemeilen als Stundengeschwindigkeit in den Zirkel, greift ab und nennt die Uhrzeit des möglichen Eintreffens der Engländer bei der Schäre.

„Also noch vor Einbruch der Dunkelheit", bemerkt Kapitän Hintze.

„So ein Mist! Da muß 'was veranlaßt werden. Augenblick!" entgegnet der Kommandant.

Alle an Bord wissen, daß der „Alte" eine erstaunlich kurze Leitung hat, aber der NO ist doch gespannt, was er nun tun wird. Viel ist da weiß der Himmel nicht zu machen! Er sieht zu, wie Kapitän Heye die Entfernung des jetzigen Standorts der *„Admiral Hipper"* zur norwegischen Küste bei Drontheim abgreift, ein paar Zahlen auf die Seekarte kritzelt und lächelt. Er hat eine Lösung gefunden und sagt nun sehr sicher und bestimmt:

„Hier, sehn Sie: Frohavet, das Seegebiet vor der Drontheim-Einfahrt! Wir werden schon ab 16 Uhr 00 auf die Küste zuhalten. Mit Rücksicht auf die Zerstörer. Wir sehn ja, was wir ihnen bei diesem Seegang an Vormarschgeschwindigkeit zumuten können. Ich habe das in Rechnung gestellt. Aber wir müssen feststellen, ob das Frohavet feindfrei ist, ehe wir einlaufen. Ich lasse eins der Bordflugzeuge starten und aufklären. Mit einem unserer Leutnants als Beobachter außer dem Piloten. Zollenkopf kann den aussuchen und der älteste

Bordflieger einen der drei Luftwaffenoffiziere bestimmen, der die Arado fliegen soll."

Der NO sagt nichts. Er denkt an die Entfernung zum Drontheimfjord und die Reichweite der kleinen Maschine. Aber beides ist dem Kommandanten bekannt und Kapitän Heye weiß stets sehr genau was er tut.

Die Meldung der Do 26 über den englischen Flottenverband hat sich an Bord schnell herumgesprochen und die Aufmerksamkeit der Ausgucks verstärkt, die ihre zugeteilten Sektoren mit Doppelgläsern aufmerksam absuchen. Aber weder sie noch die Männer an den Horchgeräten oder die sich rastlos drehenden „Matratzen" der Dete-Geräte können etwas Verdächtiges ausmachen. Die See hat sich nach den Sturmtagen eingelaufen und schwingt in langem Rhythmus unter dem düsteren Wolkenhimmel. Unmerklich fast, aber stetig dreht der böige Südwest nach rechts.

Es ist kurz vor 15 Uhr 00, als der Ruf eines Brückenausgucks durch das Heulen des Sturms gellt:

„Recht voraus Flugzeug!"

Ohne sich lange zu besinnen reagiert der Kriegswachleiter: „Fliegeralarm!"

Der Ausguck, ein Obergefreiter, ergänzt seine Meldung: „Englisches Flugboot!"

Vom FlaAO auf der Vormarsgalerie kommen Befehle. Die Leitstände geben Richtung, Entfernung, Zündereinstellung usw. Die Verschlüsse der Flak schlagen dicht. Fla-Maschinenwaffen werden herumgeschwenkt. Wie Spieße eines Landsknechtshaufen heben sich die langen, schlanken Rohre. Selbst die 20,3 cm Türme drehen sich schwerfällig aus ihrer Ruhestellung, um Sperrfeuer zu schießen.

„Aufklärer, Sunderland Flugboot!" stellt einer der Bordflieger fest, der die Maschine beobachtet.

Sie nähert sich, eine dickbauchige Hummel, die sorglos geradeaus fliegt. Mit krachenden Schlägen zucken gierig leckende Feuerzungen aus den Rohrmündungen der Doppelflak, Granaten jagen in den Himmel und Leuchtspurgeschosse fahren auf bunten Bahnen gegen die Wolken. Rauchende Messingkartuschen poltern an Deck, rollen beim Schlingern des Schiffes hin und her oder stauen sich an einem Hindernis zu kleinen Haufen. Von blitzenden Sprengpunkten und dunklen

Detonationswolken umtanzt, dreht die Maschine hart ab, zieht weit ausholend einen Kreis und kommt schnell aus Sicht.

„Den haben wir offenbar überrascht", meint der Kommandant, „hat uns erst gesehen, als der Feuerzauber losging. Und nun wird er melden. An Funkraum durchsagen: gut auf ... na, was ist los? Gruppenkommando?"

Der BNO, während des Schießens unbemerkt auf die Brükke gekommen, grüßt und überreicht ein Formular:

„Jawohl, Herr Kaptän. Teilt Meldung eines weiteren Luftaufklärers mit. Abgehört 15 Uhr 01."

Kapitän Heye liest:

„FT 1443-Kr-an-Alle. 14 Uhr 38 gesichtet 2 Schlachtkreuzer, 1 Schwerer Kreuzer, 6 Zerstörer, Qu 7360, nördlicher Kurs, 20 Seemeilen. Gruppe."

Er winkt dem NO, und sie vergleichen auf der Quadratkarte diesen Standort mit dem vorherigen.

„Qu 7360 ist ein Quadrat rund 100 Seemeilen nordwestlich von Kraakenes", erklärt der NO.

„Sicher der gleiche Verband. Schiffstypen abweichend und Geschwindigkeit geringer geschätzt. Sie sehn, wie wichtig es ist, unserm Bordflieger einen Seeoffizier mitzugeben. Natürlich kann der sich auch irren, aber immerhin!"

Er blickt auf den Chronometer über dem Kartentisch:

„Um 16 Uhr 00, in einer Stunde also, halten wir auf die Küste zu, Hintze. Und von Ihnen", wendet er sich an den BNO, „möchte ich sofort Meldung haben, wenn die Sunderland funkt!"

Inzwischen hat sich der rechtsdrehende starke Südwest in einen orkanartigen Nordwest gewandelt. In der nun laufenden üblen und groben Kreuzsee taumeln vor allem die Zerstörer wild und unregelmäßig umher. Von Brechern überwaschen, verschwinden sie oft in Schaum und Gischt gehüllt völlig in einem Wellental, daß nur die hin und her schwankenden Masten noch zu sehen sind, und reiten im nächsten Augenblick hoch auf dem überstürzenden Kamm inmitten schäumender Kaskaden. Nur mit Mühe können sie ihre Sicherungspositionen halten.

Eine Anfrage des Kommandanten im Funkraum ergibt, daß sich die Sunderland nicht gemeldet hat.

„Womöglich durch unser Abwehrfeuer angeknackst und außerhalb unserer Sichtweite in den Bach gefallen!" meint der BNO. „Jedenfalls haben wir nichts gehört."

Die eigens auf Veranlassung des C-in-C ausgesandte Maschine hatte sehr wohl ihre Meldung gefunkt, die jedoch unerklärlicherweise von keiner deutschen Abhörstelle aufgefangen wurde.

Eine Stunde nachdem *„Admiral Hipper"* und die vier Zerstörer Kurs auf die norwegische Küste genommen haben, melden sich gegen 17 Uhr 00 die für den Aufklärungsflug bereiten Offiziere, ein Oberleutnant der Luftwaffe und ein Leutnant z. S., beim Kommandanten. Kapitän Heye hat die Karte des Seegebiets um Drontheim klarlegen lassen und zieht die Funksprüche der deutschen Flugzeuge aus der Manteltasche. Er wendet sich an den Oberleutnant, der in seiner hechtgrauen Uniform unbeweglichen Gesichts Befehle erwartet.

„Wie Ihnen der IO sicher schon mitteilte, sollen Sie für uns die Einfahrt nach Drontheim aufklären, d. h. das Seegebiet etwa von Gripholm, wo sich in Friedenszeiten die Lotsenboote aufhalten, bis hinauf zum Frohavet. Das ist ein sehr wichtiger Auftrag, da dort möglicherweise englische Seestreitkräfte stehn. Ich zeige Ihnen jetzt die eigenen Funksprüche über diesen Verband, damit Sie den Grund wissen, warum ich Ihnen einen Seeoffizier an Stelle Ihres gewiß tüchtigen Beobachters mitgebe. Ich muß unbedingt zuverlässige Angaben über die Typen haben, falls britische Schiffe tatsächlich dort kreuzen. Hier, sehn Sie."

Er gibt dem Oberleutnant die beiden Formulare.

„Ich kenne Ihren Ausbildungsgang: Wilhelmshavener Bordfliegerstaffel 1/196, Beobachter zum Teil Seeoffiziere, die für zwei Jahre bei der Fliegertruppe Dienst tun, Schiffstypenkunde, Küstenbefeuerung, Fahrwasserbezeichnung und all das. Mir ist diese Sache aber zu wichtig und Sie sehn ja, wie selbst gut geschulte, geübte und erfahrene Beobachter verschieden melden. Klar?"

„Jawohl, Herr Kaptän."

„Ich habe Ihnen so gut es in aller Eile ging eine Kopie der Spezialkarte machen lassen. Wie Sie sehn hat der betreffende Steuermannsmaat das recht gut hingekriegt! Sie", wendet er sich an den Leutnant, „werden den Flugzeugführer einweisen. Es gibt dort eine ganze Reihe von unverkennbaren Objekten:

besonders charakteristische Bergmassive, die Tusteren zum Beispiel usw. Sie sind mir dafür verantwortlich, daß ich einwandfreie Meldungen über etwaige Kriegsschiffe bekomme."

Kapitän Heye schweigt, wirft einen Blick durch das vierkante Fenster, schüttelt den Kopf und fährt fort:

„Sie sehn diesen tollen Seegang! Noch eins also: die Reichweite der Arado 196 genügt für den Flug zur Küste und die Aufklärung dort. Nicht aber für den Rückflug. Nach Abgabe Ihres Funkspruchs gehn Sie in irgend einem kleinen Nebenfjord zu Wasser oder wie Sie das nennen. Ist leider nicht anders zu machen. Selbst wenn Sie genügend Brennstoff mitnehmen könnten, kann ich Sie bei diesem Seegang nicht einsetzen. Lee zu machen, das heißt Ihren berühmten ‚Ententeich' zum Landen, ist bei der Kreuzsee ausgeschlossen. Stimmt doch, nicht?"

„Jawohl, Herr Kaptän!" bestätigt der Fliegeroberleutnant. „Die Maschine würde schon beim ersten Aufsetzen zu Bruch gehn!"

„Wir kommen ja nach und werden Sie schon 'rausreppen, wenn Sie interniert werden. Also: Hals- und Schotbruch!"

Er reicht beiden die Hand. Der Leutnant klemmt die Seekarte unter den Arm. Sie melden sich ab und begeben sich zum Katapult. Dort hat der TO als Start- und Landeoffizier mit dem Zimmermannspersonal die Schleuder vorbereitet. Um 17 Uhr 50 wird der von einer Schiene geführte Schlitten, auf dem das startklare Flugzeug an drei Punkten gehalten wird, durch Preßluft mit 120 km Geschwindigkeit geschleudert. Die Arado röhrt mit Vollgas davon, gewinnt Höhe und kommt mit Kurs auf die norwegische Küste aus Sicht.

Kurz vor Einbruch der Dunkelheit trifft ihre Meldung ein, die der II FTO auf die Brücke bringt:

„Frohavet und Seegebiet westlich der Küste feindfrei. Gesichtet nur zwei in den Fjord einlaufende Dampfer."

Der Kommandant atmet erleichtert auf.

Später erfährt er, daß die Maschine nach der Erfüllung ihrer Aufgabe in einem Fjord südlich von Drontheim wasserte, beide Offiziere von den Norwegern interniert und erst nach mehreren Wochen befreit wurden. Zu ihrer Verblüffung fanden sie bereits eine englische Flugzeugbesatzung vor, die am gleichen Tage, bezeichnend für die damalige Lage, in Norwegen notlanden mußte!

Die Gruppe II steuert mit mittlerer Fahrt das Frohavet an. Sie steht noch weit draußen in See, als Oberst Weiß, der Kommandeur des 138. Gebirgsjäger-Regiments eine Frage an den Kommandanten richtet. Seine Jäger sind, soweit nicht seekrank, wieder an Oberdeck erschienen und betrachten von den Aufbauten aus schweigend den Aufruhr der See.

„Was für Batterien haben wir bei der Einfahrt zu erwarten?"

Kapitän Heye lacht:

„Wenn ich das mit Sicherheit wüßte, wäre mir wohler! Ich wollte mir das gerade noch einmal mit dem NO und AO genauer ansehn. Kommen Sie, wir haben die vermutliche Lage und die Kaliber der Geschütze in die Karte eingetragen. Ob alles stimmt, wissen die Götter. Die vorliegenden Nachrichten sind äußerst dürftig!"

„Sie rechnen mit Widerstand?"

„Höchstwahrscheinlich, soweit ich die Norweger kenne!"
Im Friedenssteuerstand fordert der Kommandant den NO auf, dem Obersten und seinem Stab die schwierige Einfahrt zu zeigen. Kapitän Hintze weist mit dem langen gelben Bleistift auf die verschiedenen Möglichkeiten:

„Schon im Frieden, wo wir Lotsen haben, nicht ganz einfach, Herr Oberst. Wir werden vom Frohavet her anlaufen, das von Riffen und Schären wimmelt. Dann passieren wir die größeren Inseln Fröya und Hittra und drehen in den Sköjan Fjord, eine Verlängerung des eigentlichen Drontheim Fjords. Vor der Halbinsel Beian muß wieder Kurs geändert werden und jetzt", nickt er dem AO zu, „sind Sie dran, Wegener? Von dort ab wird die Geschichte ungemütlich, denn hier stehn die Kanonen!"

„Die Anlagen zum Operationsbefehl geben selbst zu", erklärt der AO, „daß die Unterlagen sehr unsicher sind. Ich bin der Ansicht, man sollte auch die nur vermuteten Batterien als vorhanden annehmen."

Er zeigt mit dem Stechzirkel auf die sorgfältig vom Obersteuermann eingetragenen und teilweise mit einem roten Fragezeichen versehenen Bergstellungen:

„Wirklich übel scheint diese Agdenes-Stellung auf der gleichnamigen Bergzunge hier an Steuerbord zu sein. Angeblich 8—24 cm! Gegenüber Brettingnes mit 5—21 cm Geschützen. Wenn die uns von zwo Seiten in dieser Enge befunken ..."

„Bloß die Pferde nicht scheu machen, AO!" unterbricht der Kommandant. „Alles nicht so gefährlich, wie es aussieht. Ich will mit hoher Fahrt durchlaufen. Ehe die ihre Kanonen klar haben ... Sie müssen bedenken, die Norweger führten seit Ewigkeiten keinen Krieg mehr, die sind nicht so fix. Wenn sie allerdings vorher alarmiert werden, kann es gefährlich sein. Kommt alles nur auf die Überraschung an."

Er sieht den AO an:

„Übrigens werden wir nicht, wie befohlen, mit den Geschützen in Zurrstellung, sondern in Kriegsmarschstellung durchlaufen, Wegener. Ich habe mir das sehr genau überlegt, es wäre sonst Selbstmord. Und nun zeigen Sie bitte noch die anderen, ich meine die vermuteten Batterien!"

„Im Ganzen sieben mit Kalibern von 24 cm bis zum 7,5 cm Schnellfeuergeschütz, Herr Oberst."

Daß ein Kriegsschiff erfahrungsgemäß gegen Landbatterien im Nachteil ist, noch dazu in einer engen Durchfahrt wie dieser, erwähnt er lieber nicht.

„Das wäre also die Artillerie", sagt Kapitän Heye. „Wir haben uns auch überlegt, ob die Norweger die Einfahrt mit Minen gesperrt haben. Ist aber wenig wahrscheinlich, weil ihnen dazu vermutlich die Zeit fehlte und weil sie auf den Küstenverkehr angewiesen sind. Trotzdem lasse ich zwei unserer Zerstörer mit ausgebrachtem Bugschutzgerät vorauslaufen, sowie wir das Frohavet erreicht haben. In der Enge selbst geht das nicht, da müssen wir alles riskieren und auf die Trumpfkarte ‚Hohe Fahrt' setzen, wobei kein Suchgerät gefahren werden kann."

„Außerdem", ergänzt der Kommandant, „hat die Arado zwei Dampfer einlaufend gemeldet. Die Einfahrt muß also zum mindesten zu dieser Zeit noch frei gewesen sein. Wir werden etwa gegen 04 Uhr 00 dort stehen. Bis dahin kann unmöglich eine Sperre geworfen worden sein."

„Sie glauben also, daß die Norweger feuern werden?" wiederholt der Oberst seine Frage.

„Eigentlich ja. Sie haben bisher versucht neutral zu bleiben, *‚Altmark'*-Fall usw. Aber gefühlsmäßig stehn sie zweifelsohne auf Seiten der Engländer. Vielleicht halten sie uns für Briten, wenn wir einlaufen. Nach meiner Ansicht würden Sie dann

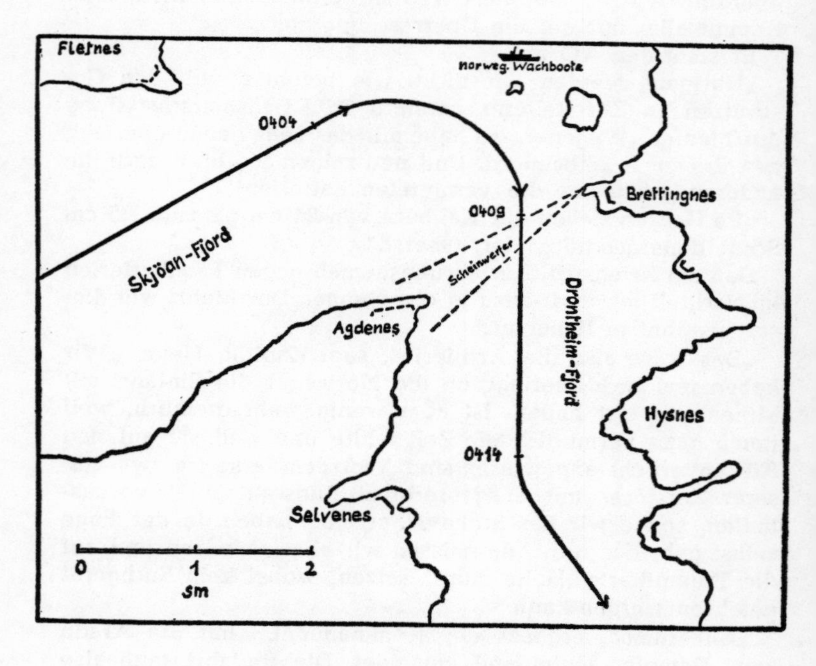

Die Besetzung von Drontheim

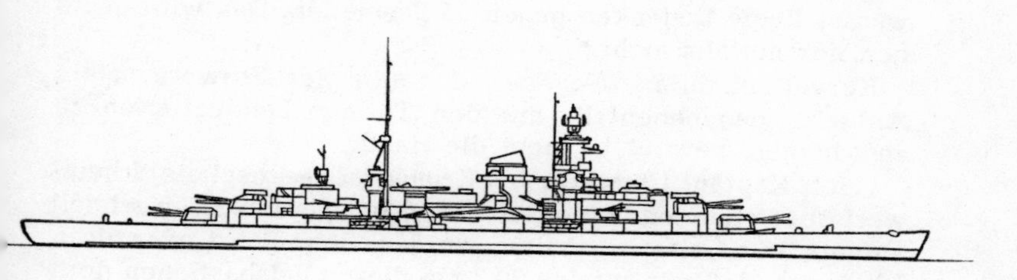

Dtsch. Schw.-Krz. Admiral Hipper (37)
8—20,3; 12—10,5; 12—3,7; 12TR—53,3; 3Flgz.; 13900 t; 32,5 kn;
195, 21,3, 7,7 m.

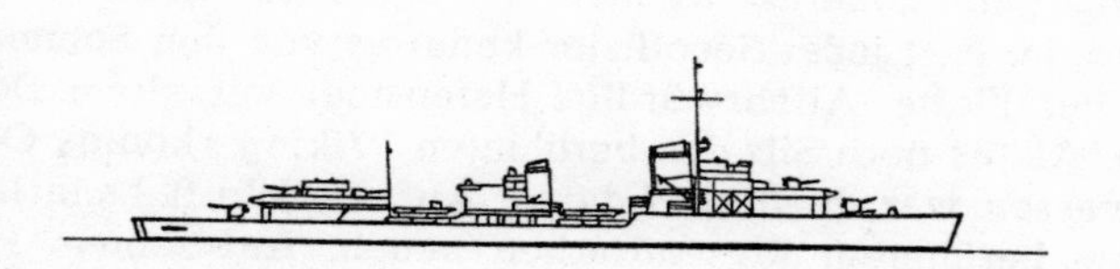

Dtsch. Zerst. Paul Jacobi; Theodor Riedel; Bruno Heinemann;
Friedrich Eckoldt (35—36)
5—12,7; 4—3,7; 8TR—53,3; 2171/2239 t; 38,0 kn;
114, 11,3, 3,8 m.

nicht auf uns schießen. Ich habe für diesen Fall schon ein paar englische Sprüche vorbereitet."

„Welche Fahrt soll gelaufen werden?" erkundigt sich der NO.

„Fischer hat innerhalb der Schären und im ruhigen Fjordwasser keine Bedenken gegen 25 Seemeilen. Das wird genügen, nur notfalls mehr."

Korvettenkapitän Wegener, der sich der Schwere seiner Aufgabe, gegebenenfalls mit den Türmen Landbatterien zu zerschlagen, bewußt ist, hebt die Hand:

„Herr Kaptän! Ich werde bei Kriegswachwechsel die Scheinwerferbedienungen besonders anweisen. Ziele müssen schnell aufgefaßt und eisern gehalten werden, hohe Fahrt oder nicht. Ich denke, daß wir mit den 20,3 cm diesen Felsbastionen doch sehr unangenehm werden können. Sie sind natürlich getarnt, aber wenn sie feuern, verrät sie das Mündungsfeuer deutlich genug."

„Noch etwas wegen Ihrer Jäger!" wendet sich der Kommandant an den Regimentsadjutanten. „Sowie wir die Küste in Sicht haben, müssen die unter Deck verschwinden. Ich werde das rechtzeitig durchsagen lassen. Unser Bordflugzeug hat zwar alles feindfrei gemeldet, aber auf See weiß man nie, was für Überraschungen plötzlich auftreten!"

„Selbstverständlich!" erklärt an Stelle des Adjutanten der Oberst.

„Etwas ganz anderes: Kennen Sie eigentlich Drontheim?"

„Doch, ja. Fast jeder Seeoffizier kennt es von den Sommerreisen der Flotte. Altehrwürdige Hafenstadt mit altem Dom und so. Als es noch Sitz des berühmten Wikingerkönigs Olaf Tryggvasson war, hieß es Nidaros. Auf der Werft Lade ließ es seine berühmten Riesendrachen bauen. Auf seinem Hof war Leif, der Sohn Eriks des Roten von Grönland, der Entdecker Amerikas, zu Gast. ‚Det er saa fagert i Trondhjem at vile!' sagen die Norweger, das heißt ‚Es ist so schön in Drontheim zu weilen!'. Sie werden es ja selbst sehn, ich habe durchaus vor, Sie und Ihre Männer dort heil an Land zu setzen!" fügt der Kommandant lächelnd hinzu.

Die fahle Abenddämmerung einer nordischen Vorfrühlingsnacht liegt über dem Frohavet, als einige Stunden später die Küste in Sicht kommt. Hauchzart taucht unter tiefhängenden Sturmwolken die geschwungene Linie der Berge, halbverhüllt aus blaudunstigen Schleiern auf. Beim Näherkommen treten die zackigen Granitklötze einzelner Berghäupter mit ihren Schneefeldern hervor. Zu ihren Füßen lagern Riffe, Schären und kleine Inseln, an deren naßglänzenden dunklen Rücken Brandungsbrecher hochwuchten.

Schweigend schauen der Oberst und seine Stabsoffiziere auf die steinerne Mauer der weltfernen, unerhört kühnen Landschaft. Sie lauschen auf das Heulen des Sturms und glauben das Rauschen der tobenden Brandung zu vernehmen, das Kreischen der Möwen, die plötzlich wie wirbelnde Schneeflocken über der Hecksee des Schweren Kreuzers tanzen. Seltsam rührt es den Oberst an beim Anblick dieses aus dem Meer steigenden Landes. Er denkt an den verlorenen Blick des Meermannes mit dem Muschelhorn auf einem Böcklinschen Bild, an eine Beethovensche Symphonie ...

Um 00 Uhr 30, eine halbe Stunde nach Mitternacht steht die Gruppe II planmäßig vor der Einfahrt im Windschutz der Inseln Fröya und Hittra mit Kurs auf den Sköjan Fjord. Die Hälfte des Frohavet haben sie hinter sich. Vor *„Admiral Hipper"* laufen mit ausgebrachtem Suchgerät zwei der Zerstörer, die beiden anderen folgen im Kielwasser. Kapitän Heye setzt das Doppelglas ab:

„Kurz vor Beian sollen sie ihr Gerät aufnehmen, NO, wann wird das sein?"

„In etwa zwo Stunden, Herr Kaptän."

Der Kommandant, der schon seit einiger Zeit sah, welchen Eindruck offenbar diese fremde nordische Welt unter düsterem Himmel bei tobender Sturmsee auf die Heeresoffiziere macht, geht zum Oberst hinüber, der mit den Herren seines Stabes schweigend in der Brückennock steht:

„Ich sehe, Sie sind als Mann der Berge von dieser Landschaft gepackt. Wir Seeleute kennen Norwegen und lieben es. Diesen grandiosen Dreiklang von See, Felsen und Wolken. Kennen Sie die Nationalhymne, die der norwegische Dichter Björnsson schrieb? Nein? Sie beginnt mit den Worten ‚Ja vi elsker dette landet ...' das heißt ‚Ja, wir lieben dieses Land!' Es ist die Heimat der alten Sagas, die hier von Mund zu Mund weitergegeben, später in Island aufgezeichnet wurden. Ich kenne sie, und sie fallen mir immer ein, wenn ich hier bin."

Er bemerkt das Lächeln des NO, dem plötzlich aufgeht, daß der energische, lebendige und sehr selbstsichere Kommandant, der rasch von Entschluß stets das, was er für richtig hält, durchsetzt, auch andere Seiten zeigen kann.

„Grinsen Sie ruhig, Hintze! Sie empfinden das alles genau so, oder kennen Sie etwa die Edda nicht? Na also! Hier ist die Heimat der alten Mythen und Sagen, hier wenn irgendwo, wohnen noch die alten Götter. Wodan mit dem Wolkenhut thront über den Bergen, und über den Fjorden schwebt die silberfüßige Freya. Aegirs Frau, die raffende Ran schwimmt mit ihren neun Töchtern, den neun Wogen der Sturmsee vor der Brandung. Im übrigen: Läufer! Eilen Sie zu meinem Steward, er soll uns aus meiner Privatdose in der Kammer achtern einen starken Mokka brauen. Sie trinken doch auch?"

„Vielen Dank, großartig!" lacht der Oberst.

Gegen 03 Uhr 00 meldet sich der II FTO mit dem Funkspruch über das Löschen der norwegischen Feuer und einem zweiten, der verstümmelt abgehört wurde und dem zu entnehmen ist, daß am Eingang des Oslofjords geschossen wurde. Kapitän Heye liest und wirft die Blätter ärgerlich auf den Kartentisch:

„Schöne Schweinerei! Hier brennen die Feuer allerdings noch. Aber das andere! Das ist unangenehm: jetzt ist die ganze Küste alarmiert, bestimmt!"

Mit einer Entschuldigung läßt er den Oberst, den er mit an die Karte genommen hatte, stehen und geht gefolgt von Läufer und BÜ hinaus auf die Brücke zum Kriegswachleiter, der neben dem WO auf seinem Sattelsitz hockt. Die Befehle, die er gibt, lassen die ganze Brücke aufhorchen:

„An Zerstörer: sofort Geräte aufnehmen! Im Kielwasser folgen! WO: sowie Durchführung gemeldet wird, auf 25 Seemeilen gehn. Ausrufen lassen: alle Gebirgsjäger unter Deck!"

Der WO läßt den Befehl durch die Lautsprecheranlage geben, worauf die Soldaten, die trotz der mitternächtlichen Stunde noch an Oberdeck herumsitzen, schleunigst die Niedergänge hinabpoltern. Der Kommandant, der ungeduldig zusieht, winkt dem Kriegswachleiter:

„Beide Kriegswachen auf Stationen! Artillerie klar zum Feuern. Ausgucks und Scheinwerfer informieren! Alles muß auf meinen Befehl schlagartig funktionieren. Es kommt auf Sekunden an!"

Höchste Spannung vibriert in allen Decks. Der ganze Kreuzer ist plötzlich wie elektrisiert. Die Kriegsfreiwache rast auf ihre Stationen. Durch Sprachrohre und Kabel laufen Befehle. Maschinentelegrafen knarren, Telefone klingeln, Fertigmeldelampen glühen rot auf. Bis hinunter in Schiffszentrale, Maschinen- und Kesselräume ist alles in fieberhafter Bewegung. Die Waffenleiter geben ihre Klarmeldungen an den Ersten Offizier. Fregattenkapitän Zollenkopf erscheint auf der Brükke, meldet und steigt wieder in die Zentrale hinab.

Mit Kurs 60 Grad, die Türme in Kriegsmarschstellung läuft *„Admiral Hipper"*, die Zerstörer hinter sich, in den Sköjan Fjord.

Steile Felsberge ragen zu beiden Seiten empor, ihre Hänge sind schneebedeckt. Voraus liegt Beian. Noch ist alles ruhig, nichts deutet darauf hin, daß der Verband bemerkt wurde. Aber dann, kurz bevor zum Kurs in den Drontheimfjord angedreht werden muß, springen an Steuerbord voraus Scheinwerferstrahlen aus der Finsternis.

„Scheinwerfersperre rechts von Beian!" ruft der NO. „Unter der Batterie Brettingnes! Davor Bewachungsfahrzeuge!"

„Wachboot ruft an!" meldet der Signalmeister.

„Positionslichter setzen!" befiehlt der Kommandant. „Signaldeck verstanden zeigen! Danach den englischen Blinkspruch! Los dafür!"

An den Seiten der Brücke leuchten die Positionslampen grün und rot auf, die beiden Dampferlichter in Vor- und Großmast, achtern das Hecklicht. Ebenso bei den Zerstörern.

„Brettingnes: 5—21 cm, 2—7,5 cm", sagt Heye leise vor sich hin.

Der Signalscheinwerfer klappert. Der Signalmaat der Wache beginnt den englischen Spruch in Richtung auf das kleine weiße Wachboot abzugeben. Langsam und deutlich, Buchstaben für Buchstaben.

„Zeit zur Kursänderung, Herr Kaptän!" verkündigt der NO ruhig und sachlich.

Der Kommandant winkt mit der Rechten, Kapitän Hintze ruft dem Gefechtswachhabenden den neuen Kurs zu. Der gibt ihn an den Rudergänger weiter:

„Steuerbord 10, neuer Kurs 180 Grad!"

„Kurs 180 Grad liegt an!" meldet der Obergefreite im Kommandostand.

Der Signalmaat hat seinen Spruch beendet:

„Habe Befehl der Regierung nach Drontheim zu gehen, keine feindlichen Absichten!"

„Blinkspruch abgegeben und verstanden!" meldet er.

Schweigen, alles wartet auf die Antwort.

Die Spannung wächst. Wenn die Batterien nun das Feuer eröffnen? Sie stehen jetzt sehr dicht vor Brettingnes und dem gefürchteten Agdenes. 5—21 cm an Backbord, 8—24 cm an Steuerbord erinnert sich Kapitän Heye. Gleichgültig, denkt er, wenn wir bloß durchkommen! Immerhin laufen wir jetzt 25 Seemeilen, und der AO hat seinen Zielgeber sicherlich genau auf Brettingnes gerichtet. Wahrscheinlich Feuerverteilung, und die achteren Türme nehmen Agdenes an. Alles hängt nun von dem Kommandanten dieses unscheinbaren Vorpostenschlittens ab. Mein Himmel, warum antwortet der nicht?

Keiner der Offiziere ahnt, daß bei Agdenes in Wirklichkeit nicht ein einziges Geschütz steht, obwohl der ganze Komplex „Festung Agdenes" genannt wird! Im ganzen haben die Norweger überhaupt nur drei Batterien in der Enge![1])

Plötzlich fährt vom Bewacher ausgehend ein schmaler Goldstreifen in steilem Bogen durch die Nacht, steigt über die Berge, zerplatzt, leuchtet rubinrot auf und fällt langsam herab. Von der Brücke des Vorpostenbootes blinzelt ein Scheinwerfer.

„Bewacher hat roten Stern gefeuert! Macht: stop at once!"

„Alarmsignal ist das!" knurrt Kapitän Heye. „Englischen Spruch an die Batterie über der Scheinwerfersperre geben. Beeilung! Ebenso an die andere an Steuerbord. UK an Zerstörer: eng aufschließen! Frage: Fahrt?"

„Umdrehungen für 25 Seemeilen, Herr Kaptän!"

„Aye!"

Mit der Überraschung ist es aus, denkt der Kommandant. Warum feuern sie noch nicht? Halten sie uns doch für Engländer? 600 m sind wir ab, wenn die mit ihren schweren Kalibern loslegen und Wegener schlägt nicht im gleichen Augenblick mit allen Türmen drein ... aha! Die Scheinwerfersperre! Die wenigstens haben wir gleich hinter uns! ...

---

1) Es waren das: 1. Brettingen mit 2—21 cm; 3—15 cm; 3—6,5 cm
2. Hysnes mit 2—21 cm; 2—15 cm; 3—6,5 cm
3. Hambaara mit 2—15 cm

Er sieht auf die Uhr: 04 Uhr 04 ist es, und das Vorschiff schneidet mit 25 Knoten in die gleißende Helle, die den Kreuzer sekundenlang in kalkweißes blendendes Licht taucht. ihn überhuscht und wieder in die Dunkelheit gleiten läßt. Brettingnes schweigt, Agdenes feuert nicht. Nichts geschieht, registriert fast unbewußt der Kommandant. Sie nähern sich schnell den auf der Backbordseite mit 2—19 cm und 2—15 cm verzeichneten Stellungen bei Hysnes und der Batterie Selvenes mit 4—15 cm gegenüber an Steuerbord. Kapitän Heye hat die verhängnisvollen Zahlen sehr genau im Kopf. Feuern die auch nicht? Sollte der englische Blinkspruch doch gewirkt haben? Wenn wir ...

Die ruhige Stimme des NO unterbricht die unheimliche Stille:

„Neuer Kurs 155 Grad!"

WO und Rudergänger wiederholen. Letzterer drückt eine Taste, läßt das Schiff andrehn, stützt, indem er ein wenig Gegenruder gibt, und meldet gleichmütig:

„155 Grad liegt an!"

Alle im Schiff, an den Turbinen, im Maschinenleitstand, vor den Öldüsen der Heizräume, in den Munitionskammern tief im Innern und nicht zuletzt die Gebirgsjäger in den Räumen unter Deck fühlen fast körperlich den Druck der nervenzerreißenden, atemberaubenden Spannung. Die Zielgeber in den Ständen, drehen sich. Die Empfänger in den Türmen und die Scheinwerfer folgen. Die roten und schwarzen Pfeile auf den Scheiben bleiben leicht zitternd in Deckung. Die langen Rohre der 20,3 cm und die schlanken der 10,5 cm Geschütze bewegen sich, halten das gleiche Ziel, das im Nachtleitstand angeschnitten wird. Schweigend stehen die Bedienungen hinter den geladenen Geschützen. Wer seine Gefechtsstation an Oberdeck hat, in der Vormarsgalerie, an den Scheinwerfern, der sieht, wie sich im Osten über den schneebedeckten Bergen die Frühdämmerung abzuzeichnen beginnt. Dunkle Wolken werden vom Sturm gejagt, aber im Fjord ist es still, nur das Rauschen der Bugsee ist zu vernehmen. Niemand wagt zu sprechen. Schweigen liegt wie ein schweres Tuch über dem Kreuzer.

Sie haben Hysnes und Selvenes passiert. An Backbord voraus liegt noch eine kleine, in den Aufzeichnungen unbekannte Stellung, 3—7,5 cm sollen dort stehen. Kapitän Heye beobachtet die Gegend, wo die Hysnes Batterie im Felsen eingebaut sein muß. Mit Befriedigung sieht er, daß der AO die gleiche Richtung mit dem Zielgeber erfaßt hat. Alle Türme folgen, bis die vorderen, in achterlicher Endstellung, dies Ziel nicht mehr erreichen können. Aber Hysnes mit seinen 19 cm Geschützen bleibt gefährlich. Der Kommandant hält es daher weiterhin im Glas. Glücklicherweise, denn plötzlich glimmt drüben am Berghang ein schwaches Licht auf, zwei, drei. Sind es starke Taschenlampen, die sich hin und her bewegen? Ablösende Geschützbedienung oder Wachmannschaften, die ihre Ronde gehen? und dann brechen lange Feuerstrahlen aus dem Felsen ...

„Schwere Feuererlaubnis!" schreit der Kommandant. „Scheinwerfer leuchtennn!"

Langes, blendendes Mündungsfeuer fährt unter dröhnendem, vielfach an den Bergen widerhallendem Donner aus den vier Rohren der achteren Türme. Fast im gleichen Augenblick schlagen gewaltige Detonationen Feuer und Rauch aus den Felsen. Wirbelnde Wolken drehen sich dort, ziehen langsam an den Hängen davon. Eine zweite Salve rauscht hinüber und hüllt die Stellung ein, die im Qualm der Abschüsse und Treffer, im Feuer und Pulverrauch der Sprenggranaten kaum noch zu erkennen, schnell achteraus wandert.

In der Zentrale hören sie dumpf die eigenen Abschüsse, spüren die Erschütterungen. Der Steuermannsmaat an seinem Kartentisch neben dem IO wirft einen Blick auf den Chronometer über der Lecktafel mit dem Schiffsriß und den bunt eingezeichneten Rohren der Lenz- und Fluteinrichtung. Er greift zum Bleistift, macht einen feinen Strich durch die gerade eingetragene Kurslinie und schreibt mit kleinen, zierlichen Zahlen die Uhrzeit daneben:

„04 Uhr 17 Feuer eröffnet, Herr Kaptän!"

Als die zweite Salve folgt, macht er eine neue Notiz und sieht erstaunt auf, als kurz danach das „Halt! Batterie haalt!" vom Haupt-BÜ durchgegeben, das Ende des Gefechts anzeigt.

Offiziere treten aus den Ständen und sehen zurück. Die Gefahr ist vorüber. Die Batteriestellung ist nicht mehr zu erkennen nur die dunklen Sprengwolken liegen noch dort. Sie wirbeln langsam zu den Berghöhen auf, werden vom Sturm erfaßt und in langsträhnigen Fetzen davongetragen. Der IO und die Waffenleiter melden.

„Ich habe die Batterie nicht aus den Augen gelassen", sagt Kapitän Heye. „Hat jemand etwas Besonderes gesehn? AO?"

Korvettenkapitän Wegener überlegt kurz. Es ging alles sehr schnell, die Beobachtungen, die er machte, folgten sich wie ein flimmerndes Filmband, die Abschüsse blendeten, die Konzentration auf das Ziel, das Hinhören auf die einlaufenden Meldungen ... er muß das alles zurückspulend einordnen. Er hebt den Kopf:

„Nach meiner Ansicht waren sie noch nicht mit allen ihren Geschützen klar, Herr Kaptän. Drei Schuß habe ich mit Bestimmtheit beobachtet. Die haben sie 'rausgekriegt. Schweres Kaliber, das war an dem Mündungsfeuer zu erkennen. Da im gleichen Augenblick die Scheinwerfer leuchteten und ich feuern ließ, kann ich nicht sagen, ob noch weitere Salven folgten. Ich verstehe nicht, warum die Batterie nicht schon früher schoß, sie war doch von dem Bewacher alarmiert."

„Ja, Wegener, sie haben noch weiter gefeuert. Sehn Sie achteraus! Glücklicherweise schwimmen noch alle Zerstörer. Die sind nämlich beharkt worden! Und wie! Der achtere Stand meldete mir, daß die Boote in hohen Aufschlägen lagen. Deckend an beiden Seiten. Erstaunlicherweise keine Treffer! Daß wir hier heil davongekommen sind, ist wirklich ein besseres Wunder!"

„Die hohe Fahrt", bemerkt Kapitän Hintze, „und die Unerfahrenheit der Norweger! Daß sie uns für Engländer hielten, ist nicht anzunehmen nach den Ereignissen im Oslofjord."

Von der Brücke des Führerbootes der 2. Z-Flottille, *„Paul Jacobi"*, blinkt ein Scheinwerferspruch. Auf *„Admiral Hipper"* beugt sich der Signalmaat der Wache über die Signaldeckreling: „Blinkspruch von PJ, Herr Kaptän! *‚Friedrich Eckoldt'* ist für uns abgeteilt, die anderen drei landen jetzt ihre Gebirgsjäger, um die Batterien zu besetzen!"

Auf der Kreuzerbrücke richten sich die Gläser auf die Zerstörer. Gebirgsjäger kommen dort die Niedergänge hoch, sammeln an Oberdeck, werden gemustert. Seeleute reißen die Zurrings von den Kisten und Geräten. *„Paul Jacobi"*, *„Bruno Heinemann"* und *„Theodor Riedel"* stoppen und setzen die Boote aus. Unter Führung ihrer Offiziere steigen die Jäger ein, werden an Land gesetzt und bilden dort einen Brückenkopf.

Die Kompanien rücken vor, verschwinden in einem engen, tiefverschneiten Tal zwischen den Bergen und klettern die schneebedeckten Hänge hoch. Maschinengewehrfeuer rattert. Gewehrschüsse peitschen durch die Dämmerung. Die Norweger leisten harten Widerstand und erhalten laufend Verstärkung, so daß vorläufig nur die südliche Stellung genommen werden kann. Erst nach zweitägigem Kampf übernehmen Marineartilleristen auch die andern von den Jägern eroberten Batterien.

Der Kreuzer läuft mit dem einen Zerstörer gefechtsklar den langen Fjord hinauf. Kapitän Heye überlegt. Er hat als verantwortlicher Führer der Gruppe II ernste Sorgen. Drontheim ist eine Schlüsselstellung, der größte und wichtigste Hafen Nordnorwegens. Er weiß aus den Beilagen des Operationsbefehls, daß dort eine starke norwegische Garnison liegt. Dabei sind die schweren Waffen für das Jäger-Regiment und weitere Heereseinheiten noch auf den Transportern unterwegs. Wo stehen jetzt die gemeldeten britischen Seestreitkräfte? Der Verband, den die Aufklärer sichteten? Noch sind die Sperrbatterien nicht genommen. Wenn die Engländer mit ihren schweren Einheiten einlaufen, können sie die deutschen Schiffe in wenigen Minuten zusammenschießen. Und wenn er Drontheim so bald wie möglich verläßt, was wird dann aus den Zerstörern, die erst Brennstoff ergänzen müssen? Wenn nun Langstreckenbomber angreifen?

Kapitän Heye steht schweigend in der Nock. Rein gewohnheitsmäßig hebt er ab und an das Doppelglas. Er sieht die bewaldeten Berge, die jetzt beiderseits den Fjord begleiten, die weißen Wasserfälle, die hier im Inneren rauschend zu Tal stieben, die einsamen rotbraunen Holzhäuser, die an den Hängen kleben. Nach über einer Stunde haben sie die Drontheim-Bucht, die wie ein von Bergen umrahmter Alpensee aussieht, erreicht. Bewaldete Berghöhen, verschneite Wiesentäler, dick vom Schnee verhüllte Tannen. Links eine kleine Insel: Munkholm, das ehemalige Benediktinerkloster, umringt von alten Festungswällen. An Steuerbord die Stadt. Molen und Masten, Küstendampfer, Küstensegler, stämmige weiße Fischerboote. Dicht am Wasser die Eisenbahn, Kirchtürme und Schornsteine. Auf dem Hügel über der Stadt eine alte Feste mit hohem Flaggenmast: Kristiansten.

Kühler Lufthauch streicht prickelnd wie Sekt, klar und rein von der See herein, die gleich hinter den westlichen Bergen an die Außenschären brandet.

„Admiral Hipper" und *„Friedrich Eckoldt"* drehen auf. Der Zerstörer geht an eine der Piers, der Schwere Kreuzer läßt die Schrauben zurückschlagen, stoppt. Polternd und klirrend rasselt der Backbordanker durch die Klüse.

„05 Uhr 25 geankert", trägt der Obersteuermann unter dem 9. April in das Logbuch ein.

Die Ausschiffung der Gebirgsjäger und ihres Gerätes beginnt sofort. Sie ist am Abend beendet. Oberst Weiß, der Kommandeur fährt zu Verhandlungen mit den norwegischen Behörden an Land. Seinem klugen und besonnenen Verhalten ist es zu verdanken, daß in Drontheim kein Widerstand geleistet wird. Aber daß die Menge der norwegischen Wehrpflichtigen die Stadt verläßt, um ihrem inzwischen erlassenen Gestellungsbefehl zu folgen und ihre Mobilmachungsstationen zu erreichen, kann nicht verhindert werden.

Prisenkommandos der *„Admiral Hipper"* besetzen die im Hafen befindlichen feindlichen und neutralen Handelsdampfer mit Ausnahme der amerikanischen, wie der Operationsbefehl ausdrücklich an Hand der Erfahrungen des Ersten Weltkriegs fordert. Zwar hat der Kreuzer eben noch genügend Brennstoff für den Heimmarsch, nicht aber die Zerstörer. Der Tanker der Gruppe II, *„Skagerrak"*, ist noch nicht eingetroffen. So suchen Ölkommandos die vorhandenen Vorräte zu erfassen, was sich jedoch als sehr schwierig herausstellt.

Wegen des noch unzureichenden Verteidigungszustandes der Stadt, der bisher vergeblichen Angriffe auf die die Einfahrt beherrschenden Batterien von Brettingnes und Hysnes, sowie auf Grund der dringend nötigen Brennstoffergänzung der Zerstörer entschließt sich Kapitän Heye, nicht wie befohlen am 9., sondern erst am 10. April auszulaufen.

Doch schon am Abend des 9. hält der Kommandeur der Gebirgsjäger, Oberst Weiß, die Lage in Drontheim selbst für gesichert und meldet entsprechend. Die Gruppe II hat ihre Aufgabe, die Sicherung des Transportes und die Landung der Truppen erfüllt.

DAS LOFOTEN-GEFECHT UND DER RÜCKMARSCH DER SCHLACHTKREUZER MIT DER GRUPPE DRONTHEIM

Eine ungemütliche Sturmnacht. „Schatten Backbord achteraus!" Das „Schneesturmgefecht" beginnt.

Nach Entlassung der Gruppe I um 21 Uhr 02 vor dem Eingang zum Westfjord kommen die Zerstörer von Brechern überflutet, heftig stampfend, im Schneegestöber bald aus Sicht des Flottenverbandes.

Auch die Schlachtkreuzer, die zwar für 22 Seemeilen Dampf aufhaben aber nur geringe Fahrt laufen, arbeiten stark in dem Sturm, der seit 20 Uhr 00 mit Stärke 9 weht und bei zunehmendem Seegang weiter auffrischt. Der Flottenchef, Vizeadmiral Lütjens, sein Stabschef, Konteradmiral Backenköhler, der I.Asto Kapitän z. S. Brocksien, die im Kartenhaus der Admiralsbrücke über die Spezialkarte des Lofotengebiets gebeugt stehen, müssen mehr als einmal nach einem Halt greifen.

„Ich möchte nicht zu nah an der Küste bleiben", erklärt der Admiral. „Signalbefehl: Kiellinie, 12 Seemeilen. Was liegt an?"

„55 Grad, Herr Admiral!" meldet der IV.Asto, Korvettenkapitän Bormann.

Zehn Minuten später wird die Fahrt auf 7 Knoten herabgesetzt, der Kurs auf 320 Grad geändert.

Wind und See kommen nun von Steuerbord voraus, und die Bewegungen sind nicht mehr so ruckartig. Es können wieder 12 Meilen gelaufen werden. Innerhalb der nächsten halben Stunde folgen Kurswechsel auf 270 und schließlich auf 290 Grad. Der Sturm wächst sich schnell zum Orkan aus.

Um 22 Uhr 02, der Westnordwest heult mit Stärke 11 und die grobe See hämmert mit schweren Brechern auf Decks und Aufbauten, läßt der Flottenchef den Befehl für die Nacht durchgeben:

„Marschfahrt 12 Seemeilen, je Welle 2 Kessel, Kurs West 2. Auf Trockenhalten der Artillerieanlagen ist besonders zu achten!"

Um 22 Uhr 42 meldet auf *„Scharnhorst"* der Erste Offizier, Fregattenkapitän Schubert seinem Kommandanten, Kapitän z. S. Hoffmann, den ersten Seeschaden:

„Der Seitengang beim Steuerbord II. 15 cm ist eingedrückt, Herr Kaptän. Bei Durchhalten dieser Fahrtstufe werden weitere Schäden unvermeidlich sein. Die Seen, die wir übernehmen, hauen in kürzester Zeit alles kurz und klein. Können wir nicht bei der Flotte Fahrtverminderung beantragen?"

Der Kommandant nickt. Nach zehn Minuten trifft die Antwort ein:

„Fahrt 9 Meilen!" und zwei Minuten später:

„In Abänderung bisherigen Befehls für die Nacht: Marschfahrt 9 Seemeilen, je Welle 1 Kessel, 2. Kessel muß in 10 Minuten zugeschaltet werden können. Kurs 300 Grad!"

Dem sehr verantwortungsbewußten Kommandanten der *„Scharnhorst"* kommen Zweifel. Er läßt seinen LJ, Fregattenkapitän (Ing.) Liebhard auf die Brücke bitten und bespricht mit ihm die neuen Anordnungen. Der erfahrene Ingenieuroffizier versteht, was der Kommandant denkt und stimmt nach kurzer Überlegung zu:

„Bei diesem Wetter, Herr Kaptän, noch dazu, wo jederzeit ein Gegner auftreten kann und beschleunigte Fahrtvermehrung nötig wird, schlage ich doch vor, aus Sicherheitsgründen zwei statt nur einen Kessel je Welle klar zu halten."

Kapitän Hoffmann lächelt:

„Genau das ist meine Meinung, Liebhard. Mir lag nur daran, Sie vorher zu hören. Belassen wir's also bei zwo Kesseln pro Welle."

Als der Leitende von der Brücke geht, prasseln Hagelschauer vermischt mit Schneeböen auf die im Seegang schwer arbeitenden Schiffe herab. Nach einem Blick auf den Kompaß im Friedenssteuerstand tritt Korvettenkapitän Gießler, der NO, zum Kommandanten:

„Wind dreht rechtsherum auf Nordwest, Herr Kaptän. Scheint etwas abzuflauen, Stärke 10 schätze ich. Außerdem wird's diesig."

Die See, die sie jetzt noch mehr von Steuerbord haben, wird von schnell abwechselnden Hagel- und Schneeböen gepeitscht. Die langen Schlachtkreuzer schlingern entsetzlich. Der IO, der unruhig und besorgt wieder und wieder durchs Schiff eilt, kommt nach der Ablösung der Kriegswache um Mitternacht mit der Meldung neuer Seeschäden auf die Brücke:

„Durch Brecher sind Schottüren und -wände der Achterback beschädigt, Herr Kaptän, einige sogar eingeschlagen. Zwo Hauptträger im Vorschiff haben durch die starke Belastung beim Arbeiten im Seegang Risse bekommen. An Steuerbordseite ist die Vorkante des Oberdecks von der See hochgehoben worden, genau wie bei der Sturmfahrt im November."

Der Kommandant will eine Bemerkung machen, als der LJ aus der Maschine anruft:

„Herr Kaptän! Die Backbordmaschine muß sofort stoppen. Wasser im Öl. Untersuchung der Ursache noch nicht beendet."

Der WO gibt auf einen Wink des Kommandanten den Befehl. Es ist 00 Uhr 02. Kurz darauf übermittelt der LJ die Erklärung:

„Seeschlag hat ein Entlüftungsrohr beschädigt. 7 Bunker mit 469 cbm Öl sind unbrauchbar geworden."

Kapitän Hoffmann sagt nichts. Es hat keinen Sinn sich aufzuregen. Er weiß, das Maschinenpersonal tut sein Bestes, die Schäden so schnell wie möglich zu beseitigen. Das hat er schon mehrfach erfahren. Er weiß auch, daß alle auf ihn sehen und von seiner Haltung die der gesamten Besatzung abhängt. Groß, ruhig, wie ein Fels in der Brandung, steht er in seiner Brückennock und lächelt. Die Männer, neben ihm der Steuermannsmaat der Wache, der Backbordausguck, BÜ und Läufer sind beruhigt.

Die Nacht ist sehr ungemütlich. In den Pausen zwischen den Böen ist es unsichtig, diesig bei tief dahinjagender Wolkendecke, durch die nur selten und kurz hier und da ein Stern ungewiß und neugierig hervorblinzelt. Wenn die Funksprüche des Gruppenkommandos gemeldet werden, verschwinden Kommandant und NO für kurze Zeit in der Friedenssteuerstelle, sehen die Karte ein und besprechen die mutmaßliche Lage.

Auf *„Gneisenau"* wundern sich Flottenchef und Stab über die 02 Uhr 49 eingelaufene Mitteilung, die das Löschen der norwegischen Küstenfeuer bekannt gibt.

„Scheint, als ob die Norweger doch irgendwoher etwas von der Unternehmung erfahren haben", meint nachdenklich Admiral Lütjens.

„Unverständlich, Herr Admiral!" brummt mit gerunzelter Stirne Konteradmiral Backenköhler. „Bisher steht doch keiner unserer Verbände in Küstennähe!"

Der Flottenchef zuckt die schmalen Schultern und dreht den scharfgespitzten Bleistift zwischen den Fingern:

„Möglicherweise sind die Gruppen, die durch Kattegat und Skagerrak marschieren mußten, gesichtet und gemeldet worden, oder die Einschiffungen der Truppen. In Stettin zum Beispiel. Die sind ja teilweise schon seit dem 3. April auf dem Weg nach Stavanger, Drontheim usw."

Sie wissen noch nicht, daß der Nachschubdampfer *„Rio de Janeiro"*, der am Mittag des 8. April mit Nordkurs im Skagerrak stand, von dem polnischen U-Boot *„Orzel"* angehalten wurde. Nachdem Besatzung und Truppen geborgen waren, versenkte die *„Orzel"* das Schiff mit einem Torpedo. Ein norwegischer Zerstörer und Fischerboote eilten herbei, um die in den überfüllten Rettungsbooten sitzenden Schiffbrüchigen aufzunehmen. Die Norweger, erstaunt über die feldgrauen Uniformen, erfuhren von den Soldaten, sie seien „mit Geschützen und Material nach Bergen unterwegs gewesen, um diese Stadt zu schützen". Das Nachrichtenbüro Reuter verbreitete die Meldung noch am gleichen Tage, aber die norwegische Regierung weigerte sich, den Aussagen ernsthaft Glauben zu schenken. Noch nicht einmal die Küstenbatterien wurden alarmiert.

Andere Nachrichten, besonders aus englischen Quellen, kamen jedoch sicherlich zur Kenntnis der verantwortlichen norwegischen Stellen. Zum Beispiel berichtete der britische Marineattaché in Kopenhagen um 15 Uhr 00, daß *„Gneisenau"* oder *„Blücher"*, eine typische Verwechslung der Schiffe wie sie den Engländern häufig unterlief, mit 2 Kreuzern und 3 Zerstörern auf Nordkurs Belt und Kattegat passiert hätten. Der gleiche Verband war um 18 Uhr 00 angeblich bei Skagen von den englischen U-Booten *„Triton"* und *„Sunfish"*, von denen das erstere einen unbemerkten aber vergeblichen Angriff fuhr, gesichtet worden. Es handelte sich um die Gruppe V, die auf dem Marsch nach Oslo war.

Auf Grund welcher Meldungen die norwegische Admiralität dann den Befehl zum Löschen der Funk- und Leuchtfeuer gab, kann auch heute noch nicht mit Sicherheit gesagt werden.

Um 04 Uhr 00 zieht auf den Schlachtkreuzern die Morgenwache auf, in deren Verlauf der Wind weiter bis auf Stärke 8 abflaut. Die Flotte befiehlt um 04 Uhr 40:

„Fahrt 9 Seemeilen. Dampf aufmachen mit 2 Kesseln je Welle!"

Sieben Minuten danach läßt der Flottenchef die Fahrt auf 12 Seemeilen erhöhen. Langsam setzt die Morgendämmerung ein. Die Hagel- und Schneeböen, die aus tief herabhängenden Wolken im Westen und Süden kommen, werden seltener. Im Norden und Osten zeigt sich ein Stück wolkenlosen Himmels, aus dem ein paar Sterne leuchten. Korvettenkapitän Busch, der NO der *„Gneisenau"*, benutzt mit seinem Obersteuermann die Gelegenheit zu einer astronomischen Schiffsortbestimmung. Fregattenkapitän v. Buchka, der AO, reckt sich und hält dem Kommandanten die Linke mit den Leuchtziffern seiner Armbanduhr unter die Augen:

„Eine halbe Stunde noch, Herr Kaptän, dann beginnen überall die Landungen. Wie wär's mit einem Mokka double en tasse de Blech?"

Kapitän Netzband, der den langen, immer vergnügten AO besonders gerne mag, lacht:

„Warten wir die noch ab, mein lieber Sigismund Rüstig! Dann ist die Sicht hoffentlich nach allen Seiten besser. Ich denke, Sie lassen die Artillerie schon auf Tagschaltung übergehn, ja?"

„Jawohl, Herr Kaptän: Tagschaltung, Mokka danach!"

Er winkt seinen Haupt-BÜ heran und gibt den Befehl. Die Artillerieleitung wechselt vom vorderen Leitstand zum Stand im Vormars. Einer der Brücken-BÜ's eilt, das Kabel seines Kopftelefons in der Hand, zum Kommandanten:

„Meldung vom Dete-Gerät Vormars, Herr Kaptän! In 250 Grad Gegenstand. Entfernung 185 Hektometer!"

Fast gleichzeitig hebt ein anderer Aufmerksamkeit heischend die Rechte:

„Von Vormarsausguck: Backbord achteraus in einer Schneebö anscheinend ein Schatten!"

Der laute Ruf läßt Offiziere und Ausgucks die Gläser vor die Augen reißen und in die angegebene Richtung starren. Schneegestöber wirbelt dort, wo vorher Wolken wie eine dunkeldrohende Wand standen. Der Kommandant, stämmig, klein, blond und blauäugig, Torpedobootsfahrer des ersten Weltkrieges, schüttelt zweifelnd den Kopf:

„Nichts auszumachen, Schneetreiben, ja — doch! Eben hatt' ich's, ist das nicht ein Tanker? Alarrrm!"

Im gleichen Augenblick kommt auch vom Flottenstab der Alarmbefehl.

„Merkwürdig langes Vorschiff", brummt Kapitän Netzband. „Aufbauten, Kriegsschiffsrahen, das ist kein Tanker! Nein — Schiff der *‚Nelson'*-Klasse!" Und laut hinterher: „Schiffsführung aus vorderem Kommandostand!"

Ehe er sich unter Panzerschutz begibt, sieht er noch einmal hinüber. Schwer auszumachen, denkt er, der verdammte Schnee, und wir stehn für den Engländer scharf wie ein Schattenriß gegen den hellen Osthimmel! Aus allen Niedergängen rasen die Männer auf ihre Gefechtsstationen. NO, WO, Adjutanten, der Obersteuermann, Feldwebel, Maate, Gefechtsposten und BÜ's drängen sich durch die geöffnete Panzertür, als letzter der Kommandant. Er stellt sich hinter das Sehrohr, durch dessen zweiten Einblick bereits der NO beobachtet:

„Vorn zwo Doppeltürme", sagt Kapitän Netzband, „hoher Aufbau dahinter, Dreibeinmast, zwo Schornsteine. *‚Nelson'* ist das nicht, muß *‚Repulse'* oder *‚Renown'* sein."

Tanzende Schneewirbel hüllen den Gegner ein, aber nun leuchten gelbrote große und kreisrunde Feuersonnen magisch aus dem weißen Gestöber:

„Gegner hat gefeuert! Feuererlaubnis!"

300 m von *„Gneisenau"* wuchten masthohe Wassersäulen aus der See. Unmittelbar danach zucken blendende Feuerstrahlen auf, und der Donner der 28 cm Türme des Flaggschiffs rollt weithin dröhnend durch den beginnenden Morgen.

„*'Scharnhorst'* hat ebenfalls Feuer eröffnet!" bemerkt der NO. „Nach ihren Aufschlägen scheint sie mit Schwerer- und Mittelartillerie zu feuern."

„Sehr gut!“ lobt der Kommandant. „Da — schon wieder eine Salve von dem Engländer, sieht aus wie Autoscheinwerfer im Nebel. Schießt schnell. NO: was für ein Kaliber hat *‚Renown'*? 38er, nicht?“

„Jawohl. Zwei Doppeltürme vorn, einer achtern. Sehr viel Mittelartillerie, an die 20—12 cm, glaube ich, der AO ...“

Abschußdonner der eigenen zweiten Salve unterbricht die Antwort des NO. Das lange, schwere Schiff schüttelt sich, während der Kommandant die Augen gegen die Gummimuscheln der Optik preßt und die Aufschläge drüben beobachtet:

„Kurz, kurz, Treffer! Treffer im Vorschiff! Schräg nach oben schießende dunkle Sprengwolke, Flammen — verlöschen wieder. Hier, BÜ! An AO von Kommandant: Salve lag gut! Gib ihm!“

Der Matrosengefreite, der den Satz wiederholt und durchsagt, sieht verwundert auf. Der BÜ im Vormarsstand hat nicht wiederholt.

„Abgegeben?“ erkundigt sich ungeduldig der Kommandant. „Hat der AO nichts gesagt?“

„Nein, Herr Kaptän.“

Nanu, denkt Netzband, das kenne ich ja gar nicht vom guten Buchka! Der hat doch sonst stets — na, hat jetzt keine Zeit. Waas? Was ist da los? Wiederholen!“

Mit erregter Stimme wiederholt der BÜ eine Meldung aus der Vormarsgalerie:

„Artillerieleitung im Vormars ausgefallen! Leitung hat achterer Stand!“

Rauchend donnert die dritte Salve aus den Rohren feindwärts. Wird sich später 'rausstellen, sagt der Kommandant vor sich hin, bloß weiter jetzt! Zwischen den Salven schlagen schwere Brecher über Back und Bordwände, Vorschiff und Außendecks. Eine neue Schneebö zieht sich wie ein Vorhang vor den Gegner. Sie tanzt vorüber und *„Renown“* ist wieder klar zu erkennen.

„Da war doch noch ein anderer?“ fragt der Kommandant. „Wo ist der eigentlich geblieben?“

Kapitän Netzband hat, ebenso wie der NO, zu Anfang des Gefechts noch eine weitere schwere Einheit zu erkennen geglaubt. Aber bevor der NO antworten kann, fällt die nächste Salve.

Oben auf der Galerie, die den Vormarsstand umgibt, steht mit dem Fla-Einsatzleiter und dessen Personal der Oberleutnant z. S. Claus Berendsen. 30 Meter über dem Wasser, schwingen sie beim Schlingern des Schiffes in weitem Bogen hin und her. Sie sehen, dick gegen die schneidende Kälte vermummt, durch Regenschauer, Schneegestöber und Hagelböen, die in schneller Folge aufleuchtenden Feuerkreise der 38 cm-Turmgeschütze des Gegners. Auch sie haben anfangs mehrere Schatten ausgemacht, aus denen zwei- oder dreimal schwächeres Mündungsfeuer brach.

Die schweren Granaten, die nun heranheulen, sind fast alles Weitschüsse, die an Steuerbordseite schneeweiße Aufschlagsäulen aus der dunklen See hochjagen. Die Männer auf der Vormarsgalerie stehen weit über den dichtgeballten braunschwarzen Pulverwolken der eigenen Abschüsse. Der Oberleutnant hat das Gefühl, als ob sie hier oben unbesorgt und ohne sonderliche Gefahr das Gefecht der drei großen Schiffe aus der Vogelschau beobachten könnten.

Plötzlich betäubendes schmetterndes Krachen, blendender Blitz und lodernde Flammen, Aufkreischen berstenden Stahls, kreischendes Pfeifen von Sprengstücken und ein stinkender, süßlicher Pulvergeruch.

Als Berendsen sich aus Schock und Betäubung erwachend zusammen mit anderen mühsam aufrafft, sind seine Augen von dem Feuerschein, der alles mit grellster Helligkeit fast versengte, immer noch geblendet. Allmählich erst stellt er fest, daß ihm nichts geschah, daß nur seine durch ein Sprengstück ausgezackte Gasmaske unbrauchbar wurde. Er versucht sich zu erinnern. Das letzte, was er hörte war, daß ein Mann am Zielgeber, wahrscheinlich der AO selbst, rief:

„Deckend! Treffer!"

Was dann weiter geschah, weiß er nicht. Es ist ausgelöscht und in Dunkelheit getaucht. Er sieht sich um. Ein 38 cm-Volltreffer hat den Vormarsleitstand vollkommen vernichtet. Dort, wo der AO mit seinem Zielgeberunteroffizier, dem listenführenden Feldwebel, dem Feuerwerksmaaten mit der Aufschlagmeldeuhr, dem E-Meßoffizier, E-Messern, und BÜ's stand, ist ein Chaos. Im Durcheinander zertrümmerter Zielgeber, Fertigmelder, E-Mittler und sonstiger Apparate liegen Gefallene in ihrem Blut. Verwundete bewegen sich unter verbogenen Geräten und einem Wirrwarr von herabgerissenen, schwelenden Kabeln.

Gefallen sind der AO, Fregattenkapitän v. Buchka, ein weiterer Offizier, zwei Maate und ein Mann. Elf wurden verwundet.

Wie der Oberleutnant feststellt, ist der Ausfall schon der Schiffsführung gemeldet und der achtere Stand hat die Leitung der schweren Artillerie übernommen. Wie im Frieden bei einer Klarschiffübung, denkt er, nur daß dann keine Opfer tot und verstümmelt, keine Verwundeten mit schmerzhaft verzogenen Gesichtern unter den Trümmern liegen. Grauenhaft ist der Krieg, von Blut und Qualen gezeichnet.

Vorweggenommen sei, daß *„Gneisenau"* in diesem Gefecht noch zwei weitere Treffer durch die Mittelartillerie der *„Renown"* erhielt. Der erste riß die Abschlußtüre des E-Meßgeräts von Turm Anton ab, der dadurch infolge der bei der hohen Fahrt das ganze Vorschiff überwaschenden Brecher so starken Wassereinbruch hatte, daß er mit allen elektrischen Anlagen für anderthalb Tage völlig ausfiel. Der zweite schlug ohne wesentliche Folgen neben dem achteren 10,5 cm Fla-Geschütz ins Aufbaudeck. —

Auch auf *„Scharnhorst"* stehen NO und Obersteuermann auf der Brücke, als der Himmel nach Norden und Osten hin wolkenfrei wird und die Sterne herauskommen.

„Seit Sonntag vormittag kein einziges Besteck, Hinrichs!" sagt Korvettenkapitän Gießler. „Höchste Zeit, was? Kommen Sie, woll'n unsre Sextanten ‚rauspuhlen!"

Sie verschwinden in der Friedenssteuerstelle. Im selben Augenblick gellt der Ruf des Haupt-BÜ:

„UK-Befehl von Flotte: Alarm!"

Der Kommandant fährt herum:

„Was ist das? Alarm? Warum? Na schön, also AO: Alarm!"

Die Klingeln schrillen, die Kriegsfreiwache eilt herbei, die Klarmeldungen laufen ein. Warum Alarm gegeben wird, weiß niemand. In Sicht ist nichts, auch die Horchgeräte und die Funkmeß haben nichts gemeldet.

„Etwas Neues von Flotte? Keine Erklärung?" fragt Kapitän Hoffmann.

„Nein, Herr Kaptän. Kein Grund angegeben."

Der Kommandant nimmt noch einmal einen Rundblick. Nichts.

„AO, NO: überall anfragen, ob etwas in Sicht ist, Vormars, Ausguck, E-Messer, Dete-Gerät, Horchraum, Geschützbedienungen usw. Vor allem im Westen, im Osten ist es ja völlig klar!"

„Wird Irrtum sein, Herr Kaptän", meint der NO, der, seinen Sextanten in der Hand, den Obersteuermann hinter sich, aus der Friedenssteuerstelle kommt. „Ich schieße erstmal einen Stern!"

Die anderen, Offiziere, Unteroffiziere und Matrosen, treten in den Schiffsführungs- bzw. den vorderen Artillerieleitstand. Kapitän Hoffmann sucht mit dem Sehrohr langsam von Nordwest über West nach Südwest. Wenn irgendwo, muß die Ursache des ihm unverständlichen Alarms in der dunklen Wolkenwand stecken, die wie eine Mauer alles verbirgt. Was ist nur mit dem FuMG los, fragt er sich, das müßte doch gemeldet haben, ohne Grund gibt die Flotte keinen Alarm.

„Noch nichts vom Dete gemeldet?"

„Nein, nichts, Herr Kaptän."

„Eigenartig."

Wie sich später herausstellt, muß das FuMG zu dieser Zeit verstimmt gewesen sein. Ein Kontrollgerät, das die laufende Abstimmung ermöglichte, war noch nicht eingebaut und eine solche bis dahin nur mit Hilfe eines sichtbaren Ziels durchführbar. Als wenige Minuten später der Gegner optisch erkannt wurde, konnte auch der richtige Abstimmungszustand hergestellt werden. Warum die Horchgeräte nichts fanden, blieb dagegen unerfindlich, zumal sie sonst gerade im kalten Wasser ausgezeichnet arbeiteten.

Minuten vergehen. Im Stand herrscht lautlose Stille. Die Augen am Sehrohr hält der Gefechtsrudergänger Kurs im Kielwasser des vorauslaufenden Flaggschiffs. Das Auge des Kommandantensehrohrs über der Panzerdecke dreht sich langsam und bleibt plötzlich stehen. Kapitän Hoffmann hat das Ziel erfaßt. Es ist 05 Uhr 05 als er mit ruhiger Stimme, gelassen wie immer, seine Beobachtungen weitergibt:

„Richtung 250 Grad ein schwacher Schatten. Näheres nicht auszumachen. Schneeböen verhüllen alles."

Der AO, Fregattenkapitän Löwisch, verläßt auf diese Mitteilung hin den vorderen Leitstand, entert im Gefechtsmast hoch, saust über die Vormarsgalerie, wo der II.AO, Korvettenkapitän Dominik, als Fla-Einsatzleiter mit seinen Offizieren, E-Messern und Ausgucks ebenfalls in die angegebene Richtung späht, tritt in den Vormarsstand und ruft noch im Hineingehen seinem Zielgebermaaten die Gradrichtung zu. Dann steht er selbst am Okular des Backbordgebers und erkennt durch die starke Optik das Ziel.

Drunten auf der Brücke schreit der NO, immer noch mit dem Sextanten beschäftigt, dem Obersteuermann plötzlich zu:

„Donnerwetter! Haben Sie das gesehn, Hinrichs? Da feuert ja einer, ich hab's im Spiegel gehabt. Schwere Artillerie! 'Rein in den Stand, schnell!"

Sie laufen zu der noch dreiviertel geöffneten Panzertür und drängen sich durch:

„Herr Kaptän! Richtung ..."

„Schon gesehn, Gießler. Befehl an AO: Feuer eröffnen!"

Von *„Gneisenau"* her dröhnt der Donner der ersten Salve: 05 Uhr 07. Dichter Pulverqualm wälzt sich nach Steuerbord über die See und wird vom Sturm in flatternde Fetzen gerissen.

„Signal: Gefechtswendung auf 350 Grad!"

Drei Minuten danach, um 05 Uhr 10, verläßt die erste Salve der *„Scharnhorst"* die Drillingstürme. Kaum hat sich der Abschußrauch verzogen, als von der Rah des Flaggschiffs wieder ein Signal ausweht:

„Gefechtswendung auf 330 Grad!"

Kurz darauf:

„Fahrt 24 Seemeilen, Gefechtskurs 330 Grad!"

Kapitän Hoffmann hat den Gegner, der jetzt besser auszumachen ist, erkannt:

„Unverkennbar die *‚Renown'*. Links von ihr ... sehr schwer zu erkennen, feuert ebenfalls, scheint Zerstörer zu sein, vielleicht auch zwo!"

Es ist 05 Uhr 15, als die Mittelartillerie der *„Scharnhorst"*, vom III.AO aus dem vorderen Stand geleitet, in das Feuer der Türme einfällt.

„Unsere Aufschläge liegen anscheinend kurz", erklärt der Kommandant, der selbst Artillerist ist, „kaum auseinanderzuhalten, die der *‚Gneisenau'* hauen dazwischen."

Er merkt, daß Turm Anton zuweilen ausfällt. Werden Störungen durch Wassereinbruch sein, denkt er, das ganze Vorschiff schöpft ja dauernd ...

„Deckend! Eingeschossen!" ruft er. „Wievielte Salve?"

Der listenführende Feldwebel hebt den Kopf von seinem Notizblock:

„Die fünfte, Herr Kaptän. 2½ Minuten nach Feuereröffnen."

„Frage: Entfernung? Unsere Mittelartillerie scheint kurz zu liegen."

Der Stand-E-Messer meldet:

„Zwischen 130 und 150 Hektometer. Letzte Entfernung 150. Dauernde Schneeböen, ungünstige Meßbedingungen, Herr Kaptän!"

Obwohl der III.AO während dieses Gefechtsabschnittes dreimal um 4 Hektometer vorgeht, schießt die Mittelartillerie immer noch kurz.

In der grauen See stampfend, schlingernd und rollend, feuern die Schlachtkreuzer, Freund und Feind, ihre Breitseiten. Graue, mächtige Schiffe, umheult vom Nordweststurm, überschwemmt von schweren Brechern, die Stahlleiber umhüllt von Pulverrauch und Schneegestöber.

„Gefechtswendung auf Kurs 30 Grad!"

„Sehn Sie, Gießler", bemerkt der Kommandant, „Heckgefecht wird das, Turm Caesar bekommt Arbeit. Gleich wird Lütjens Fahrt vermehren. Bei der See genau dwars, gibt das eine tolle Schlingerei."

„Niederrrr! Ausführung!" ruft der BÜ.

„Gneisenau" und *„Scharnhorst"* drehen an, holen schwer über und gehen auf den neuen Kurs. Acht Minuten danach kommt der vom Kommandanten erwartete Befehl:

„Fahrt 27 Seemeilen!"

„Da haben wir's!" meint trocken Kapitän Hoffmann.

Diese Gefechtswendung um 05 Uhr 23 beendet den ersten Gefechtsabschnitt. Die Entfernungen nehmen zu und einsetzende Schauer lassen die Gegner zeitweise außer Sicht kommen.

Schlachtkreuzer „Renown". „Gegner hat Zielwechsel gemacht! Nimmt uns unter Feuer!" Heckgefechte und Maschinenstörungen. „Alarm beendet!"

Es ist nicht verwunderlich, daß das Erscheinen der *„Renown"* 50 Seemeilen westlich Skomvaer, einer der äußersten Lofoteninseln, den deutschen Flottenchef überrascht. Die Ursache des Auftauchens des Schlachtkreuzers ist als typische

Folge von Befehlen, Gegenbefehlen, Verwicklungen und Zufällen, wie sie so häufig im Seekrieg auftreten, wert, näher erklärt zu werden.

Admiral Whitworth, dessen Flagge auf *„Renown"* weht, ist ein aus der Zerstörerlaufbahn stammender, kluger und energischer Seeoffizier. Ihm war der Schutz der Minenlegergruppe „WV", bestehend aus 4 minenlegenden und 4 Begleitzerstörern anvertraut, die im Westfjord an der Festlandseite in der Höhe von Hovden eine Sperre werfen sollten.

„Renown" hatte, wie schon geschildert, am 5. April mit den Zerstörern *„Greyhound"*, *„Glowworm"*, *„Hyperion"* und *„Hero"* als Sicherung Scapa verlassen. Während des Vormarsches war *„Glowworm"* wegen einer Rettungsaktion zurückgeblieben, geriet am 8. April ins Gefecht mit deutschen Zerstörern und wurde anschließend von dem Schweren Kreuzer *„Admiral Hipper"* versenkt. Am Morgen des 6. stießen zu *„Renown"* die vier Minenlegerzerstörer der 20. Flottille unter Captain J. G. Bickford und die vier Zerstörer der 2. Flottille, *„Hardy"*, *„Hotspur"*, *„Havock"* und *„Hunter"* unter Captain B. A. W. Warburton-Lee. Der Schlachtkreuzer stand am Abend des 7. vor dem Eingang zum Westfjord — ohne *„Glowworm"* — die Minenleger wurden detachiert und warfen ihre Sperre am frühen Morgen des 8. April.

Der Funkspruch, den *„Glowworm"* über ihre Gefechtsberührung an Admiral Whitworth absetzte und der nach mehrfacher Wiederholung abriß, wurde sowohl von *„Renown"* wie von der Admiralität und dem Flaggschiff des C-in-C, *„Rodney"*, aufgefangen. Admiral Forbes detachierte daraufhin den Schlachtkreuzer *„Repulse"*, Schwesterschiff der *„Renown"*, den Leichten Kreuzer *„Penelope"* und vier Zerstörer zur Unterstützung Admiral Whitworths nach Norden. Letzterer war sofort nach Erhalt des Funkspruches der *„Glowworm"* mit dem einzigen ihm noch verbliebenen Zerstörer auf Südkurs gegangen, um die gemeldete deutsche schwere Einheit anzugreifen. Die Aussicht beider Gruppen, *„Admiral Hipper"* noch rechtzeitig zu stellen, schien gering.

Immerhin war es falsch und gegen die Regel, sich in die Maßnahme eines in See befindlichen Befehlshabers einzumischen, als nun die Admiralität über den Kopf der Admirale Forbes und Whitworth hinweg, die 4 Minenleger- und ihre 4 Sicherungszerstörer zu *„Renown"* befahl. Whitworth wurde hierdurch gezwungen, seinen Vorstoß nach Süden abzubrechen und auf Gegenkurs zu gehen. Gegen Mittag traf ein weiterer Funkspruch der Admiralität ein, die nicht zu Unrecht annahm, daß deutsche Seestreitkräfte möglicherweise nach Narvik unterwegs seien. Diese Mitteilung bestärkte den Admiral in seiner Ansicht, daß der Westfjord die Schlüsselstellung sei, die er zu halten habe. Er befahl daher seiner Kampfgruppe vor dem Eingang des Fjords zu sammeln. Am Abend des 8. vereinigte er sich um 18 Uhr 15 auf der Höhe des Skomvaer Leuchtfeuers mit den Zerstörern.

Und nun begann der Zufall in Gestalt der Meldung des englischen Sunderland-Flugbootes seine für die Engländer verwirrende und unglückliche Rolle zu spielen. Der Beobachter hatte *„Admiral Hipper"* auf der Höhe von Drontheim in freier See mit Westkurs, also von der norwegischen Küste ablaufend, gesichtet und gemeldet. Das war an sich richtig, aber der Schwere Kreuzer stand mit seinen vier Zerstörern zu dieser Zeit in See auf und ab, um den befohlenen Zeitpunkt des Einlaufens in Drontheim abzuwarten und steuerte rein zufällig nach Westen. Falsch dagegen war die Angabe, daß es sich um 1 Schlachtschiff, 2 Kreuzer und 2 Zerstörer handele. —

Admiral Whitworth bespricht mit seinem Stab und dem Kommandanten der *„Renown"*, Captain C. E. B. Simeon, diese alarmierende Nachricht.

„Der Westkurs, den dieser Aufklärer funkte, gefällt mir nicht!"

Sie stehen an der Übersichtskarte der Nordsee, die der Flaggleutnant samt der Anschlußkarte des Seegebiets von Norwegen bis zum Nordkap und darüber hinaus auf den Tisch der Kajüte legte. Der NO des Stabes hat nach den spärlich vorliegenden Meldungen die vermutlichen Standorte der englischen und deutschen Streitkräfte eingetragen.

„Was meinen Sie, Simeon, was haben die Jerries vor?" fragt der Admiral.

„Nicht leicht zu sagen, Sir. Vielleicht kehren sie nun, wo sie entdeckt sind, um? Verschieben den Durchbruch in den Atlantik? Die Admirality nimmt doch im Grunde an, daß sie den im Sinn haben!"

„Dann stünde der C-in-C mit dem Gros irgendwo im Süden ganz richtig, um ihnen den Rückmarsch abzuschneiden!" wirft der Stabschef ein. „Immerhin könnten sie ja auch Island ansteuern, um von dort gegen die Atlantik-Convoys vorzugehn."

Der Admiral, der bemerkt, daß der Flaggleutnant[1]) etwas sagen möchte, winkt dem jungen Offizier aufmunternd zu: „Nun, Flags? 'Raus mit der Sprache, was haben Sie für einen Vorschlag, schießen Sie los!"

Der Flaggleutnant zeigt mit der Spitze eines Kursdreiecks auf Murmansk:

„Mir fiel ein, Sir, daß diese schwere Einheit mit dem Westkurs vielleicht nur ein Täuschungsmanöver fuhr, um unsere Sunderland irrezuführen und später nach Murmansk geht, wo sicherlich Tanker liegen, aus denen sie Brennstoff ergänzen kann. Oder nach Narvik", fügt er schnell hinzu, „das ist doch der Hafen, um den sich alles dreht."

„Gar nicht so ausgefallen, Ihre Idee!"

Der Admiral zieht ein blütenweißes Taschentuch aus der Brusttasche des Bordjaketts, fährt sich leicht über die Stirn und steckt das Tuch wieder ein. Am Ärmel leuchtet der breite Admiralstreifen mit einem schmäleren, an der Außenseite kreisförmig geschlungen, darüber:

„Ich teile die Ansicht der Admiralty und des C-in-C, gentlemen, die einen Durchbruch deutscher schwerer Streitkräfte in den Atlantik befürchten. Das wäre ja nicht zum erstenmal, und das gilt es um jeden Preis zu verhindern. Wir müssen eine Position wählen, von der aus das aller Wahrscheinlichkeit nach möglich ist."

Er befiehlt Kurs West und läuft in die See hinaus, wo sehr bald der arktische Sturm den Schlachtkreuzer und seine Zerstörer mit höhnischem Heulen und einem ungewöhnlich groben Seegang empfängt, der auch den deutschen Schiffen schwer zu schaffen macht. Seltsamerweise war gegen Mittag des gleichen Tages der C-in-C auf Grund derselben Überlegungen mit dem Gros der Home-Fleet ebenfalls auf Westkurs gegangen. Die Maßnahmen beider Admirale sollten eine Wirkung haben, die sie keineswegs beabsichtigten: sie öffneten der Gruppe I das Tor zum Westfjord und der Gruppe II die Einfahrt nach Drontheim, so daß dort die Anlandungen

---

[1]) Adjutant eines Admirals

der Heeresverbände ungehindert durchgeführt werden konnten.

Die englischen Zerstörer arbeiten schwer in der wilden See. Der Admiral sieht es mit wachsender Besorgnis. Er weiß genau, was sie aushalten können und wo die Grenze ihrer an sich ausgezeichneten See-Eigenschaften liegt. In seine Überlegungen, welche Kurse den Booten noch zugemutet werden können, platzt nach Einbruch der Dunkelheit ein Funkspruch der Admiralität:

„Äußerst dringend! Konzentrieren Sie sich darauf, jeden deutschen Verband am Anlaufen von Narvik zu hindern!"

Whitworth liest den Befehl im Kartenhaus und reicht ihn seinem Stabschef:

„Unmöglich! Kann ich jetzt nicht machen. Bin froh, wenn ich meine Zerstörer bei diesem tollen Seegang zusammenhalten kann. Wie stellen sich die hohen Herren in London das eigentlich vor? Sehn Sie sich an, wie die Boote arbeiten!"

Der Admiral nimmt eine Meldung auf, die vor einiger Zeit einlief:

„Und hier die Verstärkung, die der C-in-C ankündigt: *‚Repulse'*, *‚Penelope'* und 4 Zerstörer. Lassen Sie denen folgenden Funkspruch übermitteln."

Er sieht den Flaggleutnant an, der sich im Hintergrund auf Befehle wartend klarhält, nimmt einen bereitliegenden Notizblock von der Karte, kritzelt eine Zeile, reißt das Blatt ab und gibt es dem Offizier:

„Beabsichtige nach Wettermäßigung Wartestellung vor der Einfahrt des Westfjords zu beziehen."

Whitworth lächelt:

„Wissen Sie, ich war ja selbst Zerstörerkommandant und immer wütend, wenn man nicht wußte, was der Alte, der Captain D, der Führer der Destroyer, mit einem vorhatte. Besser wir unterrichten die Flottillenchefs, sonst fühlen sie sich zurückgesetzt, unsicher und was weiß ich! Schimpfen werden sie bei diesem Mistwetter sowieso auf uns, und zwar lauthals!"

Er schreibt und drückt auch das zweite Blatt dem leicht grinsenden Flaggleutnant in die Hand:

„Absicht: deutsche Streitkräfte am Einlaufen in Narvik zu hindern. Westliche Kurse bis Mitternacht, dann Südkurs, um bei Tagesanbruch vor dem Westfjord zu stehen. Ausführungsbefehle folgen!"

Weder die Admiralität noch Admiral Whitworth oder der C-in-C ahnen, daß es zur Durchführung des dringenden Befehls bereits zu spät ist. Kommodore Bonte läuft mit seinen 10 Zerstörern um diese Zeit schon im Windschutz der Lofoten den Fjord hinauf nach Narvik!

Auf dem befohlenen Westkurs schlingern die britischen Zerstörer unglaublich und die mit vielen Tonnen Gewicht hereinbrechenden Seen waschen alles, was nicht dreifach seefest gezurrt ist, über Bord. Seeschäden treten auf, ein Kurshalten ist ausgeschlossen. Whitworth muß sehr bald Nordwestkurs befehlen, damit die Boote mit dem Bug gegen die See den schweren Sturm abreiten können. Gegen Mitternacht flaut es langsam etwas ab. Erst gegen 03 Uhr 30 morgens, als es mit der frühen Morgendämmerung dieser Breiten ein wenig sichtiger wird, kann der Admiral auf Gegenkurs gehen ohne befürchten zu müssen, daß die Zerstörer in den Schneeböen die Fühlung verlieren. Mit Südostkurs und 12 Seemeilen Fahrt steuert der Verband den Eingang des Westfjords an, um dort eine Aufnahmestellung einzunehmen. Um 04 Uhr 37 steht er, die Zerstörer in weit geöffneter Formation hinter *„Renown"*, etwa 50 Seemeilen westlich der Lofoteninsel Skomvaer.

Whitworth, der auf seinem Sattelsitz in der Backbordbrükkennock hockt, beobachtet, wie auf einmal der schwere Vorhang, der im Osten tief herabhängenden dunklen Wolken wie von Riesenhand langsam erst, dann schneller beiseitegeschoben wird und der östliche Himmel bis zum Norden hinauf in perlgrauen und taubengrauen Farben wolkenlos über der Kimm steht.

Eine dunkle Silhouette wird sichtbar. Ein Schiff, noch sehr fern, lang, niedrig mit einem schweren Gefechtsmast, mächtigem breiten Schornstein und nach hinten abgeschrägter Kappe, hohem Mast dahinter und kurzer Stenge achtern, zwei Türmen vorn und einem auf der niedrigen Schanz. Admiral, Kommandant und die Offiziere auf der Brücke starren hinüber. Jane's Buch über die Kriegsschiffe der Welt wird zu Rate gezogen.

„*‚Gneisenau'*, zweifellos!" urteilt Captain Simeon. „Der hohe Mast am Schornstein, das lange Vorschiff . . ."

„Zwotes Schiff hinter dem ersten!" meldet der Telefonposten, der mit dem Artillerieleitstand oben im massiven vierkanten Brückenaufbau verbunden ist, in dem sich der Artillerieoffizier seit der ersten Sichtmeldung befindet.

„Andere Masten, sonst ähnlicher Typ!" läßt der AO durchsagen.

Wieder wird Jane's „Fighting Ships" befragt. Risse, Fotos werden verglichen.

„Die im Kielwasser folgende ist eine von der '*Hipper*'-Klasse!" erklärt sehr bestimmt der Stabschef. „Aber die erste ist '*Gneisenau*'. Nehmen wir die Erste?" setzt er mit einem fragenden Blick auf den Admiral hinzu.

Whitworth nickt.

Es war jedoch nicht die „*Hipper*". Die Ähnlichkeit der Schattenrisse der deutschen Schlacht- und Schweren Kreuzer täuscht. Der Irrtum wird erst im Lauf des Gefechts erkannt.

„Sie haben uns noch nicht ausgemacht", sagt der Admiral, „sonst hätten sie bestimmt schon Feuer eröffnet. Frage: Entfernung?"

Der E-Messer im Artillerieleitstand hat nur einen verschwommenen Schatten in seiner Optik, den er noch nicht messen kann. Eine entsprechende Meldung geht an Admiral und Kommandant. Der Stabschef nimmt einen schnellen Rundblick und sieht hinüber zum Gegner:

„Sie können uns nicht ausmachen, Sir. Wir stehn für sie gegen den dunklen Westhimmel. Außerdem wird gleich eine Schneebö alles verdecken."

„Näher 'ran also. Entfernung verringern! Geben Sie Simeon einen östlichen Kurs. Fahrt 20 Seemeilen!"

„All hands action stations!"[1]) befiehlt der Kommandant. Ein junger Hornbläser der Royal Marines, der Seesoldaten, die auf jedem großen englischen Kriegsschiff bis herunter zum Leichten Kreuzer an Bord eingeschifft sind, schmettert das Signal, während „*Renown*" schlingernd und stampfend auf den neuen Kurs dreht. Die Zerstörer mühen sich, trotz der hohen See zu folgen. Dann hüllt sie ein tanzendes, wirbelndes Schneegestöber in einen undurchsichtigen, weißen Pelzmantel. Als die letzten Flocken von den rotierenden Klar-

---

[1]) Klarschiff zum Gefecht

sichtscheiben der Brückenfenster geschleudert werden, kommt eine Messung vom Leitstand:

„Entfernung 19 000 Yards!"[1])

„Renown" behält ihren Kurs bei, bis die Entfernung auf 150 Hektometer sinkt, dann läßt Whitworth auf Parallelkurs zum Gegner, d. h. Nordwest drehen. Der AO gibt die Anfangsbefehle für die 38 cm-Türme. Tief unter dem Panzerdeck in der Artillerierechenstelle beugen sich die Royal Marines über ihre Apparate, stellen ein und geben die Werte an die Geschütze weiter. Sechs lange Rohre heben sich und drehen langsam auf das Ziel. Feuerglocken schrillen, und die meterlangen Flammen der Abschüsse fahren zugleich mit dem Donner der ersten Salve aus den Mündungen. Kurz danach stehen hohe Aufschlagsäulen hinter dem deutschen Flaggschiff, das sechs Minuten später das Feuer erwidert. Für die nächsten zwei Stunden hat die schwere Artillerie das Wort.

Die Begleitzerstörer taumeln in Seegang und Schneetreiben hinter dem feuernden Schlachtkreuzer her. Zum ersten Male haben sie die großen deutschen Schiffe in Sicht. Entfernung? Zu weit für ihre 12 cm. Aber es sind junge Kommandanten, und es ist begreiflich, daß wenigstens die nächststehenden der Versuchung nicht widerstehen können, sich trotz der Entfernung und trotz des unsicheren Schießens auf den hin und her geworfenen Booten an dem Gefecht zu beteiligen. Aber die wenigen Salven liegen, soweit es überhaupt zu erkennen ist, viel zu kurz. Sehr ärgerlich bleibt ihnen nichts übrig, als das Feuer wieder einzustellen, zumal sie, da *„Renown"* vorübergehend AK läuft, mehr und mehr zurückfallen.

Es war das kurz und unregelmäßig aus den Schneewirbeln aufblitzende Mündungsfeuer der Zerstörergeschütze, das auf den deutschen Schlachtkreuzern die Vermutung der Anwesenheit einer zweiten britischen Einheit aufkommen ließ!

Von *„Renown"* wird das sinnlose Schießen der Boote und ihr allmähliches Achteraussacken beobachtet. Admiral Whitworth, der den Eifer der Kommandanten nur zu gut versteht, gibt dem Flaggleutnant ein Zeichen:

„Scheinwerfer an Zerstörer: ‚Vorm Eingang Westfjord Aufnahmestellung beziehen!'"

---

[1]) 173 Hektometer

Der Yeoman of signals klappert den Spruch achteraus, und das nächststehende Führerboot gibt „Verstanden". Gehorsam aber sehr unwillig gehen alle auf Gegenkurs und verschwinden stampfend und rollend in Regenschauern und Schneeböen.

„Wollen wir nicht das Gleiche an *‚Repulse'*, *‚Penelope'* und ihre vier Zerstörer funken, Sir?" schlägt der Chef des Stabes vor. „Vom Gros der Home-Fleet her können sie uns auf keinen Fall mehr während dieser Geschichte hier erreichen."

„Stimmt. Funkspruch an *‚Repulse'*: ‚Vor Westfjord auf und ab stehn!'!"

„Renown" pflügt mit heftigen Stampfbewegungen unheimliche Wassermengen auf, wenn sie in die langen Wellentäler eintaucht. Eine Zeitlang schweigt der Admiral. Schließlich dreht er sich zum Stabschef um, der mit besorgter Miene das Arbeiten des Schlachtkreuzers und die das ganze Vorschiff bis zu den Türmen überflutenden Brecher beobachtet:

„Wir müssen mit der Fahrt runtergehn. Sonst beschädigt mir diese tolle See noch das Schiff!"

Befehle an die Maschine. Die Geschwindigkeit wird auf 20 Seemeilen herabgesetzt. —

Nach der Gefechtswendung auf 30 Grad um 05 Uhr 23 liegt plötzlich *„Scharnhorst"*, die bisher nicht beschossen wurde, in fast masthohen Aufschlagsäulen.

„Gegner hat Zielwechsel gemacht! Nimmt uns unter Feuer!" meldet der Fla-Einsatzleiter von der Vormarsgalerie.

„Schon bemerkt!" meint Kapitän Hoffmann. „Nicht sehr freundlich. Bei diesem Heckgefecht kann nur Turm Caesar schießen."

„Herr Kaptän!" meldet der Haupt-BÜ, der neben dem Kommandanten stehend dessen Bemerkung hört. „Mittelartillerie hat Befehl bekommen, mitzufeuern!"

„Gut. Viel kann die bei unserem Kurs auch nicht machen. Wird nur selten und geschützweise eingreifen können, Gießler. Immerhin. Sehn Sie, jetzt steckt der Gegner zur Abwechslung in einer Regenbö. Zu dumm, daß man vom Stand aus bei einem Heckgefecht wegen der Masten und Aufbauten so gut wie nichts sehen kann."

Auch für den AO im Vormars ist das Ziel häufig nur an dem aus dichten Regenschleiern herausflammenden Mündungsfeuer zu erkennen. Die ersten dreischüssigen Turmsalven des achteren Turms Caesar sind zwar deckend, die spä-

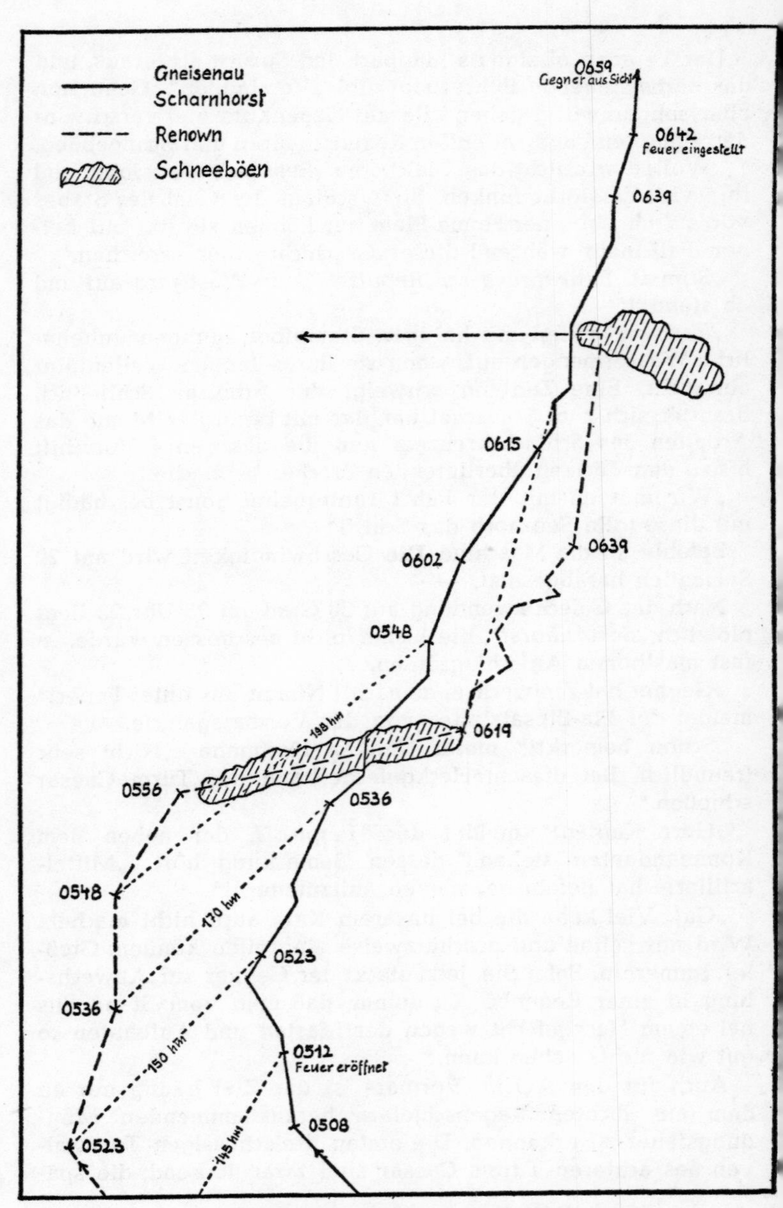

Das Lofoten-Gefecht am 9. 4. 1940

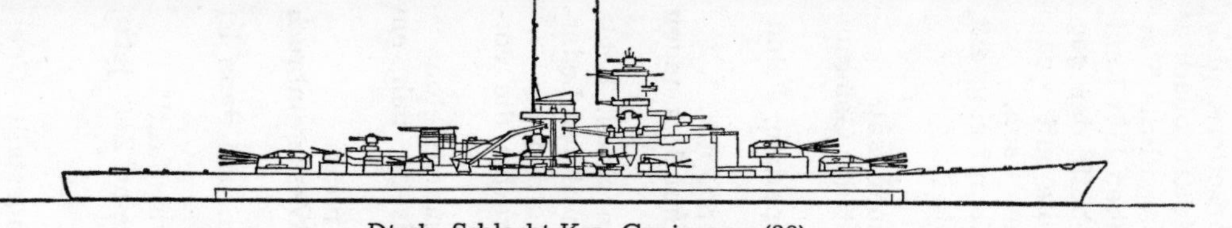

Dtsch. Schlacht-Krz. Gneisenau (36)
9—28; 12—15; 14—10,5; 16—3,7; 6TR—53,3; 4Flgz.; 31800 t; 32,0 kn; 226, 30,5, 9,9 m.

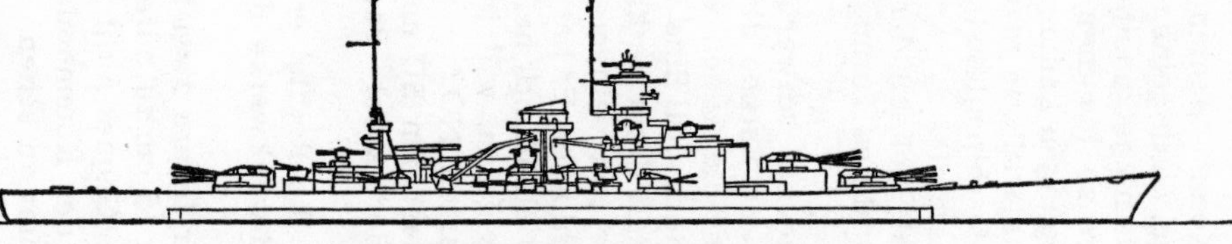

Dtsch. Schlacht-Krz. Scharnhorst (36)
9—28; 12—15; 14—10,5; 16—3,7; 6TR—53,3; 4Flgz.; 31800 t; 32,0 kn; 226, 30,5, 9,9 m.

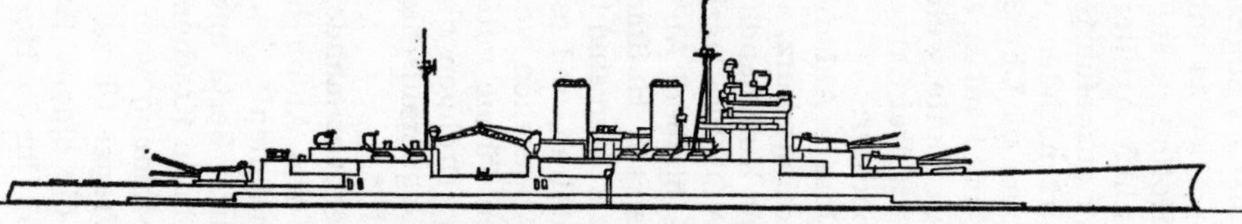

Brit. Schlacht-Krz. Renown (16)
6—38,1; 20—11,4; 4—4,7; 24—4; 4Flgz.; 32000 t; 29,0 kn; 229, 31,3, 8,2 m.

teren aber nur noch unsicher und verschwommen auszumachen.

„Gegneraufschläge liegen weit!" meldet Korvettenkapitän Dominik. Er ist als Fla-Einsatzleiter auch Gefechtsbeobachter und hat als solcher den Kommandanten über sämtliche Vorkommnisse zu unterrichten. Nach seinen Angaben läßt Kapitän Hoffmann auf die Aufschläge zuhalten. Er hofft, den gegnerischen Artillerieoffizier zu täuschen, der die mit wenig Ruder ausgeführten Bewegungen kaum erkennen kann.

Kurz nachdem die Mittelartillerie in den Kampf eingreift, teilt um 05 Uhr 34 der Maschinenleitstand mit:

„Dampf auf in allen Kesseln!"

„An Flotte weitergeben!" befiehlt der Kommandant.

Nach drei Salven des achteren Turms meldet der Gefechtsbeobachter:

„Unsere Aufschläge sind nur schwer auszumachen. Feindaufschläge kurz, sehr nah an Backbord!"

Der Kommandant nimmt die Augen von der Optik:

„WO! Zwo Dez[1]) nach Backbord! Eine Weile auf dem neuen Kurs bleiben! An AO: Schiff dreht Backbord!"

Kapitän Hoffmann zerrt an seinem blauen Schal. Beide Panzertüren sind fest geschlossen. Er hat seinen dicken Ledermantel an, und es ist ihm allmählich heiß geworden.

„Abgesehen vom Ausweichen, will ich möglichst die vorderen Türme mitfeuern lassen, NO."

Ihr Dröhnen übertönt fast den BÜ am Vormarstelefon:

„Gegneraufschlag wieder kurz! Backbordseite nah am Schiff!"

Der Kommandant hebt die Rechte, er sagt nichts.

„Turm Anton beide Schwenkwerke durch Wassereinbruch ausgefallen!"

Turm Berta und Caesar feuern zwei Salven, und dann ist das helle Krachen einiger 15 cm zu hören.

„Meldung vom FlaAO: Gegner nicht mehr in Sicht!"

„Frage: Uhrzeit?" ruft der Kommandant, keine Zeit jetzt, auf die eigene Armbanduhr zu sehen.

„05 Uhr 55, Herr Kaptän!"

„Von Vormarsgalerie: Gegner hat Feuer eingestellt! *‚Gneisenau'* in Regenbö aus Sicht gekommen!"

---

[1]) 1 Dez = 10 Grad

„Aye!" quittiert der Kommandant. „An AO: Feuer einstellen!"

Er tritt vom Sehrohr zurück, zieht ein Taschentuch hervor und wischt sich über die Stirn:

„Anfragen, ob Vormarsgalerie den Gegner noch sieht."

„Vormarsgalerie hat Gegner nicht mehr in Sicht! Letzte Entfernung 210 Hundert."

Kapitän Hoffmann schiebt seine Mütze zurecht, lächelt den NO an und schaut auf seine Uhr: 06 Uhr 05:

„Durchsagen: von K an alle. Feind ist verschwunden. Gefechtspause, alles bleibt auf Gefechtsstationen!"

Zehn Minuten verstreichen, dann weht vom Flaggschiff, das gerade aus der Regenbö herausläuft, ein Signal:

„Fahrt 20 Seemeilen!"

Zwar bleibt der Himmel noch von bleifarbenen Regen- und schmutziggelblichen Schneewolken verhängt, aber die Sicht ist besser geworden. Es ist inzwischen voller Tag, ein fahler nordischer Tag ohne Sonne. Die Schlachtkreuzer laufen in Kiellinie. Vom Gegner, der noch tief in einer Regenbö steckt, ist nichts zu sehen.

„Muß mit der Fahrt 'runtergegangen sein", meint der NO, „hat sicher mit den vorderen Türmen die gleichen Schwierigkeiten wie wir."

Der Kommandant läßt die Panzertüren öffnen und tritt mit dem NO auf die Brücke hinaus. Zwei weitere Minuten, dann ruft der AO die Brücke an:

„Steuerbord achteraus Gegner wieder in Sicht! Entfernung 242 Hektometer!"

Kapitän Hoffmann sieht achteraus. Eben an Steuerbord läuft *„Renown"*. Ihr Vorschiff wird in regelmäßigen Abständen von Wassermassen überflutet. Sie feuert nicht. Die beiden Offiziere gehen in den Stand zurück, die Panzertüren werden wieder dichtgekurbelt. Der Kommandant bespricht die Lage mit dem NO:

„Wenn ich weiter in Kiellinie laufe, kann *‚Gneisenau'* nicht feuern. Der Flottenchef hat es zwar nicht befohlen, aber ich schere nach Backbord aus, um ihr die Schußlinie freizumachen."

Er gibt den Befehl. Während *„Scharnhorst"* sich in Backbordstaffel, d. h. schräg links hinter das Flaggschiff setzt, ruft der Maschinenleitstand an:

„Mittelmaschine muß stoppen! Dauer der Störung nur wenige Minuten."

Nach dem Gefecht erfährt Kapitän Hoffmann die Ursache des Schadens. Ein Federbruch ließ das Sicherheitsventil der Radkammer der Marschturbine dichtschlagen. Der gleiche Versager tritt noch einmal kurz vor Beendigung des Gefechts auf.

„Von Vormars: Gegner hat Feuer eröffnet!"

Es ist 06 Uhr 18. Der Kommandant will abwarten, wie die Aufschläge liegen. Es ist schon ziemlich viel Munition verschossen worden und was während des langen Rückmarsches noch kommen kann, weiß niemand. Vielleicht vermehrt der Flottenchef Fahrt, um diesen lästigen Gegner abzuschütteln. Ihm fällt der Ausfall von Turm Anton ein. Das ist eine Störung, die der Flotte gemeldet werden muß, was bisher noch nicht geschah:

„UK an Flotte: Turm Anton wegen schweren Wassereinbruchs ausgefallen!"

Noch während der Spruch durchgesagt wird, meldet sich der Fla-Einsatzleiter:

„Gegner hat schnelle Salvenfolge!"

Kapitän Hoffmann stellt daraufhin seine Bedenken zurück:

„An AO: Feuererlaubnis!"

Es wird trotz allem wieder ein Heckgefecht, bei dem nur Turm Caesar das Ziel halten kann. Im Stand trägt der listenführende Steuermannsmaat 06 Uhr 25 die erste Salve ein. Unmittelbar danach ruft der Funkraum an:

„BNO an K: Funkspruch von Marinegruppenkommando West an Flotte: ‚Norwegische Regierung ist entschlossen, Widerstand zu leisten'."

„Haben Sie etwas anderes erwartet, Gießler?" brummt der Kommandant. „Mein Himmel, jetzt müssen ja die Landungen erfolgt sein! Hatt' ich ganz vergessen. Hoffentlich ist alles klargegangen! Ich wollte . . ."

„Entfernung nimmt laufend ab!" unterbricht der BÜ vom Telefon zum FlaAO.

„Signalbefehl von Flotte!" ruft der Haupt-BÜ. „Kurs 30 Grad!"

Die Schlachtkreuzer legen mit Rücksicht auf die Artillerie nur wenig Ruder, um auf den neuen Kurs zu drehen, so daß die AO's die langsame Salvenfolge fortsetzen können.

„Gefechtssignal Victor: Führung vorn!"

„Meine Herrn! Also zurück zur Kiellinie. WO: langsam ins Kielwasser ‚*Gneisenau*‘ einscheren! Frage: Uhrzeit!“

„06 Uhr 30, Herr Kaptän!“

Sehen kann der Kommandant so gut wie nichts. Dem AO geht es mit seinem Zielgeber im Vormarsstand auch nicht viel besser: Masten, der flimmernde Ölrauch aus dem Schornstein, dazu ein Ziel, das nur seine Schmalseite zeigt und außerdem zeitweise von Regenböen verhüllt wird.

Kapitän Hoffmann tritt zurück:

„Eigentlich pure Munitionsverschwendung, Gießler. Lütjens wird wohl doch bald Fahrt vermehren, dies ‚Führung vorn‘ scheint das vorzubereiten, passen Sie auf, Kiellinie und dann ...“

„Signalbefehl: 25 Seemeilen!“ schreit der BÜ.

Der Kommandant lächelt:

„Da haben Sie's! Jetzt wird der Engländer achteraus sakken!“

Der Befehl wurde um 06 Uhr 34 gegeben, bereits drei Minuten später folgt ein weiteres Signal:

„Neuer Kurs Null Grad!“

Als Turm Caesar nach einer Pause wieder feuert, fragt der Kommandant den Gefechtsbeobachter nach der Lage der Aufschläge und der letzten Entfernung.

Der FlaAO zögert nicht mit der Antwort:

„Der Seite nach befriedigend. Herr Kaptän. Der Länge nach teilweise deckend, soweit überhaupt auszumachen. Entfernung: 210 Hektometer.“

Kapitän Hoffmann überlegt, dann gibt er dem BÜ einen Wink:

„An AO: Feuer einstellen!“

Mit diesem um 06 Uhr 41 gegebenen Befehl bricht das Gefecht deutscherseits endgültig ab. „*Gneisenau*“ hat in dem gerade beendeten zweiten Gefechtsabschnitt überhaupt nicht geschossen. Korvettenkapitän Dominik, dem die Sache offenbar nicht ganz geheuer scheint, meldet sich vorsichtshalber noch einmal:

„Gegner feuert weiter, Herr Kaptän! Verschwindet allerdings jetzt in einer Regenbö.“

Von der Rah der „*Gneisenau*“ weht eine Flagge, darunter zwei bunte Wimpel.

„Fahrt 26 Seemeilen!“ meldet der BÜ.

Drei Minuten später berichtet der FlaAO:

„Gegner wieder in Sicht, hat erneut gefeuert!"

Der Kommandant sagt nichts. Bei der erhöhten Fahrt wird *„Renown"* bald zurückbleiben und auch das Feuer einstellen müssen.

„Von AO an Kommandant: Gegner führt Admiralsflagge!"

„Nanu", wundert sich Kapitän Hoffmann, „tobt allein in der Weltgeschichte umher und hat einen Admiral an Bord? Merkwürdig. Scheint jedenfalls ein hartnäckiger Vogel zu sein, dieser Admiral!"

Seine Behauptung erweist sich als sehr zutreffend. *„Renown"* setzt ihr erfolgloses Feuer bis 06 Uhr 59 fort. Dann schiebt sich ein schwerer wehender blaugrauer Vorhang vor den Schlachtkreuzer.

„Ziel ist verschwunden!" meldet auch der Gefechtsbeobachter.

Um 07 Uhr 03 läßt die Flotte auf 350 Grad gehen. Der LJ meldet die kurz vor der letzten Salve des Turms Caesar aus dem schon erwähnten Grund nochmals ausgefallene Mittelturbine wieder klar.

Gerade will der Kommandant bestätigen, als auf *„Gneisenau"* ein Signal ausweht:

„Dwarslinie Backbord, Fahrt 28 Meilen!"

Achselzuckend sieht Kapitän Hoffmann den NO an:

„Ob wir das bei den ewigen Störungen 'rauskriegen und halten können?"

Korvettenkapitän Gießler macht eine zweifelnde Handbewegung. Der Gefechtwachhabende gibt den entsprechenden Befehl:

„Umdrehungen für 28 Seemeilen!"

Noch hat *„Scharnhorst"* ihre neue Position Backbord querab vom Flaggschiff nicht eingenommen, als der LJ vom Maschinenleitstand aus durchgibt:

„Hauptspeisepumpe ausgefallen. Backbordturbine kann nur 24 Meilen laufen!"

Der Blick, den Kapitän Hoffmann seinem NO zuwirft, spricht Bände:

„An Flotte melden!"

Während Mittel- und Steuerbordturbine die befohlenen Umdrehungen aufnehmen, sorgt der Adjutant für Abgabe des UK-Spruchs. Der Kommandant nimmt den Hörer des Brückentelefons vom Haken und läßt Fregattenkapitän (Ing.) Liebhard bitten:

„Kommandant! LJ, was ist da mit Ihrer Hauptspeisepumpe los?"

„Ungesicherter Fundamentbolzen, Herr Kaptän. Störung wird beseitigt."

Die Meldung der *„Scharnhorst"* veranlaßt den Flottenchef mit der Fahrt auf 25 Seemeilen herunterzugehen. Das Signal weht um 07 Uhr 20 aus, wird niedergeholt und ausgeführt, währenddessen bereits ein neues angesteckt, vorgeheißt und ausgerissen:

„Dwarslinie Steuerbord!"

„Scharnhorst" schwenkt herum auf Steuerbordseite der *„Gneisenau"*. Die Regenböen sind abgewandert, die Sicht ist klarer geworden, von der *„Renown"* jedoch nichts mehr auszumachen. Auch der Vormars meldet auf Anfrage, daß weder Schiff noch Masten oder Rauch zu sehen sind.

„Sie muß abgedreht haben", meint der NO, „bei der jetzigen Sichtigkeit müßte sie sonst zu erkennen sein."

Vergebens suchen E-Messer, Ausgucks, Zielgeber die Kimm ab. Der Schlachtkreuzer ist und bleibt verschwunden. Da rasselt das Brückentelefon schon wieder:

„Von Maschine an Kommandant! Kessel II/3 wegen Luftvorwärmerbrand ausgefallen!"

„Meine Herren! Was ist das nun wieder, das nimmt ja heute kein Ende mit diesen verdammten Ausfällen!" schimpft Kapitän Hoffmann.

Der NO hebt, wie es seine Art ist, beim Sprechen das Kinn und schüttelt mißbilligend den Kopf:

„Solange die Störung anhält bedeutet das Schwarzqualmen, Herr Kaptän. Sehr unangenehm."

„Ich weiß, ich weiß, Gießler! Keinen Zweck zornig zu werden! Der LJ tut was er kann. Diese neuartigen Maschinenanlagen sind eben ziemlich anfällig, haben wir ja schon mehrfach erlebt. Nichts zu machen."

Da der Flottenchef offensichtlich nach Norden ausweichen will, erhält der AO Befehl, die Panzersprenggranaten des unklaren Turms Anton für alle Fälle nach Turm Caesar mannen zu lassen. Die Bewölkung ist aufgerissen. Was zuweilen noch vor dem Westnordweststurm herjagt, sind statt der bisherigen Regenwolken gelbliche Schneewolken, die hin und wieder ihre großen weißen Flocken in dichtem Gestöber herabtanzen lassen.

Da ein weiterer Kessel wegen eines Rohrreißers ausfällt, hält das Schwarzqualmen an. Kapitän Hoffmann läßt nach längerer Rücksprache mit seinem LJ um 08 Uhr 25 einen UK-Spruch an die Flotte abgeben:

„Höchste Dauergeschwindigkeit 25 Seemeilen. Ausfall T 2[1]) Hauptspeisepumpe. Wahrscheinlich festsitzende Kupplung. Kessel I/2 Rohrreißer, Kessel II/3 Brand Luftvorwärmer."

Die Antwort auf die Meldung läuft 5 Minuten später ein:

„Fahrt 24 Seemeilen!"

Die Waffenleiter melden sich beim Kommandanten mit den Gefechtsberichten, der, da er selbst nur wenig Beobachtungen machen konnte, sich bei AO und FlaAO nach Einzelheiten erkundigt.

Die beiden Artillerieoffiziere verständigen sich mit einem schnellen Blick. Korvettenkapitän Dominik, der in seinen Beobachtungen von der Vormarsgalerie aus am wenigsten behindert war, beginnt:

„*‚Renown'* hat mit Batterieteilung ziemlich regelmäßig gefeuert. Meist mit je einem ihrer vorderen Türme und manchmal auch mit je einem Rohr des achteren Turms. Ich wunderte mich über ihre schnelle Salvenfolge und die offenbar gute Feuerdisziplin. Die Aufschläge kamen geschlossen, allerdings meist weit. Ich habe nur zwei Kurzsalven festgestellt."

Fregattenkapitän Löwisch stimmt zu:

„Den gleichen Eindruck hatte ich auch, ebenso der III.AO. Wir boten während des Heckgefechts ein schmales Ziel, und unsere Ausweichmanöver haben die Artillerieleitung der *‚Renown'* bestimmt sehr erschwert. Wir erhielten ja glücklicherweise auch keinen Treffer! Mir fiel auf, Herr Kaptän, daß der Engländer durch den Seegang sichtlich weniger behindert wurde als wir, obwohl er genausoviel Wasser übernahm. Das Vorschiff arbeitete wie ein Schneepflug!" —

Wie sich der letzte Gefechtsabschnitt für den Schlachtkreuzer abspielte, wissen wir aus englischen Berichten. Interessant ist, daß Admirale und Stäbe beider Seiten sehr ähnliche Überlegungen anstellten und entsprechende Maßnahmen trafen.

---

1) Turbinenraum 2

Nach dem Kurswechsel der deutschen Schlachtkreuzer auf 30 Grad, äußert Admiral Whitworth dem Stab gegenüber seine Ansicht:

„Sie laufen langsam davon. Die Entfernung vergrößert sich ständig. Wir haben zwar als Höchstgeschwindigkeit auf dem Papier 31 Seemeilen, aber die schaffen wir nicht mehr, vor allem nicht bei dieser See."

„Die deutschen Schiffe sind brandneu, Sir!" wirft der Stabschef ein. „Die können sicher ihre 32 Meilen laufen!"

Ein langanhaltendes, alles verhüllendes Schneetreiben setzt ein. Admiral und Stab begeben sich ins Kartenhaus, vergleichen die bisherigen Peilungen. Whitworth winkt dem Flaggleutnant:

„Fragen Sie den Leitstand nach der letzten Messung vor diesem Schneegestöber!"

Der junge Offizier telefoniert:

„Entfernung" — er gibt sie in Yards — „206 Hektometer, Sir, Fahrt etwa 26 Seemeilen, Kurs ungefähr Nordost."

Der Admiral überlegt, wirft durch die Klarsichtscheiben einen Blick hinaus:

„Wenn wir mit der Fahrt hochgehn wollen, müßten wir die See mehr von Backbord nehmen. Mag sein, daß wir den Gegner dann doch noch einholen. Jedenfalls verringern wir die Schußentfernung. Signal: Kurs 0 Grad, Fahrtvermehren!"

„Renown" schlingert jetzt stärker, aber das übermäßige Stampfen und damit die Wucht der das Vorschiff überschwemmenden Wassermassen läßt nach. Dann kommen weit an Backbord voraus die deutschen Schlachtkreuzer wieder in Sicht. Einer der Offiziere des Stabes eilt zum Kompaß und nimmt mehrere Peilungen:

„Sie laufen hohe Fahrt und steuern immer noch Nordost, Sir!"

Der Admiral sieht ärgerlich hinüber:

„Nichts zu machen! Näher gekommen sind wir nicht. Befehl: Kurs Nordost, sonst verlieren wir sie noch vollkommen!"

Erneut beginnt das Stampfen, und die grüngraue, eiskalte See schlägt rauschend über die Back. Captain Simeon gibt Feuererlaubnis. Admiral Whitworth beobachtet, daß nur die vorderen Türme feuern können, die Peilung zum Gegner immer ungünstiger und der Abstand größer wird. Das Schießen ist ungenau, da beide Seiten den Salven auszuweichen versuchen. Ein unwirksames, unnützes Verschwenden von Munition.

Noch einmal versucht *„Renown"* mit vorübergehend 29 Seemeilen näher heranzukommen. Vergebens. Sie muß aufgeben. Die deutschen Schiffe ziehen wie von unsichtbarer Hand geführt stetig nach Nordosten davon. Es ist wie verhext. Dann verschwinden sie im Schneetreiben und sind, als der weiße Wirbel endlich aufhört, nicht mehr zu sehen. Admiral Whitworth läßt um 07 Uhr 00 auf Westkurs drehen.

„Wir könnten sie abschneiden", erklärt er, „wenn es ihnen einfallen sollte, nach Süden durchzubrechen."

Das klingt nicht gerade zuversichtlich, und die Offiziere des Stabes vermeiden es, ihren mißgestimmten Admiral anzusehen. —

Inzwischen hat sich auf *„Scharnhorst"* herausgestellt, daß alle drei Bordflugzeuge vorübergehend unklar sind. Es wird der Flotte gemeldet. Ein Befehl des Flaggschiffs rauchlos zu fahren, kann wegen des Ausfalls des Luftvorwärmers vorläufig nicht ausgeführt werden. Eine Anfrage des Flottenchefs nach der Dauer der Maschinenstörungen wird um 09 Uhr 53 nach Rücksprache mit dem LJ vom Kommandanten durch einen UK-Spruch beantwortet:

„Reparatur ist eingeleitet. Kessel mit durchgebranntem Vorwärmer frühestens in 5 Stunden wieder klar. Kessel mit Rohrreißer kann erst nach Abkühlung in ca. 5 Stunden untersucht werden. Hauptspeisepumpe wird aufgenommen. Grund und Dauer des Ausfalls noch nicht zu übersehen."

Bemerkenswert ist, daß alle Störungen infolge der unermüdlichen und ausgezeichneten Arbeit des gesamten Maschinenpersonals im Laufe der beiden nächsten Tage beseitigt wurden. Dem Schiff stand für den Rückmarsch und das Passieren der Enge Shetland—Bergen am 11. April seine volle Geschwindigkeit zur Verfügung. Ebenso anerkennenswert war die Arbeit des Mechanikerpersonals, das die Schäden in Turm Anton so schnell behob, daß der Turm bereits abends um 22 Uhr 15 beschränkt gefechtsklar gemeldet werden konnte.

Durch die lange Dauer der Heckgefechte bedingt, bei denen *„Scharnhorst"* günstiger stand als die vorauslaufende *„Gneisenau"*, ergab sich ein recht unterschiedlicher Munitionsverbrauch. Es verfeuerte:

„Gneisenau“: 54—28 cm und 10—15 cm Granaten.

„Scharnhorst“: 195—28 cm und 91—15 cm Granaten.

Die drei Treffer auf *„Gneisenau“* sind bereits erwähnt worden. *„Scharnhorst“* erhielt weder einen Treffer, noch hatte sie Verluste.

Als der Gegner verschwunden blieb, beendete die Flotte um 10 Uhr den Alarm. Das Schneesturmgefecht war beendet.

Rückmarsch der Schlachtkreuzer und der Gruppe II. Admiral Whitworth wird übergangen. Überlegungen eines englischen Flottillenchefs. Heimkehr des deutschen Verbandes.

Nach Beendigung des Schneesturmgefechts geht der englische Schlachtkreuzer *„Renown“* auf Westkurs, weil Admiral Whitworth glaubt, auf diese Weise einen Durchbruch der beiden deutschen Schlachtkreuzer nach Süden verhindern zu können.

Eine Stunde später, kurz nach 08 Uhr 00 wird ein Funkspruch der englischen Admiralität an den C-in-C abgehört. Admiral Forbes erhält Befehl, Vorbereitungen zu einem Angriff der Home-Fleet auf Bergen und Drontheim zu treffen. Außerdem soll Narvik überwacht werden, um eine deutsche Landung zu verhindern und die Möglichkeit zur Besetzung durch eigene Streitkräfte offen zu halten.

Admiral Whitworth liest, verzieht den Mund zu einem schmalen Strich und reicht das Blatt schweigend seinem Stabschef. Der überfliegt die Zeilen, und beide sehen sich kopfschüttelnd an. Der Admiral faltet das Formular übertrieben sorgfältig zusammen und steckt es in die breite Tasche seines Düffels:

„Also: Funkspruch an alle unterstellten Streitkräfte: Vor der Einfahrt zum Westfjord heute nachmittag 05 Uhr 00 sammeln!“

Dann geht er mit schnellen Schritten ins Kartenhaus. Seine Laune verschlechtert sich, und seine Geduld hat nahezu die Grenze erreicht, als im Lauf des Vormittags über seinen Kopf hinweg Admiralität und C-in-C weitere Maßnahmen anordnen. Der Grund dafür ist der sich in London mehr und mehr verstärkende Verdacht, daß eine Invasion Norwegens durch deutsche Seestreitkräfte im Gange sei.

Am Vormittag des 9. April läßt Admiral Forbes einen Funkbefehl an Captain Warburton-Lee geben, den Chef der 2. Zerstörerflottille und ältesten Offizier an Bord der Admiral Whitworth zugeteilten Zerstörer, der einige Boote nach Narvik senden und eine deutsche Landung verhindern soll. Gegen Mittag befiehlt auch die Admiralität wegen der Dringlichkeit direkt:

„Pressenachrichten besagen, daß ein deutsches Schiff Narvik anlief und dort ein kleines Truppenkontingent landete. Laufen Sie nach Narvik und versenken oder nehmen Sie das feindliche Schiff. Es wird Ihrer Entscheidung überlassen, ein Landungskorps auszuschiffen, wenn Sie glauben, Narvik den jetzt dort befindlichen feindlichen Truppen entreißen zu können."

Es wird also dem Zerstörerführer zugemutet, nach dieser sehr unsicheren und außerdem unbestätigten Nachricht zu entscheiden, wieviele seiner Boote zur Durchführung des Unternehmens notwendig sind und angesetzt werden müssen.

Erschwerend für die Überlegungen des Flottillenchefs kommt hinzu, daß frühere Befehle verlangten, einige Zerstörer in der Nähe der gerade bei Hovden vor dem Festlandsufer des Westfjord-Eingangs geworfene Minensperre zu belassen. Captain Warburton-Lee ist sich auch klar darüber, daß die Schlachtkreuzer seines Admirals, *„Renown"* und *„Repulse"*, die am Abend des 9. vor dem Westfjord stehen werden, Zerstörersicherung brauchen.

Also läßt er Captain Bickford mit der 20. Flottille dort zurück und läuft mit den vier Zerstörern seiner 2. Flottille: *„Hardy"*, *„Hotspur"*, *„Havock"*, *„Hunter"*, zu denen sich später noch *„Hostile"* gesellt, den Westfjord hinauf. Die sich daraus ergebenden Kampfhandlungen werden an anderer Stelle geschildert. —

Der deutsche Flottenchef auf *„Gneisenau"* sieht sich ebenfalls vor schwierige Fragen gestellt. Seine Hauptaufgabe bleibt die Sicherung der in der vergangenen Nacht entlassenen zehn Zerstörer der Gruppe I. Sie sollen nach Ergänzung ihres Brennstoffs Narvik sofort verlassen und im Schutz der Schlachtkreuzer in die Heimat zurückkehren. Jetzt, am Morgen des 9. April kann noch niemand ahnen, daß diese Aufgabe undurchführbar wird.

Der Flottenstab hat nach Beendigung des Gefechts die Meldungen beider Schiffe empfangen und gesichtet. Die Berichte der beiden Kommandanten, der Kapitäne z. S. Netzband und K. C. Hoffmann liegen vor dem Chef des Stabes, Konteradmiral Backenköhler, auf dem Kartentisch, als kurz vor 10 Uhr 00 vormittags der Stab im Kartenhaus der Admiralsbrücke versammelt ist. Er trägt dem Flottenchef ein zusammenfassendes Ergebnis vor:

„Die durch das Gefecht entstandenen Ausfälle sind folgende, Herr Admiral: die vorderen Türme beider Schiffe durch Seeschäden vorübergehend ausgefallen. Auf *‚Gneisenau'* Vormarsleitstand durch Volltreffer zerstört. Mehrere Maschinenstörungen bei *‚Scharnhorst'*, ihre Höchstgeschwindigkeit auf 25 Seemeilen herabgesetzt. Außer dem Vormarsleitstand können, wie die Kommandanten melden, die Störungen in zwo Tagen mit Bordmitteln behoben werden."

Admiral Lütjens, dem alle während des Gefechts gewechselten UK-Sprüche umgehend gemeldet wurden, runzelt die Stirne. Er vermißt etwas:

„Hatte *‚Scharnhorst'* nicht ihr Dete-Gerät unklar gemeldet? Was ist damit?"

„Jawohl, Herr Admiral", beeilt sich der Flaggleutnant zu versichern, „hatte unklar gemeldet."

„Haben wir angefragt, ob es wieder verwendungsbereit ist?" erkundigt sich der Flottenchef.

„Jawohl, Antwort ist noch nicht eingelaufen."

In diesem Augenblick öffnet sich die Tür, ein Stabssignalmaat betritt das Kartenhaus mit einem UK-Spruch. Er gibt das Blatt dem Flaggleutnant, der es dem Stabschef weiterreicht:

„Von *‚Scharnhorst'*, Herr Admiral! Sie meldet ihr Dete-Gerät klar."

Lütjens, der auf der Karte Entfernung mit dem Stechzirkel abgriff, richtet sich auf:

„Na also! Die Lage, meine Herrn. Ich habe den Gegner abgeschüttelt, weil ein Fühlunghalten im Interesse unserer Aufgabe sinnlos gewesen wäre. Wir werden nach Norden ausweichen, damit die notwendigen Reparaturen so schnell wie möglich und ungestört vom Gegner ausgeführt werden können. Wir brauchen volle Gefechtsbereitschaft und vor allem die Wiederherstellung unserer Höchstgeschwindigkeit. Danach gehen wir auf Westkurs, warten die allgemeine Lage und die Meldung unserer Zerstörer ab. Nach diesen wird sich das weitere ergeben. Entsprechende Mitteilung ist an *'Scharnhorst'* zu geben. Ab 13 Uhr 00 UK-Stille."

Hiermit ist die Besprechung beendet. Der Stabschef setzt den UK-Spruch auf, der um 11 Uhr 14 an *„Scharnhorst"* durchgegeben wird:

„Absicht Flottenchef: Weitermarsch bis 12 Uhr 00 Kurs Nord, 24 Seemeilen. Danach Kurs West, 18 Seemeilen. Zunächst Kriegsmarschzustand 1. Kriegsmarschfahrtstufe 25 Seemeilen."

Die Weite der arktischen See nimmt die Schlachtkreuzer auf. Das rigorose Ausweichmanöver hat vollen Erfolg. Dem Gegner bleiben die Bewegungen verborgen. Er muß infolgedessen mit dem Auftreten schwerer deutscher Einheiten in dem weiten Seegebiet zwischen Jan Mayen und den Shetland rechnen. Die Beschränkungen, die er demzufolge seinen Maßnahmen aufzuerlegen gezwungen ist, wirken sich wenig später vor Bergen und Drontheim aus.

In dem Hin und Her der Meldungen, Befehle, Gegenbefehle, Mitteilungen und Maßnahmen bleibt eine Episode erwähnenswert.

Am Vormittag des 10. April stehen die Schlachtkreuzer südlich der Insel Jan Mayen. Da das Marinegruppenkommando West, das wegen der Funkstille bisher nur eine Meldung über Feindberührung erhielt, besorgt nach Standort, Absicht und Gefechtsschäden fragt, muß irgendwie geantwortet werden. Ein Funkspruch würde die Einpeilung des Standorts durch den Gegner zur Folge haben und könnte somit den Rückmarsch gefährden. Admiral Lütjens findet eine andere Lösung. Er will Bordflugzeuge von beiden Schiffen nach Drontheim starten lassen, die vor der Küste einen Funkspruch an die Gruppe West abgeben sollen.

Der Kommandant der *„Scharnhorst"* ist nicht wenig erstaunt, als ihm morgens um 08 Uhr 00 ein Befehl der Flotte überreicht wird:

„Ein Bordflugzeug um 10 Uhr 00 startbereit halten. Vollgetankt, keine Bomben. Flugzeug erhält Aufgabe, nach Drontheim zu fliegen und unterwegs vorbereiteten Funkspruch des Flottenchefs abzusetzen."

Kapitän Hoffmann läßt schleunigst die Bordflieger kommen und fragt nach der Startbereitschaft der drei Arados, die nach dem Gefecht sämtlich unklar gemeldet waren. Um 08 Uhr 55 geht ein UK-Spruch an die Flotte:

„Zwei Flugzeuge einsatzbereit, drittes unklar."

Inzwischen hat der Kommandant mit dem NO gesprochen und wendet sich nun an die Flieger:

„Woll'n lieber mit dem NO 'mal nachprüfen, ob das überhaupt durchführbar ist, von hier nach Drontheim!"

Sie tun es, und Kapitän Hoffmann meldet, nicht ohne Genugtuung, um 10 Uhr 15:

„Nachprüfung des Flugweges und der Flugdauer ergeben, daß Drontheim nicht erreicht werden kann."

Die Flotte teilt diese Ansicht nicht, verschiebt jedoch den Start. Auf *„Scharnhorst"* wird eine Maschine klar gemacht.

Um 11 Uhr 08 vom Flaggschiff:

„Bordflugzeug einstündige Bereitschaft!"

Den nächsten Befehl, der schon neun Minuten später einläuft, nimmt der Kommandant grinsend entgegen:

„Flugzeug sofort starten!"

Auf *„Gneisenau"* ist die Schleuder unklar, so daß sich der Start verzögert. Auch *„Scharnhorst"* katapultiert ihre Arado T3-AH erst um 12 Uhr 20. Im KTB des Schlachtkreuzers ist kein Grund dafür angegeben. Mit vollen Brennstofftanks erhebt sich die Maschine schwerfällig in die Luft, kreist einmal um das Schiff und fliegt nach Südosten davon. Flugzeugführer ist Oberleutnant Schreck, Beobachter Oberleutnant z. S. Schrewe. Den Nachwinkenden ist nicht sehr wohl zumute. Sie wissen, daß eine erhebliche Entfernung über See zu bewältigen ist.

„Wird der Brennstoff tatsächlich reichen? Hoffentlich sind keine feindlichen Flugzeuge vor Drontheim!" sagt nachdenklich Korvettenkapitän Gießler, der Bordflieger und Flugzeuge zu seinen besonderen Schützlingen zählt.

Die befohlene Welle bleibt ständig besetzt, und alle warten gespannt auf das erste Lebenszeichen der Arado. Sie hat Befehl, drei Stunden nach dem Start die Meldung des Flottenchefs zu senden. Um 15 Uhr 20 erscheint der BNO freudestrahlend beim Kommandanten:

„Flugzeug hat den Funkspruch abgegeben, Herr Kaptän!"

Er wird noch fünfmal wiederholt, zuletzt offenbar von *,Hipper'* und lautet:

„An Gruppe West: Standort westlich 6 Grad, nördlich 68 Grad. Beabsichtige Nacht zum 12. Durchbruch Nähe Shetlands von Nordwesten. Bitte Ansetzen *,Hipper'* im Osten. Am 11. klar 28 Seemeilen bis auf *,Gneisenau'* Turm A."

Das Bordflugzeug war heil in Drontheim angekommen. Eine bemerkenswerte fliegerische Leistung, zumal den beiden Offizieren als einzige eine Spezialkarte des Drontheim-Fjords zur Verfügung stand. Sie meldeten sich beim Kommandanten der *„Admiral Hipper"*. Kapitän Heye war höchst überrascht:

„Meine Tante! Das ist ja allerleihand! Mir ist gerade eine von den Engländern verbreitete Nachricht gebracht worden, *,Gneisenau'* und *,Scharnhorst'* wären versenkt! Herzlich willkommen! Da könnt ihr ja gleich Geburtstag feiern!" —

Der Rückmarsch der Schlachtkreuzer verläuft ohne Störung durch den Gegner, dessen Streitkräfte im wesentlichen zwischen Drontheim und den Lofoten konzentriert sind. Admiral Lütjens hatte sich schon am 9. April abends entschlossen, nicht auf die durch Brennstoffmangel gelähmten Gruppen I und II zu warten, am 10. nachmittags auf Befehl der Gruppe West jedoch einen Treffpunkt mit den Narvikzerstörern angesteuert, bis er nachts die volle Handlungsfreiheit zurückerhielt. Weit nach Westen ausholend wird in der Nacht zum 12. bei dichter Bewölkung, Regen und grobem Seegang die Shetland—Bergen-Enge passiert. Morgens um 06 Uhr 20 startet *„Scharnhorst"* ein zweites Flugzeug zur Aufklärung des letzten Teils des Seeweges. Die Maschine landet ohne Zwischenfälle in Norderney. Auf der Höhe des Skagerraks kommt um 08 Uhr 30 morgens *„Admiral Hipper"* in Sicht.

Kapitän Heye hatte am Abend des 9. wegen der noch ungesicherten Lage in Drontheim den Rückmarsch der gefechtsklaren Einheiten der Gruppe II auf den 10. verschoben. Um 22 Uhr 00 geht *„Admiral Hipper"* ankerauf und läuft, nur von dem Zerstörer *„Friedrich Eckoldt"* begleitet, durch den sehr schwierigen Ramsöy Fjord aus. Unterwegs trifft die Gruppe auf ein U-Boot, daß sie unter Feuer nimmt. Es handelt sich jedoch um ein eigenes, dessen Anwesenheit unbekannt war, das aber glücklicherweise unbeschädigt blieb.

Kurz nach Mitternacht wird der Ausgang des Fjords erreicht. Vor der Küste steht schwerer Seegang. Da *„Friedrich Eckoldt"* deswegen die zum Durchbruch nötige Geschwindigkeit nicht halten kann, sieht sich Kapitän Heye am 11. April 02 Uhr 20 gezwungen, den Zerstörer zurückzuschicken.

„Friedrich Eckholdt" und *„Bruno Heinemann"* laufen am 14. April erneut aus Drontheim aus. Sie werden während des Rückmarsches erfolglos von zwei englischen Flugzeugen angegriffen und treffen am 16. April mittags in Wesermünde, bzw. Wilhelmshaven ein. *„Paul Jacobi"* mit dem Flottillenchef Fregattenkapitän v. Pufendorf an Bord, kehrt nach behelfsmäßiger Reparatur am 10. Mai, *„Theodor Riedel"* als letzter am 10. Juni nach Wilhelmshaven zurück.

„Admiral Hipper" passiert wie die Schlachtkreuzer in der Nacht zum 12. April mit 29 Seemeilen die Enge Shetland—Bergen. Hierbei muß sie mehrfach, rechtzeitig gewarnt durch das FuMG, Schiffsbegegnungen ausweichen. Morgens kommt nach vorhergegangenen Funkmeldungen der Flottenverband in Sicht. Der Schwere Kreuzer hängt sich als Schlußschiff in der Kiellinie an.

Zweieinhalb Stunden später treffen die Zerstörer *„Richard* Beitzen" und „Hermann Schoemann" als U-Bootssicherung ein. Mehrere Me 110 geben ab 12 Uhr 47 Luftsicherung. Die drei schweren Einheiten stehen um 20 Uhr 00 auf der Außenjade beim Feuerschiff F, bei dem die Gruppen I und II am Morgen des 7. April zum gemeinsamen Vormarsch sammelten. Die nach Meldung englischer Aufklärungsflugzeuge angesetzten Bomberstaffeln kommen zu spät. Sie finden den Verband nicht mehr. Um 22 Uhr 12 ankern *„Gneisenau"*, *„Scharnhorst"* und *„Admiral Hipper"* auf Wilhelmshaven-Reede. Der Schwere Kreuzer hat noch 123 Tonnen Brennstoff in den Bunkern, d. h. einen Ölvorrat, der bei Höchstfahrt gerade zweieinhalb Stunden reicht.

Schon am nächsten Tage gehen *„Gneisenau"* und *„Scharnhorst"* zur Reparatur ihrer Schäden in die Wilhelmshavener Werft. Ihr erster Einsatz während des Unternehmens Weserübung ist beendet.

BESETZUNG VON BERGEN DURCH DIE GRUPPE III.

Gruppe III Bergen:

Befehlshaber der Aufklärungsstreitkräfte: Konteradmiral Schmundt, auf „Köln"
Leichter Kreuzer „Köln", Kapitän z. S. Kratzenberg
Leichter Kreuzer „Königsberg", Kapitän z. S. Ruhfus
Artillerieschulschiff „Bremse", Fregattenkapitän Förschner

6. Torpedoboot-Flottille, Korvettenkapitän Marks, auf „Wolf"
Torpedoboot „Wolf", Oberleutnant z. S. Broder Peters
Torpedoboot „Leopard", Kapitänleutnant Trummer

1. Schnellboot-Flottille, Kapitänleutnant Birnbacher
5 Schnellboote: „S 19", „S 21", „S 22", „S 23", „S 24"
Schnellbootbegleitschiff „Karl Peters", Kapitänleutnant Hintzke

ferner:

Schiff 9 (ex Fischdampfer „Alteland")
Schiff 18 (ex Fischdampfer „Koblenz")

Nach Bergen bestimmt waren 3 Schiffe der 1. Seetransportstaffel und 1 der Tankerstaffel.

Eingeschifft waren Stab und Kommandeur der 69. Infanterie-Division, Generalmajor Tittel, 2 Bataillone des Infanterie-Regiments 159, 2 Kompanien des Pionier-Bataillons 169 und 2 Kompanien Marineartillerie zusammen etwa 1900 Mann.

Zum Schutz der Nachschubtransporte wurde in der Nacht vom 8. zum 9. April im westlichen Zugang des Skagerraks eine Minensperre geworfen, diese am 12. April verlängert. Hierfür standen zur Verfügung:

Sonderverband West: Kapitän z. S. Kurt Böhmer

Minenschiff „Roland", Korvettenkapitän v. Kutzleben
Minenschiff „Cobra", Korvettenkapitän Dr.-Ing. Karl-Friedrich Brill
Minenschiff „Preußen", Korvettenkapitän Freiherr v. d. Recke
Minenschiff „Königin Luise", Kapitänleutnant Kurt Foerster

Die halbe 2. Minensuch-Flottille mit den Minensuchbooten „M 6", „M 10", „M 11", „M 12", (die Boote „M 1", „M 2", „M 9", „M 13" unter dem Flottillenchef Korvettenkapitän Thoma, und die Radfahrschwadron der Aufklärungsabteilung 169, hatten die Aufgabe, die Kabelstation Egersund zu besetzen).

Drei Einheiten in Wilhelmshaven. Post-, Telefon- und Urlaubssperre. BdA- und Kommandantensitzung. „Was soll'n wir mit den 85ern, um Himmelswillen?" Fliegeralarm und Schleusenmanöver.

Am Sonntag, dem 7. April strahlt die Morgensonne aus wolkenlosem Himmel über Wilhelmshaven. Trotzdem ist es ungewöhnlich kalt. Eisschollen treiben auf der Wasserfläche, und eine dünne Eiskruste umgibt die dunkelbraunen hohen Pfähle der dreibeinigen Ducdalben.

An der breiten Pier liegt das Flaggschiff des BdA[1]), Konteradmiral Schmundt, der Leichte Kreuzer *„Köln"*. Die Morgenbrise läßt die weiße Konteradmiralsflagge mit dem schmalen Luisenkreuz und den beiden schwarzen Bällen am Liek eben auswehen. Beide Seiten des schrägen Bugs tragen das Wappen des „Hilligen Cöln", der Patenstadt; oben im roten Querbalken die drei goldenen Kronen der heiligen drei Könige, darunter auf weißem Feld die elf schwarzen Flämmchen der legendären in Köln erschlagenen 11 000 englischen Jungfrauen.

Hinter dem Führerkreuzer liegt das ein Jahr ältere Schwesterschiff *„Königsberg"*. Gänzlich anders im Aussehen hat als letztes das Artillerieschulschiff *„Bremse"*, festgemacht.

Gerüchte über ein bevorstehendes Auslaufen haben die Besatzungen in gespannte Erwartung versetzt. Schon am frühen Morgen schlugen die Mechaniker die Telefonkabel ab. Urlaubssperre besteht seit 08 Uhr 00. Nur die Postordonnan-

[1]) Befehlshaber der Aufklärungsstreitkräfte

zen durften noch einmal die Schiffe verlassen und über Pier und Deichbrücke zur Stadt gehen. Sie haben aber Befehl, keine Post an Land mitzunehmen. Als sie zurückkehren, berichten sie, daß von den Schlachtkreuzern, die bisher auf Reede lagen, nichts mehr zu sehen ist.

„Beim Fliegeralarm gegen Mitternacht haben sie noch gefeuert, das haben wir gehört", erklärt die Postordonnanz der *„Köln"* dem Bootsmaaten Wache, der nach Neuigkeiten fragt. „In der Stadt behaupten sie, die beiden wären danach ausgelaufen."

„Nur merkwürdig, daß wir nicht zusammen mit ihnen losgezittert sind", wundert sich der Bootsmaat, „Brennstoff bis zur Halskrause, Munition und Proviant ergänzt, gestern die Wäsche von Land geholt und heute Urlaubssperre!"

„Irgend 'was Besseres muß schon anliegen!" mischt sich ein Schreibersmaat ein. „Zu Übungen nach Kiel gehn die Dicken nicht, die haben sie längst hinter sich. Jedenfalls gut, daß es mal wieder los geht. Hoffentlich mit mehr Erfolg als voriges Jahr im Oktober, als wir mit *‚Gneisenau'* und den neun Zerstörern nach Utsire 'raufliefen, um die Panzerschiffe im Atlantik zu entlasten, aber kein Schwanz sich sehen ließ. Oder im Dezember mit den anderen Kreuzern zur Aufnahme der fünf Zerstörer, die Minen vor Newcastle gedroppt hatten ..."

„Mensch, sei ruhig!" ärgert sich der Bootsmaat. „Da bekamen doch *‚Leipzig'* und *‚Nürnberg'* ihre Aale verpaßt! Na egal, Hauptsache wir kommen raus!"

Das ist kein Hurrapatriotismus, doch sie möchten auch nicht ewig hinter Heer und Luftwaffe zurückstehen.

„Wir, die Kreuzer, ja", sagt nachdenklich der Maat aus der Schreibstube, „aber was soll die *‚Bremse'* dabei? Die sackt mit ihren kaum 27 Meilen rettungslos achteraus, wenn wir aufdrehn. Ob die Minen nimmt und 'ne Sperre wirft, und wir sollen sie decken?"

Der Stückmeister des ersten achteren Drillingsturms, der hinzutrat und die letzte Bemerkung hörte, schüttelt den Kopf:

„Glaub' ich nicht. Dann hätte sie die längst übernommen, wo wir doch alle bereits seeklar sind. Komische Sache jedenfalls. Na, wir werden ja sehn!"

Den ganzen Tag über raten die Männer. Die verschiedensten Gerüchte laufen wie Wildfeuer durch die Decks, aber nichts geschieht. Sie müssen noch lange warten, ehe der

Schleier sich lüftet. Für die Offiziere geschieht dies etwas früher. An Bord der *„Köln"* finden am Abend fast gleichzeitig zwei Besprechungen statt. Eine im Wohnraum des Admirals mit dem Stab, die andere in der Offiziersmesse, wo der Kommandant die Operation bekannt gibt.

In der Admiralsmesse sitzen die Offiziere des Stabes um den runden schweren Eichentisch: der IAsto, Kapitän z. S. Karl Hoffmann, in Triest geboren, mit sicherem Blick für die Mentalität anderer Völker, der IIAsto, Korvettenkapitän Moritz Schmidt, der vor seinem jetzigen Kommando Kommandant des Zerstörers *„Richard Beitzen"* war, der IIIAsto, Korvettenkapitän Morgenstern, der diesen Posten seit 1938 innehat und der Verbandsingenieur, Kapitän z. S. (Ing.), Diplomingenieur Kober, ein Berliner.

Konteradmiral Schmundt, groß, schlank, mit einer Adlernase in dem auffallend schmalen Gesicht, ist bei seinen Untergebenen, Offizieren wie Mannschaften, wegen seiner unerschütterlichen Ruhe und Freundlichkeit besonders beliebt und einer jener Admirale, die sich grundsätzlich nie in die Schiffsführung einmischen. Er sieht kurz auf die Karten, die der Stabsobersteuermann samt Kursdreiecken, Stechzirkeln, Bleistiften, Vergrößerungsglas und Notizblöcken klarlegen ließ. Er blättert in den vielen Seiten des Operationsbefehls und bespricht noch einmal die Gesamtaufgabe und den Sonderauftrag der Gruppe III mit seinen Astos. Dann sieht er auf:

„Wenn Sie weiter keine Fragen haben, möchte ich noch auf die Schwierigkeit unserer Aufgabe hinweisen. Die Zielhäfen der Gruppe I, II und III, Narvik, Drontheim und Bergen sind feindlicher Einwirkung besonders stark ausgesetzt. Vor allem Bergen, es liegt den Stützpunkten der englischen Ostküste am nächsten."

Er fährt mit dem Bleistift über die berüchtigte Enge Shetland—Bergen. Der IAsto nickt:

„In acht bis neun Stunden von Scapa aus zu erreichen, sozusagen Brennpunkt im englischen Kraftfeld. Narvik und selbst Drontheim sind wesentlich weiter von Scapa oder dem Firth of Forth entfernt."

„Das ist es ja, Hoffmann. Und heute mittag haben englische Flugzeuge bereits die Gruppen I und II gemeldet und sie, allerdings erfolglos, mit Bomben angegriffen. Falls die Home-Fleet etwas unternimmt, wird sie meines Erachtens irgendwo in der Enge operieren, das heißt also: im Raum von Bergen. In See ist sie ja nach den bisherigen Meldungen schon."

Der IIAsto hebt leicht die Hand und sagt auf den auffordernden Wink des Admirals:

„Nach Prüfung aller abgehörten Funksprüche und den Mitteilungen der Gruppe West haben die Engländer offensichtlich den Zweck der Unternehmung, d. h. das Vorhaben der Gruppen I und II noch nicht durchschaut."

„Das ist auch meine Ansicht, Schmidt. Jedenfalls steht für uns fest, daß wir bei klarer Sicht keinen Tagmarsch unter der norwegischen Küste durchführen können. Die geringe Marschgeschwindigkeit, zu der wir durch die langsameren Einheiten der Gruppe gezwungen sind, macht, wenn wir auf den Gegner stoßen, auch Umgehungsversuche unmöglich."

Kapitän Hoffmann streicht eine Notiz mit einem dicken Strich:

„Ausweichbewegungen bedeuten außerdem einen Zeitverlust, den wir uns nicht leisten können, Herr Admiral. Selbst wenn es uns gelingen sollte, danach mit den schnellen Einheiten, also zusammen mit den Torpedo- und Schnellbooten durchzustoßen, würde die Anlandung der Truppen verzögert. Ob die langsameren Schiffe je nachgezogen werden könnten, ist sehr fraglich."

Admiral Schmundt lehnt sich in seinen Ledersessel zurück und kreuzt die Arme:

„Falls wir beim Vormarsch auf den Gegner treffen, bleibt nur ein Ausweichen nach Osten, d. h. ins Skagerrak. Die Erfüllung unserer Aufgabe wäre dann nicht mehr möglich. Wir müssen also alles versuchen, den Vormarsch in der geplanten Weise und unter allen Umständen durchzuführen."

Der Verbandsingenieur meldet sich. Er hat ein kleines, in schwarzes Leder gebundenes Taschenbuch aufgeschlagen vor sich liegen.

Die beiden Seiten, eng mit Zahlen bedeckt, enthalten u. a. die Höchst- und Marschgeschwindigkeiten der Einheiten der Gruppe III.

„Das bedenkliche ist und bleibt, daß der Verband nicht mehr als 18 Meilen herausholen kann, Herr Admiral, und das ist leider sehr wenig."

„Wir müssen uns damit abfinden", bemerkt der BdA abschließend. „Immerhin soll nach den letzten Berichten das Wetter umschlagen. Verminderte Sichtigkeit. Vielleicht sogar Nebel, der die englische Luftaufklärung, mit der wir rechnen müssen, behindern wird. Sonst noch etwas? Nein? Also: seeklar um 00 Uhr 40. Morgenstern, lassen Sie das bitte an die Einheiten durchgeben. Ich danke Ihnen, meine Herren!"

Der Kommandant der *„Köln"*, Kapitän z. S. Kratzenberg, hat seine Offiziere in die Messe bitten lassen. Auf dem Weg dorthin, werfen sie unwillkürlich einen Blick auf die Stelle, wo im Gang in Friedenszeiten ein Glaskasten mit der von Wind und Wetter gezeichneten alten Flagge des zweiten Kreuzers *„Cöln"* hing. Sie wurde nach dem ersten Weltkrieg bei der Versenkung der Flotte in Scapa gerettet und der jetzigen dritten *„Köln"* als Traditionsflagge übergeben.

Hinter dem Sitz, den sonst bei den Mahlzeiten der IO, Fregattenkapitän Ernst Becker, einzunehmen pflegt und der nun dem Kommandanten vorbehalten bleibt, sind zwei Seekarten aufgehängt. Das Gemurmel verstummt, als Kapitän Kratzenberg erscheint. Groß, schlank, schwarzhaarig mit dunklen Augen, großzügig und stets zu einem Scherz aufgelegt, fordert er zum Sitzen auf und nimmt aus der Hand des Adjutanten einige manilabraune Dienstumschläge entgegen.

„Meine Herren", sagt er lächelnd, „ich kenne bereits durch meinen Aufklarer und den Zivilsteward die Gerüchte, die seit heute morgen umlaufen. Gar nicht so dumm teilweise, aber die volle Wahrheit hat bis jetzt noch niemand erraten. Sie werden sich wundern!"

Er überfliegt die auf ihn gerichteten Gesichter. Da ist der IO, neben ihm der NO, Korvettenkapitän Baumann, der AO, Korvettenkapitän Brachmann, der LJ, Korvettenkapitän (Ing.) Trüdinger, da sind die Kapitänleutnants und die Schar der Oberleutnants und Leutnants, die gespannt zusehen, wie der Kommandant nun die Blätter des Operationsbefehls und die Anlagen aus den Umschlägen zieht.

„Es handelt sich um eine weitreichende Unternehmung sämtlicher verfügbaren Seestreitkräfte", sagt er ernst, „unter vollem Einsatz, wohlverstanden."

Er schweigt. Von draußen tönt der Pfiff des Bootsmaaten der Wache und danach undeutlich ein Befehl durch die Lautsprecheranlage.

Kapitän Kratzenberg verliest die Hauptpunkte des Unternehmens „Weserübung" und die Befehle für die Gruppe III, Bergen.

„Alles, was ich sage, meine Herrn, ist selbstverständlich GKdos[1]), Baecker, Sie geben bitte beim Aufziehn der Kriegswache heute nacht der Besatzung unsere Aufgabe bekannt."

Er sieht noch einmal über die atemlos lauschenden Offiziere, die fast ungläubig die Größe und das Wagnis der Operation zu fassen suchen, legt die Blätter beiseite und fährt fort:

„Es wird jedem von Ihnen klar sein, daß der oberste Grundsatz die vollkommene Geheimhaltung und damit die Überraschung des Gegners, d. h. des Engländers bleibt. Aus diesem Grunde war vom BdA die Telefon-, Post- und Urlaubssperre befohlen. Ich stelle Ihnen frei, nach der Musterung durch den IO Ihren Männern die Einzelheiten mitzuteilen und halte es für richtig, die Besatzung auch weiterhin auf dem laufenden zu halten. Sie kennen das ja von unseren früheren Feindfahrten. Es steigert das Interesse, stärkt das Gefühl der Verbundenheit, und außerdem hat schließlich jeder ein Recht, zu erfahren, was anliegt."

Er wendet sich an den Ersten Offizier:

„Ist alles klar zur Einschiffung des Divisionsstabes und der Feldgrauen?"

„Jawohl, Herr Kaptän. Ich habe die Vorbereitungen mit dem Rollenoffizier zusammen nur listenmäßig getroffen. Keiner der Besatzung hat etwas erfahren. Die Männer werden staunen, wenn die Züge anrollen! Im übrigen sind die Leutnantskammern für die Heeresoffiziere vorgesehn, Messen und Mannschaftswohnräume für die Feldwebel, Unteroffiziere und Soldaten der Truppe. Heeresgerät an Oberdeck, Munition in die Munitionskammern usw."

„Gut! Ich werde Ihnen jetzt den Anmarsch und die sehr schwierige Ansteuerung von Bergen zeigen."

Er steht auf, der Adjutant überreicht den bereitgehaltenen Zeigestock, und Kapitän Kratzenberg erläutert an Hand der Übersichtskarte und der Spezialblätter den Weg, den die Gruppe III nehmen wird. —

In der dunklen Neumondnacht liegen die drei Schiffe abgeblendet und schweigend. Als drohende Schatten ragen sie

---

[1]) Geheime Kommandosache

mit Aufbauten, Masten und Takelwerk gespenstisch gegen den helleren Himmel. Um 22 Uhr 00 wird die Wachdivision gepfiffen. Der IO, der RO[1]), der Adjutant und einige andere Offiziere erscheinen zur Verblüffung des Bootsmaaten der Wache und des Läufers an Deck und gehen über die Stelling an Land.

Kurz danach rollt ein langer Transportzug schnaufend auf den Gleisen der Pier heran. Türen fliegen auf, und vor den Augen der auf den Lärm hin aus allen Niedergängen an Oberdeck drängenden Kreuzerbesatzung steigen Feldgraue aus den Waggons. Armeeoffiziere rufen Befehle. Ein Generalmajor mit seinem Stab wird vom Ersten Offizier begrüßt und vom Adjutanten an Bord und zu den Admirals- und Kommandantenräumen auf der Schanz geleitet. Die Soldaten beginnen, das Heeresgut auszuladen und auf der Pier zu stapeln. Die Wachdivision wird zur Hilfe beim Anbordmannen verteilt. Das Gleiche geschieht auf den anderen Einheiten, der *„Königsberg"* und dem Artillerieschulschiff *„Bremse"*.

„Sie wunderten sich, warum ich die Wachdivision pfeifen ließ", bemerkt der Leutnant der Wache zu seinem Bootsmaaten, „nun wissen Sie den Grund!"

„Lieber Gott und alle kleinen Fische, Herr Leutnant! Das hat kein Mensch erwartet! Was soll'n wir denn um Himmelswillen mit all den 85ern? Die ..."

„Erfahren Sie alles noch mein Guter!"

Trotz der Dunkelheit arbeiten die Landser unterstützt von den Seeleuten schnell und sicher. In erstaunlich kurzer Zeit ist das umfangreiche Material samt Pioniergerät verstaut und seefest gezurrt. Die Truppe, fast alles Männer aus dem Binnenland, tritt vor dem Schiff an. Fregattenkapitän Baecker heißt sie willkommen und gibt das Notwendigste von dem gänzlich unbekannten Bordbetrieb bekannt: Schließen aller Schottüren in See, Aufenthalt an Oberdeck, Anlegen von Schwimmwesten usw.

„Wir alle, Offiziere, Portopeeunteroffiziere, Unteroffiziere und Mannschaften helfen Ihnen gerne in jeder nur möglichen Weise. Fragen Sie ruhig, wir freuen uns, Ihnen die für Sie so ungewohnten Dinge auf unserem Kreuzer erklären zu können. Die Bootsmaate und Gefreiten, die vor Ihren Kompa-

---

[1]) Rollenoffizier

nien stehen, werden Ihnen jetzt Ihre Schlafplätze und Aufenthaltsräume zuweisen und Ihnen dabei zeigen, wie man unsere steilen, schmalen Niedergänge, das heißt Treppen hinabsteigt. Wenn Sie nicht aufpassen, kommen Sie mit Ihren genagelten Schuhen von oben und brechen sich die Knochen. Also: Vorsicht! Sie erhalten noch einen ordentlichen Schlag aus der Kombüse, wollte sagen: der Bordküche, dann können Sie mulschen, wie wir sagen, falls Sie nach der langen Bahnfahrt müde sind. Wir gehn um 00 Uhr 40 in See."

Kurze Zeit später werden die Seeposten gepfiffen und gemustert, die Stellings und das an der Hafenseite ausgebrachte Fallreep von den Zimmermannsgasten eingenommen und geborgen. Hafenschlepper erscheinen, kommen längsseit und geben ihre Leinen herüber. An Land werfen die Kuttergasten der Wache die Festmacher von den Pollern.

Plötzlich heulen anschwellend, durchdringend, schauerlich wie die Klagen urweltlicher Riesentiere, von der Stadt her die Sirenen. Die ratlos in Gruppen umherstehenden Soldaten blicken unsicher in die stockdunkle Finsternis. Seeleute beruhigen sie.

„Nichts Besonderes. Fliegeralarm, englische Aufklärer oder Bomber, die hier auf dem Flug ins Binnenland passieren. Haben wir alle Nase lang. Ihr könnt ruhig oben bleiben!"

Während am Himmel der rötliche Widerschein des Abwehrfeuers der Küstenflak zuckt und das abgehackte, ferne Rummeln schneller Salven wie Theaterdonner hinterdrein grollt, müssen sich die Schiffe ihren Weg durch die geöffnete Kaiser-Wilhelm-Brücke über Verbindungs-und Ausrüstungshafen in die Schleuse in der Dunkelheit geradezu erfühlen. Die Heeresangehörigen beobachten schweigend die unheimlich fremde Welt ringsum. Sie hören die schrillen Manöverpfiffe, sehen die durch die Luft schnellenden dünnen Wurfleinen, von geisterhaft anmutenden Männern auf der Schleusenmauer aufgefangen, sehen wie daran die schweren Festmachetrossen angesteckt an Land gezogen und wie deren Augen, die großen gespleißten Schlingen um die wie Pilze anmutenden dicken Poller gelegt werden. Sie beobachten, wie *„Königsberg"* und *„Bremse"* herangleiten, wie sich hinter ihnen die mächtigen Tore geheimnisvoll und lautlos schließen und sich bald darauf die vorderen ebenso geisterhaft öffnen, nachdem der Wasserausgleich hergestellt ist. Sie atmen tief und fühlen zum ersten Male den Salzhauch der See.

„Wonach riecht das hier eigentlich?" fragt schnüffelnd ein Unteroffizier der 159er den neben ihm an der Reling stehenden Feuerwerksmaaten. Der stutzt, er muß erst nachdenken, ehe er antwortet. Er ist den Geruch gewohnt. Darum, wie er zustande kommt, hat er sich nie gekümmert:

„Wonach es riecht? Menschenskind! Warte mal ... nach Öl zum Beispiel, Ölrauch, wir haben doch fast alle Ölfeuerung. Nach geteertem Tauwerk und ... ja, nach der See natürlich, nach Salz und Tang und Schlick. Den gibt's hier massenweise, Schlicktown heißt doch bei uns W'haven! Nach Muscheln und Krabben und ... ach, ich weiß nicht, wonach noch alles! Verstehst du?"

„Doch, ja, so ungefähr ..."

Pfiffe unterbrechen den Feldgrauen. Leinen klatschen ins Wasser, werden eingeholt. Die Schrauben beginnen zu mahlen. *„Köln"* legt ab, nimmt Fahrt auf, gleitet aus der Schleuse und dreht ins Jadefahrwasser. Gefolgt von *„Königsberg"* und *„Bremse"* rauscht sie der offenen See zu. Im Heckwasser verneigt sich tanzend und abschiednehmend die schlanke rote Spierentonne Z.

Draußen, nach Passieren des Kriegsfeuerschiffs, tritt die Besatzung an und Fregattenkapitän Baecker gibt das Ziel der Gruppe III bekannt. Es ist noch dunkle Nacht, als die Männer aufgeregt durcheinander redend wegtreten und die Kriegswache aufzieht.

Auf der Brücke harren ein paar Heeresoffiziere bis zum frühen Morgen aus. Ein Major des Divisionsstabes erkundigt sich beim NO, der bisher so bereitwillig Auskunft gab, nach der Bewaffnung des Kreuzers. Korvettenkapitän Baumann lacht:

„Da müssen Sie hier den Kriegswachleiter fragen. Zufällig ist es der AO selbst. Ich kann Ihnen das natürlich auch erklären, aber der Zuständige ist Kapitän Brachmann!"

„Natürlich, natürlich!" stimmt gutmütig der AO zu. „Fangen wir mit der Hauptarmierung an. 3—15 cm Drillingstürme, einer vorn, zwo achtern. Da bei uns als der dritten *‚Köln'* Tradition groß geschrieben wird, heißt der Turm auf der Back *‚Helgoland'* und zwar nach dem unglücklichen Gefecht zu Beginn des ersten Weltkrieges, wo u. a. die *‚Cöln I'* verloren ging. Wohlgemerkt mit C geschrieben, wie damals auch die Patenstadt. Sie wissen vielleicht: Colonia Agrippinensis nach der leichtlebigen Dame Agrippina! Weiter haben wir 6—8,8 cm Doppellafetten, zur Flugzeugabwehr und gegen Seeziele gleich gut geeignet. Stehn seitlich und hinter dem achteren Aufbau. Die Steuerbord vordere heißt ‚Zenker' nach dem ersten Kommandanten der *‚Cöln I'*, die dieser spätere Admiral und Chef der Marineleitung 1911 in Dienst stellte. Er war in der Skagerrakschlacht übrigens Kommandant des Schlachtkreuzers *‚v. d. Tann'*, der bei dem berühmten Signal ‚Schlachtkreuzer ran an den Feind!' mit den anderen vorstieß, ohne zur Zeit nur ein einziges schweres Geschütz klarzuhaben. Die Backbord . . ."

„Halt! Versager!" unterbricht lächelnd der Kommandant. „Sie vergessen etwas, was den Major sicher interessieren wird. Nämlich, daß von unserem Kreuzer aus der Sohn des Admirals, damals als Leutnant z. S. zu diesem Ehrendienst an Bord kommandiert, die Urne mit der Asche seines 1932 verstorbenen Vaters vor dem Skagerrak der Nordsee übergab. Weiter im Text, Brachmann!"

„Jawohl, Herr Kaptän! Also die beiden anderen Doppelflak tragen die Namen ‚Maaß' nach dem Führer der Torpedoboote, dessen Flagge auf *‚Cöln'* wehte, und *‚Meidinger'* nach damaligen Kommandanten, die beide an jenem 28. August 1914 fielen. Schließlich haben wir noch 8—3,7 cm ebenfalls in Doppellafetten und mehrere 2 cm. Ferner, die gehen mich aber nichts an, 12 Torpedoausstoßrohre in vier Drillingssätzen an Oberdeck."

„Sie sehn, ganz anständige Armierung, auch, wie es heute nötig ist, gegen Angriffe aus der Luft", ergänzt Kapitän Kratzenberg. „Wie sind Sie mit der Unterbringung zufrieden? Bißchen eng, was . . ."

„Gehorsamsten Dank, Herr Kaptän", unterbricht der Major schnell, „ich habe eine schöne Kabine . . ."

„Kammer! Wir nennen das Kammer", lächelt der Kommandant, „und jetzt hatten Sie sicher gedacht, sich seemännisch richtig auszudrücken!"

„Allerdings, Herr Kaptän! Ich werde mich also jetzt in meine Kammer zurückziehn, die Seeluft . . ."

„Tun Sie das. Wenn etwas los sein sollte ... die 15er vom guten Brachmann vollführen einen Höllenkrach, falls sie die Alarmklingeln überhören sollten!"

Der Major lacht, grüßt und steigt vorsichtig den Niedergang hinab.

Vormarsch im Nebel. „Backbord voraus Motorengeräusch!" Der Zufall im Seekrieg „U-Bootsalarm von ‚Leopard'!" Die Batterien bei Bergen. Norwegische Feuer kommen in Sicht. Schwierige Navigation im Kors-Fjord.

Die Vormittagssonne des 8. April strahlt aus einem lichtblauen Himmel hell auf den Verband, der nun schon weit draußen in der Nordsee von Jagd- und Aufklärungsflugzeugen gesichert nach Norden steuert.

Vorpostenboote zum Schutz der Deutschen Bucht kommen in Sicht, tauschen Erkennungssignale, werden unter lebhaftem Winken der an Deck sich sonnenden Feldgrauen passiert und verschwinden achteraus im flimmernden Dunst der ruhig atmenden See. Im Lauf des Vormittags verdichten sich die dunstigen Schleier, weben hauchzarte Streifen und verschlechtern mehr und mehr die Sicht. Sie wandeln sich in Dampf und schließlich in einen feinen Regen.

Noch einmal heulen die Motoren der begleitenden Maschinen der Luftsicherung auf, als sie dröhnend in weiten Kreisen den Verband umfliegen und dann den Rückflug zu ihren Horsten antreten.

Kapitän Kratzenberg spürt, noch ehe die Anzeichen sichtbar werden, den kommenden Nebel. Er riecht als erfahrener Seemann die Veränderung der Luft, ihre zunehmende Feuchtigkeit. Er ist besorgt wegen des später zu erwartenden Zusammentreffens mit den aus Cuxhaven ausgelaufenen Einheiten, dem Schnellbootbegleitschiff *„Karl Peters"* und zwei Torpedobooten, und wegen der Vereinigung mit den von Helgoland zu erwartenden 5 Booten der 1. Schnellboots-Flottille. Keins der Schiffe, auch nicht die beiden Kreuzer, hat Radar. Hinzu kommt, daß selbstverständlich während des Vormarsches Funkstille befohlen ist.

Nach einer Weile tritt er zum BdA, der mit dem General in der Steuerbordbrückennock die bisher eingelaufenen Funksprüche erörtert:

„Wir werden sehr bald Nebel haben, Herr Admiral!"

Der BdA nimmt das Glas vor die Augen und beobachtet die Kimm im Norden.

„Sie haben Recht! Da geht's schon los!"

Er macht den General auf schmale weiße Streifen aufmerksam, die weit voraus dicht über der See sich bilden. Der Dunst, der um den Verband wabert, wird immer undurchsichtiger.

„Erwünscht wegen der englischen Aufklärer, Kratzenberg, was?"

„Das ja, Herr Admiral, aber wir müssen die anderen Einheiten noch finden. Und für das Fahren im Verband ist's auch nicht gerade schön. Die Kreuzer sind ja eingefahren, aber für *‚Bremse'* mit ihren völlig anderen Manövriereigenschaften wird es schwierig sein."

Es ist nun so neblig, daß von der Brücke der *„Köln"* eben noch der Bug auszumachen ist. Die hinter ihr laufende *„Königsberg"* ist nur ein wesenloser Schatten und *„Bremse"* überhaupt nicht mehr zu sehen. Admiral Schmundt blickt nach achtern und erklärt dem General:

„Scheinwerfer anstellen dürfen wir nicht. Aber der Foerschner, auf *‚Bremse'*, wird schon nicht achteraus sacken. Mit der Fahrt 'runterzugehn ist auch unmöglich, denn wir müssen zur bestimmten Zeit vor der Einfahrt nach Bergen, d. h. vor dem Kors-Fjord stehn."

Zeitweise verlieren die Schiffe einander zwar die Sicht, aber sie schließen immer wieder auf, und der Verband bleibt zusammen. Mehrmals wird trotz allem rechtzeitig entdeckten treibenden Minen mit leichten Kursänderungen ausgewichen.

Den Heeresoffizieren wird klar, wie schwierig es ist, ohne Nebelsignale, Scheinwerfer oder nachgeschleppte Nebelbojen bei 18 Meilen Fahrt die Schiffe in der Kiellinie zu halten. Die Milchsuppe, die alle Geräusche verschluckt oder verzerrt, ruft in ihnen ein unheimliches, hilfloses Gefühl hervor. Im Stillen bewundern sie Offiziere und Mannschaften, die ruhig, jedoch konzentriert und aufs äußerste angespannt ihren Dienst versehen.

„Backbord voraus Motorengeräusche!" meldet vom Signaldeck herunter der Signalmaat der Wache.

Jedes Geräusch verstummt. In der Totenstille, die einsetzt, ist fernes Brummen zu hören, das rasch anschwillt. Die drei

Doppelflak heben ihre Rohre und richten nach dem Geräusch. Zu sehen ist nichts.

„Verdammt noch mal, englische Aufklärer!" flucht leise der Kommandant. „Fast direkt über uns", sagt er laut, „wenn die Nebelbank nicht hoch genug ist, müssen sie unsere Mastspitzen sehen!"

Der Donner der Motoren nimmt jedoch ab, ohne daß etwas geschieht. Er wird zum feinen Summen, das nach Osten verklingt. Und dann wiederholt sich dasselbe noch einmal. Einer der Bordflieger tritt zum Kommandanten und hebt die Rechte zum Mützenschirm:

„Große mehrmotorige Maschinen, Herr Kaptän. Engländer."

Die Funkbude, die Kapitän Kratzenberg anrufen läßt, meldet, daß von den Flugzeugen keinerlei Funksprüche gesendet wurden. Es ist gegen 14 Uhr 00. Kurz danach bringt der IFTO dem BdA eine andere Funkmeldung auf die Brücke. Der Admiral winkt den Kommandanten heran, reicht ihm das Formular und wendet sich an den General:

„*‚Admiral Hipper'* hat heute vormittag einen britischen Zerstörer versenkt. Sie steht zusammen mit den beiden Schlachtkreuzern und den Zerstörern der Gruppen I und II weiter nördlich. Ist nichts von den anderen gesagt worden?" wendet er sich an den IFTO.

Der verneint:

„Nichts, Herr Admiral."

„Das ist eigenartig. Der Spruch ging an den Flottenchef, aber der muß doch dabei gewesen sein! Außerdem saust auch kein britischer Zerstörer allein wie ein Bettsack in der Weltgeschichte herum! Na, schön, melden Sie, wenn noch irgend etwas über diese Geschichte eingehn sollte."

„Jawohl, Herr Admiral."

Erst im weiteren Verlauf des Nachmittags erfährt der BdA durch Mitteilungen der Gruppe West mehr über die Lage. So wird um 16 Uhr 33 die Nachricht über die zwischen den Orkneys, Shetlands und Bergen stehenden englischen leichten Seestreitkräfte aufgenommen.

„Das werden die sein, die gestern abend vom B-Dienst als *‚Arethusa'* und *‚Galatea'* zusammen mit Zerstörern erkannt wurden. Schon mittags angesetzt, so war es doch, Kratzenberg?"

„Jawohl, Herr Admiral. Das kann ja heiter werden, wenn die uns vor den Bug laufen!"

Am Spätnachmittag gegen 17 Uhr 00 lichtet sich der Nebel. Er löst sich in breite Schwaden auf, die weißlichgrau hin und her wehen und plötzlich, wie von unsichtbarer Hand weggerissen, die Sicht freigeben. Zur gleichen Zeit kommt auch das nagelneue S-Bootbegleitschiff mit den zwei Torpedobooten in Sicht. Konteradmiral Schmundt läßt ein Flaggensignal heißen:

„Geplante Vormarschformation einnehmen!"

„Sehn Sie, meint er lächelnd zum Kommandanten, „da sind die Vögel ja! Die hätten uns auch im Nebel gefunden!"

Alle Einheiten wiederholen das Signal. Als die Stabssignalgasten die Flaggen niedernehmen, vermehren *„Wolf"* und *„Leopard"* die Fahrt. Sie drehen heran und laufen auf ihre Positionen als U-Bootssicherung an Steuerbord und Backbord des Verbandes, das Begleitschiff hängt sich in der Kiellinie an *„Bremse"* an. Die Sicht wird zusehends besser, gleichzeitig Wind und Seegang stärker. Die ersten seekranken Feldgrauen lehnen bereits bleich über der Reling.

„Die Kimm ist weniger schön, Herr Admiral", bemerkt Kapitän Kratzenberg „viel zu klar."

„Jetzt wäre mir Nebel auch lieber", stimmt der BdA zu. „Morgenstern, wie lange haben wir noch bis Sonnenuntergang?"

Der IIIAsto gibt die Frage an den Kreuzer-NO weiter.

„Noch fünf Stunden leider, Herr Admiral", bedauert Korvettenkapitän Baumann.

Gegen Abend hat die Gruppe III, noch außer Sicht von Land, die Höhe von Stavanger erreicht. In die Stille tönt plötzlich das Heulen einer Sirene, zweimal kurz, einmal lang. Eins der Torpedoboote geht auf hohe Fahrt, dreht hart ab und heißt ein Flaggensignal.

„U-Bootsalarm von *‚Leopard'*! Signal: getauchtes U-Boot!" ruft der Stabssignalmeister.

Der Verband wendet mit Hartruder, Flaggen werden aus den Brückennocken geschwenkt, alle gehen auf Höchstfahrt. Von den Brücken richten sich die Gläser auf die Stelle, auf die das Torpedoboot mit schäumender Bugsee zurast.

„Recht achteraus ist das U-Boot jetzt!" stellt ruhig der NO fest, „aufgetaucht, einwandfrei englisches: der plumpe Turm, die Form der Sehrohre. Taucht langsam weg."

Kopfschüttelnd sieht der BdA, wie die beiden Torpedoboote mit AK auf die Stelle zubrausen, wo das U-Boot verschwand:

„Sofort Blinkspruch an die Boote: ‚Verfolgung abbrechen, Position wieder einnehmen!' Ist Unsinn", erklärt er dem General „jetzt eine U-Bootsjagd zu inszenieren und mit Wasserbomben 'rumzudonnern. Hier halten sich immer englische Patrouillen-U-Boote auf."

„Torpedolaufbahnen sind nicht gesichtet worden!" meldet der TO dem Kommandanten. „Das U-Boot wurde anscheinend überrascht, noch ehe es einen Anlauf fahren konnte. Wahrscheinlich unfreiwillig hochgekommen, als ‚*Leopard*' das Sehrohr sichtete und anlief."

Der Verband geht wieder auf den alten Kurs und setzt in Kiellinie den Vormarsch fort.

Der Kommandant, den der Funkspruch über die englischen Kreuzer beunruhigt, winkt den NO ins Kartenhaus. Sie studieren zum hundertsten Male die große Übersichtskarte, greifen Entfernungen ab, vergleichen Fahrttabellen und sehen sich an. Kapitän Kratzenberg nimmt die Mütze ab und streicht mit der Rechten durch die schwarzen Haare:

„Ein Glück, daß uns bei klarem Wetter bisher kein Aufklärer erwischt hat. Die RAF treibt sich wahrscheinlich weiter oben im Norden 'rum. Aber diese leichten Streitkräfte, Baumann! Womöglich treffen wir gerade vor dem Kors-Fjord auf sie."

„Es wird ja bald dunkel, Herr Kaptän. Ich verstehe bloß nicht, wo die S-Boote bleiben."

Sie gehen wieder auf die Brücke hinaus. Der Kommandant legt dem Kriegswachleiter die Hand auf die Schulter:

„Brachmann, weisen Sie doch noch einmal alle Wachen an, auf die verdammte Kreuzergruppe zu achten, ja?"

Der AO stößt seinen Haupt-BÜ an:

„Durchgeben an alle Ausgucks und die Artillerie: besonders scharf aufpassen! Zwo Kreuzer mit Zerstörern sind weiter nördlich gemeldet. Alles Verdächtige sofort durchgeben. Wiederholen!"

Der BdA, der die gleiche Besorgnis hegt, wendet sich an den Kommandanten:

„Kratzenberg, lassen Sie doch bitte bei der Funkbude anfragen, ob noch irgendetwas über die Engländer abgehört worden ist."

Auf den telefonischen Anruf erscheint der IFTO selbst auf der Brücke:

„Nichts weiter, Herr Admiral!"

Konteradmiral Schmundt dankt und sieht auf seine Armbanduhr: 18 Uhr 00. Keiner an Bord ahnt, daß um diese Zeit nur 60 Seemeilen nordwestlich der Zufall seine Rolle spielt und der englische Vice-Admiral, Sir G. F. B. Edward-Collins, sein 2. Kreuzergeschwader von einem östlichen auf Nordkurs schwenken läßt, wodurch er sich von der Gruppe III entfernt. Er hatte am 7. April mit den Leichten Kreuzern *„Arethusa"* und *„Galatea"* sowie 11 Zerstörern Rosyth verlassen und den Auftrag, eine Position 80 Seemeilen westlich Stavanger anzusteuern, dann am 8. April um 18 Uhr 00 auf nördlichen Kurs zu gehen. Diesen Befehl des C-in-C führte er aus. Er verpaßte so die Gelegenheit den deutschen Verband, der im Nebel bisher der RAF entgangen war, doch noch zum Gefecht zu stellen.

Durch die allmählich herabsinkende Dämmerung blitzt fern ein Licht. Der Steuermannsmaat der Wache tritt vom Peilkompaß zurück und meldet dem NO:

„Steuerbord voraus helles Feuer, Herr Kaptän, Utsire. Ist gerade über die Kimm gekommen!"

„Danke. Na, dann brennen ja hoffentlich die Außenfeuer noch."

Gegensegler werden passiert. Neutrale Frachtschiffe, hier und da ein kleiner Küstenfahrer, der den Verkehr von Fjord zu Fjord vermittelt und südwärts die Küste entlangläuft, breitgebaute weiße norwegische Fischerboote, seetüchtige Kutter mit Hilfsmotor und griesgrauen Segeln. Sie tanzen im gröber gewordenen Seegang, vor dem selbst die Dampfer mit gischtübersprühtem Vorschiff schwerfällig rollen. Ein Blinkspruch wird auf Befehl des BdA an die Torpedoboote gegeben:

„Unbehelligt lassen!"

„Wir können uns nicht mit langwierigen Untersuchungen aufhalten", erklärt der Admiral, „außerdem brauchen wir die Boote als Sicherung."

Feiner Regen setzt mit der Dunkelheit ein. Vom letzten Schiff, *„Karl Peters"*, wird um 21 Uhr 40 mit der Klappbuchs eine Meldung durch die Linie zum Führerkreuzer gegeben:

„Eigene Schnellboote von achtern!"

Es dauert noch eine Weile, bis die von Backbord auflaufenden Boote in einer Wolke von Gischt und Schaum auch von der Brücke der *„Köln"* aus zu erkennen sind.

„Welche Geschwindigkeit können die fahren? Wo kommen sie her?" erkundigt sich Generalmajor Tittel, der die in ihrer keilförmigen Marschformation heranrauschenden S-Boote interessiert beobachtete.

Kapitän Kratzenberg, den der Ausdruck „fahren" wie ein Axthieb über den Kopf trifft, dreht sich um:

„Sie laufen", sagt er betont, „gut 30 Seemeilen, Herr General. Kommen von Helgoland. Der Nebel hat sie wohl aufgehalten, sie hätten sonst längst hier sein müssen. 1. Schnellboot-Flottille mit fünf Booten."

„Wir brauchen sie zur Anlandung des Teils der Truppe, der die Geschützstellungen und die Torpedobatterien vor Bergen nehmen und besetzen soll. Die Boote bleiben dann dort", ergänzt Konteradmiral Schmundt.

Der General nickt und der BdA fährt fort:

„Außer den S-Booten stehen uns dafür noch zwei armierte Fischdampfer zur Verfügung, die wir später treffen werden. Wollen Sie sich die Batteriestellungen einmal auf der Seekarte ansehn?"

„Gewiß. Wir haben sie zwar auch auf unseren Karten, wissen Sie, aber natürlich, gern!"

„Also dann! Kratzenberg, darf ich Ihr Kartenhaus mal benutzen?"

„Selbstverständlich, Herr Admiral!"

Sie gehen zusammen mit den Stabsoffizieren der Division hinein. Männer des Steuermannspersonals, die sich an der Dampfheizung wärmten, verschwinden schleunigst. Nur der Obersteuermann bleibt und legt auf einen Wink des BdA die Spezialkarte der Einfahrt von Bergen auf den Kartentisch. Konteradmiral Schmundt nimmt einen Bleistift und zeigt auf die Küstenbatterien des inneren By Fjords, der sich vor der Stadt zu einer breiten Bucht erweitert.

„Hier", erklärt der Admiral, „am Südufer des Ostausgangs des Fjords, der dort an seiner engsten Stelle nur 400 m breit ist, liegt das Bergmassiv des Kvarven. Geben Sie dem Herrn General 'mal das Vergrößerungsglas bitte!"

Generalmajor Tittel beugt sich über die Karte und hält das Glas auf die bezeichnete Stelle.

„Der Berg", fährt der Admiral fort, „hat eine Batterie von 3—21 cm-Geschützen und 3—24 cm-Haubitzen. An seinem Fuß liegt irgendwo eingebaut die Torpedobatterie, die ich erwähnte. Zahl ihrer Ausstoßrohre und nähere Einzelheiten sind nicht bekannt. Sie könnte uns sehr unangenehm werden! Das ist alles, was unser Nachrichtendienst über die Stellungen der Südseite erfahren konnte."

Er umreißt mit dem Bleistift die große Halbinsel, an deren Nordseite der Kvarven liegt:

„Ehe wir von Süden kommend mit einer 90 Grad Schwenkung in den By Fjord drehn, landet *,Königsberg'* ihre Truppen, die den Kvarven stürmen sollen, bei Stangi hier am Westeingang zum Fjord!"

Der Bleistift gleitet über die große Bucht zum jenseitigen Ufer:

„Auf diesen Höhen in der Umgebung der Stadt sind die beiden anderen Batteriestellungen: Hellen mit 3-21cm-Geschützen und näher an der Stadt. Sandviken mit 3-24cm-Haubitzen. Die Schwierigkeit für uns liegt im Passieren der Enge mit den Kvarven-Batterien. Sie müssen genommen werden, bevor wir durchlaufen."

Er legt den Bleistift auf die Karte zurück und lächelt dem Obersteuermann zu:

„Vielen Dank! Fabelhaft gespitzt!"

„Es wird Verluste geben, vielleicht sogar schwere, wenn die Norweger Widerstand leisten, was ich eigentlich erwarte. Ich bin froh, daß Ihre Infanteristen und Pioniere mit von der Partie sind. Unsere Marineartilleristen werden zwar wie die Teufel 'rangehn. Es fehlt ihnen aber die gründliche Ausbildung und die Erfahrung im Landkampf."

Sie verlassen das Kartenhaus. Die Nacht ist sehr dunkel, und der Kreuzer rollt stark vor der achterlichen See. Neben dem gleichmäßigen Rauschen hören sie das Fauchen der Lüfter. Zuweilen schlägt eine Schottür, oder die Seestiefel eines Läufers poltern einen Niedergang hinab. Um 22 Uhr 24 dreht eins der seit Anbruch der Dunkelheit hinter dem Schnellbootbegleitschiff in der Kiellinie laufenden Torpedoboote plötzlich ab und verschwindet mit weißer Hecksee in der Finsternis. Von *„Karl Peters"* geht ein Blinkspruch durch die Linie. Der Kommandant, der den Spruch nicht ganz mitlas, ruft das Signaldeck an:

„Warum hat das Boot abgedreht, was war da los?"

„*‚S 19'* und *‚S 21'* haben sich gerammt, Herr Kaptän! *‚Wolf'* ist zur Hilfeleistung detachiert, *‚S 19'* scheint beschädigt zu sein."

„Bei der Stockdunkelheit kein Wunder!" knurrt Kapitän Kratzenberg. „Wenn die beiden nur bald nachkommen!"

Während der Verband seinen Nordkurs zum Seeraum vor dem Korsfjord weiter verfolgt, blitzen schon seit längerer Zeit an Steuerbord voraus Leuchtfeuer auf, blinzeln gelb und rot herüber. Der BdA setzt erleichtert das Doppelglas ab:

„Offenbar brennen noch alle Feuer, Hoffmann?"

„Jawohl", bestätigt der IAsto, „das helle über den anderen ist Marstein, die Ansteuerung des Korsfjords, stärkstes dieser Gegend, Sichtweite 18 Seemeilen. In einer halben Stunde müssen wir es auf Ostkurs voraus nehmen, Herr General."

Der NO steht gerade am Steuerbord-Peilkompaß, als mit einem Schlage sämtliche Feuer verlöschen. Korvettenkapitän Baumann ist wütend:

„So eine Schweinerei!" schimpft er leise vor sich hin. „Ausgerechnet jetzt! Wo ist der Kommandant?"

„Hier, Baumann. Schon bemerkt. Und das bei dieser ekelhaften Ansteuerung! Wir müssen uns nachher irgendwie 'reinmogeln. Schöne Tasse Tee, was?"

„Damit hab' ich gerechnet, Kratzenberg!" mischt sich der BdA ein. „Die Norweger werden Lunte gerochen haben. Fehlt nur noch, daß die lieben Vettern vorm Korsfjord zu unserm Empfang bereit stehn!"

Kurz vor Mitternacht läßt der Admiral Fahrt vermindern, der Verband geht auf Ostkurs und steuert die nach dem Löschen der Feuer doppelt schwierige Einfahrt an. Alles, was die Navigation erschweren kann, ist reichlich vorhanden! Nadelscharfe Riffe, jede Menge großer und kleiner Schären, darunter solche, die freundlicherweise bei Hochwasser unter der Oberfläche bleiben, Versetzung durch Gezeiten- und Küstenströme, die sich je nach Windrichtung und Stärke ändern. Obendrein fehlen die ausgezeichneten norwegischen

Lotsen, die den Zugang nach Bergen mit den vielfachen Kursänderungen auch ohne Leuchtfeuer im Schlaf kennen.

Später, näher der Küste, stellt der NO fest, daß glücklicherweise doch noch ein paar der auf Schären, Felsvorsprüngen und Inseln stehende Innenfeuer in Betrieb sind.

„Sehr gut, Herr Kaptän! Die sind zwar lichtschwach, aber der Regen hat ja aufgehört, die Sicht ist normal und man hat wenigstens einen Anhalt."

In der schräg von achtern auflaufenden Dünung gieren die Schiffe stark und die Rudergänger haben Mühe, den befohlenen Kurs zu halten. Das Steuermannspersonal rennt ununterbrochen zwischen Brücke und Kartenhaus hin und her. Peilungen werden genommen, ausgerufen, eingetragen und Kursverbesserungen gegeben. Das Echolot bleibt angestellt. An der Spitze des Verbandes läuft nun *„Leopard"*. Die S-Boote haben sich angehängt. Nur *„Wolf"* mit ihrem Schützling, dem kaum noch seefähigen *„S 19"*, steht weit achteraus.

Marstein wird um 02 Uhr 00 an Steuerbord passiert. Von der tintenschwarzen einsamen Höhe ragt schweigend und lichtlos der Leuchtturm gegen den Nachthimmel. Am Fuß des dunkeldrohenden Felsens tobt eine hohe, gespenstisch weiße Brandung.

„Hier kreuzen sonst immer die Lotsenboote", erinnert sich der NO.

Der Obersteuermann, aus dem Kartenhaus kommend, steht neben dem NO:

„Starke Stromversetzung nach Norden, Herr Kaptän!"

Korvettenkapitän Baumann meldet dem Admiral. Eine Kursänderung hebt die Abdrift auf. Langsam, zögernd gleitet die Gruppe III vorsichtig weiter in den breiten Fjord hinein, auf beiden Seiten von Felsbergen begleitet. Auch voraus schälen sich Umrisse von Bergen aus der Nacht. Der Verband muß oft minutenlang stoppen, ehe die Lage geklärt ist und weitergelaufen werden kann. Um 02 Uhr 40 glimmt, ganz kurz nur gezeigt, von irgendwoher das Erkennungssignal des Tages aus dem Dunkel. Es sind die beiden armierten Fischdampfer *„Schiff 9"* und *„Schiff 18"*, die sich anschließen.

Der BdA läßt noch einmal Fahrt vermindern. Mit nur 7 Seemeilen schleicht der Verband nach einer weiteren Kursänderung an Inseln und Bergkulissen vorüber nordostwärts.

Der MAA-Leutnant und seine Männer. Bewacher, rote Sterne und ein Torpedoboot. Ausschiffung der Sturmtruppen. — „Einlaufen!"

Auf *„Königsberg"* sitzt an einer Back der Führer der Marineartillerie-Sturmabteilung, Leutnant MA[1] Menke. Um ihn herum hocken, kleine Geländeskizzen in den Händen, die Männer des Sturmtrupps: 1 Stabsfeldwebel, 4 Maate, 33 Mann. Sie alle tragen die feldgraue Uniform der MAA[2] mit goldenen Ankerknöpfen und sind stolz darauf, als Marinetruppe einen Sturmangriff an Land mitmachen zu können. Menke hat mit ihnen noch einmal die Aufgabe durchgesprochen:

„Unser Ziel ist also die Torpedobatterie unter dieser Felsklamotte, dem Kvarven", sagt er abschließend, „die muß unbedingt genommen sein, ehe die Schiffe vorbeilaufen."

Der Stabsfeldwebel hebt die Rechte:

„Herr Leutnant, wie ist das, wir haben doch nur Gewehre und Handgranaten, bekommen wir keine anderen Waffen? Einer von den Sturmtruppführern der 85ern hat mir erzählt, sie hätten SMG's[3], LMG's[4], Granat- und Flammenwerfer . . ."

„Keine Angst, Rosmarie!" unterbricht Menke. „Ich hab' das auch von einem Armeeleutnant gehört. Also bin ich zum Kommandanten auf die Brücke gestiegen."

„Jawohl, Herr Leutnant!" lacht einer der Maate. „Den kennen wir, den nennen seine Männer ‚Heinrich den Seefahrer'! Scheint ein prima Kerl zu sein!"

„Stimmt. Von dem hab' ich nämlich ein MG für uns besorgt!"

„Großartig, Herr Leutnant! Was sollen auch die Seelords mit MG's, die haben doch ihre Kanonen an Bord!"

„So ähnlich hab' ich das Kapitän Ruhfus auch begründet. Da fing er an, von Landungskorps und 1 MG pro Zug zu palavern. Dann hat er gelacht und dem AO einen Befehl gegeben. Der Oberfeuerwerker fluchte vielleicht, als er das MG und 'nen ordentlichen Schlag Munition 'rausrücken mußte! So, nun seht Euch noch mal die Krokis genauer an."

38 Hände halten die nach einer Seekarte vervielfältigten Skizzen des By-Fjordes mit den eingetragenen Batterien auf

---

[1]) Marine-Artillerie

[2]) Marine-Artillerie-Abteilung

[3]) Schwere Maschinengewehre

[4]) Leichte Maschinengewehre

dem Kvarven. Gespannt hören sie auf das, was der Sturmtruppführer zu sagen hat.

„Ist alles halb so wild. Mit uns kommt ein Leutnant von der Armee mit einem Zug Pioniere und außerdem noch ein Haufen Infanterie. Wir und die Pioniere werden mit einem Schnellboot übergesetzt, weil wir in kürzester Zeit bei der Torpedobatterie sein müssen, die anderen dagegen werden mit den Verkehrsbooten der *‚Königsberg'* und den beiden Fischeseln hingekarrt. Ihr habt doch die Fischdampfer gesehn, die plötzlich auftauchten, als wir in den großen Fjord einliefen?"

„Jawohl, haben wir."

„Na also! Der Rest der S-Boote landet andere, besonders wichtige Truppenteile. Was wollen Sie? Eine Frage?"

„Jawohl, Herr Leutnant", meldet sich ein anderer Maat. „Weiß man genau, wo diese Batterie liegt, kennt man Einzelheiten, Zufahrtswege usw.?"

„Leider nicht. Aber wir werden sie schon finden. Am Fuß des Kvarven, das ist alles. Wie wir angreifen werden, muß die Lage ergeben, die wir vorfinden. Wenn irgend möglich, landen wir direkt bei der Torpedobatterie. Sie wird ja dicht überm Wasser eingebaut sein. Wenn das nicht möglich ist, gehn wir an einer anderen Stelle an Land und greifen von der Seite an, vielleicht auch von beiden, verstehn Sie?"

Der Maat nickt bedächtig:

„Natürlich, Herr Leutnant. Diese Berghänge hier herum sollen aber sehr steil sein. Kahler Fels hat mir einer der Maate vom Kreuzer gesagt, der mal hier oben war."

„Damit hat er im allgemeinen Recht. Um die Stadt selbst sind die Hänge bewaldet, wie es am Kvarven ist, weiß ich nicht. Wir werden das schon schaffen. Noch etwas: ich habe eine Leuchtpistole mit verschiedenfarbigen Sternpatronen. Verständigung mit den Armeeinheiten ist sehr wichtig. Ein Heerestrupp geht mit uns zusammen vor, der kann uns die üblichen Sternsignale beibringen. Verbindung halten, Herrschaften! Wie Ihr das gelernt habt. Falls die Norweger Widerstand leisten: im Feindfeuer kurze Sprünge unter Feuerschutz oder Vorrobben. Immer auf Deckung bedacht sein. Tief halten, runter mit der Nuß und dem Achtersteven, verstanden?"

'ruppeneinschiffung auf einem
chweren Kreuzer

Geleitzug vor der norwegischen Küste

Luftwaffeneinheiten nach der Ausschiffung in einem norwegischen Hafen

Transporter im Hafen von Stavanger

Sie nicken ernst. Gewiß haben sie dies alles bei der MAA gelernt. Aber hier ist Berggelände. Sie übten es in den flachen Marschen bei Wilhelmshaven und Schillig, hinter den Deichen bei Cuxhaven oder in den sommerlich heißen von Heidekraut überwucherten Dünentälern der Nordseeinseln. Was hat der Leutnant gesagt? Feindfeuer? Nun, sie werden ja erleben, wie das ist. Immerhin haben sie Gewehre und Handgranaten und zur Sturmabteilung gehören nicht umsonst mehrere der besten Handgranatenwerfer der Heimatgarnison!

Leutnant Menke faltet seine Karte zusammen, steckt sie in die Brusttasche, richtet sich auf und zieht seinen Rock glatt:

„Und noch etwas! Antreten haben wir ja hier an Bord während der Fahrt mehrfach geübt. Wenn wir, d. h. die Sturmabteilung, gepfiffen werden, saust Ihr wie die geölten Blitze auf Eure Stationen. Muß alles trotz der Dunkelheit sehr schnell gehn. Der Verband kann für die Ausschiffung nur kurz stoppen. Gruppenführer melden dem Stabsfeldwebel durch Klarzeigen, ich melde dem Ausschiffungsoffizier. Dann warten wir dessen Befehle ab. Verliert die Donnerbüchsen nicht, wenn Ihr übersteigt. Und steht den Seeleuten nicht im Weg, wenn die nachher die Boote aussetzen. Das wäre alles. Noch eine Frage?"

Sie haben keine Frage mehr. Dann warten sie an Oberdeck, staunen die dunkle, drohende und unheimlich wirkende Fels- und Fjordlandschaft an und wundern sich, daß noch keine Vorbereitungen zur Ausschiffung zu bemerken sind. Sie ahnen nicht, mit welcher Geschwindigkeit ein Flottenkreuzer das Manöver „Alle Boote aussetzen" auszuführen gewohnt ist!

Während der Verband vorsichtig tastend den Kors-Fjord hinaufläuft, suchen Offiziere und Ausgucks mit verdoppelter Aufmerksamkeit das Fahrwasser ab. Das stille, schemenhafte Vorbeigleiten an all den großen und kleinen Inseln, das stete Zurückweichen und Wiedervordrängen der lautlos sich ineinanderschiebenden Felskulissen scheint allen in der finsteren Neumondnacht geisterhaft und unwirklich. Bis der Ruf eines Ausgucks die erwartungsvolle Stille rauh zerreißt:

„Voraus Schatten! Abgeblendetes Fahrzeug!"

„Durchhalten!" sagt ruhig der BdA, der das Boot durch das Nachtglas beobachtet.

„Fahrzeug feuert rote Sterne!"

Glühende Streifen sprühen in steilem Bogen hoch, platzen und schweben als rote Leuchtkugeln weithin sichtbar herab. Fern im Osten malen ebensolche Sterne ihre Antwort in den dunklen Samt des Nachthimmels.

„Fahrzeug setzt sich heraus!"

Der Norweger dreht aus dem Fahrwasser an die Felsen heran, stoppt und morst mit einem kleinen Signalscheinwerfer. Das Signaldeck liest und meldet:

„What ship? Where are you bound?" — Was für ein Schiff, wohin bestimmt?"

„Bewacher!" ruft der Kommandant zum Signaldeck hinauf. „Vorbereitete Antwort abgeben, Sie wissen ja: *‚HMS Cairo'!"*

Das Vorpostenboot leuchtet ein Schiff des Verbandes nach dem anderen an und von allen Brücken klappern die Morselampen ihre Antwort. Es werden englische Schiffsnamen geblinkt, die der BdA-Stab für solche Fälle in einem Sonderbefehl festlegte. Obwohl absichtlich alles langsam geschieht, liest das Wachboot statt des von *„Köln"* kommenden *„HMS Cairo*[1]*"*: „sei ruhig!" Die an der Spitze laufende *„Leopard"* gibt ganz einfach *„british destroyer*[2]*"*, *„Königsberg" „HMS Calcutta*[1]*"*, *„Bremse" „HMS Faulknor*[3]*"* und *„Karl Peters" „HMS Halcyon*[4]*"*.

„Durchaus erlaubte Kriegslist!" grinst der *„Köln"*-Kommandant. „Aber ob Sie das glauben, möchte ich bezweifeln!"

Korvettenkapitän Baumann, der längst wieder das Fahrwasser voraus absucht, dreht sich um:

„Jedenfalls sind wir durch, Herr Kaptän. Er wich aus und was er sich jetzt denkt, kann uns ziemlich schnurz sein!"

Es handelt sich, wie später festgestellt wurde, um das Wachfahrzeug *„Manger"*. Das Boot verstand die erste Antwort falsch und die folgenden überhaupt nicht!

Wenig später werden in kurzen Abständen zwei, drei weitere Bewacher gesichtet. Auch sie machen bereitwillig Platz, aber sie schießen ebenfalls rote Sterne, die im inneren Kors-Fjord wiederholt werden.

---

[1]) britische Leichte Kreuzer einer Klasse

[2]) britische Zerstörer

[3]) britischer Flottillenführer (großer Zerstörer)

[4]) britisches Minensuchboot

„Sie signalisieren weiter drinnen stehenden Wachbooten eine Warnung zu und zeigen ihr ‚Verstanden' durch rote Sterne", sagt der Kommandant. „Mir gefällt diese Festbeleuchtung gar nicht!"

„Voraus Mitte Fahrwasser Fahrzeug mit 3 roten Lichtern im Topp! Leuchtet quer mit Scheinwerfer!" meldet der WO.

Als der Verband näher kommt, weicht auch dieses Boot aus, dreht ab, feuert rote Sterne und bleibt ohne zunächst irgendetwas zu unternehmen, gestoppt liegen. Plötzlich läßt es seinen Scheinwerfer in einer bestimmmten Richtung zwei-, dreimal aufstrahlen. Kapitän Kratzenberg tritt zum BdA:

„Ob der uns für Engländer hält und vor einer Minensperre warnen will, Herr Admiral? Sieht beinah' so aus."

Konteradmiral Schmundt zuckt schweigend die Achseln. Einer der Astos mischt sich ein:

„Ich glaube, Kratzenberg hat recht. Wenn dieser Norweger uns für Deutsche hielte, und das Fahrwasser ist vermint, würde er uns bestimmt nicht mit seinem Scheinwerfer die Stelle zeigen."

„Also hält er uns für Engländer, die er ja wahrscheinlich eher erwartet!"

„Vielleicht legt er gerade eine Sperre", fährt der Asto fort, „dann stehen natürlich die Minen noch nicht auf der eingestellten Tiefe. Es könnten Oberflächenstände dabei sein, wie es während des Werfens zuweilen passiert, vor allem, wenn es in Eile geschieht, und vor denen will er uns mit seinem Scheinwerferfinger wahrscheinlich warnen."

„Könnte stimmen. Anders kann man das eigenartige Verhalten nicht erklären."

Wie recht Kommandant und Asto hatten, stellte sich schon am anderen Morgen heraus. Der uralte kleine norwegische Minenleger *„Tyr"* war an der fraglichen Stelle tatsächlich damit beschäftigt gewesen, eine Sperre zu werfen.

Das immer enger werdende und sich windende Fahrwasser fordert die gespannteste Aufmerksamkeit des NO und seines Steuermannspersonals. Laufend werden kleine Kursänderungen nötig. Verschiedentlich kommen unabgeblendete Fahrzeuge mit gesetzten Positionslaternen in Sicht. Er beobachtet eingehend jedes einzelne:

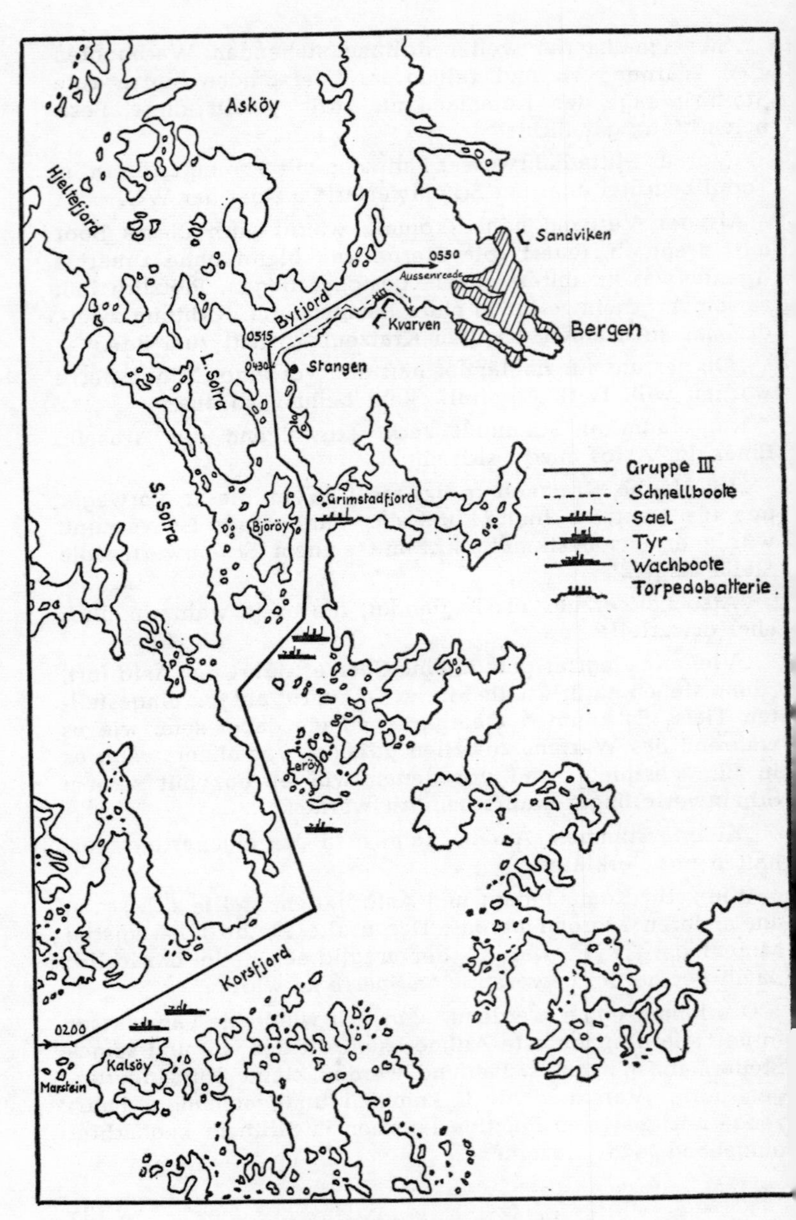

Die Besetzung von Bergen

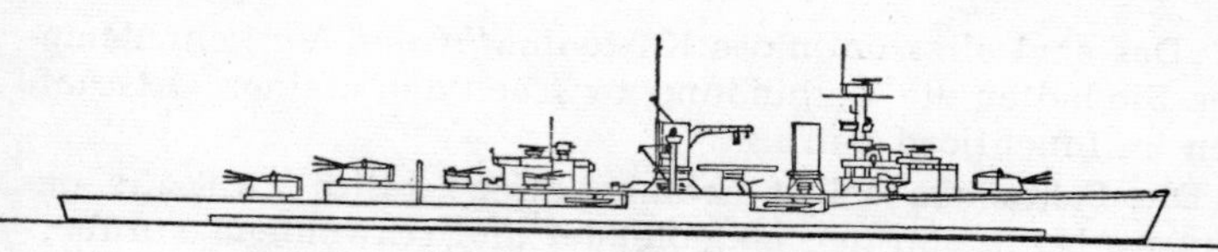

Dtsch. L-Krz. Königsberg (27); Köln (28)
9—15; 6—8,8; 8—3,7; 12TR—53,3; 1Flgz.; 6650 t; 32,0 kn; 169, 15,3, 6,5 m.

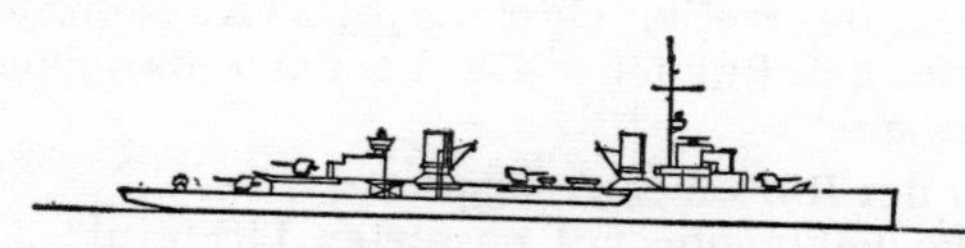

Dtsch. Art.-Schulsch. Bremse (32)
4—12,7; 350 Min.; 1435 t; 27,0 kn; 97, 9,5, 2,8 m.

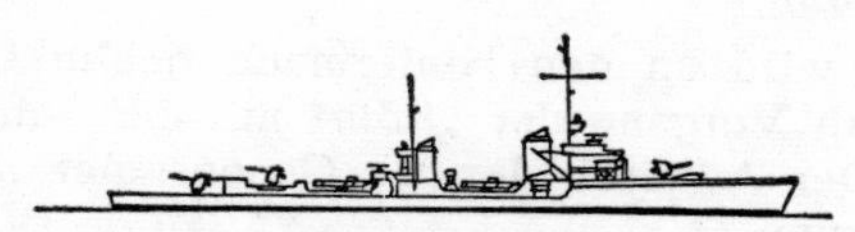

Dtsch. Torp.-Bte. Wolf, Leopard (27—28)
3—10,5; 6TR—53,3; 933 t; 33,0 kn; 89, 8,7, 2,8 m.

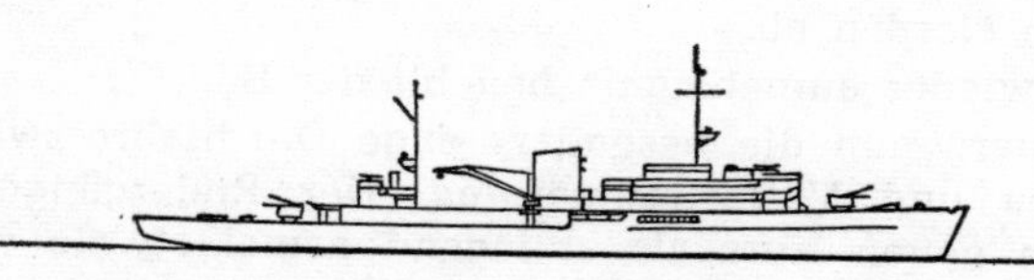

Dtsch. Sbt.-Begleitsch. Karl Peters (39)
4—10,5; 1—4; 2—3,7; 2900 t; 23,0 kn; 114, 14,5, 4,3 m.

Dtsch. S-Bte. S 19, S 21, S 22, S 23, S 24 (38—39)
2TR—53,3; 85 t; 39,5 kn; 34,6, 5,1, 1,8 m.

Norw. Torp.-Bt. Sael
2—3,7; 2TR—45,6; 90 t; 19 kn; 40, 4,9, 2,1 m.

„Das sind alles harmlose Küstenfahrer und Verkehrsdampfer. Sie halten die Verbindung zwischen den kleinen Ortschaften im Innenfjord aufrecht."

Die Fahrzeuge selbst nehmen offensichtlich nicht die geringste Notiz von den abgeblendet und schweigend vorüberziehenden grauen Kriegsschiffen, die sie ihrerseits unbehelligt lassen.

„Verdammt enge Geschichte hier. Wo stehn wir jetzt genau, NO?"

„Sehr schwierige Stelle, Herr Kaptän. Kurz hinter dem Grimstad-Fjord, bei Ruknene. Da kommen übrigens schon wieder welche an?"

Gleichzeitig der Ruf eines Ausgucks:

„Voraus zwo Fahrzeuge mit gesetzten Lichtern!"

Zufällig steht die Gruppe II in diesem Augenblick etwas außerhalb des Fahrwassers:

„Besser Hoffmann", meint der BdA zum IAsto, „wir lassen sie erst passieren."

Der Befehl wird an den Hintermann geblinkt. Der Verband geht nach Vorgang der *„Köln"* mit der Fahrt herunter und wartet. Der Admiral, der die Gegensegler im Glas behält, fährt herum:

„Sehn Sie sich das an! Die machen ja auf der Hinterhand kehrt, was soll das?"

Tatsächlich: die beiden drehen auf und laufen dicht unter Land nach Norden ab.

„Fahrt wieder aufnehmen!" befiehlt der BdA.

Sie steuern nun die besonders enge Durchfahrt zwischen Revskolten und Vatlestraumen an. Der Rudergänger hat kaum den neuen Kurs als anliegend gemeldet, als wieder ein Fahrzeug auf Gegenkurs in Sicht kommt.

Der TO bemüht sich vergebens, den Typ festzustellen:

„Klein, liegt niedrig auf dem Wasser. Könnte Schnellboot sein."

Korvettenkapitän Schmidt, der IIAsto schüttelt den Kopf: „Nein, haben die Norweger nicht. Torpedomotorboote höchstens, aber die sind noch nicht in Dienst so viel ich weiß."

Alle Gläser auf der Brücke richten sich auf das Boot, das schnell näherkommt: zwei dünne Schornsteine, achtern ein kleiner Mast . . .

„Hat zwo Ausstoßrohre!" schreit der TO. „Eins in der Mitte, eins achtern: Torpedoboot!"

Es steht jetzt querab vom Flaggkreuzer. Von der Brücke, vom Signaldeck, von den Fla-Geschützen und Fla-Waffen, sieht alles mit Entsetzen, wie drüben am Heck des winzigen Fahrzeugs ein Ausstoßrohr geschwenkt und auf den mit geringer Fahrt dahingleitenden Kreuzer gerichtet wird.

„Signaldeck! Den englischen Satz!" ruft laut der Kommandant.

„Schnell um Himmelswillen!"

Sie haben den Spruch klarliegen, der Signalmaat beginnt buchstabenweise zu morsen:

„I am proceeding to Bergen for a short visit. No hostile intent!" — „Laufe zu kurzem Besuch nach Bergen, keine feindlichen Absichten!"

Unerträglich wird die vom Klappern der auf- und dichtgerissenen Blende zerhackte Spannung. Wenn der Norweger einen Torpedo losmacht, können sie hier in dem sehr engen Fahrwasser auf keinen Fall ausweichen. Die Bedienung drüben steht unbeweglich an dem Rohr, sie rührt sich nicht. Kratzenberg ist wütend. Dieser verdammte Befehl mit der Ruhestellung der Waffen, denkt er. Meine Drillingstürme, meine Doppelflak, meine eigenen Ausstoßrohre: alles in Ruhestellung! Eh' die herum sind, kann der mich längst erledigen. Mit Kußhand, zum Verrücktwerden!

Konteradmiral Schmundt sagt nichts. Er behält die Nerven. Wenn er mit der Fahrt hochgehen ließe, würde das kaum noch etwas nützen und zudem sehr verdächtig aussehen. Ein Feuerüberfall ist im Operationsbefehl grundsätzlich nur dann erlaubt, wenn der Gegner den ersten Schuß abgibt. Also Ruhe und abwarten, was der Norweger auf den Spruch hin unternimmt. Endlos, nerventötend scheint dem Admiral das in kurzen und langen Abständen klackende Geräusch über ihm an der Reling des Signaldecks. Langsam treibt das Torpedoboot, es ist die *„Sael"*, weiter achteraus. Es hat gestoppt, während der lange Morsespruch abgegeben wird, dessen Schlußsatz „No hostile intent!" der Signalmaat auf Befehl des Kommandanten mehrfach wiederholt. Minuten scheinen sich zu Stunden zu dehnen.

Endlich kommt Bewegung in die Rohrbedienung. Aus seinem kleinen geschützten Stand vor dem ersten Schornstein hat der norwegische Kommandant offensichtlich einen Befehl gegeben. Langsam wird das Ausstoßrohr eingeschwenkt. Die Gruppe III kann ungehindert passieren. Eine fühlbare Erleichterung geht wie eine Welle durch den ganzen Kreuzer. Kapitän Kratzenberg nimmt die Mütze ab, klemmt sie sich unter den Arm und stößt den NO an:

„Meine Herrn, Baumann! Da hat aber der liebe Gott den Daumen ganz bestimmt dazwischen gesteckt! Daß sie uns für Engländer hielten, ist unwahrscheinlich. Sie sind unsicher, wissen nicht recht, was sie tun sollen. Das war es. Sagen Sie, Guter: Ihr Obersteuermann hat doch laufend so einen märchenhaften Navigationskaffee auf der Dampfheizung stehn, kann ich 'mal 'ne Tasse davon kriegen?"

Der NO lacht:

„Aber natürlich, Herr Kaptän! Läufer! Kaffee für den Kommandanten, aber nicht den Mittelwächtermuckefuck! Den vom Obersteuermann, verstanden? Und mir auch einen!"

Den vielen Krümmungen folgend, nähert sich der Verband dem Westausgang des By-Fjords. Kommandant, NO und AO der *„Köln"* tauschen leise ihre Meinung über die Möglichkeit des Durchbruchs nach Bergen aus, falls die Norweger Widerstand leisten.

„Wenig Chancen", meint der NO, „nur 400 m breites Fahrwasser und die schweren Geschütze, ganz abgesehen von den Aalen, die sie uns aus der Torpedobatterie verpassen können."

Kapitän Kratzenberg zieht den rechten Handschuh aus und steckt sich eine Zigarette an:

„Eine fast unlösbare Aufgabe. Für alle Einheiten, besonders die ungeschützten, wie *„Bremse"* und *„Karl Peters"*. Die Norweger sind gewarnt durch das Feuerwerk der Wachboote. Und dabei liegt gleich hinter dem Kvarven die große Bucht mit der Stadt! Es muß einfach klappen!"

Daß die norwegische Regierung in dieser Nacht Anweisung gab, auf einlaufende deutsche Kriegsschiffe zu feuern, auf englische dagegen nicht, ist den Offizieren unbekannt. Sie wissen auch nicht, daß noch vor ihrem Einlaufen in den inneren Kors-Fjord, in dem sie nun nordwärts steuern, die Kvarven-Batterien Befehl bekamen, auf alle Fahrzeuge das Feuer zu eröffnen, die nördlich der Insel Leröy einlaufend passieren. Das ist die Insel, vor der das kleine Wachboot *„Manger"* gelegen und angerufen hatte.

„Wie lange noch bis zur Ausschiffungsstelle, wie heißt sie noch NO?"

„Stangi, Herr Kaptän. Knappe Viertelstunde."

Sie schweigen. Ganz wohl ist ihnen nicht bei dem Gedanken an einen Durchbruch im Feuer der Batterien. Aber sie lassen es sich nicht anmerken. Im Gegenteil, sie suchen das Brückenpersonal, das ebenso genau weiß, was bevorsteht, mit Scherzworten aufzumuntern. Und das gelingt ihnen auch. Dann heben sie mit einem Male überrascht und erstaunt die Doppelgläser. Backbord voraus liegt wie ein Riegel die Insel Litla Sotra. Ihre Felswände sind kalkweiß angestrahlt.

„Das ist ja allerhand!" wundert sich der Kommandant. „Die reinste Theaterdekoration, Reinhardt persönlich, meine Herren! Das kann ja heiter werden, wenn wir da durchmüssen!"

„Scheinwerfersperre von irgendwoher aus dem By-Fjord!" stellt der NO ruhig und sachlich fest.

„Und noch 10 Minuten bis Buffalo, würde der wackre John Maynard sagen!" grinst Kapitän Kratzenberg. „Ich meine bis zu diesem Stangi, wo wir stoppen müssen. Immerhin liegt die Stelle der Ausschiffung hinter dem Felsvorsprung im Dustern. Außer Sicht vom By-Fjord her."

Über den Bergen im Osten beginnt die erste fahlgraue Dämmerung des 9. April sich auszubreiten. Unten im Fjord ist es noch dunkel. Durch die Stille auf der Brücke tönt die Stimme des IIIAsto:

„Noch 10 Minuten bis zum Stoppen, Herr Admiral!"

Konteradmiral Schmundt, der groß und schlank vorn an der Reling steht, nickt nur. Nach Ablauf der zehn Minuten hebt er die Rechte. Maschinentelegrafen knarren. Nachtfahrtanzeiger blinken kurz für den Hintermann. Morselampen blinzeln von Brücke zu Brücke. Schrauben schlagen zurück. Der Verband stoppt. Es ist 04 Uhr 30.

Auf der hinter *„Köln"* liegenden *„Königsberg"* schrillen die Pfeifen. Auf ihrem Oberdeck wimmelt es plötzlich von Seeleuten und Feldgrauen. Bootsheißmaschinen rattern. Die Ladebäume zu beiden Seiten des achteren Schornsteins bewegen sich und schwenken über die auf dem Bootsdeck in ihren Klampen stehenden großen Boote. Schwere Heißtakel senken sich, werden eingepickt. Langsam heben sich die Boote und schwingen aus, während Matrosen sie mit Vor- und Achterleinen in der richtigen Lage halten.

Handbewegungen und Pfiffe der verantwortlichen Leutnants, kein Geschrei, kein Megafongebrüll. Als die Boote bis zur Relingshöhe gefiert sind, steigen Soldaten über, Waffen werden hineingereicht, Muinitionskästen. Dann gehen sie zu Wasser.

Ein gespensterhaft unwirkliches Bild: schweigende, betriebsame Tätigkeit, ein Manöver, das sich, abgesehen vom Rattern der Winschen, geräuschlos abspielt. Hier und da aufblitzende Taschenlampen reißen kurz ein Gesicht aus dem Dunkel, Hände, die nach der Reling greifen, einen Stahlhelm, den Lauf eines Gewehrs, einen Flammenwerfer auf dem Rükken eines Pioniers, Sturmgepäck, die Schulterstücke eines Heeresoffiziers.

Schnellboote rauschen heran, gehen längsseit des Kreuzers. Aus dem Dunkel tauchen die Fischdampfer auf, zu denen die mit Truppen voll besetzten Verkehrsboote eilen. In musterhafter Ordnung ergießt sich der feldgraue Strom unablässig über die Reling in die bereitliegenden Fahrzeuge.

Während der ganzen Zeit leuchtet gespensterhaft die angestrahlte Felswand Backbord voraus. Ein Theaterhintergrund, der ungerührt, unbehelligt und gelassen auf das Auftreten der Schauspieler wartet.

Von der Brücke der *„Köln"* beobachtet der BdA ungeduldig den Verlauf der Ausschiffung. Die Gruppe ist durch die wegen der gelöschten Feuer außerordentlich erschwerte Navigierung, die ein mehrfaches Heruntergehn mit der Fahrt und oftmals ein minutenlanges Stoppen erforderte, sowieso bereits aufgehalten worden. Dabei steht das Schwerste, der Durchbruch am Kvarven noch bevor. In Dreiviertelstunden sollten sie vor Bergen stehen! Der Admiral und die Offiziere seines Stabes sehen in immer kürzeren Abständen auf ihre Uhren und hinüber zur *„Königsberg"*. Dort hat noch keins der Schnellboote abgelegt. Mit steigender Besorgnis stellt der BdA fest, daß der Zeitverlust trotz aller Anstrengungen immer größer wird. Er wendet sich an den IIIAsto:

„Hören Sie, Morgenstern, lassen Sie bitte an *„Königsberg"* geben ..."

Er verstummt, denn der BNO des Kreuzers hastet den Niedergang hoch und stürzt mit einem Formular auf die Brücke:

„Herr Admiral! Im Oslofjord wird geschossen!"

„Was ist das? Geben Sie her!"

Er liest im Schein der Taschenlampe, die der BNO bereithält. Es ist der Not- und Alarmruf, den das kleine norwegische Vorpostenboot *„Pol III"* gab.

„Gruppe V ist auf Widerstand gestoßen", erklärt Konteradmiral Schmundt seinem aufhorchenden Stab. „Der Sinn der Unternehmung ist also bekannt geworden. Keine Zeit mehr zu verlieren!"

Er steckt das Blatt in die Manteltasche

„Einlaufen!" befiehlt er kurz.

Durchbruch der „Köln" im Feuer des Kvarven

Der Befehl zum Einlaufen wird an *„Leopard"* und die inzwischen eingetroffene *„Wolf"* gegeben. Während der Führungskreuzer bereits mit den Maschinen angeht, erhalten *„Königsberg"*, *„Bremse"* und *„Karl Peters"* den Blinkspruch:

„Baldmöglichst folgen!"

„Die Beendigung der Ausschiffung kann ich unmöglich abwarten. Noch weniger die Besetzung der Batterien. Wir können schon nicht mehr zur befohlenen Zeit in Bergen sein. Notfalls muß ich den Durchbruch erzwingen, meine Herren!"

Niemand sagt ein Wort. Kapitän Kratzenberg fallen unwillkürlich zwei Beispiele aus der Seekriegsgeschichte ein: der Amerikaner Farragut bei Mobile: „Damn the torpedoes! Full spead ahead!" — Zum Teufel mit den Torpedos, womit hier allerdings Minen gemeint waren, AK voraus! Und der deutsche Vizeadmiral Erhard Schmidt im Ersten Weltkrieg bei Oesel mit seinem Signal an die vorauslaufenden Minensuchboote: „Platz für die Flotte!" Energische Seebefehlshaber, die widrige Umstände beiseite schiebend, ein kühnes Wagnis in Erfolg ummünzten. Vor sich die beiden Torpedoboote, dreht *„Köln"* um 05 Uhr 15 in den By-Fjord ein. Konteradmiral Schmundt winkt den Kommandanten beiseite:

„Kratzenberg! Noch einmal: höchste Gefechtsbereitschaft, aber Geschütze und Ausstoßrohre bleiben in Zurrstellung. Feuer eröffnen nur auf meinen Befehl. Sagen Sie das Ihren Offizieren. Bin ich verstanden worden?"

„Jawohl, Herr Admiral!" sagt keine Miene verziehend der Kommandant. Er gibt den Befehl an seine Waffenleiter, AO und TO weiter. Auch die machen ihre steinernen Dienstgesichter. Was es bedeutet, Türme und Rohre erst herumschwenken und einrichten zu können, wenn der Norweger schießt, wissen sie nur zu genau. Aber Befehl ist Befehl, der Admiral trägt die Verantwortung. Sie lassen ihre Waffen-BÜ's den Befehl an alle Geschütze und Rohrsätze durchsagen. Die Bedienungen sehen sich erstaunt an. Auch sie begreifen, wie gefährlich das werden kann. Nun, der Alte und der Admiral müssen es ja wissen.

Die beiden Torpedoboote und der Kreuzer haben inzwischen die Huk passiert und stehen mitten im Fahrwasser des By-Fjords im gleißenden Scheinwerferlicht. Kurz danach leuchten an beiden Uferseiten weitere Scheinwerfer auf. Ihre Lichtbalken huschen verächtlich über die mit AK den Fjord hinauflaufenden Torpedoboote hinweg und bleiben auf der nachfolgenden *„Köln"* haften. Weit voraus an Steuerbord, dort wo der Kvarven liegt, flammt kreisrunder Feuerschein aus dunkler Felswand: Mündungsfeuer! Krachend rollt vielfach an den Bergen widerhallender Donner hinterdrein.

Vor dem Bug des Kreuzers steigt die hohe Aufschlagsäule einer 21cm-Granate weißschäumend aus dem stillen Wasser. Ungerührt steht der Admiral. Seine hohe Gestalt hebt sich scharf gegen das grelle Licht ab. Vom Kvarven blitzt es zum zweitenmal auf, der nächste Einzelschuß poltert grollend hinter dem ersten her.

„Feuer nicht erwidern!" ruft Konteradmiral Schmundt dem Kommandanten zu. „Lassen Sie das durchgeben!"

Alle BÜ's der Artillerie hören, noch während das Echo weiterläuft und abebbt, den Befehl des AO in ihren Kopfhörern:

„Von AO an alle Artilleriestellen: Geschütze bleiben in Ruhestellung!"

Es ist gut, daß Korvettenkapitän Brachmann in seinem Leitstand die Flüche der Turm- und Geschützführer nicht hört. Auch der zweite Aufschlag liegt kurz vor dem mit 30 Seemeilen dahinjagenden Kreuzer. Die Augen an den Gummimuscheln der Optik murmelt der AO vor sich hin:

„Unwahrscheinlich! Die schießen sich mit Einzelschüssen ein! Das Ziel taghell erleuchtet, keine allzugroße Entfernung. Die könnten uns doch mit der ersten Salve glatt in die Luft jagen!"

Er hat es kaum gesagt, als die Batterien Salven feuern. Die Granaten heulen sämtlich in niedriger Höhe über den Kreuzer hinweg. Sie schlagen mit dumpfen Detonationen Feuer aus den Felswänden des nördlichen Ufers. Der Lärm wird zwischen den Hängen hin und her geworfen und hallt in dem engen Fjordkessel in bebenden Wellen, die nirgendwohin ausweichen können.

Bei der hohen Fahrt ist der Kvarven bereits ganz nahe. Der BdA ruft dem IIAsto etwas zu. Er muß es wiederholen, der grollende Donner verschlingt die Worte. Endlich hat der Asto verstanden, zeigt klar und gibt den Befehl weiter. Ein Signalscheinwerfer klappert mitten im Lärm seinen Spruch:

„No hostile intent! No hostile intent!"

Schräg hinauf gegen den feuerspeienden Berg wird gemorst, zwei-, dreimal, während das Bergmassiv eben an Steuerbord voraus liegt. Von den Stellungen flammt das Mündungsfeuer, krachen die Abschüsse unentwegt weiter. Noch eine Salve, deren Granaten unbegreiflicherweise wieder über *„Köln"* hinweg heulen und jenseits in die Hänge schmettern, die sie mit Blitz und Pulverqualm splitternd zerschlagen. Plötzlich setzt das Feuer aus. Die Batterien schweigen, um wenige Minuten später die in weitem Abstand folgende *„Bremse"* und *„Karl Peters"* unter Beschuß zu nehmen, die gerade in den Fjord eindrehen.

„Wir sind durch, Herr Kaptän", sagt Korvettenkapitän Brachmann. „Die Geschütze können nicht zur Hafenbucht hin feuern."

Kapitän Kratzenberg hebt nur kurz die Rechte und geht um den Stand herum zum achteren Teil der Brücke. Er ist in Sorge wegen der beiden langsameren Schiffe, hebt das Glas und sieht achteraus. Vor dem Bug der *„Bremse"* springen Aufschläge hoch. Er denkt daran, daß *„Bremse"* höchstens 27, *„Karl Peters"* höchstens 23 Seemeilen laufen können. Er geht zurück zur vorderen Brückenreling, wo der Admiral den unteren Teil des Kvarvenmassivs mit dem Doppelglas absucht. Der BdA hat gefunden was er suchte, setzt das Doppelglas ab und zeigt auf eine Stelle am Fuß des Berges:

„Dort scheint die Torpedobatterie zu liegen. Sehen Sie die steil zum Fjord abfallende Mauer, darüber muß sie sein, Kratzenberg."

„Jawohl, Herr Admiral!"

Großer Himmel, denkt der Kommandant, die Torpedobatterie! Die hatte ich bei der Ballerei ganz vergessen. Er sieht genauer hin. Zu erkennen ist sie nicht. Die Stellung liegt noch zu sehr im Schatten. Jeden Augenblick können ein, zwei, vielleicht drei Torpedos aus dem Dunkel über die Mauer flitzen, ins Wasser klatschen und mit blubbernder Blasenbahn auf den Kreuzer zulaufen. Aber nichts geschieht. *„Leopard"*, *„Wolf"* und *„Köln"* passieren unbehelligt. Sie laufen um die Osthuk der großen Halbinsel in die Hafenbucht, über der nun die fahle Helle des hereingebrochenen Morgens liegt. Offiziere, Ausgucks, Seeposten, Steuermanns- und Signalpersonal sehen sich an.

Es ist wie ein Wunder. Sie haben es geschafft, alle drei Einheiten. Sie haben nicht einen einzigen Treffer erhalten. Unbegreiflich!

Später, als die Sturmtruppen berichten, hören sie, daß die gefürchtete Torpedobatterie voll besetzt und auch rechtzeitig alarmiert war. Die Norweger hatten es nur nicht so schnell fertig gebracht, sie schußklar zu machen.

Die innere Reede liegt voll von Dampfern. Nicht weniger als 60 Handelsschiffe ankern hier Licht bei Licht, ein wahrer Wald von Masten und Ladebäumen mit einem vielverzweigten Geäst von Takelwerk und Antennen. Deutsche, englische, norwegische, schwedische und dänische Flaggen wehen von den Heckstöcken. Ein Frachter zeigt das Sternenbanner der USA. Es sind meist Schiffe mit Erz- oder Holzladung. Hinter ihnen, hoch hinauf bis zur halben Höhe der bewaldeten Berghänge erheben sich die Häuser der alten Seefahrer- und Handelsstadt Bergen.

Der Führerkreuzer geht zur Ausschiffung seiner Truppen auf der Außenreede zu Anker. Die beiden Torpedoboote laufen zum Innenhafen, machen an einer Pier fest und beginnen dort ihrerseits sofort mit dem Anlanden.

Kaum ist die Kette des Backbordankers der *„Köln"* mit vielen Längen durch die Klüse gerasselt, steuert zur Erleichterung aller *„Bremse"* aus dem By-Fjord in die Bucht.

Die Gläser auf der Brücke richten sich auf das Schiff.

„Irgend etwas stimmt bei ihr nicht!" meint der NO. „Sie läuft sehr geringe Fahrt."

Der AO nickt:

„Offenbar Treffer auf der Back ... ja! Sehn Sie, Baumann? Kurz vor der Brücke eben über der Wasserlinie ist auch ein großer Einschuß. Eine 21er muß den gestanzt haben. Immerhin ist sie Gott sei Dank hier! Da .. hören Sie? Der Kvarven schießt schon wieder!"

Das Rollen schweren Feuers dröhnt dumpf vom Fjord her. In dichten, träg sich dehnenden Schwaden zieht braunschwärzlicher Rauch über die Berge der Enge. Plötzlich dröhnt schlagartiges, scharfes Krachen in schneller Folge zwischen die langsamen Salven der Kvarven-Batterien. Korvettenkapitän Brachmann zählt mit schräg geneigtem Kopf angespannt lauschend.

„Herr Kaptän!" ruft er erregt dem Kommandanten zu. „Das sind die Türme von Hesse! Hoffentlich hat er sie schnell genug herum bekommen. Hören Sie bloß, was der für eine Salvenfolge hat!"

Korvettenkapitän Hans Joachim Hesse ist der AO der *„Königsberg"*. Ein paarmal noch grollt das Wummrummmm, Wummrummmm der 15cm, dann ist alles still. Nur der vermehrte Pulverrauch zeugt von dem heftigen Artillerieduell, das der Kreuzer mit der Küstenbatterie ausfocht. Dann erscheint schlank, hellgrau, ohne äußerliche Zeichen einer Beschädigung *„Königsberg"* auf der Reede.

Beide, der Kreuzer und das Artillerieschulschiff, geben noch während sie einlaufen durch Blinksprüche ihre Berichte für den BdA ab.

„Bremse" und „Karl Peters" laufen ein. Das S-Boot mit dem MAA-Stoßtrupp. „Königsberg" erzwingt die Einfahrt. Die Torpedobatterie wird genommen. Der Endkampf vor Bergen.

Als die beiden Torpedoboote und die *„Köln"* hinter dem Bergvorsprung bei Stangi verschwinden, sehen die Kommandanten von *„Bremse"* und *„Karl Peters"* hinüber zur *„Königsberg"*. Dort liegen noch die S- Boote längsseit, Schiffsboote pendeln hin und her und bringen Truppenabteilungen zu den beiden Fischdampfern. Es hat nicht den Anschein, als ob die Ausschiffung bald beendet wäre. Kurz entschlossen folgen sie befehlsgemäß der vorausgelaufenen *„Köln"*, die bereits im Feuer der Kvarven Batterien den Fjord hinaufstürmt.

Als sie die Huk passieren und vom blendenden Licht der Scheinwerfer des By-Fjordes gepackt werden, dröhnt vor ihnen der von den Felsen zurückgeworfene, vielfach gebrochene Widerhall des Artilleriefeuers.

Im Gewimmel steht auf der Schanz der *„Königsberg"* der IO, Fregattenkapitän Oskar Günther, wie ein Fels in der Brandung. Auf das Leuchtzifferblatt seiner Uhr blickend, treibt er immer wieder zur Eile an. Er sieht auf, als ein Fähnrich, sich durch die Soldaten drängend, auf ihn zueilt:

„Vom Kommandanten, Herr Kaptän! Ich soll fragen, wie lange es noch dauert!"

Der IO zeigt auf die S-Boote:

„Sehn Sie selbst, was hier noch alles längsseit liegt! Ein Schnellboot legt gleich ab, aber die anderen ... na, sagen wir mindestens zehn Minuten."

Der Fähnrich enteilt und meldet Kapitän Ruhfus.

„Was? Noch zehn Minuten? Na schön, danke."

Dann fährt der Kommandant fort, seinem AO Anweisungen zu geben:

„Ich wiederhole noch einmal, Hesse: alle Geschütze in Zurrstellung. Kein Schuß, ehe ich nicht selbst Feuererlaubnis gebe!"

Korvettenkapitän Hesse legt die Rechte an die Bordmütze und macht das gleiche undurchsichtige Dienstgesicht, das Korvettenkapitän Brachmann auf *„Köln"* zeigte, als er denselben Befehl erhielt.

Inzwischen ist der letzte Mann der MA-Sturmabteilung in das Schnellboot geklettert, in dem bereits eng zusammengedrängt der Pionierleutnant mit seinem Zug Mittel- und Achterdeck bevölkern. Ein Befehl des jungen S-Bootkommandanten: Maschinentelegrafen klingeln, die drei Daimler-Benz-Motoren brüllen auf, mit einem Ruck hebt das Boot den Bug hoch aus dem Wasser und rast mit hoher Fahrt davon. Auf der kleinen Brücke hinter und nur wenig über dem versenkten Steuerstand steht Leutnant (MA) Menke neben dem Oberleutnant. Im Nu sind sie im Westeingang des By-Fjords und im hellen Licht der dortigen Scheinwerfersperre. Sie laufen dicht unter Land. Weit voraus dröhnt der Gefechtslärm. Der Kvarven schießt jetzt auf *„Bremse"* und *„Karl Peters"*. Vor, hinter und neben beiden Schiffen wachsen hohe Aufschläge wie schneebedeckte Tannenbäume aus dem Fjord.

Leichter Kreuzer auf dem Vormarsch

Sicherndes Torpedoboot

Die beiden achteren 15cm-Drillingstürme eines Leichten Kreuzers im Gefecht mit Küstenartillerie

Leichter Kreuzer „Karlsruhe“ vor Kristiansand

Die 2. Schnellboot-Flottille mit Sturmtruppen an Bord

Minenschiffe und Torpedoboote laufen in Kristiansand ein

Schweigend beobachten Schnellbootbesatzung, Marineartillerie und Pioniere das nächtliche Schauspiel. Die MA-Männer haben oft genug und auch bei Nacht mit den 15cm-Batterien bei Schilling oder auf Wangerooge auf geschleppte Ziele Scheiben geschossen, aber dies ist Ernst, blutiger Ernst und sie wissen: ein einziger schwerer Treffer kann auf den ungeschützten Schiffen da vorne eine Katastrophe auslösen. Niemand spricht ein Wort.

Dann rauscht von achtern aufkommend mit hoher Bugsee und wirbelndem Kielwasser *„Königsberg"* heran. Der Kreuzer holt mit seinen gut 30 Meilen auf und passiert das Boot. Erstaunt beobachten die Seeleute, daß zwar überall Geschützbedienungen klarstehen, aber Drillingstürme und Doppelflak, ebenso wie die Torpedorohre in Ruhestellung sind.

Zu dieser Zeit hat *„Bremse"* den Kvarven bereits passiert und nur *„Karl Peters"* läuft noch in der Feuerzone. Die Scheinwerfer richten sich jetzt auf *„Königsberg"* und reißen sie in gleißende Helle. Aufbauten, Boote, Takelung, alles ist erbarmungslos in verräterisches Licht getaucht. Das Schiff ist eine weiße Kreidezeichnung auf der schwarzen Tafel des Hintergrundes der Berge. Glitzernde Aufschläge stehen um den dahinjagenden, schlanken Kreuzer. Die Männer auf dem S-Boot müssen sich krampfhaft festhalten: in der hohen Hecksee schlingern sie wie betrunken. Feuerflammen, eine krachende Detonation. Leutnant Menke sieht, wie es unter der Back der *„Königsberg"* einhaut.

„Treffer!" schreit er unwillkürlich. „Mein Himmel, warum feuert sie nicht?"

„Operationsbefehl!" gibt der S-Bootkommandant kurz zurück.

„Das ist doch ..."

Die aufbellenden Fla-Waffen des Kreuzers unterbrechen den MA-Leutnant. Die Leuchtspurgeschosse hasten hintereinander herjagend zu den Bergen hinauf und nun drehen sich, vom Schnellboot genau zu beobachten, die Drillingstürme und die beiden Steuerbord Doppelflak. Die langen Rohre der 15cm heben sich gleichmäßig und neun Abschußflammen zucken wie lange, rotglühende Schwerter aus den Mündungen. Der Donner der Abschüsse läßt die Männer zusammenfahren. Das kläffende Bellen der 8,8cm-Flak mischt sich in kurzen Abständen in die mit schnellster Salvenfolge feuernde Mittelartillerie.

Über den ganzen oberen Teil des Kvarven zucken Blitze. Dunkler Pulverrauch und weißlicher Qualm der Einschläge zieht von lodernden Flammen durchleuchtet vor dem Wind davon.

Auf dem S-Boot, wo sie zum ersten Male den Lärm eines Artilleriekampfes, das entfesselte Toben eines Kriegsschiffes im Gefecht erleben, erkennen sie, daß *„Karl Peters"* mit einem Treffer im Mast noch vor dem Kvarven liegt. Ob mit langsamer Fahrt oder gestoppt können sie nicht ausmachen. Sie wissen nicht, daß Kapitänleutnant Hintzke, der Kommandant, erst das Ergebnis des Feuersturms der *„Königsberg"* abwarten will, ehe er weiterläuft.

Inzwischen fahren die Weitschüsse der Norweger über das Schnellboot hinweg, schlagen springende Geysire aus dem Wasser oder krachen in die Uferfelsen. Sprengstücke und Steinsplitter kreischen und surren, so daß sich die Soldaten Deckung suchend zusammenducken.

„Können Sie nicht in den toten Winkel unter der Batterie laufen?" schreit Menke durch den Lärm dem Kommandanten zu.

Der zeigt klar, beugt sich zum Sprachrohr und gibt dem Rudergänger entsprechenden Befehl. Das Boot hat kaum angedreht, als es einen ungeheuren Stoß erhält.

„Verflucht nochmal! Aufgelaufen!" ruft der Oberleutnant und wirft seinem unglücklichen Ratgeber einen nicht gerade freundlichen Blick zu. Aber es stimmt! Sie sind auf einen der nadelscharfen Felsen gelaufen, die hier überall heimtückisch unter der Oberfläche lauern:

„Alle AK zurück!"

Der von den wild rasenden Schrauben aufgeworfene Wasserschwall schlägt über das Heck, die dort stehenden Soldaten sind in Sekunden über und über klatschnaß. Einige Minuten donnern die Motoren vergeblich. Dann ruckt das Boot ein paarmal, schüttelt sich, gleitet zurück und kommt mit vernehmbarem Knirschen frei. Die seemännische Nummer Eins, der Leitende Maschinist und ein paar Seeleute untersuchen mit Taschenlampen den Bootskörper:

„Boot hält dicht, Herr Oberleutnant! Kein Leck, aber ..."
„Schrauben und Ruder sind schwer beschädigt", unterbricht

der Leitende die Nummer Eins. „Langsame Fahrt ist alles, was wir laufen können."

Das Geschützfeuer am Ostausgang des Fjords ist noch nicht verstummt. Und hier sind sie, fast bewegungslos eine wunderbare Zielscheibe, wenn sie entdeckt werden.

„Nebeln!"

Weißlicher künstlicher Nebel quillt aus den Behältern. Unter seinem Schutz zieht der Kommandant das Boot mit Langsamer Fahrt zurück.

„Und meine Männer?" fragt Leutnant Menke. „Wir müssen unbedingt . . ."

Ärgerlich winkt der Kommandant ab:

„Sei'n Sie bloß still, Sie Unglücksvogel! Eins nach dem anderen, erst kommt mein Boot! Hier, Signalgast! Blinkspruch an das nächste S- Boot: ‚Bitte längsseit kommen, Truppe übernehmen'!"

Ein anderes Schnellboot kommt heran, die MA-Männer und Pioniere steigen über. Inzwischen läßt das Artilleriefeuer nach, noch ein paar Einzelschüsse, dann ist es still. Der Kvarven schweigt.

Das Boot mit den Sturmtrupps jagt davon und steht kurz danach querab der Torpedobatterie. Daß ein Angriff vom Fjord aus unmöglich ist, sieht Leutnant Menke sofort. Sie liegt unter vorspringenden Felsen versteckt über einer hohen, steil abfallenden unersteigbaren Mauer. Der Leutnant studiert seine Karte und wendet sich an den Kommandanten:

„Können Sie nicht bei der Landungsbrücke von Gravdal anlegen?"

Er bezeichnet mit dem Finger die weit ostwärts der Torpedobatterie liegende Stelle.

„Um die Huk herum die kleine Bucht an der Nordostseite der Halbinsel, sehn Sie?"

„Natürlich, machen wir!"

Das Schnellboot läuft mit AK weiter. Der Ort liegt an einer kleinen Ausbuchtung der großen Außenreede von Bergen. Sie finden die Brücke, legen an und treffen auf schon vorher dort ausgeschiffte deutsche Infanteristen. Leutnant Menke bittet deren Offiziere um Mithilfe, um zusammen die Torpedobatterie von zwei Seiten umfassend angreifen zu können. Der Plan gelingt, wenn auch unter schwierigsten Verhältnissen und im Feuer norwegischer MG's. Der Stabsfeldwebel und mehrere Marineartilleristen fallen, ehe die Besatzung sich ergibt. —

„Bremse" ist währenddessen in den Innenhafen eingelaufen. Sie hat einen 21cm-Treffer in das Vorschiff bekommen, dazu einen Abpraller. Einige Tote und Verwundete sind zu beklagen und die Seefähigkeit ist beträchtlich herabgesetzt. *„Königsberg"*, die auf Außenreede zu Anker geht, erhielt drei 21cm-Treffer im Vorschiff. Zwei Seeleute wurden dabei über Bord geschleudert, von ihnen keine Spur mehr gefunden. Mehrere Heeresangehörige fielen, andere sind verwundet. Die Geschwindigkeit des Kreuzers ist auf 24 Seemeilen herabgesetzt. *„Karl Peters"*, die wie *„Bremse"* in den Innenhafen geht, hat außer dem unwesentlichen Masttreffer keine weiteren Beschädigungen erlitten. Doch auch auf ihr gab es einige Tote und Verwundete unter den eingeschifften Soldaten.

Die letzten Einheiten, die auf der Außenreede eintreffen und in den Innenhafen laufen, sind die S-Boote und die beiden Schiffe 9 und 18. Sie setzen sofort die noch an Bord befindlichen Truppen an Land.

Auf *„Köln"* erscheint kurz nach dem Ankern der IO von der Back kommend auf der Brücke.

„Wir treiben, Herr Kaptän!" meldet er dem Kommandanten, „150 Meter Wassertiefe und Felsgrund. Der Anker hält nicht."

„Ankerlichten!"

Kapitän Kratzenberg läßt die gerade weggetretenen Seeposten pfeifen. Er wendet sich an den AO:

„Waffen bleiben besetzt, Brachmann."

Korvettenkapitän Baecker begibt sich auf die Back zurück, wo Oberbootsmann, Meister und die Kuttergäste der Wache auf Befehle wartend, klarstehen. Das Backbordankerspill beginnt zu runkeln und die endlose schwere Kette wird eingehievt.

„Schiff auf der Stelle halten!" befiehlt der Kommandant dem WO.

Kurz danach kommt der IO zur Meldung zurück:

„Anker gelichtet, Herr Kaptän!"

„Wissen Sie, Baecker", erklärt Kapitän Kratzenberg, „mir ist das offen gestanden viel lieber so. Die Lage ist noch nicht geklärt und wenn plötzlich der Teufel los sein sollte, sind wir jedenfalls klar zum Angehn."

Ein Signalgast kommt mit der Winkspruchkladde:

„Von ‚*Wolf*', Herr Kaptän! Torpedoboote Ausschiffung beendet."

„Gut, dem BdA melden."

Es ist 06 Uhr 20. Von den S-Booten und Fischdampfern werden Blinksprüche abgelesen.

„Sie fragen, ob sie längsseit kommen können, Herr Kaptän!" meldet der Signalmaat der Wache.

„Solln sie kommen! Dann können wir ja auch endlich anfangen, IO!"

Die Schnellboote laufen an und machen zu beiden Seiten des Kreuzers fest. Dann erscheinen die Hilfsschiffe, die am Heck der *„Köln"* längsseit gehen. Während die 800 Feldgrauen übersteigen und an Land geschafft werden, peitschen hier und da Gewehrschüsse über das Wasser. MG's tacken und an verschiedenen, schon von den Truppen besetzten Stellen der Stadt und Umgebung, steigen weiße Sterne in den Morgenhimmel.

„Viel Widerstand scheint es glücklicherweise nicht zu geben", meint der Kommandant, der wie die anderen Offiziere auf der Brücke geblieben ist. „Das Geschieße kommt wohl von ein paar Widerstandsnestern und den Fla-Batterien, die unsere Feldgrauen nehmen sollen."

Er wirft noch einen Blick über den Kreuzer. Die beiden Fischdampfer liegen noch am Heck, weiter vorn liegen zwei Schnellboote, die anderen zwei sind vollbesetzt unterwegs zum Innenhafen.

„Richtung 172 Grad Flugzeuge! Es sind deutsche!" ruft jemand vom Signaldeck herunter.

Die schnell näher kommenden Maschinen sind Bomber der 9. KG 4[1]. Norwegische Flak beginnt zu feuern. Als die ersten Sprengwolken und Detonationsblitze um die Kampfflugzeuge tanzen, bricht die Hölle los: aus der Stellung bei Sandviken flammt das Mündungsfeuer der 3-24cm-Haubitzen auf. Es ist 07 Uhr 06.

Der BdA, der mit seinem Stab auf die Brücke eilt, winkt dem Kommandanten zu:

---

[1]) 9. Staffel Kampf-Geschwader 4

„Feuererlaubnis!"

Der AO, der sich neben seinem Stand aufhielt, und die Stellungen in den Bergen beobachtete, steht schon am Zielgeber:

„Mit Sprenggranaten, Kopfzünder, laden und sichern! Richtung füneff Grad auf die feuernde Batterie!"

Von *„Königsberg"* rollt der Donner einer Salve aus allen drei Türmen über die Bucht, gefolgt vom Krachen der 8,8cm-Doppelflak. Unmittelbar danach fällt der vordere Turm der *„Köln"* in das Höllenkonzert ein. Die Abschüsse hüllen das Vorschiff in dichten Pulverrauch.

Korvettenkapitän Baecker, der von der Achterkante der Brücke aus die Ausschiffung leitet, reißt ein Megafon vom Haken:

„Alles ablegen! Sofort ablegen!" schreit er über Deck.

Die Kommandanten der S-Boote und Hilfsschiffe zeigen klar. Seeleute werfen Vor- und Achterleinen los, Maschinentelegrafen klingeln. Die letzten dreißig, vierzig Soldaten springen samt Waffen und Sturmgepäck schleunigst hinüber, während schon die hohen Aufschläge schwerer 24cm-Granaten dicht um den Kreuzer hochwuchten. Die Schüsse der nur etwa 4000 m entfernten Batterie liegen gefährlich gut.

Da die beiden achteren Türme der ablegenden Fischdampfer wegen noch nicht eingreifen können ist die Lage für den BdA-Kreuzer mehr als ungemütlich. Der AO kann zunächst nur mit dem vorderen Turm schießen. Kapitän Kratzenberg, der zufällig in Richtung des By-Fjords sieht, fährt herum:

„An AO: Kvarven hat gefeuert!"

„Das müssen die Haubitzen dort sein", bemerkt der IIAsto, „die 21 cm können nicht in Richtung auf die Bucht feuern."

Die Artillerieoffiziere der Kreuzer liegen bei der geringen Entfernung gleich mit den ersten Salven im Ziel. Sie schießen in schneller Folge. Von *„Bremse"* hallen aus dem Innenhafen die Abschüsse der 4-12,7cm, während gleichzeitig die Kampfflugzeuge ihre Bomben auf die Batterien und einzelne Widerstandsnester werfen.

Noch während des Gefechts landen die Truppen und rücken nach Einweisung durch besondere Heeresoffiziere in schnellstem Tempo zur Unterstützung der bereits im Kampf befindlichen Einheiten ab.

Der Gefechtslärm hallt ringsum von den Höhen wider. In die Stellungen bei Sandviken schlagen Granaten und Bomben. In Feuer und Rauch gehüllt stellt die Batterie sehr bald das Feuer ein. Nach wenigen erfolglosen Einzelschüssen schweigt auch der Kvarven. Nur das Knattern der Gewehr- und MG-Schüsse an Land hört nicht auf, zeigt aber, ebenso wie hier und dort aufsteigende weiße Sterne, das trotz stellenweise hartnäckiger Abwehr stetige Vorgehen der Truppen. Eine Stellung nach der anderen wird genommen, ein Widerstandsnest nach dem anderen gestürmt. Sandviken fällt um 08 Uhr 35, der Kvarven eine Stunde später. Eine schnell improvisierte und zusammengenähte deutsche Kriegsflagge weht weithin sichtbar von der Berghöhe.

Endlich liegt Ruhe über dem Hafen und der Stadt. Auf *„Köln"* ist der Gefechtswachhabende von einem Leutnant abgelöst worden. Leergeschossene Kartuschen werden von den Geschützbedienungen eingesammelt, vom Oberfeuerwerker der Munitionsverbrauch festgestellt und dem AO gemeldet. Die Wache klart das Deck auf und macht Reinschiff.

Das Kommandanten-Boot des Kreuzers bringt den Wehrmachtsbefehlshaber, Generalmajor Tittel, mit dem Divisionsstab zum Innenhafen. Der General nimmt die Verbindung mit den leitenden Stellen der Stadt auf.

Der Leutnant der Wache sieht nach der Uhr und nimmt dann gewohnheitsmäßig einen Rundblick durch das Doppelglas. Dabei entdeckt er einen ziemlich verlaust aussehenden Dampfer, der aus dem Ostausgang des By-Fjords mit starker Backbordschlagseite und nur geringer Fahrt auf die Außenreede schleicht. Er dreht sich zu seinem Bootsmaaten um:

„Nun sehn Sie sich das an! Komischer Vogel, was?"

Der peilt hinüber:

„Holzdampfer, Herr Leutnant. Decksladung Grubenholz. Hat wohl die See von Backbord gehabt, das Holz ist naß und schwer geworden von überkommenden Brechern, daher ... Nanu, der fährt ja unsre Kriegsflagge!"

„Tatsächlich! Was ist denn das für'n Zossen? Läufer! Rauf zum Signaldeck, fragen, was das für ein Eimer ist da drüben!"

Zufällig steht der IIIAsto in der Nähe, hört den Auftrag, und tritt lächelnd näher:

„Was das für ein Eimer oder Zossen ist, kann ich Ihnen verraten. Es ist das Hilfsschiff 111, *„Jupiter"*. Gut, daß sie durchkam!"

Er verschweigt, daß dieser als Tarnung absichtlich vergammelt aussehende 2152 BRT große, ehemals schwedische, mit Grubenholz für England beladene Frachter von der Marine aufgebracht und zum Minenschiff umgebaut, am 4. April unter seinem Kommandanten, Kapitänleutnant Borchardt, Hamburg verließ. *„Jupiter"* traf nach abenteuerlicher Fahrt pünktlich in Bergen ein und warf in der Nacht vom 9./10. April im vielverzweigten Gewirr der Innenfjords die ersten Sperren.

Gegen Mittag sind alle norwegischen Batterien, die Stadt und der Hafen fest in deutscher Hand. Konteradmiral Schmundt hatte unter schwierigsten navigatorischen Voraussetzungen und trotz teilweise heftiger norwegischer Gegenwehr vor allem dank seines wagemutigen und kühnen Entschlusses den Durchbruch durch den By-Fjord auch ohne die vorherige Einnahme des Kvarven zu erzwingen, seine Aufgabe mit nur geringen Verlusten gelöst.

Die Luftwaffe vor Bergen. Lagebesprechung beim BdA. Bomber greifen an. „Köln", „Wolf" und „Leopard" laufen aus. Skuas versenken die „Königsberg". Der Heimmarsch der BdA-Gruppe.

Der Operationsbefehl verlangt die Sicherung aller besetzten Stützpunkte. Auch in Bergen wird im Laufe des Vor- und Nachmittags des 9. April versucht, Stadt und Hafen baldmöglichst fest in die Hand zu bekommen.

Die Prisenkommandos, die neutrale und feindliche Handelsschiffe durchsuchen, bzw. beschlagnahmen, entdecken, daß einige angeblich für Finnland bestimmtes Kriegsmaterial an Bord haben.

Die zusammen mit den Heeresangehörigen gelandeten Marineartilleristen gehen daran, die besetzten norwegischen Batterien wieder gefechtsklar zu machen. Die durch die heftige Beschießung entstandenen Schäden müssen beseitigt werden. Da Offiziere und Mannschaften mit den fremden Geschützen und Feuerleitanlagen nicht vertraut sind, wird die Abwehrbereitschaft verzögert.

Für den BdA laufen mehrere Mitteilungen und Befehle des Marinegruppenkommandos West ein. Ein Signal geht an die

Kommandanten der Einheiten und den Flottillenchef auf *„Wolf"*:

„Lagebesprechung beim BdA, Uhrzeit 17 Uhr 00!"

Eine Stunde vorher, gegen 16 Uhr 30 gellt Fliegeralarm durch die Schiffe der Gruppe III. Bedienungen der Flak- und Fla-Waffen stürzen auf ihre Stationen. Weit draußen sind über den Höhen im Westen Flugzeuge gesichtet worden.

„Englische Geschwader, RAF!" meint einer der Offiziere der *„Köln"*, die, wie Ausgucks und E-Messer, die in sehr großer Entfernung fliegenden Maschinen beobachten.

„Von AO an Kommandant: Entfernung steht!" meldet ein BÜ, „Typ nicht auszumachen, wahrscheinlich Engländer!"

Basisgeräte und Doppelgläser suchen vergebens die umherkurvenden Flugzeuge zu erkennen. Kapitän Kratzenberg setzt das Doppelglas ab:

„Unwahrscheinlich! Das sind keine Engländer. Die würden näher kommen, angreifen und nicht dauernd auf gleichbleibender Entfernung 'rumtanzen! Da ... Teufel auch: Sprengpunkte bei den Maschinen! Und was für eine Menge! Das muß unsere Luftwaffe sein, die draußen englische Seestreitkräfte angreift!"

Der Admiral stimmt sofort zu:

„Glaub' ich auch! Das ist ja ein toller Feuerzauber, das sind Kriegsschiffe in Menge, die da schießen! Von uns steht niemand vor der Einfahrt!"

Eine Zeitlang können alle an Oberdeck das Schauspiel dieses Kampfes beobachten. Dann ziehen sich Flugzeuge und Sprengwolken weiter nach See hinaus und verschwinden schließlich hinter den Bergen.

Es waren 47 Bomber vom Typ Ju 88 und 41 vom Typ He 111, die von 14 Uhr 30 bis 17 Uhr 40 den Verband des Admirals Forbes wiederholt angriffen, der seit den Morgenstunden auf der Höhe von Bergen stand. Sie erzielten einen Treffer auf dem Flaggschiff des C-in-C *„Rodney"*, jedoch fing das Panzerdeck die 500kg-Bombe auf. Ferner versenkten sie den Zerstörer *„Gurkha"* und beschädigten die Kreuzer *„Glasgow"*, *„Southampton"* und *„Devonshire"*. Vier Ju 88 wurden abgeschossen.

Zur befohlenen Zeit legt die schwarze Motorjolle des Torpedobootes *„Wolf"* mit dem Chef der 6. T-Flottille bei *„Köln"* an. Der Bootsmaat der Wache pfeift Seite. Korvettenkapitän

Marks meldet sich beim WO an Bord und wird in den Admiralsraum geleitet, in dem Stab und Kommandanten bereits versammelt sind, Konteradmiral Schmundt eröffnet die Sitzung:

„Meine Herrn! Ich werde heute nacht mit *'Köln'* und den beiden Torpedobooten auslaufen. Planmäßig, wie Sie aus dem Operationsbefehl wissen, bleiben *'Karl Peters'*, die S-Boote und die beiden Fischdampfer in Bergen. Leider müssen wir *'Königsberg'* und *'Bremse'* ebenfalls hier lassen. Zunächst die Feindmeldungen, die uns dazu zwingen. Bitte, Hoffmann!"

Der IAsto nimmt seine Aufzeichnungen zur Hand:

„Aus den bisherigen Meldungen war zu schließen, daß heute nachmittag zwei Feindgruppen nahe westlich Bergen stehen würden. 3 Schlachtschiffe, 3 Schwere und 5—6 Leichte Kreuzer mit etwa 30 bis 40 Zerstörern. Also die gesamte Home-Fleet ..."

„Das hat ein deutscher Aufklärer bestätigt, der um 14 Uhr 00 hier in Bergen landete und mit seiner Meldung unsre Bomber heranrief, die wir ja gesehn haben!" unterbricht der BdA. „Bitte weiter, Hoffmann!"

Der IAsto nimmt seine Notizen wieder auf:

„Wir mußten natürlich mit einem Angriff auf Bergen rechnen. Diese Streitkräfte sind an der Ausführung ihres Vorhabens durch die Luftwaffe gehindert worden. Es ist aber anzunehmen, daß sie sich während des Abends und der Nacht nicht allzuweit entfernen werden. Das ist kurz gefaßt die augenblickliche Lage."

„Danke, Hoffmann! Sie sehn, meine Herrn, wenn ich trotzdem den Entschluß heute noch auszulaufen durchführen will, muß ich auf Schiffe, die nicht über ihre Höchstgeschwindigkeit verfügen, verzichten. Bitte geben Sie die Einzelheiten der Begründung, Hoffmann!"

„Jawohl, Herr Admiral! Also: *'Königsberg'* kann durch den Kesselschaden nur noch 24 Meilen laufen. *'Bremse'* ist, wie Foerschner meldete, infolge von Treffern nicht seefähig. Beide Einheiten treten unter den Admiral Westküste, bis sie wieder voll fahrbereit sind. Sie werden die Hafenverteidigung im Fall eines englischen Landungsversuchs verstärken."

Konteradmiral Schmundt wirft einen Blick auf seine eigenen Notizen und fährt fort:

„Ich möchte hinzufügen, was mir der Kommandant der *‚Königsberg'* persönlich meldete. Kapitän Ruhfus erklärte, daß die Leck- und Kesselreparaturen in ununterbrochener Arbeit von seinem Maschinenpersonal ausgeführt werden. Sein Leitender, Korvettenkapitän Nonn glaubt zwar, den Kreuzer bis Mitternacht für 26 Seemeilen klarbekommen zu können, aber leider genügt auch das nicht. Noch eine Frage? Nebenbei, wir laufen nicht durch den Kors-Fjord zurück, sondern gehen wahrscheinlich durch den Langenuen-Fjord. Seeklar für *‚Köln'* und die Torpedoboote um 19 Uhr 00. Ich danke Ihnen, meine Herren!"

Um 18 Uhr 55 betritt der IO die Kommandantenkammer im Achterschiff zur Seeklarmeldung. Kapitän Kratzenberg, bereits in Mantel und Mütze, greift zu seinen lammfellgefütterten Lederhandschuhen:

„Danke Baecker! Dann woll'n wir 'mal wieder. Klarer Himmel leider."

Während sich der Erste Offizier zum Ankerlichten auf die Back begibt, steigt der Kommandant den Niedergang zur Brücke hoch. Der WO meldet sich, gleich danach erscheint Konteradmiral Schmundt mit seinem Stab. Kapitän Kratzenberg meldet. Ein Wink zum WO und zum Signaldeck hinauf:

„Ankerlichten!"

Der Meister auf der Back läßt das Backbordspill laufen. Die Ankermanöverflagge, weiß mit schmalem roten Andreaskreuz, weht im Vortop. Der IIAsto tritt zum NO:

„Also, Baumann, wie der Admiral schon sagte: wir laufen diesmal nicht durch den Kors-Fjord, sondern gehen weiter südlich durch Langenuen-Fjord, Selbjorns-Fjord usw."

„Bin im Bilde, Schmidt. Gutes, reines und breites Fahrwasser ... nanu, was ist das denn schon wieder?"

„Richtung 290 Grad Flugzeuge!"

„Fliegeralarm!" ruft der Kommandant, der AO stürzt zur Alarmklingel.

Kapitän Kratzenberg reißt ein Megafon vom Haken und ruft so laut er kann zur Back hinunter:

„Weiterlichten!"

Die hochfliegenden Kampfflugzeuge nähern sich schnell.

„Engländer! Zwomotorige! Vickers-Wellington dabei!" schreit der TO.

In 1200 bis 1500 m Höhe greifen die Bomber an, die sofort von der Doppelflak und den Fla-Waffen beider Kreuzer unter heftiges Abwehrfeuer genommen werden. Mitten in den Lärm der 8,8, 3,7 und 2 cm, knarrt ein Brückentelefon. Ein BÜ springt hinzu:

„Von IO an Kommandant: Anker ist auf, klar Anker!"

Der Kommandant, hinter dem WO stehend, hat ungeduldig auf diese Meldung gewartet:

„Aye! Los, WO: Große voraus, hart Steuerbord! Nichts wie 'rum mit dem Schiff und weg hier!"

Der TO, der die Flugzeuge beobachtet, warnt:

„Die ersten haben ausgeklinkt, Herr Kaptän!"

„Ich übernehme das Kommando!"

Dicht neben der *„Köln"* schlagen bereits die Bomben ins Wasser. Mit Zickzackkursen, sich nahe bei den zu Anker liegenden Dampfern haltend, weicht der Kommandant den Würfen der nächsten Welle aus. Die Flak unterhält ununterbrochen ein wütendes Abwehrfeuer. Aber die feindlichen Maschinen wiederholen trotz der ringsherum detonierenden Sprenggranaten unerschüttert ihre Anflüge. Neue Bomben pfeifen herab, Flakbedienungen arbeiten wie Roboter. Auf dem Aufbaudeck rollen bei den schnellen Manövern Haufen gelber Kartuschen klirrend hin und her.

Aus der Menge der Handelsschiffe löst sich ein Dampfer und steuert der Hafenausfahrt zu. Eine Riesenflagge mit den Sternen und Streifen der USA weht vom Heckstock.

„Amerikanischer Frachter *‚Flying Fish'* läuft aus!" schreit der Signalmaat der Wache durch den ringsum von den Berghöhen widerhallenden Gefechtslärm.

„‚Old Glory' wird es hier zu ungemütlich!" lacht der NO auf.

„Laufen lassen!" befiehlt eingedenk des Befehls, amerikanische Schiffe nicht zu behelligen, der BdA.

„Flugzeug von achtern!" brüllt irgend jemand.

Die Männer auf der Brücke fahren herum: ein Bomber ist unbemerkt bis auf 500, 600 m im Sturzflug heruntergekommen und dröhnt jetzt mit aufheulenden Motoren über den Kreuzer hinweg. Für ein Ausweichmanöver ist es zu spät. Seine Bordwaffen spucken bläuliche Flämmchen, Stahlgeschosse rattern über Aufbauten und Decks. In das harte Prasseln gegen Stahl und Eisen tönen Aufschreie vom Signaldeck. Tödlich getroffen fallen zwei Signalgasten, an Oberdeck werden sechs Matrosen verwundet, von denen einer noch in der Nacht seinen Verletzungen erliegt. Die drei Seeleute sind die ersten Gefallenen, die der Flaggkreuzer in diesem Kriege zu beklagen hat.

Noch zwei, drei Angriffe, dann fliegen die 12 Wellington- und 12 Hampden-Maschinen von rasendem Abwehrfeuer verfolgt, davon. Ein Flugzeug zieht eine lange Feuerflamme, die deutlich durch den Rauch sichtbar wird, hinter sich her. Es stürzt draußen in die See. Das Feuer der Flak, das fast 20 Minuten dauerte, wird eingestellt. Langsam wälzt sich der vom Wind verwehte Qualm und Pulverrauch über die Reede. Obwohl die Flieger verwegen angriffen, erzielten sie keinen einzigen Treffer.

Über Stadt und Hafen liegt ein wolkenloser, hellblauer Abendhimmel. *„Königsberg'* startet ein Bordflugzeug zur Aufklärung. Es führt zwei Flüge aus, und der Beobachter meldet, daß die Fjorde und das Seegebiet vor der Küste weithin feindfrei seien.

Um 20 Uhr 20 verläßt *„Köln"* mit den Torpedobooten *„Wolf"* und *„Leopard"* die Außenreede von Bergen zum Rückmarsch in die Heimat.

Nicht lange nach Passieren des By-Fjords, als der Verband durch die Enge bei Ruknene steuert, schneiden die ausgebrachten Bugschutzgeräte mehrmals Minen. Es ist die Sperre, die der norwegische Minenleger *„Tyr"* in den Morgenstunden des Einlauftages legte. Kurz danach fliegen 3 Handley-Page-Hampden-Flugzeuge mehrere vergebliche Angriffe.

„Jetzt ist unser Standort bekannt und gemeldet!" meint ärgerlich der BdA. „Wir werden uns irgendwohin verholen und den Rückmarsch um 24 Stunden verschieben!"

Nach kurzer Beratung mit den Asto's läßt er den schmalen Mauranger Fjord, einen Nebenfjord des breiten und langen Hardanger Fjords, ansteuern. Dort bleibt der Verband, gut gegen Fliegersicht geschützt, den 10. April über zu Anker liegen. --

Am gleichen Tage ereilt die in Bergen zurückgelassene *„Königsberg"* das Verhängnis. Der Kreuzer hatte in den Innenhafen an den Skoldegrundkaien verholt, wo er mit der Steuerbordseite gegenüber einer großen Turnhalle festmachte. Dort greifen ihn um 08 Uhr 00 morgens englische Sturzkampfflieger an.

Sie kommen von der Royal Navy Air Station Hatston auf den Orkneys. Ihre äußerste Reichweite erfaßt eben noch Bergen. Es sind zwei Geschwader Skuas[1]). Die 15 Maschinen werden von Captain R. T. Partridge von den Royal Marines und dem Lieutenant W. P. Lucy von der Royal Navy geführt. Die Sturzkampfflugzeuge sollen den Mißerfolg der Hochbomber vom vorigen Tage wett machen. Beide Angriffe hatten übrigens ihre Ursache in einer Meldung des Commander Hare, der zusammen mit anderen englischen Seeoffizieren als Beobachter zu einer Coastal Command-Aufklärungsstaffel kommandiert war. Sie sollten die sichere Bestimmung etwa angetroffener Kriegsschiffe gewährleisten, die bei den Aufklärungsflügen über norwegischen Fjorden und Häfen in Sicht kämen. Commander Hare hatte am Morgen des 9. April über Bergen gestanden, dort 3 Kriegsschiffe gesichtet und als Kreuzer gemeldet. Es waren *„Köln"*, *„Königsberg"* und *„Bremse"*. Auf seinem Rückflug die Home-Fleet passierend, teilte er auch dem Flaggschiff *„Rodney"* seine Beobachtung mit. Danach landete er in Lossiemouth in Schottland, von wo ihn ein bereitgetelltes Transportflugzeug nach Hatston zurückflog. Der dortige Kommandeur erwirkte daraufhin die Erlaubnis zum Start der beiden Skua-Geschwader nach Bergen.

Die Skuas starten noch vor der Morgendämmerung des 10. mit je einer 500 kg Bombe an Bord. Von Commander Hare eingewiesen, stehen sie nach zwei Flugstunden über der Außenreede. Sie finden zu ihrer bitteren Enttäuschung keine Kriegsschiffe mehr vor. Erst im letzten Augenblick entdecken sie an einer der Piers des Innenhafen einen Kreuzer. Es ist die *„Königsberg"*.

In langer Reihe hintereinander abstürzend greifen sie unter Führung von Partridge an. Sie werfen ungeachtet des Abwehrfeuers des Kreuzers und einiger Batterien an Land ihre Bomben und fliegen danach dicht über dem Wasser in den Fjord hinaus. Sie haben keine unmittelbaren Verluste, aber eine der Skuas stürzt während des Rückfluges ab.

Unter den abgeworfenen Bomben sind zwei direkte Treffer, andere schlagen dicht neben dem Kreuzer ein. Ihre Splitter und Sprengstücke durchlöchern die Bordwände. Ölbunker im

[1]) Das ist der Name für eine dunkelbraungefiederte Raubmöwe, die ihre Beute im Sturzflug greift.

Wallgang werden zerfetzt, brennendes Öl dringt in den vorderen Kesselraum, der verlassen werden muß. An Backbordseite detoniert eine Bombe, reißt die Bordwand unter der Wasserlinie auf und durchschlägt mit ihren Sprengstücken das Signaldeck. Durch den starken Wassereinbruch entsteht Schlagseite.

Die Treffer detonieren im Zwischendeck. Die Kesselräume laufen voll, der elektrische Strom versagt, Dampf- und Elektropumpen stehen still. Das gesamte Zwischendeck ist ein loderndes Flammenmeer. Trotz allem feuert die Flak unerschüttert, verbissen und ingrimmig aus allen Rohren. Sämtliche Telefone und Befehlsapparate fallen aus. Melderketten und Sprachrohre treten an ihre Stellen.

Der IO, Fregattenkapitän Günther, und der Schiffssicherungsingenieur leisten mit den Lecksicherungsgruppen Unmenschliches, trotz der ringsum flammenden Hölle. Die riesigen Brände können wegen des Ausfalls der Pumpen nur mit Handlöschern bekämpft werden. Auch die Feuerlöschanlage auf dem Skoldegrundkaien ist beschädigt und unbrauchbar.

Großbrand und Wassereinbruch werden die Ursache des Verlustes des Kreuzers. Die Gefahr einer gewaltigen Explosion besteht, wenn das Feuer die Gefechtsköpfe der Torpedos und die Benzinbunker mit 7000 l Inhalt erreicht.

Der Kommandant, Kapitän z. S. Ruhfus läßt die Gefallenen und Verwundeten an Land schaffen. Er befiehlt, die Boote, soweit sie noch ausgesetzt werden können, zu Wasser zu bringen. Er ordnet an, daß die Maschinenwaffen möglichst zu bergen sind. Mit zusammengebissenen Zähnen arbeiten die Bedienungen auf den schon glühenden Eisendecks, und es gelingt ihren Anstrengungen, wenigstens einen Teil zu retten.

Der Bug sinkt tiefer und die Schlagseite wird stärker. Ein Festmacher nach dem anderen bricht. Mit Rücksicht auf seine Besatzung muß der Kommandant schließlich schweren Herzens den Befehl geben:

„Alle Mann aus dem Schiff!"

Keine Minute zu früh, denn kurz danach um 10 Uhr 51 sinkt die *„Königsberg"* nach Backbord kenternd neben der Pier auf 80 m Wasser.

18 Tote und 24 Verwundete sind zu beklagen. Die Geschützbedienungen werden zunächst aushilfsweise an Land in den Küsten- und Fla-Batterien verwandt. Das technische Personal

bildet unter einem Ingenieuroffizier eine Sonderkompanie. 28 Mann stellen unter dem Oberbootsmann Zielisch eine Hafenflottille aus norwegischen Fischerbooten zusammen. Sie übernimmt den Sicherungs- und Wachdienst in den Fjorden der Umgebung. Auch für den Rest der Besatzung finden sich genug Verwendungsmöglichkeiten. —

Auf der im Mauranger Fjord zu Anker liegenden *„Köln“* wird am Nachmittag des 10. April ein Funkspruch der Marinegruppe West abgehört:

„An Alle. Befehl zum Auslaufen heute nacht für alle fahrbereiten Kreuzer, Zerstörer, Torpedoboote. BdA: Absicht melden!“

Konteradmiral Schmundt hat seinen Plan nicht geändert. Er sieht daher von einer Meldung ab und läßt um 18 Uhr 45 zum Weitermarsch Anker lichten. Bisher hat er Glück gehabt: eine dichte über den verschneiten Uferbergen lagernde Wolkendecke entzog *„Köln“* und die weiter abseits liegenden Torpedoboote der Sicht feindlicher Aufklärer. Gegen Nachmittag jedoch treiben die Wolken davon und über den Fjelden des mächtigen Folgefond-Gletschers breitet sich ein strahlend blauer Himmel.

Dicht unter den Felshängen des Nordufers läuft der Flaggkreuzer zum Bömmele-Fjord hinunter. *„Wolf“* und *„Leopard“* sammeln wieder auf *„Köln“* und die Gruppe passiert in der späten Abenddämmerung die auf der Insel Stordoe, zwischen Hardanger und Bömmelefjord liegende Stadt Lervik und setzt die Fahrt auf Haugesund am Nordufer des Karmsundes fort. Vor der Einfahrt zum Karmsund dreht der Verband nach Steuerbord ab, um durch das Außenfahrwasser des Bömmele-Fjords die freie See zu erreichen. Diese berüchtigte breite Ausfahrt ist mit starken Gezeiten- und unberechenbaren Küstenströmungen, zahllosen oft nur eben unter der Wasseroberfläche laufenden Riffen und Klippen und den vielen Schären eins der gefährlichsten Fahrwasser in ganz Norwegen.

Der Verband gewinnt aber ohne Zwischenfälle die freie See, steht kurz vor Mitternacht bei Utsire und läuft mit hoher Fahrt, in der achterlichen See rollend, durch die warme, frühlingshelle Nacht südwärts.

Um 05 Uhr 45 am Morgen des 11. wird er in der Nordsee von den Zerstörern *„Richard Beitzen“* und *„Hermann Schoe-*

mann" sowie einer starken Luftsicherung aufgenommen, zur Jade geleitet und ankert um 17 Uhr 00 auf Wilhelmshaven Reede.

Noch am gleichen Abend gibt *„Köln"* die Gefallenen von Bord. Die Besatzung tritt mit ihren Offizieren auf der Schanz an. Unter ehrfurchtsvollem Schweigen erweist der Oberbootsmann mit einem langgezogenen Seitenpfiff den Toten die letzte Ehre.

DIE BESETZUNG VON KRISTIANSAND-ARENDAL DURCH DIE GRUPPE IV

Gruppe IV Kristiansand:

Kapitän z. S. Rieve, Kommandant „Karlsruhe"

Eingeschifft: Konteradmiral Schenk, Admiral norwegische Südküste

Leichter Kreuzer „Karlsruhe", Kapitän z. S. Rieve

Führer der Torpedoboote (FdT):

Kapitän z. S. Hans Bütow auf „Luchs"

5. Torpedoboot-Flottille: Korvettenkapitän Henne auf „Greif"

Torpedoboot „Greif", Kapitänleutnant Freiherr v. Lyncker

Torpedoboot „Seeadler", Korvettenkapitän Kohlauf

Torpedoboot „Luchs", Kapitänleutnant Kaßbaum

2. Schnellboot-Flottille, Korvettenkapitän Rudolf Petersen

„S 17", „S 30", „S 31", „S 32," „S 33"

Schnellbootbegleitschiff „Tsingtau", Kapitän z. S. Klingner

Nach Kristiansand bestimmt waren 4 Schiffe der 1. Seetransportstaffel.

Eingeschifft waren Stab (Oberst Wachsmuth), 1. Battaillon und 9. Kompanie des Infanterie-Regiments 310 und die Radfahrschwadron 234 der 163. Infanterie-Division, ferner eine Kompanie Marineartillerie (Kapitänleutnant MA Ernst Michaelson), zusammen rund 1200 Mann.

Einschiffung in Bremerhaven. Watten, Priele, Helgoland. Sammeln im Nebel.

Über der Wesermündung und dem lang am Strom sich hinziehenden Hafengebiet von Wesermünde lastet die dunkle Neumondnacht des 7. zum 8. April.

An den Piers der zahlreichen Hafenbecken von Bremerhaven, der Heimat der Ozeandampfer des Norddeutschen Lloyd, liegen Überseefrachter, Passagierdampfer, Motorschiffe und Kümos. Weiter den Strom hinauf in Geestemünde, dem größten Fischereihafen des europäischen Festlandes haben Fischdampfer und Heringslogger festgemacht, die meist als Vorpostenboote oder Minensucher unter der Kriegsflagge Dienst tun.

Im Schutz der Nacht, unbemerkt von den zumeist schon schlafenden Einwohnern der drei Weserstädte, rollen lange Eisenbahntransportzüge voller Soldaten durch Bremerhaven. Sie poltern über die vielen Weichen des weitverzweigten Hafengeländes und halten schließlich mit kreischenden Bremsen auf der endlos langen und breiten Columbuskaje vor den Lagerhallen und Gebäuden des Ozeanbahnhofs. Hier eilten im Frieden Fahrgäste reisefroh, plaudernd und lachend die weißen Landestege zur *„Bremen"* oder *„Europa"* hinauf. Jetzt wimmelt es von Feldgrauen, die sich mit Hilfe der Seeleute beeilen, ihre Waffen und das Heeresgut aus den Güterwagen an Bord der Kriegsschiffe zu schaffen.

Die Einheiten der Gruppe IV unter Führung des Kommandanten der *„Karlsruhe"*, Kapitän z. S. Friedrich Rieve, haben die Aufgabe, die südnorwegische Hafenstadt Kristiansand und das weiter östlich gelegene Arendal zu besetzen. Letzteres durch die auf dem Torpedoboot *„Greif"* eingeschiffte Radfahrschwadron 234. Der Kreuzer und die Torpedoboote *„Seeadler"* und *„Luchs"* nehmen die Infanterie, das Schnellbootbegleitschiff *„Tsingtau"* die Marineartilleristen an Bord.

Seeklar ist für 05 Uhr 00 früh befohlen, und die Heeresangehörigen sind angewiesen, zu diesem Zeitpunkt unter Deck zu verschwinden. Der Erste Offizier der *„Karlsruhe"*, Korvettenkapitän Düwel, informiert die Landser kurz vor ihrem Anbordgehen:

„Wenn wir loswerfen und die Weser 'runterlaufen, beginnt so ungefähr die Morgendämmerung, meine Herrn! Wir passieren dann totsicher neben einlaufenden Vorpostenbooten,

Fischereifahrzeugen usw. auch neutrale Handelsschiffe. Und die sind, wie Sie sich vorstellen können, in Kriegszeiten, wo jede Nachricht gut bezahlt wird, sehr neugierig. Sie werden uns genau durch ihre Doppelgläser beobachten. Wenn die die feldgrauen Uniformen an Deck sehn ... na, dumm sind Seeleute nicht, sie werden sich denken können, daß da etwas im Gange ist. Klar, was?"

Ein vielstimmiges „Jawohl" tönt dem IO entgegen. Was Geheimhaltung bedeutet, haben sie gerade selbst erfahren. Niemand konnte sagen wohin es ging, als sie verladen wurden, selbst ihre Offiziere nicht. Sie waren nicht wenig erstaunt, als sie nach einer langen Kreuz- und Querfahrt nachts vor den Ozeanbahnhof in Bremerhaven rollten! Die Pause, die der IO gerade macht, benutzt einer der Armeeunteroffiziere, nachdem er sich vorsichtshalber bei seinem Zugführer nach dem Dienstgrad des vor ihnen stehenden Seeoffiziers erkundigt hat, zu einer Frage:

„Herr Kaptän! Wohin fahren wir? Man hat uns gesagt, daß unterwegs Marineartilleristen zugestiegen sind und wo die hinsollen, stehn ja wohl Geschütze, können Sie uns sagen, wo ..."

„Mein lieber Mann", lächelt Korvettenkapitän Düwel, „können wohl, aber dürfen nicht! Kanonen stehn heutzutage an jeder Küste herum, also raten Sie! Nebenbei wird Ihnen der Kommandant und Führer unserer Gruppe, Kapitän z. S. Rieve, Ziel und Zweck der Unternehmung bekanntgeben, sowie wir aus der Flußmündung heraus sind. Soviel kann ich Ihnen verraten! Seeklar 05 Uhr 00!"

Noch kurz vor dem ersten Morgendämmern des 8. April hallt der lange Pfiff „Klar zum Manöver" durch die Decks der Einheiten der Gruppe IV. Auf Vorgang der *„Karlsruhe"* legt ein Fahrzeug nach dem anderen ab, dreht auf den Strom und setzt sich in Kiellinie hinter den Führerkreuzer. Abgeblendet, schattenhaft gleiten sie mit langsamer Fahrt lautlos im schmalen Fahrwasser der breiten Weser stromabwärts. Von der Brückennock der *„Karlsruhe"* aus beobachtet der Kommandant, wegen der geradezu winterlichen Kälte den Mantelkragen hochgeschlagen und einen dicken Wollschal um den Hals, das Auslaufen und Sammeln seines Verbandes. Der NO, Korvettenkapitän Neuendorff, legt nach kurzem Blick achteraus die Hand an die Bordmütze:

„Vollzählig, Herr Kaptän!“

„Gut! Dann woll'n wir mit der Fahrt hochgehn.“

Der Befehl für Halbe Fahrt geht an den WO, Maschinentelegrafen knarren, und die Fahrwassertonnen und Baken kommen nun schneller achteraus. Die für das Auslaufen angestellten Feuer blinzeln und blitzen über die weiten Wattflächen der Mündung: Langlütjensand, Meyers Legde, Mittelplate, Robbenplate. Backbord voraus kommt das starke Hoheweg-Feuer in Sicht. Gegen 06 Uhr 30 dämmert das erste Morgenlicht über dem hohen Außendeich bei Wremen. Aus der spiegelglatten See heben sich flach und scheinbar uferlos die Sände. Über den helleren Prielen, den vielfach verästelten Wasserläufen, die das Watt durchströmen, tummeln sich Möwen und Strandläufer.

Der an Bord eingeschiffte kleine, stämmige und blauäugige Konteradmiral Schenk steht mit seinem Stab auf dem Signaldeck. Er ist sozusagen „Badegast“ an Bord und hat sich dorthin zurückgezogen, um den Dienstbetrieb auf der Brücke nicht zu stören. Als „Admiral norwegische Südküste“ vorgesehen, reicht sein zukünftiger Abschnitt von der schwedischen Grenze bis westlich zum Jössing-Fjord. Die Zusammensetzung des Stabes gibt einen Anhalt für seinen Aufgabenkreis: Chef des Stabes Kapitän z. S. Hans Hartmann, IAsto Korvettenkapitän (MA) Töttcher, Sanitätsoffizier beim Stabe Marineoberstabsarzt Dr. Korth, Pionierreferent Major Diplomingenieur Dr. Mader, endlich für das Gericht des Kommandobereichs, Marinekriegsgerichtsrat Kay Nieschling.

Der lebhafte Admiral steigt zur Brücke hinab und geht auf den ihm gut bekannten Kommandanten zu:

„Morgen, Rieve! Ich hab' mir die Gegend erstmal von der höheren Warte aus angesehn. Ich wollte nicht stören, wissen Sie ...“

„Morgen, Herr Admiral!“ grüßt der Kommandant, der sich freut, den in der ganzen Marine beliebten Offizier an Bord zu haben. „Sie sind mit Ihrem Stab immer herzlich willkommen, von stören gar keine Rede!“

„Danke, danke! Mir fällt immer etwas ein, wenn ich hier durchschippre, sehn Sie drüben die Feuer, Unter- und Ober-Eversand? Wissen Sie, was ich meine?“

Rieve lächelt:

„Sicher, Herr Admiral! ‚Abel und die Mundharmonika' von Hausmann und den Film mit den Szenen, die auf dem Eversand gedreht wurden. Daran erinnre ich mich genau!"

„Richtig! Ich ebenfalls. Ziemlich kalt wieder, was? Übrigens hab' ich 'mal 'rumgehorcht. Die Männer haben tatsächlich keine Ahnung, wohin es geht. Die Seelords nicht und noch viel weniger die 85er. Tolle Vermutungen kursieren im Schiff!"

„Ich weiß, Herr Admiral! Mein Aufklarer glaubt, wir sollen Island besetzen!"

„Schön wär's ja! Ich werd' mich 'mal 'n bißchen an der Dampfheizung in Ihrem Kartenhaus aufwärmen!"

Der Kommandant sieht dem Admiral nach, der im ersten Weltkrieg als junger Offizier im Ostasiengeschwader auf dem Kleinen Kreuzer *„Dresden"* Dienst tat und nach der Vernichtung des Schiffes, zusammen mit anderen deutschen Seeleuten, auf der kleinen Bark *„Tinto"* auf abenteuerlichste Weise in die Heimat, d. h. zunächst nach Norwegen, zurückkehrte.

Nicht lange danach passiert der Verband die Weseransteuerungstonne, und die Kommandanten geben ihren Besatzungen die Aufgabe bekannt. Kapitän Rieve läßt ein Flaggensignal heißen, dessen Ursache er dem Admiral erklärt:

„Ich sagte Ihnen schon gestern abend, Herr Admiral, daß ich in drei voneinander getrennten Gruppen zu einem Treffpunkt nicht weit von der jütländischen Küste vormarschieren will. Gesammelt wird dort heute nacht um 00 Uhr 30. Wir, d. h. *‚Karlsruhe'* und die Torpedoboote *‚Luchs'* und *‚Seeadler'* laufen mit 21 Meilen Marschfahrt westlich an Helgoland vorbei. Man kann ja nie wissen, was einem dazwischenkommt und ich muß eine Zeitreserve haben. Es ist wegen des Überraschungsmoments zu wichtig, daß die Operation ‚Weserübung Nord' zum befohlenen Zeitpunkt gleichzeitig in allen Häfen anläuft. Die zwote Gruppe, *‚Tsingtau'* mit *‚Greif'* als Sicherung, soll einen etwas östlicheren Kurs steuern als wir. Die S-Boote schließlich bilden die dritte Gruppe. Ich habe befohlen . . ."

„Niederrrr! Ausführung!" ruft der Signalmaat der Wache, als die letzte Einheit das von der Lee-Rah des Führerkreuzers wehende Signal wiederholt hat.

Die Signalgasten nehmen die bunten Flaggen und Wimpel nieder, stecken sie ab und hängen sie unaufgetucht an die Haken der Racks. *„Karlsruhe"* und die beiden Torpedoboote gehen auf 21 Knoten, ohne ihren westlichen Kurs zu ändern. *„Tsingtau"* und *„Greif"* scheren aus und laufen nordwärts. Die sieben Schnellboote vermehren Fahrt und sind bald hinter den breiten Schaumstreifen ihrer Heckseen im Nordosten verschwunden.

Der Morgen ist schön, die Sicht gut bei klarem, wolkenlosem Himmel. Die See atmet in einer flachen, kaum spürbaren langen Dünung. Auf der Schanz des Kreuzers treten beide Kriegswachen zur Musterung an. Kapitänleutnant Gohrbandt, der Artillerieoffizier mustert, läßt die Steuerbordkriegswache aufziehen. Von der Brücke aus gibt er nach Meldung beim Kommandanten durch den Haupt-BÜ Anweisungen an die Kriegswachstationen:

„An alle Ausgucks und die Artillerie! Es ist vor unseren Flußmündungen und in der Deutschen Bucht immer mit feindlichen U-Booten zu rechnen, die dort als Beobachter stehen. Besonders gut aufpassen! Sehrohre, Ausstoßschwall, Blasenbahnen! Fliegerausgucks: im Westen wird eigene Luftaufklärung in Sicht kommen. Messerschmitt-Jäger. Trotzdem vor allem auf feindliche Aufklärer achten. Seht euch die Tafeln mit den Flugbildern der RAF-Maschinen auf den Gefechtsstationen noch einmal an. Alles, was in Sicht kommt, sofort melden. Verwechslungen sind nie ausgeschlossen, also keine Angst vor Falschmeldungen. Lieber falsch als zu spät!"

Die eigene Luftsicherung läßt nicht lange auf sich warten. Fern im Westen erscheinen die ersten schnellen Me's. Sie brummen heran, kurven, verschwinden wieder und bilden den Schirm, der feindlichen Maschinen Annäherung und Erkundung unmöglich machen soll.

„Scheußlich klares Wetter, Rieve!" knurrt Konteradmiral Schenk. „Was sagen eigentlich die Wetterfrösche? Ich hab' die Vorhersage noch nicht gesehen."

„Keine Änderung der Großwetterlage, Herr Admiral."

Einige der Ostfriesischen Inseln sind an Backbord auszumachen: Wangerooge, Spiekeroog. Weißer, breiter Strand, niedrige Dünen, die Hotels, ein Leuchtturm, große Baken, ein backsteinroter Wasserturm. *„Karlsruhe"* dreht mit den beiden Torpedobooten auf ihren Vormarschkurs nach Norden. Voraus an Steuerbord kommt Helgoland in Sicht. Der schlanke hohe Leuchtturm über der Graskante des Oberlandes, der Falm mit den kleinen Logierhäusern, in deren Fenstern die Vormittagssonne blinkt, der Kirchturm, der rote Fels und rechts davon die Düne. Weiß mit grünem Schleier des Strandhafers und dem Spitzensaum des Brandungskleides.

Außer den sich mehr und mehr entfernenden Gruppen des eigenen Verbandes ist weit und breit kein Fahrzeug zu sehen. Keine Rauchwolke, kein Dampfer, nicht einmal ein eigenes Vorpostenboot. Seitlich herausgesetzt zickzacken *„Luchs"* und *„Seeadler"* als U-Bootssicherung. Helgoland ist schon fast querab, als Kapitän Rieve dem NO einen Wink gibt:

„Woll'n wir nicht unsern 85ern die Sonneninsel zeigen, Neuendorff? Die meisten haben sie bestimmt noch nie gesehn, haben ihren Urlaub in Travemünde, Heringsdorf, Timmendorf und wie die Badeorte am Kasinoteich alle heißen, verlebt!"

„Doch, Herr Kaptän, natürlich! Hier der BÜ! Durchsagen: ‚Feldgraue an Oberdeck! Helgoland an Steuerbord!'"

Der NO lacht:

„Wenn ich ‚rechts' sagen lasse, hängt mir das mein Leben lang an, Herr Kaptän!"

Aus den Schottüren des Aufbaudecks, aus allen Niedergängen quellen die Soldaten heraus, drängen sich an die Reling, hocken sich auf alle möglichen Kanten und Ecken und sehen hinüber zur Insel. Die Seeleute der Kriegsfreiwache zeigen und erklären, was drüben zu sehen ist: die langen Molen des U-Bootshafens, die breiten, weißen Boote der Helgoländer Fischer, die Düne, das Unterland mit Kurhaus und Fahrstuhl und das Oberland. Ein Obermaat, Geschützführer an einer der drei Doppelflak, der einem Unteroffizier des I. Bataillons die Herrlichkeiten zeigt, schlägt sich vor die Stirn:

„Mensch! Beinah' hätt' ich ja was vergessen! Hör zu: alles auf der ollen guten Insel ist zollfrei. Zollfrei, Mann, stell' dir das vor! Cognac, Whisky, Gin, Rum, prima englische Zigaretten! Schottische Tücher, irische Wollsachen und Leinen, Schals, was du willst!"

Viele Soldaten bleiben an Oberdeck, erzählen und fragen die Kreuzerbesatzung nach ihren bisherigen Erlebnissen. Die Seeleute haben nicht viel zu berichten. Bei Kriegsausbruch lag *„Karlsruhe"* in der Werft in Wilhelmshaven zum Teilumbau und zur Grundüberholung. Erst im November 1939, ausgerechnet am 13., stellte der Kreuzer unter seinem jetzigen Kommandanten wieder in Dienst. Die Besatzung, vor allem die Geschützbedienungen, besteht größtenteils aus jungen Mannschaften. Was sie den Infanteristen lieber nicht verraten, ist die Tatsache, daß sie zum Kummer des AO überhaupt noch keine Gelegenheit hatten, ein Schießen mit Gefechtsladungen durchzuführen!

Hornsriff, die eben nördlich des dänischen Hafens Esbjerg weit in die Nordsee hinausragenden Sände, passiert die Gruppe IV gegen Mittag.

„Eigenartig", meint Admiral Schenk, „daß wir in der Nordsee, jedenfalls in der Deutschen Bucht, die Sände immer mit ‚Riff' bezeichnen. Dabei gibt es ..."

„Funkspruch, Herr Kaptän!" meldet ein Funkgast und reicht dem Kommandanten den obligaten Blechkasten.

Kapitän Rieve schließt auf, nimmt das Blatt heraus und gibt es dem Admiral:

„Da haben wir's! Wetterflugzeugmeldung: Nebel im Skagerrak!"

„Hoffentlich nicht zu dick", meint besorgt der Admiral, „aber das sehn wir bestimmt sehr bald selbst!"

„Sicher! Dabei sagt der Operationsbefehl ausdrücklich ‚Aufgabe auch bei Nebel durchführen!'"

Als die Kriegswache ablöst und zum Mittagessen unter Deck eilt, wird die Luft schon diesiger. Die Kimm ist verschmiert, unklar und verwischt. Die Sonne hängt als kraftlose, matte Scheibe am grauen Himmel. Dunstschleier bilden sich, die mit ihrer Feuchtigkeit die im scharfen Fahrtwind frierenden Landser ins warme Zwischendeck zurücktreiben. Am Nachmittag gegen 15 Uhr 00 erhalten *„Luchs"* und *„Seeadler"* Befehl, die U-Bootssicherung einzustellen. Die Sicht beträgt nur noch 300 m. Sie scheren in das Kielwasser der *„Karlsruhe"* ein.

Langsam, aber stetig werden die dunstigen Streifen dichter, je weiter der Verband nach Norden kommt. Im Lauf der Nacht ballen sie sich zu einer handfesten, undurchsichtigen Nebelwand zusammen. Konteradmiral Schenk tritt aus dem Kartenhaus. Er hat sich den augenblicklichen Standort zeigen lassen, sich aufgewärmt und dankbar eine Tasse Kaffee entgegengenommen, die der Obersteuermann ihm reichte. Ein wenig besorgt sieht er den Kommandanten an:

„Dieser Nebel ist ja als Sicherung gegen U-Boote und die RAF ganz schön, Rieve, aber hier muß doch jetzt eine ziemliche Verkehrswuhling herrschen? Ich meine die anderen Kampfgruppen, III zum Beispiel, die nach Bergen läuft, die Fahrzeuge, die nach Egersund sollen, dort die Kabelstation zu zertöppern und die nach Dänemark, Esbjerg und weiß der Teufel wohin sonst noch. Wissen Sie, wo die jetzt 'rumwimmeln?"

„Doch, Herr Admiral! Habe ich mit dem NO und Obersteuermann vor einiger Zeit genau geprüft. Die müssen alle südlicher stehn, bzw. die Gruppe Bergen unter Admiral Schmundt weiter westlich und höher im Norden."

Der Admiral zieht seinen rechten Handschuh aus, holt ein Riesentaschentuch aus der Hosentasche und putzt sich umständlich die Nase:

„Wer geht eigentlich nach Egersund?"

„Korvettenkapitän Thoma mit 4 M-Böcken der 2. Minensuchflottille.[1]) Ausgelaufen um 05 Uhr 30 Cuxhaven. Sie haben bei weitem nicht unsre Marschgeschwindigkeit, werden also hinter uns laufen, allerdings auf etwa gleichem Kurs. Die einzige, die mit uns kollidieren könnte, Herr Admiral, ist die Gruppe XI, Korvettenkapitän Berger mit 6 Booten der 6. Minensuchflottille und 2 Booten der 4. Räumbootflottille. Ausgelaufen in Cuxhaven. Ziel Tyborön in Nordwestjütland, kleiner Ort am Lim-Fjord."

Admiral Schenk wirft einen Blick achteraus:

„Hoffentlich hängen Ihre beiden Torpedoboote in dieser unwahrscheinlich dicken Milchsuppe noch hinten dran!"

„Aber, aber, Herr Admiral!" lacht Kapitän Rieve. „Auf *‚Luchs'* ist der FdT, Hannes Bütow, selbst an Bord und die beiden Kommandanten sind alte Hasen, denen ist Verbandsfahren im Nebel nichts Neues! Zu sehn sind sie allerdings nicht. Ich frage mich nur, ob unsre beiden anderen Marschgruppen uns rechtzeitig finden."

„Die Fahrerei bei diesem Wetter und ohne die sonstigen Friedenshilfsmittel ist ziemlich schwierig", meint der Admiral, „na, wir werden ja sehn!"

---

[1]) „M 1", „M 2", „M 9", „M 13" mit der Radfahrschwadron der Aufklärungs-Abteilung 169 der 69. Infanterie-Division an Bord (s. a. Gliederung der Gruppe II Bergen).

Als *„Karlsruhe"* um Mitternacht auf dem Treffpunkt steht, tauchen wesenlose Schatten aus dem Nebel. Es sind die beiden Torpedoboote, die wie treue Schäferhunde sich in der Nähe des Kreuzers halten. Von den anderen, die 30 Minuten später eintreffen sollen, ist nichts auszumachen. Im Kartenhaus überprüfen Kommandant, NO und Obersteuermann noch einmal genau die gelaufenen Kurse, die Uhrzeiten und die Ergebnisse der Echolotungen. Der NO richtet sich auf:

„Unsere Position stimmt, Herr Kaptän. Ich hatte Lange gebeten, darauf achten zu lassen, daß die Umdrehungen für die befohlenen 21 Meilen peinlichst genau gehalten würden. Das ist, wie er mir versicherte, geschehen. Auch unsere Echolotungen decken sich mit den Angaben der Karte."

Korvettenkapitän (Ing.) Alfred Lange ist der LJ des Kreuzers. Er weiß genau, wie wichtig für die Navigation, d. h. für die Schiffsortbestimmung bei einer Nebelfahrt, das Halten der befohlenen Umdrehungszahl ist.

Kapitän Rieve lehnt sich mit dem Rücken an die Dampfheizung und sieht auf seine Uhr:

„Immerhin noch 15 Minuten. Besser aber, Neuendorff, Sie lassen 'mal einen UK-Spruch abgeben, ja?"

Die Abhörweite der Ultrakurzwellentelefonie war damals noch nicht genau bekannt. Es wurde aber vermutet, daß sie weit größer als ursprünglich angenommen sein könnte und man verwendete sie daher, vor allem bei Nebel, nur sehr vorsichtig. Kapitän Rieve hatte sogar völlige UK-Stille angeordnet.

Die Antwort läuft zur Erleichterung des Kommandanten bald danach ein. Um 00 Uhr 30 ist der Verband pünktlich wie befohlen gesammelt. Kapitän Rieve läßt Kiellinie formieren, befiehlt Kurs und Fahrtstufe und setzt im dichten Nebel den Vormarsch zur norwegischen Südküste fort.

Konteradmiral Schenk, der sich während des Sammelns auf die Signalbrücke zurückgezogen hatte, erscheint nun wieder ein Deck tiefer:

„Das haben Sie ausgezeichnet gemacht, Rieve!"

„UK, Herr Admiral! Außerdem haben die Kommandanten ihre Schafe gut zusammengehalten."

„Das kann man wohl sagen! Was liegt nun an, was haben Sie vor?"

„Die Einlaufzeit hat der Operationsbefehl auf 05 Uhr 15 festgelegt. Ich will 03 Uhr 45 dicht vor der Einfahrt von Kristiansand stehn. Das gibt mir Zeit für die Umschiffung der Truppen in die S-Boote, Herr Admiral."

„Und der Nebel?"

Der Kommandant zuckt die Schultern:

„Muß in Kauf genommen werden. Vielleicht klart es durch den üblichen Morgenwind an der Küste auf!"

„Ich halte Ihnen beide Daumen! Und jetzt haue ich mich 'ne Weile hin. Bitte denken Sie an den Badegast, wenn 'was Besonderes los sein sollte ..."

„Selbstverständlich, Herr Admiral! Ein Läufer wird Sie prompt 'raustrommeln!"

„Vielen Dank und gute Nacht, Rieve!"

Gegen 01 Uhr 00 nachts empfängt *„Greif"* einen UK-Spruch des Führers der Gruppe IV:

„Detachiert nach Plan!"

Das Boot dreht ab und nimmt Kurs auf Arendal. Die Besetzung des Hafens und der Stadt, die wegen des dichten Nebels erst gegen 09 Uhr 00 durchgeführt werden konnte, gelang der eingeschifften Radfahrschwadron ohne Widerstand. *„Greif"* kehrte am Nachmittag nach Kristiansand zurück. —

Der Nebel wankt und weicht nicht, aber der Verband bleibt geschlossen beisammen. Es ist etwa 02 Uhr 00, als mehrere Funksprüche auf die Brücke gebracht werden. Der eine enthält den Not- und Alarmruf, den das kleine norwegische Wachboot *„Pol III"* aus dem Oslo-Fjord sandte, der zweite gibt bekannt, daß die norwegischen Küstenfeuer gelöscht sind.

„Übel, sehr übel!" sagt der NO, dem der Kommandant die beiden Formulare schweigend reicht. „Eine schärengesegnete, nur etwa eine halbe Seemeile breite Einfahrt, Herr Kaptän. Wir müssen zwischen zwei Leuchttürmen durch, Oksöy und Grönningen. Es ist eine flache, keine Steilküste wie sonst in Norwegen. Wirklich scheußlich bei diesem Nebel."

Sie schweigen besorgt. Sie wissen beide: der Erfolg hängt größtenteils von der Überraschung ab und die ist nun nicht mehr gewährleistet. Die Norweger sind alarmiert und obwohl die Gruppe IV pünktlich um 03 Uhr 45 vor der Einfahrt von Kristiansand steht, das rechtzeitige Einlaufen in Frage gestellt, weil der Nebel schlimmer als zuvor und dick wie Watte alles einhüllt.

„Klarschiff mit Trommel und Horn!" Flugzeug, Schnellboot und Motorschiff. Küstenbatterien gegen Kriegsschiffe! U-Bootsalarm. Der Einsatz der Luftwaffe. Der 2., 3. und 4. Anlauf. Abwarten!

Unruhig geht Kapitän Rieve auf der Brücke auf und ab. Er hat noch einmal mit dem NO die Einfahrt studiert und hin und her überlegt. Nach solch einer langen Nebelfahrt kann trotz sorgfältigster Navigation niemand behaupten, einen wirklich hieb- und stichfesten Schiffsort zu haben und mit absoluter Sicherheit vor einem Hafen zu stehen. Ohne jede Sicht einfach einzulaufen, noch dazu in einem Fahrwasser, das an beiden Seiten von Riffen und Schären wimmelt, ist unmöglich. Der wechselnde Küstenstrom kann den Verband versetzt, der Gezeitenstrom eine Abdrift verursacht haben, die genau zu bestimmen niemandem möglich ist.

Kapitän Rieve ist ein gewissenhafter und verantwortungsbewußter Offizier, der Leben und Sicherheit der ihm anvertrauten Besatzungen und Heereseinheiten nicht sinnlos aufs Spiel setzen will. Er nimmt den Lederdeckel von den Okularen seines Glases, hebt es vor die Augen. Nein, nirgendwo ein Zeichen, daß diese milchig weiße Wand sich an irgend einer Stelle lichten würde. Abwarten, denkt er. Ich muß warten, auch wenn ich der einzige sein sollte, der zu spät kommt. Vielleicht wird es in der Morgendämmerung besser. Sein Entschluß ist gefaßt. Er wendet sich an den NO:

„Ich kann es nicht riskieren, Neuendorff. Stehn wir nur etwas mehr westlich oder östlich als angenommen, würden wir direkt in ein Schärengewimmel stoßen und auflaufen. Ich dampfe vor der Küste auf und ab bis es aufklart."

Korvettenkapitän Neuendorff ist durchaus einverstanden. Als NO ist er aber eine Art Asto für den Kommandanten und möchte noch an einen Punkt erinnern:

„Wann wollen wir die Umschiffung durchführen, Herr Kaptän? Die Truppen sollten doch zwischen 04 Uhr 15 und 05 Uhr 00 bei den Innenschären auf die Schnellboote übersteigen?"

„Müssen wir später machen, wenn es sichtiger wird. Man kann ja noch nicht einmal den Hintermann erkennen!"

Nein, von *„Tsingtau"* ist absolut nichts, noch nicht einmal ein Schatten zu sehen. Ein UK-Spruch unterrichtet die Gruppe von der Absicht, vorläufig außerhalb des Schärengürtels zu warten. Eine Stunde, zwei Stunden, bis mit der Dämmerung endlich der Nebel etwas lichter wird. Kapitän Rieve, der immer wieder vergeblich zur Küste blickte und unruhig und besorgt alle fünf Minuten auf seine Uhr sah, winkt IO und AO heran:

„Klarschiff mit Trommel und Horn! Sowie es noch etwas sichtiger wird, laufen wir ein. Geschütze feuerbereit, aber in Ruhestellung. Bedienung der Flak hinter den Schutzschilden. Truppen bleiben unter Deck."

Korvettenkapitän Düwel eilt den Niedergang hinab und wenig später, um 05 Uhr 30, dröhnt die Trommel und das helle Hornsignal ruft die Besatzung auf Gefechtsstationen. Der Nebel löst sich allmählich in seewärts ziehende Schwaden auf und schwach erscheinen die Konturen niedriger Inseln. *„Tsingtau"* wird sichtbar und ein Boot nach dem anderen schält sich aus der grauen Hülle.

„Hoffentlich sind die Bomber nicht durch den Nebel aufgehalten worden!" sagt besorgt der Kommandant. „Sie sollten ja zur Einlaufzeit für alle Fälle im Luftraum über Kristiansand stehn."

„Gestartet werden sie sein", meint der NO, „ihre Flugplätze in Norddeutschland waren sicher nebelfrei. Aber ob sie die Stadt finden, ist mehr als fraglich."

„Auf jeden Fall", entgegnet Kapitän Rieve, „fordern Sie die Flugzeuge nochmals an, NO. Nachdrücklich!"

Die Gruppe IV vermehrt Fahrt und nimmt Kurs auf die Einfahrt. Es ist 06 Uhr 25.

„Steuerbord voraus Schwimmerflugzeug! Entfernung fünfzehn Hundert!"

„Dicht überm Wasser, Herr Kaptän! Abzeichen nicht auszumachen", ergänzt der WO die Meldung des Ausgucks.

„Erkennungssignal!" befiehlt der Kommandant.

„Schwacher Knall der Signalpistole, die Patrone zischt im Bogen hoch und zerplatzt zu bunten Sternen. Die sich schnell nähernde Maschine antwortet nicht, dreht hart ab und verschwindet nach Land zu im Nebel.

„Natürlich Norweger. Wird uns melden", sagt der NO ärgerlich.

„Backbord voraus unter Oksöy Lotsenboot!" ruft jetzt vom Backbord Peilkompaß her der Steuermannsmaat.

Der Kommandant hebt das Doppelglas und beobachtet das breitgebaute seetüchtige kleine Fahrzeug, das die Lotsenflagge an seinem kurzen Mast fährt:

„Scheint längsseit kommen zu wollen. Stoppen und übernehmen. Die sind noch nicht im Bilde!"

Der Gefechtswachhabende läßt ein Seefallreep ausbringen. Das Boot legt an. Der ahnungslose Lotse, der die grauen Kriegsschiffe wohl für Engländer hält, klettert hoch, wird begrüßt und zur Brücke gewiesen.

Immer klarer tritt die flache Schären- und Insellandschaft aus dem Dunst. Voraus ist jetzt die Küste in allen ihren Einzelheiten auszumachen. An Steuerbord und Backbord sind die Leuchttürme von Grönningen und Oksöy zu erkennen.

Die Gruppe hat wieder Fahrt aufgenommen und steuert in die weite Bucht, die hier der Kristiansand-Fjord bildet. Schon ist in der Ferne recht voraus die hohe Felseninsel Odderöy zu sehen, hinter deren Massiv Hafen und Stadt Kristiansand liegen. Auf ihrer Höhe liegen Batteriestellungen, die Einfahrt und Bucht ideal beherrschen: 4—24 cm Haubitzen, 2—21 cm, 6—15 cm und 2—6,5 cm Kanonen. 2500 m weiter nordöstlich drohen die Stellungen von Gleodden: 3—15 cm und 2—6,5 cm Geschütze. Sie decken den im Topdals-Fjord gelegenen Marinestützpunkt Narviken und können außerdem jeden durch die Einfahrt laufenden Gegner unter Feuer nehmen.

Alle Batterien haben zwar reduzierte Besatzungen, aber schon am vorhergehenden Tage, den 8. April abends um 20 Uhr 25, den Befehl zu verschärfter Bereitschaft erhalten.

Der Gefechts-WO der *„Karlsruhe"* schenkt einem einlaufenden grauen Handelsschiff nur einen kurzen Blick, es ist nach den internationalen Regeln der Seestraßenordnung ausweichpflichtig. Nur Admiral Schenk, der das Fahrzeug schon länger beobachtete, sieht noch einmal hinüber und schüttelt den Kopf:

„Frecher Bursche muß das sein! Mogelt sich zwischen uns und der Insel durch ... großer Himmel, der fährt ja unsre Handelsflagge ..."

„Recht voraus von der hohen Insel rote Sterne!"

Es ist Odderöy, das plötzlich die blutrote Warnung in den Morgenhimmel schickt. Dann geschieht, wie so oft in Augenblicken höchster Spannung, alles auf einmal. Der Verband geht auf hohe Fahrt und Kapitän Rieve, der wohl weiß, was die roten Sterne bedeuten, ruft dem NO zu:

„Nochmal dringendst die Bomber anfordern! Wo bleiben die nur!"

Das Lotsenboot, das seinen Irrtum erkannt hat, macht einen verzweifelten Versuch längsseit zu kommen. Es wird von der Hecksee der *„Karlsruhe"* beiseite geschleudert und treibt mit seiner heftig protestierenden Besatzung achteraus. Auf Odderöy flammt der rotorangene Abschuß eines schweren Kalibers aus dem grauen Felsgestein. Geschützdonner rollt über dem Fjord, und gleich danach steigt Backbord achteraus des Führerkreuzers, zwischen diesem und der nachfolgenden *„Tsingtau"*, die Wassersäule eines Aufschlags empor. Die Norweger haben 06 Uhr 32 den ersten Schuß abgegeben und damit gemäß Operationsbefehl dem Führer der Gruppe IV die Erwiderung des Feuers freigegeben.

„Feuererlaubnis!"

Kapitänleutnant Gohrbandt, der AO, hat längst laden und sichern, wie Richtung und Entfernung an die Geschütze geben lassen.

„Siebenzig Hundert! Turm Anton! Salve — feuern!"

Der vordere Drillingsturm schießt. Die 8,8 cm Flak der *„Karlsruhe"* und die 10,5 cm Geschütze beider Torpedoboote fallen ein. Nur sieben Sekunden später schmettert die zweite Salve und kurz darauf die dritte hinüber. Die jungen Matrosen, die hier im bitteren Ernst ihr erstes Gefechtsschießen erleben, arbeiten mit der Sicherheit und Schnelligkeit alterfahrener Geschützbedienungen. Das gegnerische Feuer ist unregelmäßig, die Feuerleitung unsicher, obwohl die Aufschläge gefährlich nah zu beiden Seiten des Kreuzers in das Wasser schlagen. In diesem Augenblick übertönt ein Schrei des Steuerbord Ausgucks den Gefechtslärm:

„Steuerbord voraus Sehrohr! Ganz nah!"

„Signal: U-Bootsalarm! WO: Kurs durchhalten!" befiehlt der Kommandant ruhig. „Der kann uns in dieser Stellung nicht mehr gefährlich werden!"

Kaum ist das Signal geheißt und vom Verband wiederholt worden, als das Boot taucht und aus Sicht kommt.

Nach der Besetzung stellt sich heraus, daß rein zufällig eins der beiden zur Zeit in Kristiansand befindlichen norwegischen U-Boote in der Einfahrt stand. Der Kommandant erklärte, er habe nichts vom Einlaufen der Gruppe gewußt und noch nicht einmal Gefechtsköpfe für seine Torpedos an Bord gehabt!

Rieve erkennt, daß die taktische Lage für seine Gruppe unhaltbar geworden ist. Es ist ihm hier, dicht hinter der Einfahrt unmöglich aufzudrehen, um die neun 15 cm Rohre des Kreuzers einzusetzen. Lediglich der vordere Turm und zuweilen die Doppelflak können die Odderöy-Stellungen beschießen. In der breiten Fjordbucht auf 50 bis 60 Hektometer an die Insel heranzugehen, ist aber ein zu großes Wagnis, solange die Batterien dort noch intakt sind.

„Gefechtskehrtwendung! Nebeln!" ruft er dem Signalmeister zu.

Das durch Admiral Scheer und die Skagerrakschlacht berühmt gewordene Manöver, bei dem jedes Schiff auf der Stelle dreht, wird ausgeführt. Die beiden achteren Türme der *„Karlsruhe"* benutzen die Gelegenheit, ein, zwei Salven zu feuern, solange der aus der Heckanlage quellende künstliche Nebel es zuläßt.

„Flugzeuge an Steuerbord! Fliegeralarm!"

Noch in das Schrillen der Alarmklingeln krachen die ersten Schüsse der Doppelflak.

„Erkennungssignal!" befiehlt der Kommandant.

Es wird sofort beantwortet und das Feuer der Flak, das glücklicherweise keinen Schaden angerichtet hat, eingestellt. Die erste deutsche Kampfstaffel greift mit 5 Maschinen die Odderöy-Stellung an. Loderne Flammen und Rauchwolken steigen dort auf, lang nachhallend rummelt der Donner einer starken Explosion über das Wasser. Die Felshänge scheinen Feuer zu speien, zersprengtes Gestein wird von einem vulkanartigen Ausbruch durch die Luft geschleudert.

„Munitionslager getroffen! In die Luft geflogen!" meldet der AO vom Vormarsleitstand.

Kapitänleutnant Gohrbandt hatte, wie sich nach Besetzung der Batterien herausstellte, recht. Die 21 cm Munition war durch Bombentreffer hochgegangen.

Unbeobachtet von *„Karlsruhe"* vollendet sich inzwischen das Schicksal des 7369 BRT großen Fracht- und Passagiermotorschiffs *„Seattle"* der Hamburg-Amerika-Linie. Im Frieden versah es den regelmäßigen Dienst auf der Route Hamburg—Vancouver. Es hatte seine 60 Fahrgäste in Willemstad auf

Curacao abgesetzt und war am 4. März dort ausgelaufen. Seinem tüchtigen Kapitän, Herrmann Lehmann, gelang es, in abenteuerlicher Fahrt die englische Blockade zu durchbrechen und glücklich bis Kristiansand zu kommen, d. h. eigentlich nur bis zur Einfahrt. *„Seattle"* hielt die einlaufende Gruppe IV für Engländer, hatte sich durchgequetscht und stand dann vor Odderöy zwischen feuernden Batterien und Kriegsschiffen.

„Zwischen dem Teufel und der tiefen blauen See", zitiert Lehmann, als nun auch noch die Flugzeuge ihre Bomben ausklinken. Was eigentlich los ist, weiß niemand an Bord und so versucht der Kapitän, das Schiff trotz allem in den Hafen zu bringen. Da trifft eine eigene Bombe das Motorschiff und setzt die leicht entzündbare Ladung, Baumwolle, Schnittholz, Stämme, Häute, Kakao, Weizen und Kaffee, augenblicklich in Brand.

Nicht nur das: zu allem Überfluß schießt der an der Pier im Hafen liegende norwegische Zerstörer *„Gyller"*, der *„Seattle"* noch am vorigen Tage begleitete, mit seinen 3—10,2 cm Geschützen auf das Schiff. Bei der lächerlich geringen Entfernung treffen sofort mehrere Granaten ein, zerstören die Feuerlöscheinrichtung und vereiteln jeden Löschversuch. Die *„Seattle"* muß verlassen werden. Dank der vorbildlichen Disziplin der Besatzung und der Umsicht des Kapitäns und seiner Offiziere können alle 63 Mann gerettet werden, obwohl nur die Boote der Steuerbordseite benutzbar sind. Auch ein Schwerverletzter mit zerschmettertem rechten Oberschenkel wird geborgen. Die Gefangenschaft dauert nur wenige Stunden. Der Frachter treibt als brennende Fackel in die Innenschären, wo er nach Tagen, total ausgebrannt und zerstört, sinkt. Ein tragisches Ende, wie es Besatzung und Schiff nicht verdient hatten. —

Kapitän Rieve ist wie alle an Bord vom Angriff der Bomber stark beeindruckt. Er überschätzt, wie es im Kriege oft geschah, die Wirkung. Ihm ist ein Gedanke gekommen. Er läßt den TO und den ältesten Fliegeroffizier samt seinem Beobachter auf die Brücke holen:

„Ich werde das Bordflugzeug starten lassen und danach wieder anlaufen. Es soll die Geschützbedienungen durch MG-Feuer und Bomben niederhalten, in Deckung zwingen, und die eigenen Aufschläge beobachten. Noch eine Frage? Alles klar?"

„Jawohl, Herr Kaptän!"

Dem Luftwaffenpersonal und den Zimmermannsgasten wird gepfiffen und die zwischen beiden Schornsteinen auf einer Schleuder stehende Arado schnellstens mit zusätzlicher MG-Munition und Bomben beladen. Vom TO als Katapultoffizier geschleudert, erhebt sie sich über den künstlichen Nebel und fliegt in Richtung Odderöy ab.

Der Verband passiert auslaufend die Einfahrt. Kapitän Rieve, der schon an den nächsten Anlauf denkt, geht selbst an das Brückentelefon zum Vormarsstand und hebt den Hörer ab:

„Hier Kommandant! Den AO, bitte! Gohrbandt, passen Sie auf: ich werde in etwa 15 Minuten kehrtmachen und wieder einlaufen. Ich will bis auf 60 Hektometer 'rangehn, nach Steuerbord aufdrehn, um die ganze Breitseite zum Tragen zu bringen. Nach meiner Ansicht können wir das riskieren, da die Bomber anscheinend gute Vorarbeit geleistet haben!"

„Bestimmt, Herr Kaptän! War ziemlicher Rabbatz da oben, soweit ich es durch den Zielgeber beobachten konnte. Vor allem, als das Munitionslager aufblowte!"

Befriedigt hängt Kapitän Rieve den Hörer auf den Haken. Um 06 Uhr 55 weht vom Führerkreuzer ein Signal, bei dessen Niederholen die Einheiten abermals kehrtmachen, durch die Einfahrt zurücklaufen und bis auf 65 Hektometer auf Odderöy vorstoßen.

Sie tun es nicht ungestraft. Aus Rauch und Qualm der Felsenfeste blitzt das Mündungsfeuer von mehreren schweren Geschützen, dem gleich die Abschüsse der 15 cm Batterie folgen. Die Spitzenschiffe, *„Karlsruhe"* und *„Tsingtau"*, sind im Nu von Aufschlägen eingedeckt.

„Mein Himmel, die haben immer noch nicht genug!" brummt der Kommandant in den krachenden Schlag der drei Rohre des vorderen Turms hinein.

Bevor die beabsichtigte Stellung nicht erreicht ist, kann als einziger der vordere Turm das Feuer erwidern. Oben im Vormarsleitstand stellt sich der Haupt-BÜ neben den AO:

„Herr Kaleunt! Meldung von Turm Anton: Bestand an Sprenggranaten nimmt schnell ab!"

Kapitänleutnant Gohrbandt bleibt mit den Augen am Zielgeber:

„AO an Turm Anton: Mit Munition der achteren Türme auffüllen! Auch an Kommandant melden!" fügt er hinzu.

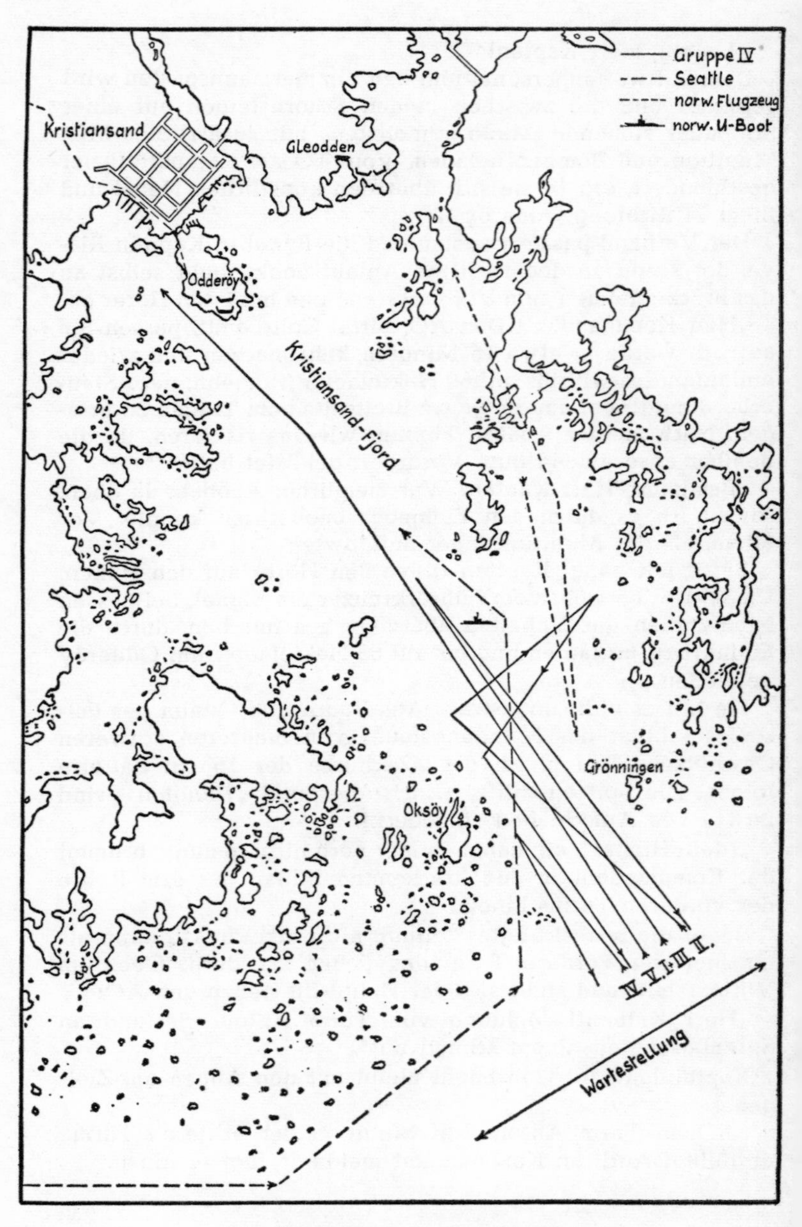

Die Besetzung von Kristiansand

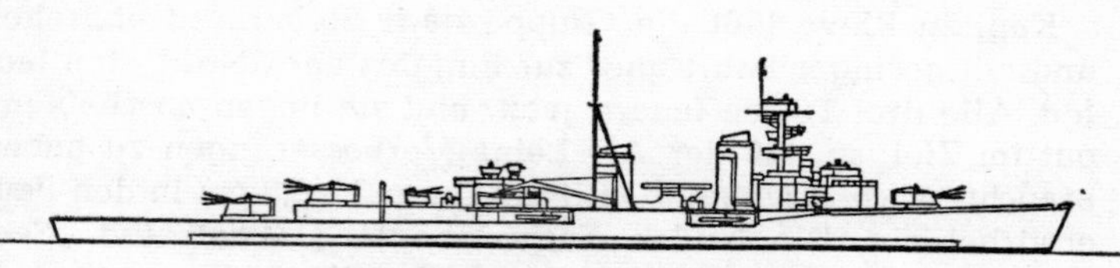

Dtsch. L.-Krz. Karlsruhe (27)
9—15; 6—8,8; 8—3,7; 12TR—53,3; 1Flgz.; 6650 t; 32,0 kn;
169, 16,6, 6,5 m.

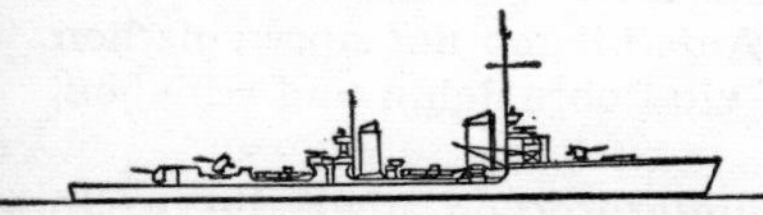

Dtsch. Torp.Bte. Greif, Seeadler (26)
3—10,5; 6TR—53,3; 924 t;
33,0 kn; 85, 8,3, 2,8 m.

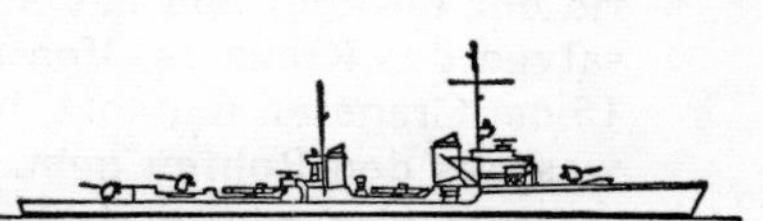

Dtsch. Torp.-Bte. Luchs (28)
3—10,5; 6TR—53,3; 933 t;
33,0 kn; 89, 8,7, 2,8 m.

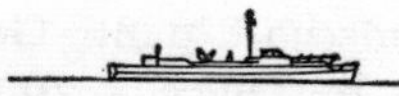

Dtsch. S- Bte. S 7, S 8, S 17 (34—37)
2TR—53,3; 80/97 t; 35,0/ 37,5 kn;
32,4, 4,9, 1,7 m; 34,6, 5,1, 1,8 m.

Dtsch. S-Bte. S 30, S 31, S 32, S 33 (40)
2TR—53,3; 82 t; 36,0 kn;
32,8, 4,9, 1,8 m.

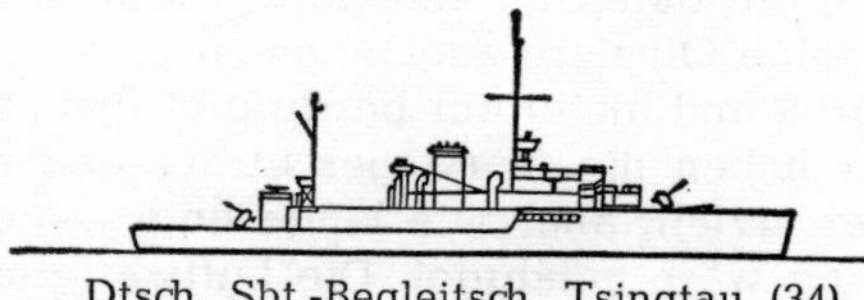

Dtsch. Sbt.-Begleitsch. Tsingtau (34)
2—8,8; 1980 t; 17,5 kn; 88, 13,5, 4,0 m.

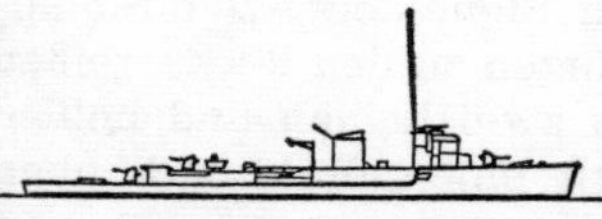

Norw. Torp.Bte. Gyller, Odin (36—39)
3—10,2; 1—4; 2TR—53,3; 590 t;
30,0 kn; 72, 7,8, 2,1 m.

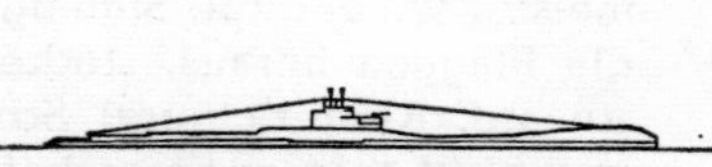

Brit. U-Bt. Truant (38)
1—10,2; 6TR—53,3; 1090/1575 t;
15,2/9,0 kn; 81, 8,0, 3,6 m.

Kapitän Rieve läßt die Gruppe nach Steuerbord abdrehen und mit geringer Fahrt quer zur Einfahrt nach Nordosten laufen. Alle drei Türme feuern jetzt, und sie liegen anscheinend gut im Ziel, so daß der AO keine Verbesserungen zu geben braucht. Auch *„Tsingtau"* fällt mit ihren 2—8,8 cm in den Feuerwirbel ein. Die beiden Torpedoboote *„Luchs"* und *„Seeadler"* gehen unter Führung des FdT, selbständig gegen Odderöy vor. Das harte, helle Bellen ihrer 10,5 cm Geschütze zerhackt das lang hinrollende Dröhnen der schweren Artillerie der Festung und das Schmettern der geschlossenen Turmsalven des Kreuzers. Von den Aufschlägen der norwegischen 15 cm Granaten umtanzt, jagen die Boote dahin und schießen, was aus den Rohren geht.

Der Gefechtslärm dröhnt ununterbrochen über die weite Bucht des Fjords. Die Flammen aus den Mündungen der Ge schütze, das langgezogene Grollen der schweren, das belfernde Kläffen der leichten Artillerie und das dumpfe Krachen der detonierenden Granaten verursachen einen Höllenlärm, der so gar nicht zu der ringsum liegenden friedlichen und von der Morgensonne beschienenen Landschaft paßt. Geschützt hinter dem feuerspeienden, trotzigen Bergmassiv von Odderöy, warten in den Häusern und auf den Straßen der Stadt, auf den Piers und den Schiffen im Hafen, angstvoll lauschende Menschen auf den Ausgang des verbissenen Ringens.

Der Führer der Gruppe IV sieht an dem hartnäckigen Widerstand, daß die Batterien keineswegs niedergekämpft sind, wie er und seine Offiziere angenommen hatten. Die Bucht ist nicht allzu groß und bietet nur beschränkt Platz zum Manövrieren. Zwar haben die Norweger bisher erstaunlicherweise keine Treffer erzielt, aber wie lange noch — und die ganze Unternehmung wäre gefährdet. Die Luftwaffe muß noch einmal heran und die Felsstellungen mit Bomben zerschlagen. Anders ist ein Erfolg nicht zu erzielen.

Ein Ruf des Kommandanten zum Signaldeck. Der Signalmeister wiederholt, Signalgasten stürzen zu den Racks, reißen die Flaggen heraus, stecken sie an zwei Leinen und heißen sie auf. Konteradmiral Schenk wirft einen Blick nach oben und nickt seinem Stabschef zu:

„Richtig von Rieve! Er bricht den Anlauf ab. Läßt nebeln und dazu schwarzqualmen. Das alte Lied: Küstenbatterien gegen Kriegsschiffe! Er will vernünftigerweise keinen Treffer riskieren. Wenn die Norweger nicht so jämmerlich schössen ... na, ich nehme an, er wird die Luftwaffe nochmal bemühn. Die Stellungen auf dem Felsklotz sind noch in Ordnung. Ich habe beobachtet, daß sowohl die schweren wie die mittleren Geschütze munter weiterfeuerten. Hoffentlich kommen wir heil wieder 'raus! Aha, da geht die Tarnkappe schon nieder. Aus dem Regen treten, meine Herrn!"

Hinter der Wand aus künstlichem Nebel und beizendem Ölqualm passieren alle Einheiten, auch die zurückgerufenen Torpedoboote, unbeschädigt die Einfahrt.

Der Führer der Gruppe IV denkt trotzdem nicht an Aufgabe, im Gegenteil. Doch braucht er die Hilfe der Luftwaffe, das steht fest. Aber eine Stunde vergeht, ohne daß die so dringend angeforderten Kampfflugzeuge in Sicht kommen. Immer wieder geht dem Kommandanten ein bestimmter Satz durch den Kopf. Er winkt dem NO:

„Jetzt ist's schon 07 Uhr 30, Neuendorff! Vor mehr als zwei Stunden sollten wir Kristiansand besetzt haben. Nun ist's genug mit dieser vergeblichen Warterei! Die Vögel kommen nicht. ‚Widerstand ist mit allen Mitteln unter vollem Einsatz zu brechen!' sagt wörtlich der Operationsbefehl. Ich werde ihn brechen!"

Der NO nickt, er sagt nichts. Wozu auch, der Befehl ist eindeutig. Kapitän Rieve geht noch ein paarmal schweigend hin und her. Bleibt beim Steuerbord Peilkompaß stehen, wirft einen Blick auf die Kompaßrose, bückt sich, bringt das Auge an den Schlitz des Diopters und geht dann weiter. Es ist schwer für ihn, denkt der NO, entsetzlich schwer. Er allein trägt die Verantwortung und niemand kann sie ihm abnehmen. In die Gedanken des Korvettenkapitäns hinein tönt plötzlich die helle Stimme des Kommandanten:

„Signal an ‚*Luchs*' und ‚*Seeadler*': unter Feuerschutz von ‚*Karlsruhe*' einlaufen!"

„*Luchs*" und „*Seeadler*" laufen mit hoher Fahrt an, der Führerkreuzer folgt. Es ist 07 Uhr 50. Mit zusammengepreßten Lippen sieht Kapitän Rieve dorthin, wo die Geschütze von Odderöy jeden Augenblick das Feuer eröffnen müssen. Grönningen und Oksöy werden passiert. Der NO gibt dem WO den neuen Kurs, der zwischen die Inseln Dvergsöy und Kinn hindurch auf Odderöy führt. Da gebietet gänzlich unerwartet und so urplötzlich, wie es nur auf See geschehen kann, eine Laune des Wetters dem Vorgehen Einhalt.

Mit der Geschwindigkeit einer orkangepeitschten Sturmsee rollt eine hohe weiße Masse heran. Nebel, der binnen ein, zwei Minuten alles erstickt und verhüllt. Der sonst durchaus friedliche NO dreht sich wütend um:

„Verdammter Mist! Nichts mehr auszumachen, Herr Kaptän!"

„Kehrtwendung! Mit Scheinwerfer Rückruf an die Torpedoboote! WO: auf der Stelle herum!" ruft im gleichen Augenblick der Kommandant.

Die gerade noch als Schemen sichtbaren Boote zeigen verstanden, noch erkennt man auf der Brücke der *„Karlsruhe"* wie sie andrehen, dann saugt der Nebel sie auf. Der Gefechts-WO des Kreuzers geht mit Hartruder und gegeneinander mahlenden Schrauben auf Gegenkurs.

Zum dritten Male zieht sich der Verband zurück.

Der TO, der an der Achterkante der Brücke steht, glaubt kurz einen Schatten in der Luft auszumachen, ein Flugzeug, das Blinkzeichen gibt. Im gleichen Augenblick schreit auch der Steuermannsmaat der Wache:

„Achteraus Flugzeug! Unser Bordflugzeug!"

Der Kommandant, der auf den Ruf herumfährt und suchend sein Doppelglas hebt, kann schon nichts mehr ausmachen. Die Maschine ist im Nebel verschwunden.

„Wirklich unsere Arado?"

„Jawohl, Herr Kaptän! Einwandfrei! Kam direkt auf uns zu, versuchte einen Morsespruch abzugeben. Ich las nur ein, zwo Buchstaben, dann war sie weg."

Das Gleiche bestätigte der TO. Kapitän Rieve zuckt bedauernd die Schultern:

„Leider nichts zu machen. Sie müssen selbst sehn, wie sie fertig werden."

„Sie halten sich über dem Fjord, solange der Sprit reicht, Herr Kaptän!" meint zuversichtlich der TO. „Wenn der ausgeht, werden sie versuchen zu wassern, ohne eine dieser Schären oder Inseln zu rammen!"

„Wie lange dauert's noch, bis wir draußen sind?" erkundigt sich der Kommandant beim NO.

„Noch sieben Minuten, Herr Kaptän. Die beiden Inseln neben der Einfahrt sind nicht zu erkennen. Unser Kurs führt frei von allen Schären, das Echolot bestätigt das. Die Wassertiefen wechseln hier glücklicherweise ziemlich rasch, so daß man wenigstens eine gewisse Kontrolle hat. In der Einfahrt selbst 210, draußen 74 bis 83 abfallend auf 140, dann wieder steigend auf 68 bis 30 Meter."

Einige ungemütliche Minuten vergehen, bis die *„Karlsruhe"* das freie Wasser erreicht.

Wir müssen die Gruppe mit UK rufen, Neuendorff! Weiß der Teufel, ob sie nicht auseinandergeraten ist!"

Die Antworten zeigen, daß der Verband trotz allem einigermaßen zusammenhielt. Zu sehen ist aber absolut nichts.

Sie stehen wieder auf und ab, warten. Als es um 09 Uhr 20 ein wenig sichtiger wird, springt Kapitän Rieve von seinem Sitz in der Brückennock auf. Läufer, BÜ und Ausgucks machen ihm schleunigst Platz, als er ungeduldig auf den NO zueilt:

„Dieser verdammte Nebel! Ich gehe jetzt mit *‚Karlsruhe'* allein vor, die Türme müssen es machen. Gegen die schweren Batterien ist die Armierung der *‚Tsingtau'* und der Torpedoboote sowieso für die Katz! Außerdem muß doch mit steigender Sonne endlich der Saunebel weichen!"

Er erklärt seine Absicht dem IO und AO, die beide zustimmen. Durch UK wird die Gruppe unterrichtet. Um 09 Uhr 25 läuft *„Karlsruhe"* zum vierten Male an. Noch vor der Einfahrt kann eine allerdings unsichere Peilung genommen werden. Unsicher, weil das schattenhaft aus dem Nebel tauchende Objekt gleich wieder in den treibenden Schwaden unsichtbar wird.

In die mit Spannung geladene Stimmung auf der Brücke tönt gleichmäßig und beruhigend das leise eintönige Geräusch der Bugsee und das Kreischen der Seevögel. Nichts ist auszumachen. Die scharfen Gläser der Offiziere und Ausgucks versagen in dem weißen Brei. Im Kartenhaus verfolgt der Obersteuermann aufmerksam die Messungen des Echolots und vergleicht sie mit der Seekarte. Aufschreckend hebt er den Kopf, als durch die geöffnete Tür der Ruf eines Ausgucks gellt:

„Eben an Backbord voraus Riff!"

Er stürzt hinaus und sieht, wie Kommandant und NO zur Backbordreling eilen, stellt sich neben sie.

„Hart Steuerbord! Beide Stop! Beide dreimal AK zurück!"

Der Obersteuermann sieht eine an den Rändern mit braunem Blasentang und fedrigem, grünem Seegras umgebene, eben über die Wasseroberfläche ragende scharfkantige Schäre. Vor dem nahenden Kreuzer erheben sich schwingenschlagend große braungesprenkelte Heringsmöwen. Mit zornigem Schrei schweben sie ins Nichts davon.

„Karlsruhe" schüttert und zittert im rasenden Rückwärtsgang der Schrauben. 68 000 Pferdestärken suchen das schmale, lange Schiff zu stoppen, zurückzureißen. Hinter dem Heck schäumt und quirlt der zornige Wirbel aufgewühlten Wassers. Auf der Brücke, dem Signaldeck, an den Fla-Geschützen, überall lehnen Männer über der Reling, starren auf den Felsen, der nun vom Schraubenstrom umbrandet, auf der Stelle zu stehen scheint. Sie sehen sich an: wird der Abstand größer, geht der Kreuzer zurück? Unvorstellbar langsam vergeht die Zeit, dann endlich verschwimmen die Umrisse der Schäre, bis der Nebel sie schließlich ganz verschluckt.

„Komm' auf! Mittschiffs!" ruft der Kommandant in die Totenstille, die an Oberdeck herrscht.

„Schiff steht! Schiff geht zurück!" meldet erleichtert der WO.

Kapitän Rieve, der das selbst längst feststellte, lächelt:

„Aye! Beide Stop!"

Er hat genug. Keinen Sinn, in diesen navigatorisch verteufelt schwierigen Gewässern bei pottdickem Nebel etwas erzwingen zu wollen. Er nimmt die Mütze ab, setzt sie wieder auf. Der Felsen ist verschwunden, als sei er nie dagewesen. Er wirft einen Blick auf den Backbord Peilkompaß und schüttelt den Kopf:

„Um ein Haar aufgebrummt, meine Herren! WO: beide Halbe voraus, mit Steuerbord 20 auf Gegenkurs. NO?"

„142 Grad, Herr Kaptän."

„Schön. Der LJ müßte seinen Pferden Zucker geben! Haben gut gearbeitet, Gott sei Dank!"

Er geht zum Telefon, wechselt mit dem Leitenden im Maschinenleitstand ein paar Worte. Neben dem NO steht der Obersteuermann, mit dem Zeigefinger eine Stelle der mitgebrachten Seekarte bezeichnend:

„Herr Kaptän! Das muß Skibbae, östlich von Oksöy gewesen sein. Der Strom hat uns westlich versetzt, ich ..."

„Schon gut, schon gut! Wie diese Klamotte heißt, interessiert mich jetzt nicht mehr! Hauptsache, wir sind noch mal davongekommen!"

Kurz danach steht *„Karlsruhe"* wieder draußen und nimmt UK-Verbindung mit der Gruppe auf.

„Absolut nichts zu machen, ehe es nicht aufklart!" sagt resigniert der Kommandant. „Allerdings sieht es im Augenblick nicht danach aus. Keine Spur von Wind, und die Sonne kommt auch nicht durch. Zum Verrücktwerden!"

Vom Signaldeck herabsteigend erscheint Konteradmiral Schenk auf der Brücke:

„Verheerende Sauerei, dieser Nebel! Was nun?"

„Warten bis es aufklart, Herr Admiral."

„Würd' ich auch tun. Sagen Sie 'mal, ist Ihnen nicht aufgefallen, daß die Batterien östlich von Odderöy nicht mitgefeuert haben?"

„Gleodden meinen Sie? Doch, natürlich. Noch nicht einmal gegen die Torpedoboote beim zwoten Anlauf. Gohrbandt hat das auch gemeldet. War ihm sehr angenehm, weil es eine Feuerverteilung unnötig machte. Ich versteh' das ebensowenig."

„Merkwürdig. Ob die nicht besetzt gewesen sind?"

„Keine Ahnung, halt' ich aber für unwahrscheinlich, Herr Admiral. Die Norweger waren doch offensichtlich alarmiert."

Warum die dortigen Batterien nicht feuerten, stellte sich erst heraus, als sie am gleichen Tage von einem MA-Stoßtrupp kampflos genommen und sofort wieder gefechtsbereit gemacht wurden. Die 3—15 cm und 2—6,5 cm Geschütze waren eigentlich von einer Eliteeinheit besetzt: nämlich von Reserveoffizieren und Fähnrichen, die an einem Lehrgang teilnahmen. Aber niemand brachte den Entschluß zum Kampf auf. Selbst als Odderöy zweimal auf die einlaufenden Kriegsschiffe schoß und sie zum Rückzug zwang, blieb der Gleodden schweigsam. —

Es ist verständlich, daß alle auf den Einheiten der Gruppe IV, Offiziere, Unteroffiziere und Mannschaften zornig und enttäuscht auf den Nebel schimpfen. Sie sind wütend, daß ausgerechnet sie vermutlich die einzigen sind, die durch die Tücke des Wetters ihr Ziel nicht zur befohlenen Zeit erreicht haben. Daß es der Gruppe V vor Oslo ebenso und noch schlimmer geht, wissen sie nicht, umso besser aber, daß sie seit dreißig Stunden auf Kriegswach- und Gefechtsstationen stehen und trotz aller Versuche nicht einen Schritt weiter gekommen sind. Ein Bootsmaat bemüht sich, einem Unteroffizier der 310er zu erklären, warum sie wie die Katze vor dem Mauseloch vor der Einfahrt herumlungern, und was er sagt, denkt die ganze Besatzung:

„Ein Schietkram ist das mit dem verdammten Nebel! Ihr seht ja nun, daß es bei uns auch nicht so ganz einfach ist. Unser Alter kann einem wirklich leid tun. Viermal versucht und immer daneben gegangen. Der gibt nicht auf, der geht wieder 'ran, wenn's aufklart. Da kannst du Gift drauf nehmen!"

So warten sie auf eine Wetterbesserung und glauben kaum noch daran, daß die angeforderten Flugzeuge jemals erscheinen. Aber die dringende Anforderung des Führers der Gruppe IV bleibt nicht unbeachtet. Die I/KG 26[1]) und Teile des KG 4 sind um 09 Uhr 30 von ihren Plätzen gestartet[2]). Im Luftraum über Kristiansand angelangt, greifen sie die Stellungen auf Odderöy an und belegen sie mit einem Hagel von Bomben. —

Der Nebel weicht. Der letzte Anlauf. Marinestoßtrupps nehmen Odderöy. „Herr Kaptän! Herr Kaptän! Unser Bordflugzeug!" „U 21". Der Nachschubdampfer „Kreta". „Stadt besetzt, nächste Umgebung gesichert!"

Im Kartenhaus des Führerkreuzers hat Kapitän Rieve den Ersten Offizier, den NO und die Waffenleiter zu einer Besprechung versammelt. Der Führer der Gruppe IV ist entschlossen, alles auf eine Karte zu setzen und mit sämtlichen Einheiten, koste es, was es wolle, anzugreifen. Mit dem Rükken an den Kartentisch gelehnt, die Daumen auf dem Lederdeckel seines Doppelglases, gibt er den Offizieren diese Absicht bekannt:

„Hauptsache ist jetzt die Anlandung der Truppen zur Einnahme der Batterien, also vordringlich der MA-Männer auf den Torpedobooten und *‚Tsingtau'*. Wir führen die Umschif-

---

[1]) I. Gruppe Kampfgeschwader 26

[2]) die vorliegenden Augenzeugenberichte erwähnen den zweiten Bombenangriff nicht. Nur das offizielle Werk über die Besetzung Norwegens hebt ihn hervor.

fung auf die Schnellboote hier vor der Einfahrt durch. Ich gebe dann den Befehl zum Einlaufen ... was ist Neuendorff?"

„Herr Kaptän, wir brauchen unbedingt ein oder zwei Peilungen von Grönningen oder Oksöy. Im Augenblick beträgt die Sichtweite knapp eine Schiffslänge, und es ist sehr fraglich, ob der Nebel sich bald verzieht."

„Ich gehe nicht vor, ehe es aufklart und wir sichere Anhaltepunkte für die Navigation haben. Vergaß ich das zu sagen? Schon der Stoßtrupps wegen."

Unwillkürlich wirft er einen Blick durch eins der viereckigen Fenster des Kartenhauses. Nein: der Nebel ist unverändert dick und weiß wie Watte:

„Die Torpedoboote nehmen wie vorhin die Spitze, diesmal zusammen mit den Schnellbooten. Führung: der FdT auf *‚Luchs'*. *‚Karlsruhe'* und *‚Tsingtau'* folgen und geben Feuerschutz. Alle Waffen einsatzbereit, AO und TO! Die Norweger haben hier einige Torpedo- und U-Boote stationiert, eins haben wir ja schon getroffen. Wer Widerstand leistet, wird schlagartig mit allen Mitteln bekämpft!"

Nach einem besorgten Blick auf die Uhr hebt der TO die Hand:

„Unser Bordflugzeug, Herr Kaptän! Vermutlich wird es jetzt irgendwo gewassert haben. Wenn nicht, wäre es seit dem Start schon zwei Stunden in der Luft und der Brennstoff ..."

Kapitän Rieve unterbricht lächelnd den Bekümmerten:

„Um die beiden Piloten mache ich mir keine allzu großen Sorgen! Soweit ich sie kenne, sind die irgendwo niedergegangen und warten ab. Vernichten werden sie ihre Maschine nur, wenn die Norweger sie entdecken und gefangennehmen wollen!"

Der Kommandant hat Recht. Die Arado hatte eine Zeitlang ihre Kreise über Odderöy geflogen, die 50 kg Bomben geworfen und die Stellungen mit den zwei in den Tragflächen eingebauten 2 cm Kanonen, dem durch den Luftschraubenkreis feuernden 7,9 mm MG, sowie dem beweglichen Doppel-MG des Beobachters beharkt. Auf den Angriff des Kreuzers und der T-Boote wartend, war sie in den Nebel geraten, versuchte vergeblich *„Karlsruhe"* anzufliegen und mußte dann wegen einer Motorpanne wassern. Das gelang unbeobachtet von den Norwegern neben einer kleinen unbewohnten Felsinsel. Nach langen und verzweifelten Bemühungen lief der Motor wieder.

Sie startete erneut und erlebte den letzten Angriff der Gruppe IV mit.

Die Besprechung im Kartenhaus ist beendet. Der IO geht den Niedergang hinab und gibt dem Oberbootsmann, als Gefechtswachhabender an Oberdeck, Anweisungen. Der AO bespricht mit dem IIAO den Einsatz der Artillerie und die möglicherweise nötig werdende Feuerverteilung auf Odderöy und Gleodden. Der NO sorgt für die Durchgabe der UK-Befehle für die Gruppe.

Das Warten lohnt sich. Kurz nach 10 Uhr 00 gerät der Nebel in Bewegung. Die dichte Masse löst sich in wehende Tücher auf, die hier und da die Küste hervortreten und wieder verschwinden lassen. Während dessen ist von Land herüberrollend das dumpfe Grollen von Detonationen zu hören.

„Offenbar sind die Bomber doch noch erschienen!" bemerkt der NO.

„Hoffentlich haben sie mehr Erfolg als beim erstenmal!"

„Das werden wir nachher feststellen!" brummt der Kommandant.

Der Obersteuermann, der ungeduldig hinter einem der Brückenkompasse ausharrt, kann endlich die Leuchttürme von Grönningen und Oksöy peilen und so zur Erleichterung des NO den Schiffsort einwandfrei bestimmen. Die Schwaden geben zwar noch immer nicht den ganzen Küstenstrich frei, aber sie ziehen zögernd allmählich nach See zu ab. Es wird lichter, so daß die Umrisse der Einheiten langsam aus dem Nebel heraustreten. Sie sind alle da, niemand fehlt.

Vom FdT geschickt, nehmen drei Schnellboote die MA-Kompanie samt Waffen und Sturmgepäck über. Die feldgrauen Marineartilleristen stehen eng gedrängt auf den Booten. Erwartungsvoll gespannt beobachten sie alles und fragen sich, wie nun der fünfte Anlauf, bei dem sie selbst eine Hauptrolle spielen sollen, ausgehen mag.

Dem Führer der Gruppe IV, der die Umschiffung von der Achterkante der Brücke der *„Karlsruhe"* verfolgt, wird vom FTO ein Funkspruch überreicht:

„Die erste erfreuliche Nachricht, Herr Kaptän!"

Sie kommt von *„Greif"*, dem detachierten Führerboot der 5. T-Flottille. Der Chef, Korvettenkapitän Henne, meldet, er sei durch Nebel aufgehalten erst gegen 09 Uhr 00 in Arendal eingelaufen. Die Radfahrschwadron habe jedoch Hafen und

Stadt ohne Widerstand besetzt und *„Greif"* werde am Nachmittag zur Gruppe stoßen.

Es ist, als ob mit dieser Meldung ein allgemeiner Umschwung zum Besseren einsetzt: es wird klarer, die letzten Nebelstreifen wandern ab. Das niedrige Hügelland der breiten Bucht, überragt und beherrscht von dem drohenden Felsklotz Odderöy, selbst die Berge des Hinterlandes treten deutlich hervor.

Von der Rah des FdT-Bootes weht ein Signal. Die drei Schnellboote, die bei *„Tsingtau"* längsseit liegen, legen ab und sammeln mit den übrigen vier auf die Torpedoboote, die sich, *„Luchs"* an der Spitze, klar zum Anlauf vor den Kreuzer setzen. Gegen 11 Uhr 00 heißt *„Karlsruhe"* das entscheidende Signal. Als es niedergeht, gibt der FdT, Kapitän z. S. Bütow einen Blinkspruch an die ihm unterstellten Einheiten, der die Absicht, den Erfolg unter allen Umständen zu erkämpfen, klar und unzweifelhaft ausspricht:

„An der Pier festmachen! Voller Einsatz!"

Die beiden Torpedoboote und die Schnellboote nehmen hohe Fahrt auf, preschen durch die Einfahrt und jagen mit Zickzackkursen auf Vesterhamn, den links von Odderöy gelegenen Haupthafen von Kristiansand los. Klar zum Gefecht folgen *„Karlsruhe"* und *„Tsingtau"*, bereit, beim ersten Aufblitzen aus den Bergstellungen das Feuer zu erwidern.

Höchste Spannung herrscht an Bord der Schiffe. Laufend werden den Drillingstürmen Entfernung und Seitenwinkel durchgesagt. Im Vormarsleitstand steht Kapitänleutnant Gohrbandt am Zielgeber. Er wundert sich. Bisher ist noch kein Schuß auf die näher und näher an Odderöy heranlaufenden leichten Streitkräfte gefallen.

„Sieht aus, als ob sie die Boote passieren lassen wollten und ihre Munition für uns aufsparen!" bemerkt er zum BG-Offizier, der durch sein kleines Basisgerät die Stellungen beobachtet.

„Sie werden einen Feuerüberfall planen, Herr Kaleunt! Oder sie sind doch durch den zweiten Bombenangriff derart erschüttert, daß ihnen die Lust vergangen ist."

„Mag sein, sonst hätten sie doch schon längst geschossen!" gibt ein wenig ungläubig der AO zurück.

Er weiß, wie ungeduldig und gespannt seine Geschützbedienungen auf den Feuerbefehl lauern. Er muß etwas sagen, irgend etwas, das ihnen die Lage erklärt. Er legt den Sprechhebel seines Kopftelefons um:

„An Artillerie! Die T- und S-Boote stehn jetzt in wirksamster Schußentfernung von den Batterien auf Odderöy. Es kann jeden Augenblick losgehn!"

Aber nichts geht los! Weder leuchten rote Sterne noch flammen Mündungsfeuer aus den Felsen. Auch Gleodden schweigt. Es ist, als ob die gezackte norwegische Kriegsflagge, das blaue Kreuz auf weißem Balken im roten Feld, die vom hohen Flaggenmast der Feste weht, allein dem Eindringenden Trutz bieten sollte.

Es bleibt unwahrscheinlich still. Auf dem achteren Teil der Brücke hält sich Konteradmiral Schenk mit seinem Stabe auf. Dem lebhaften kleinen Admiral scheint dies alles nicht geheuer. Er muß sich Luft machen, sprechen, und so wendet er sich an seinen Stabschef:

„Begreifen Sie das, Hartmann? Die Boote sind schon im toten Winkel der Batterien, denen kann nichts mehr passieren. Falls im Hafen keine Kriegsschiffe liegen ..."

„Die hätten schon gefeuert, Herr Admiral", meint Kapitän Hartmann, bis vor kurzem Chef einer Zerstörerflottille.

Korvettenkapitän (MA) Töttcher, der IAsto, nickt:

„Sie haben recht, Herr Admiral. Der FdT wird die Stoßtrupps ohne Widerstand landen können. Mich wundert nur, ob die norwegische 3. Infanterie-Division, deren Stab mit einigen Einheiten in Kristiansand liegt, etwas unternehmen wird."

Das Schweigen, das die Annäherung der Gruppe IV an die Stellung umgibt, wirkt gespensterhaft, unheimlich und unwirklich. Jeder erwartet in der nächsten Sekunde einen feuerflammenden ungeheuren Donnerschlag aus allen Rohren dort oben. Nichts geschieht.

„Blinkspruch von FdT! Kein feindlicher Widerstand!" ruft triumphierend der Signalmeister.

Der Kommandant hebt die Rechte:

„Großartig! NO, wir gehn im Innenhafen unter Odderöy zu Anker."

„Jawohl, Herr Kaptän. Wassertiefe 47 Meter."

Die Meldung des FdT hat die Spannung gelöst. Überall zeigen überraschte, freudige Gesichter die Erlösung von dem

Albdruck, auf nächste Entfernung von 21 cm Geschützen in Stücke geschlagen zu werden.

„Junge, Junge", meint einer der GF's der Doppelflak, „auf diese Kartoffelschmeißentfernung hätten die uns sehr bald zur Sau gemacht! Da kommt die schnellste Salvenfolge unserer 15er nicht gegen an!"

Der Verband geht auf Langsame Fahrt und nähert sich der großen Insel. Signalmeister, Signalmaate und Signalgasten heben ihre Doppelgläser und suchen die Batteriestellungen. Hier und da ist ein Geschütz zu sehen, betonierte Befehlsstände, MG-Bunker. Kopfschüttelnd setzt der Signalmeister sein Glas ab und dreht sich zu einem Maat um:

„Mensch! Wie die Bedienungen an ihren Kanonen 'rumstehn! Hände bis zum Ellbogen im Bunker!" Na egal, jedenfalls leisten sie keine Gegenwehr mehr!"

Der Signalmaat ist anderer Ansicht:

„Ich weiß nicht recht. Ihre Flagge weht noch und wenn die Stoßtrupps angreifen ..."

Alle die von Deck hinaufsehen, haben ein unsicheres Gefühl. *„Karlsruhe"* liegt nun auch im toten Winkel und ist sicher vor den Geschützen, aber aus Infanteriestellungen lugen die Läufe der MG's und die könnten das ganze Deck bestreichen. Da knattert es oben schon los.

„Kein MG von uns!" sagt sofort sachkundig Korvettenkapitän Töttcher, der IAsto.

Er hat im Polenfeldzug die Kämpfe um Gdingen und Hela mitgemacht und weiß genau, wie sich Feuerstöße aus deutschen Maschinengewehren anhören. Aber die lassen nicht lange auf sich warten. Ihr schnelles Tacken setzt kurz darauf ein.

„Das sind unsre! Die Stoßtrupps stürmen!" erklärt Töttcher.

Einige Minuten lang nähen die MG's ihre Stahlnaht. Die norwegischen Bedienungen verschwinden in Deckung, niemand ist mehr zu sehen. Das Gefecht verstummt.

„Karlsruhe" steuert unter dem Hang der Berginsel ihren Ankerplatz an. Auf der Back stehen die Kuttergäste der Wache. Der Telefonposten neben dem IO nimmt seinen Kopfhörer um und meldet zur Brücke. Der Meister läßt das Backbordspill probeweise laufen. Einer der Kuttergäste hält an der Reling Ankerboje und Bojenleine klar zum Außenbordswerfen. Ein Wink des NO zum WO:

„Beide Stop! Beide Halbe Fahrt zurück! Klar bei Backbordanker 180 Meter Kette!" ruft der Wachhabende Offizier.

Allmählich bringen die zurückschlagenden Schrauben das Schiff zum Stehen.

„Aus der Kette!"

Auf der Back tritt, wer es noch nicht tat, frei von der Kette. Der Kreuzer gleitet jetzt langsam zurück.

„Fallen Anker! Beide stop!"

Der Meister löst die Handbremse, der schwere Anker rasselt aus der Klüse und klatscht ins Wasser. Ankerboje und Leine fliegen hinterher.

„Norwegische Flagge geht auf der Festung nieder", verkündet ein Signalgast.

Alle sehen hinauf. Langsam wird die Flagge eingeholt, zwei Minuten später steigt feierlich die deutsche Kriegsflagge empor, entfaltet sich und weht aus.

„Anker hat gefaßt! 180 Meter Kette sind aus!" meldet der BÜ von der Back.

„Stopper dicht!"

Die Kette ist fest, die Kuttergäste klaren auf und verschwinden. *„Karlsruhe"* liegt im Innenhafen von Kristiansand vor Anker.

Die Seeleute stehen an Deck und betrachten die fremde Gegend. Einer der zu den Stellungen auf Odderöy führenden Bergwege ist stellenweise von Bord aus einzusehen. Einzelne Trupps von Soldaten in fremden Uniformen erscheinen. Es sind Gefangene, von denen manche Verbände um Kopf und Arme tragen. Sie marschieren, von wenigen Marineartilleristen bewacht, zum Hafen hinab.

Gegen 12 Uhr 20 bringt der IIFTO dem Kommandanten einen Funkspruch, den der Führer der Marineartillerie-Sturmabteilung, mittels eines Tornistergerätes senden ließ. Er meldet die Besetzung sämtlicher Batterien der Feste Odderöy.

Kapitän Rieve reicht den Spruch dem Admiral, der ihm erfreut und bewegt die Hände schüttelt. —

Wie die Marinetruppen Odderöy nahmen, ist wert ausführlicher geschildert zu werden, zumal der Felsen die Schlüsselstellung für die Besetzung Kristiansands bildete.

Der Kompaniechef, Kapitänleutnant (MA) Michaelsen, wird mit dem Vortrupp zusammen von einem S-Boot nach Umfahren der Insel im Rücken der Festung gelandet. Am Fuß der steilen Hänge stehen vereinzelt Häuser, die zunächst durchsucht werden müssen. In einem der Gebäude ist die Intendantur untergebracht, ein höherer Beamter wird gefangengenommen. Auf seinem Schreibtisch steht ein Telefon. Der Kapitänleutnant nimmt den Hörer ab:

„Woll'n wir nicht von hier den Festungskommandanten zur Übergabe auffordern?"

Der Norweger lächelt überlegen. Die Leitung bleibt stumm, sie ist gestört, im letzten Augenblick unbrauchbar gemacht worden.

„Also 'raus hier, weiter!"

Sie entdecken einen der steil und in vielen Windungen zur Berghöhe führenden Wege.

„Los, der Vortrupp! Zet Null: dem Führer folgen!" ruft Kapitänleutnant Michaelsen seinen Männern lachend zu.

Weit hinter ihnen, vom Hafengelände her, marschiert Infanterie heran. Keuchend und fluchend rücken die Marineartilleristen vor. Fußmarsch liegt ihnen nicht, noch weniger Bergsteigen! Das Brummen eines schweren Lastwagens ist plötzlich zu hören, wird stärker, nähert sich. Mpi's[1]) werden entsichert. Die Männer sehen sich an, sie wissen, was nun folgen wird. Sie warten, bis der Wagen ahnungslos um die nächste Wegbiegung heranrollt. Ein, zwei Feuerstöße, Bremsen kreischen, der LKW hält, und die überraschten Norweger springen herab und heben die Arme.

„Na also!" meint Michaelsen, greift seinen Leutnant beim Arm, entert hoch und zerrt ihn mit. Neben sich auf den Führersitz:

„Sie fahren den Schlitten! Drei Mann mitkommen, die anderen folgen! 'Rumdrehn, ab dafür!"

Glücklicherweise ist die Zufahrtstraße zum Fort breit genug und das Gelände unübersichtlich. Unbemerkt wendet der Leutnant. Es ist ein schweres Fahrzeug, das täglich Proviant und Material aus der Stadt holt und zu den Batterien bringt. Dann hauen sie ab, bereit, die Stellungen im Handstreich zu besetzen: ein Kapitänleutnant, ein Leutnant und 3 Mann!

Der Rest des Vortrupps steigt schimpfend hinterher. Die im Lastwagen nehmen eine Wegbiegung nach der anderen. Schließlich erreichen sie den Anfang der Batteriestellungen.

---

[1]) Maschinenpistolen

300 m über freies Gelände, dann können sie nicht mehr weiterfahren. Die Straße ist von Bomben aufgerissen, Granattrichter der Schiffsartillerie liegen dicht bei dicht. Sie springen herunter und gehen mit schußbereiten Waffen vorsichtig weiter. Neben der helledernen Pistolentasche hat der Kapitänleutnant eine zusammengerollte Kriegsflagge im Koppel stecken. Ein paar norwegische Soldaten, deren Köpfe sichtbar werden, verschwinden beim Anblick der Stahlhelme schleunigst in Deckung. Michaelsen stößt seinen Leutnant an:

„Mensch! Ist das nicht ein Offizier da hinten?"

„Stabsoffizier, Major, Herr Kaleunt."

„Den müssen wir schnappen, der kann uns zum Festungskommandanten bringen!"

Unbekümmert, als sei es die selbstverständlichste Sache der Welt, gehen die beiden deutschen Offiziere, hinter ihnen die drei Matrosen, vor und erreichen den Major, ohne daß ein Schuß fällt. Sie machen dem unentschlossen zögernden Norweger in Deutsch, Englisch und mit Handbewegungen klar, wohin sie wollen. Der versteht sie und weist ihnen den Stand des Kommandeurs, der sie bis auf Rufweite herankommen läßt. Hinter ihm stehen Soldaten mit mißtrauischen Gesichtern und schußfertigen Gewehren in den Händen.

Michaelsen fordert die Übergabe der Batterien, die verständlicherweise abgelehnt wird. Der Kapitänleutnant winkt kurz seinen Matrosen, und sie alle treten ruhigen Schrittes dicht vor den norwegischen Offizier. Dann hebt der Deutsche den linken Arm und deutet, die Pistole nicht aus der Hand lassend, mit dem Zeigefinger der Rechten auf das Zifferblatt:

„Ich lasse Ihnen 60 Sekunden Zeit!" sagt er sehr bestimmt. „Sind die abgelaufen, gebe ich den Befehl zum Angriff!" Er sieht kurz über die Schulter zurück, als habe er mindestens ein Bataillon mit Feldgeschützen, Granat- und Flammenwerfern hinter der nächsten Wegbiegung stehen. „Länger kann ich meine Männer nicht zurückhalten!"

Die Matrosen verbeißen nur mit Mühe ein Lachen. Aber sie kennen ihren Kompanieführer. Ein toller Hecht ist das, denken sie, der kriegt das klar, bestimmt! Sie verziehen keine Miene, rücken jedoch ihre MPi's augenfällig ein wenig zurecht.

Der Kommandeur macht eine vage Handbewegung, sieht zurück und gibt seinen Soldaten einen Wink die Gewehre abzusetzen. Welche Übermacht muß dieser so energisch und selbstbewußt auftretende junge Offizier wohl zur Verfügung haben, denkt er und legt langsam die Hand an den Mützenschirm.

„Ich übergebe die Festung!" sagt er kurz.

Michaelsen grüßt sehr korrekt, dreht sich um, geht zum Flaggenmast und zieht die zusammengerollte Flagge aus dem Koppel:

„Klar zur Flaggenparade!"

Deutsche und Norweger legen die Hand an Stahlhelm und Mütze, während langsam, feierlich die norwegische Flagge niedergeholt und die deutsche Kriegsflagge unter den gleichen Ehrenbezeugungen geheißt wird. Kurz danach rückt auch der Vortrupp der Marineartilleristen heran. Michaelsen läßt Leutnant, Feldwebel und Maate zur Besprechung herumschließen:

„Die Norweger könnten auf die Idee kommen, doch noch Widerstand zu leisten. Also: fächerförmig auseinanderziehen, und alle wichtigen Punkte schnell besetzen. Batterien, Leitstände, MG-Nester usw. Hoffentlich kommen die anderen bald! Los, Beeilung!"

Die einzelnen Gruppen stürzen davon, verteilen sich über das Gelände und kämmen es durch. Der Kapitänleutnant hatte richtig geurteilt: schon bald fegen aus einer 15 cm Stellung Feuerstöße eines norwegischen MG's. Deutsche Maschinengewehre und MPi's antworten. Es ist die Gruppe des Marineartillerie-Obermaaten Stadtherr, die dort im Gefecht liegt. Er hatte aus verschiedenen Anzeichen vermutet, daß die Batterie sich wehren würde, ging selbst mit einem Teil seiner Männer frontal vor und befahl dem Rest, im Fall des Widerstandes mit Handgranaten auf der Flanke anzugreifen. Als er sich nähert, tackt das einzige MG, das den Mut zur Gegenwehr aufbringt, los. Es verstummt jedoch bald wieder, als ihm das Feuer der Matrosen entgegenschlägt und der tapfere Obermaat mit seinen Männern vorstürmt. Die Norweger flüchten und die Stellung wird ohne Verluste genommen.

Da die Besetzung der vier Batterien so unglaublich schnell vor sich geht, wird einer der Kommandeure vollkommen überrascht. Er steht in seinem Leitstand und will mit einer anderen Stelle telefonieren. Er merkt, daß die Leitung unterbrochen, gestört, jedenfalls unbrauchbar ist. Ärgerlich tritt er heraus, um einen Mechaniker zur Behebung des Schadens zu rufen. Sehr erstaunt sieht er die Geschützbedienung an den Kanonen angetreten, noch dazu mit erhobenen Armen! Wütend eilt er auf sie zu:

„Was macht ihr da für einen Blödsinn?"

Er fährt entsetzt herum, als hinter ihm eine Stimme gelassen und noch dazu in Deutsch ertönt:

„Sie sind mein Gefangener, Herr Hauptmann! Stellen Sie sich ruhig dazu!"

Der Sprecher, ein Matrosengefreiter, hält die MPi schußgerecht in den Händen und grinsen tut er auch noch.

Mit den nachfolgenden Trupps der MA und des Heeres ist auch ein Marinenachrichtentrupp vorgegangen. Er besetzt die weiter nördlich gelegene Funk- und Signalstation, deren hohe Masten schon von der Einfahrt her zu sehen waren, macht sie betriebsklar und stellt die wichtige Verbindung mit der Führung her.

25 Offiziere, 25 Unteroffiziere und rund 400 Mann sind gefangen. Gemäß einer allgemeinen Weisung des Operationsbefehls, die eine Anordnung des Admirals norwegische Südküste, Konteradmiral Schenk, noch unterstreicht, wird den Offizieren die Seitenwaffe belassen.

Die nur wenige Minuten nach der Besetzung auftauchenden Spitzen der später gelandeten Heereseinheiten sind von dem Erfolg der Marineartilleristen überrascht. Sie helfen neidlos, die wichtigen Stellungen gefechtsbereit zu machen. Kapitänleutnant Michaelsen unternimmt einen Rundgang. Er stellt fest, daß merkwürdigerweise sämtliche Geschütze unbeschädigt blieben. Dagegen haben die beiden Angriffe der Kampfstaffeln und das Feuer der Schiffsgeschütze eine verheerende Wirkung auf alle Verkehrswege, Unterkünfte, Werkstätten und Bereitschaftsräume gehabt. In den Kommandeursstand zurückgekehrt, sieht er seinen Leutnant fragend an:

„Begreifen Sie das? An den Geschützen sind noch nicht einmal die Verschlüsse herausgenommen, geschweige denn die Felsen hinuntergeworfen, schon gar nicht die Rohre gesprengt worden. Sie haben die gut getarnten MG-Nester gesehen. Warum wehrten die sich nicht? Wie erklären Sie sich das? Die Norweger sind doch nicht feige, ganz im Gegenteil! Mir ist das alles vollkommen unverständlich."

„Nein, Herr Kaleunt, feige sind sie nicht. Aber sie kennen keinen Krieg. Sie waren stets neutral, wenn die anderen sich in die Haare gerieten. Im Weltkrieg zum Beispiel. Sie haben nie im Feuer gelegen, das muß es sein."

Der Kapitänleutnant, der mit einigen der Gefangenen gesprochen hat, nickt nachdenklich:

„Ich glaube, es ist so, wie Sie sagen. Einer der deutsch sprechenden Offiziere erklärte auf meine Frage, er hätte einfach die Männer nicht mehr an die Geschütze bekommen. Sie wären vor allem nach den Luftangriffen verstört und verwirrt gewesen. Stellen Sie sich vor: ein Geschütz ist zuletzt nur noch von einem einzigen Offizier bedient worden!"

Sie gehen hinaus und Michaelsen winkt seinen Funker heran, der ein Tornistergerät mitgeschleppt hat:

„Wie ist das, funktioniert das Ding auch?"

Fast beleidigt sieht der Obergefreite seinen Kompaniechef an:

„Jawohl, Herr Kaleunt! Ist klar!"

„Gut. Geben Sie durch an Führer Gruppe IV: sämtliche Batterien der Festung Odderöy durch Marineartillerie genommen. Unterschrift, Uhrzeit und all den Kram, Sie wissen ja!"

Der Funkspruch wird um 12 Uhr 08 mittags abgesetzt und von der Bordstation der *„Karlsruhe"* aufgenommen. —

Nach Empfang dieser Meldung steigt der Führer der Gruppe IV den Niedergang der Brücke hinab, um endlich seine im Achterschiff liegenden Räume aufzusuchen, als er das ferne Brummen eines Flugzeuges vernimmt. Er hält inne, zumal auch vom Signaldeck Motorgeräusche gemeldet werden. Englische Bomber? Möglich wäre das immerhin. Er geht zurück, hört das Durcheinander freudiger Stimmen und sieht, wie sich vom Fjord her eine Maschine nähert.

„Herr Kaptän! Herr Kaptän! Unser Bordflugzeug!"

Tatsächlich, es ist die Arado. Sie umkreist mehrmals den Kreuzer und geht mit einem gekonnt eleganten Manöver aufs Wasser nieder.

Der Beobachter blinkt mit einem kleinen Scheinwerfer:

„Signaldeck, was will er?"

„Er gibt: ‚Kann ich eingesetzt werden', Herr Kaptän!"

Der Kommandant lacht:

„Der hat's eilig! Schön, morsen Sie zurück: jawohl, willkommen am Busen der Jade!"

Nun erst kann sich Kapitän Rieve totmüde, aber sehr zufrieden, zurückziehen. Währenddessen herrscht an Deck der

„Karlsruhe" Hochbetrieb. Der TO trifft die Vorbereitungen zum Einsetzen des Bordflugzeuges. Die Ausschiffung der Soldaten des Infanterie-Regiments 310 beginnt, sowie die Torpedo- und Schnellboote beim Kreuzer längsseit kommen.

Von der Stadt her ist Gewehr- und MG-Feuer zu hören, flackert auf, ebbt ab. Teile der schon früher gelandeten Einheiten schießen sich mit zurückweichenden Abteilungen der norwegischen 3. Infanterie-Division herum. Der Gefechtslärm entfernt sich weiter in Richtung der Berge des Hinterlandes. Der tatkräftige deutsche Kommandeur drängt, möglichst bald mit seinem Stab und dem Rest der Truppen an Land gesetzt zu werden. Rastlos pendeln die Boote zwischen dem Kreuzer und den senkrecht zur Bahnlinie in den Hafen hineingebauten Piers hin und her. Die rasch sich formierenden Abteilungen eilen dem Gefechtslärm nach.

Auf *„Tsingtau"* sammelt der IO einige aus Handelsschiffsoffizieren und Matrosen des Begleitschiffes zusammengesetzte Kommandos und gibt ihnen letzte Anweisungen. In der Motorpinasse fahren sie zu den beiden im Innenhafen liegenden norwegischen U-Booten *„B 2"* und *„B 5"*, besetzen sie und machen sie tauch- und gefechtsunklar.

Mit weiteren Prisenkommandos an Bord, laufen zwei Schnellboote zur Sicherstellung norwegischer Kriegsfahrzeuge zum Marinestützpunkt Narviken am Topdals-Fjord. Neben dem Schwesterschiff des schon im Vesterhamn sichergestellten modernen Torpedobootes *„Gyller"*, der *„Odin"*, finden sie die kleinen Torpedoboote II. Klasse *„Kjell"*, *„Kvik"*, *„Lyn"* und *„Blink"*, die Hilfsschiffe *„Hval IV, VI, VII, VIII"* und das Hafenfahrzeug *„Lyndal"* vor.

Zu ihrem maßlosen Erstaunen entdecken sie plötzlich an einer der Piers ein deutsches U-Boot. Dem führenden Offizier des Prisenkommandos, der sich eiligst dorthin begibt, kommt freudestrahlend ein Obermaschinist mit ein paar Matrosen entgegen. Er hebt die Hand zur Mütze, nennt Namen und Dienstgrad und meldet:

„Maschinist auf *‚U 21'*, Herr Oberleutnant!"

„Um Himmelswillen, wie kommen Sie denn hierher? Wer und wo ist der Kommandant?"

„Kapitänleutnant Stiebler, Herr Oberleutnant. Den haben die Norweger, als die Ballerei heute früh losging, mit den anderen Offizieren und dem Rest der Besatzung ins Innere verfrachtet. Sie waren alle an Land untergebracht."

„So ist das! Na, keine Angst, die reppen wir wieder 'raus. Und Sie? Sind Sie die ganze Zeit an Bord geblieben?"

„Nur ein paar Mann, Herr Oberleutnant. Reduzierte Besatzung. Die Norweger drehten mir die Aufsicht über die Instandhaltung an, und ich hab' so viele Leute wie möglich für unabkömmlich erklärt."

„Klar!" lacht der Prisenoffizier. „Und wie sind Sie hierher geraten?"

„Das ist ein langes Garn, Herr Oberleutnant! W'haven ausgelaufen 21. März. Während der Fahrt vom BdU[1]) umdirigiert nach Norwegen. Hat uns der Kommandant verklart. Dann kam dicker Nebel und wir brummten auf."

„Feine Klamottengegend hier bei Kristiansand, ich weiß! Und dann?"

„Nee, Herr Oberleutnant! Nicht vor Kristiansand, weiter westlich. Unser Obersteuermann hat mir das auf der Karte gezeigt. Odkuppen heißt die Insel, südöstlich Mandal. Hat ein Leuchtfeuer, aber das ha'm wir im Nebel nicht gesehn. Am 27. März war das. Der Kommandant versuchte alles, um loszukommen. Nichts zu machen. Als es endlich aufklarte, kamen Norweger in Sicht- und wir vernichteten schleunigst sämtliche Geheimsachen. Ziemlicher Berg war das! Ging aber in Ordnung. Dann schleppten sie uns ab und internierten uns."

„Seid ihr fahrbereit?"

„Das vordere Tiefenruder ist total vertrimmt. Sonst ist alles klar, Herr Oberleutnant. Darum sind wir doch an Bord geblieben! Was zu reparieren war, ha'm wir selbst mit Bordmitteln hingekriegt", erklärt bescheiden der Obermaschinist, der mit den wenigen Männern Tag und Nacht geschuftet hat.

„Großartig! Dann woll'n wir euch sofort zur *'Tsingtau'* abschleppen. Auf allen Begleitschiffen sind Werkstätten und ähnliches. Kriegen eure Tiefenruder mit Kußhand wieder hin!"

„Vielen Dank, Herr Oberleutnant. Halt, noch etwas! Können Sie uns nicht sagen, was eigentlich anliegt? Wir haben keine Ahnung. Ha'm wir Krieg mit Norwegen?"

---

[1]) Befehlshaber der Unterseeboote

„Nee, genau genommen eigentlich nicht. Aber ich werd' Ihnen das schnell auseinanderpuhlen. Bißchen schwer zu erklären, wissen Sie? Also, hören Sie zu!"

Kommandant, Offiziere und Besatzung von *„U 21"* wurden auf Grund energischer Vorstellungen des Admirals Südküste bei der norwegischen 3. Division in Evjemoen später ausgeliefert. —

Am Nachmittag des 9. April läuft auch das Torpedoboot *„Greif"* in Kristiansand ein. Für die Truppe wichtiger ist das Eintreffen von drei der vier Nachschubdampfer der 1. Seetransportstaffel, *„Wiegand"*, *„Westsee"* und *„August Leonhardt"*. Sie bringen weitere Heeresverbände und zahlreiches Gerät, ankern ganz in der Nähe der *„Karlsruhe"* und beginnen gleich mit der Ausladung. Konteradmiral Schenk, der mit dem Kommandanten auf der Schanz auf und ab schreitet und das Löschen beobachtet, ist bekümmert:

„Daß die drei hereinkamen, ist ja schön und gut, aber das mit der *‚Kreta'* ist schade! Sie hat doch die schwere Fla-Batterie der Luftwaffe an Bord, die wir sicher bald dringend nötig haben werden, wenn die RAF uns mit ihren Besuchen beehrt!"

„Ich weiß, Herr Admiral. Nach der norwegischen FT-Meldung, die wir abhörten, soll sie beim Passieren des Seeraums vor dem Oslo-Fjord von einem englischen U-Boot torpediert worden sein."

Der Admiral hebt mit einer fragenden Geste die Hände: „Wissen Sie, Rieve, der Führer des Vorkommandos der Flak war bei mir und hat mir das auch berichtet. Er erfuhr es irgendwo an Land. Ich habe ihm gesagt, es sei immerhin eine norwegische Meldung und vielleicht eine Verwechslung. Die Engländer scheinen ja leider mehrere unserer Transporter erwischt zu haben."

Es lag, wie später bekannt wurde, tatsächlich ein Irrtum vor. Einige Tage nach diesem Gespräch lief die verlorengeglaubte *„Kreta"* unversehrt ein, stürmisch begrüßt von dem Vorkommando, das auf der Pier vor Freude über das Wiedersehen mit den Kameraden wahre Indianertänze aufführte. Das 2359 BRT große Schiff der Atlas-Levante-Linie hatte allerhand erlebt.

Mit anderen Nachschubdampfern aus Stettin ausgelaufen, war es bis zu den schwedischen und norwegischen Gewässern gekommen, als dem Kapitän die Lage nicht mehr geheuer zu sein schien. Sein Funker hörte Nachrichten über Angriffe englischer U-Boote auf Transporter. Das veranlaßte ihn kurz entschlossen abzudrehen. Er tauchte in irgendeiner der vielen Buchten unter und verhielt sich ein paar Tage mucksmäuschenstill. Als die Aufregung allmählich abebbte, die Luft wieder rein und die Gelegenheit günstig schien, kroch er hervor und erreichte unbelästigt Kristiansand.

Am Nachmittag des 9. erscheinen englische Aufklärer über Stadt und Hafen, die von der Flak der Kriegsschiffe heftig beschossen und vertrieben werden.

Gegen 17 Uhr 00 läuft auf *„Karlsruhe"* die abschließende Meldung des Kommandeurs des Infanterie-Regiments 310, Oberst Wachsmuth, ein:

„Stadt besetzt. Nächste Umgebung gesichert."

Die Aufgabe der Gruppe IV ist erfüllt.

Rückmarsch der „Karlsruhe" mit den Torpedobooten. „Seeklar 19 Uhr 00, Herr Admiral!" U-Bootsangriff. Der Untergang der „Karlsruhe".

Konteradmiral Schenk übernimmt nun seine Aufgabe als Admiral norwegischer Südküste. Er muß eine Befehlsstelle einrichten und das ist keineswegs einfach. Er bespricht es mit seinem Adjutanten:

„Laut Operationsbefehl müßte uns das Heer mit allem Notwendigen versehen. Die Lage scheint mir aber, solange die 3. norwegische Division noch existiert, keineswegs geklärt. Die Stäbe an Land haben alle Hände voll zu tun und jedes Gewehr wird dringendst gebraucht. Die können uns also vorläufig nicht helfen."

„Vielleicht kann *‚Karlsruhe'* uns ..."

„Kluges Kind!" lacht der Admiral. „Ich habe bereits mit dem Kommandanten gesprochen und er ist einverstanden. Lassen Sie den Stab und unsere paar Männer, Melder, Ordonnanzen usw. ausrüsten. Pistolen, Karabiner, Munition, Proviant usw."

„Für wie lange, Herr Admiral?"

„Na, sagen wir vorsichtshalber für 8 Tage. Wir gehen dann zunächst auf *‚Tsingtau'*, später suchen wir uns eine Bleibe in der Stadt."

„Daß *‚Tsingtau'* und die Schnellboote hier bleiben, ist doch ausgezeichent, Herr Admiral", meint der Oberleutnant. „Das

Begleitschiff mit seiner FT-Station ist die sicherste Nachrichtenverbindung, und die 2. S-Bootflottille brauchen wir zum Durchkämmen all der Buchten und Fjorde."

„Nicht nur das", entgegnet der Admiral nachdenklich, „die Aufklärer heute nachmittag geben mir zu denken. Die haben sicher erkannt, wie zahlenmäßig schwach unsere Seestreitkräfte sind. Der Engländer könnte sehr bald angreifen. Dann wären die S-Boote eine wesentliche Hilfe."

Es dauert nicht lange, bis der Stab, mit allem versehen, bereit ist, auf *„Tsingtau"* überzusteigen. Der Admiral und die Offiziere suchen den Kommandanten auf und verabschieden sich.

„Vielen Dank für alles, Rieve! Wann laufen Sie aus?"

„Seeklar 19 Uhr 00, Herr Admiral. Auf Wiedersehen und ich habe mich sehr gefreut, Sie an Bord gehabt zu haben."

„Danke. Es ist gut, daß Sie noch heute in See gehen. Wer weiß, was der Gegner schon alles veranlaßt hat. Na, Hals- und Schotbruch für den Rückmarsch, Rieve!"

„Karlsruhe", „Luchs", „Greif" und *„Seeadler"* verlassen um 19 Uhr 00 Kristiansand. Sie passieren die ihnen vom Vormittag her so gut bekannte Einfahrt und der Obersteuermann peilt noch einmal die Leuchttürme von Grönningen und Oksöy für ein sicheres Ausgangsbesteck. Der Kommandant, froh, seine Aufgabe trotz aller Schwierigkeiten gelöst zu haben, ruft den Befehl für die Fahrtstufe zum Signaldeck hinauf:

„Flaggensignal: 21 Seemeilen!"

Die Torpedoboote wiederholen und nehmen ihre Positionen als U-Bootssicherung vor und zu beiden Seiten des Kreuzers ein. Es herrscht normale Sicht und in diesem Seegebiet ist es nie ganz geheuer. So werden, sowie freies Wasser erreicht ist, Zickzackkurse befohlen. Kapitänleutnant Gohrbandt als Kriegswachleiter meldet:

„Kriegswache aufgezogen, Herr Kaptän. Verstärkter U-Boots- und Fliegerausguck. Ich habe auf die Wichtigkeit noch einmal hingewiesen."

„Gut. Was ist los, Neuendorff? Kummer?"

Der NO, der mit besorgter Miene neben dem Kommandanten steht, macht eine alles umfassende Handbewegung:

„Mir gefällt das nicht, Herr Kaptän. Heute morgen dicker Nebel und jetzt klare Sicht. Leichter nordöstlicher Wind und kaum bewegte See."

„Schön finde ich das auch nicht. Immerhin sind Sehrohre, Ausstoßschwall und Blasenbahnen dabei besser auszumachen als sonst. Schlechter Trost, nicht? Hoffen wir das Beste!"

Der IO hat das Gefühl, etwas Aufmunterndes sagen zu müssen, als er die besorgten Gesichter sieht:

„Herr Kaptän! Sie hätten vor dem Auslaufen unsere Männer 'mal an ihren Backen sehn müssen! Die sind vielleicht aufgekratzt! ‚Endlich etwas geleistet!' ist das allgemeine Gespräch. Sie sangen, spielten Mund- und Ziehharmonika, erzählten sich ihre Heldentaten, kurz und mit einem Wort: Hochstimmung im Zwischendeck!"

„Sehr gut, Düwel, freut mich wirklich!"

Kapitän Rieve sieht zu den drei Torpedobooten hinüber, die unermüdlich wie treue Schäferhunde ihre Sicherung fahren:

„Ich bin froh, daß wir die bei uns haben. Noch dazu Hannes Bütow als FdT und Henne als Flochef. Die kennen ihren Laden in -und auswendig!"

Da sind wir wieder beim alten Thema, denkt der NO. Laut sagt er:

„Herr Kaptän, ich habe unsere Horcher noch einmal wild gemacht. Sie haben leider nur wenig Übung und müssen besonders gut aufpassen."

So läuft der Verband durch den hellen Abend. Nach menschlichem Ermessen gut gesichert, mit aufmerksamen Ausgucks und Offizieren, die bereit und gewohnt sind, auf jedes unerwartete Ereignis schnell und richtig zu reagieren. Scharfe Gläser tasten unablässig See und Himmel in den zugewiesenen Sektoren ab. Die Bugsee rauscht, die ruhige Stimme des NO gibt dem WO Anweisungen, wenn zur Ausführung des Zacks abgedreht werden muß. Der Rudergänger wiederholt und meldet, wenn der neue Kurs anliegt. Eine halbe, dreiviertel Stunde geschieht nichts. —

Im nördlichen Teil des Skagerraks kreuzt an diesem 9. April das englische U-Boot *„Truant"*, Lieutenant-Commander G. H. Hutchinson. Das 1090 t-Boot ist 1939 in Dienst gestellt, hat 6 Torpedo-Bugrohre und ein 10,2 cm Geschütz. Es ist eins von mehreren, die von Stavanger über das Skagerrak bis weit hinein ins Kattegat gegen die Erztransporte ausgelegt wurden und sich nicht etwa wegen des Norwegenunternehmens dort befinden.

Der Tag, ein Dienstag, ist für den Kommandanten abwechslungsreicher als ihm lieb ist. Er steht vor Kristiansand und die Hydrophone stellen am Vormittag fast ununterbrochen die Geräusche schnell laufender Schrauben fest, die das Boot unter Wasser zwingen. Nur in langen Abständen wagt Hutchinson vorsichtig auf Sehrohrtiefe zu gehen und glaubt zuweilen, im Nebel die schattenhaften Umrisse von U-Bootsjägern zu erkennen. Er läßt das Sehrohr schleunigst wieder einfahren.

Was er beobachtete, sind die Einheiten der Gruppe IV, vor allem die Schnellboote. Achselzuckend sieht er seine Number One, den IO, gleichzeitig ältesten Wachoffizier, an:

„Nichts zu machen! Müssen uns ruhig verhalten, sonst decken die Jerries uns mit ihren Mülleimern ein!"[1])

Die Geräusche verstummen erst am Nachmittag. Der nächste Rundblick zeigt eine klare Kimm. Nichts ist in Sicht.

„Na endlich", bemerkt aufatmend der IO, „abgezogen! Die machen jetzt woanders die Gegend unsicher!"

Eine Weile bleibt es still, dann hören sie wieder das Swisch, Swisch, Swisch schnell mahlender Schrauben. Der IIWO nimmt auf die Meldung hin selbst den zweiten Kopfhörer, den der Horcher ihm reicht, lauscht angespannt und richtet sich auf:

„Zerstörer, Sir! Unverkennbar!"

„Also bleiben wir unten!" entscheidet der Kommandant.

Ihre Aufgabe ist es, Erzdampfer zu versenken, nicht sich mit Geleitfahrzeugen und deren Wabos[1]) 'rumzuschlagen. Kurz darauf werden die Geräusche langsam laufender Schiffsschrauben gemeldet. Hutchinson taucht auch jetzt nicht auf, da er den Zerstörer noch in der Nähe glaubt.

Was er diesmal hörte, war die von Arendal kommende *„Greif"* und die drei Transporter, die Kristiansand ansteuerten.

Für einige Stunden bleibt es ruhig. Gegen Abend meldet der Horcher erneut schnellaufende Kriegsschiffsschrauben:

„Zerstörer, Sir. Aber ein größeres Schiff muß dabei sein."

Der Kommandant weiß, daß außer englischen U-Booten keine eigenen Seestreitkräfte in der Nähe sind.

---

[1]) ashcans — Mülleimer, womit in diesem Falle die Wasserbomben gemeint sind.

[1]) Wasserbomben

„Wer kann da oben 'rumschippern? Muß ich mir ansehn. Take her up at periscope depth, Number One! Auf Sehrohrtiefe gehn, IO!"

Gleichmütig notiert der Steuermann die Uhrzeit für das Logbuch: 07.30 pm. Lieutenant-Commander Hutchinson, die Augen an den Gummimuscheln der Sehrohroptik nimmt den üblichen Rundblick. Plötzlich stutzt er und beobachtet in einer bestimmten Richtung. Wie erwartet sieht er Zerstörer, drei sogar. Aber in der Mitte läuft ein großes hellgraues Kriegsschiff. Die englischen sind dunkelgrüngrau, manchmal unterbrochen durch Tarnstreifen. Zwei Schornsteine, zwei Masten und . . . sind das nicht Drillingstürme einer vorn, zwei achtern? Dies alles erfaßt er in Sekundenschnelle. Lord!, denkt er, ein Jerry . . .

„Deutscher Kreuzer, *‚Königsberg'*-Klasse, 3 Zerstörer! Hohe Fahrt, Zickzackkurse. Wir greifen an! Stand by all tubes! Alle Rohre klar!"

Aus Kurs und Fahrt bei den einzelnen Zacks muß ermittelt werden, welcher Generalkurs anliegt. Das braucht der Kommandant für das Vorsetzmanöver zum Torpedoschuß. Noch steht *„Truant"* sehr günstig, aber es dauert seine Zeit, bis die Werte bestimmt sind und in den Torpedorechner gegeben werden können. Wenn dieser schnelle Kreuzer nun davonläuft, ehe die Angriffsstellung erreicht ist? Das Sehrohr, vorsichtig gebraucht, surrt in Abständen auf und nieder. Jedesmal wird gepeilt, Kurs und Fahrt geschätzt, eingetragen, geprüft, immer in der Angst, zu spät fertig zu werden, die unerwartete Gelegenheit zu verpassen. Zwanzig Minuten rechnen sie, vergleichen. Endlich ist es soweit. Der Generalkurs muß einigermaßen stimmen, die Fahrt auch, die hat sich nicht geändert. Kurz vor der Angriffsposition angelangt, werden die Endwerte ins Rechengerät gegeben:

„Gegnerkurs etwa 120 Grad, Gegnerfahrt 20 Seemeilen!" meldet der IO.

Die Mündungsklappen der Bugrohre sind geöffnet, die Rohre bewässert. Alles ist aufs Höchste gespannt. Hutchinson hat das Boot mit dem Geschick des erfahrenen Kommandanten in die günstigste Position manövriert. Jetzt läßt er das Sehrohr noch einmal ausfahren, sieht hindurch:

„O verdammt! Sie haben uns bemerkt! Zerstörer dreht auf uns zu!"

Das U-Boot steht richtig, tadellos sogar, aber das an Steuerbord des Kreuzers laufende Torpedoboot dreht im gleichen Augenblick hart auf *„Truant"* zu. Es heißt eine Flagge, die von allen wiederholt wird, und weißer Dampf entströmt seiner Sirene. Lieutenant-Commander Hutchinson reagiert blitzschnell. Er ist kein Neuling. Wenn er jetzt seine Torpedos nicht losmacht, ist die Gelegenheit endgültig vorbei. Unmöglich, noch einmal eine Angriffsstellung zu erreichen. Es ist die einzige und letzte Chance. Hutchinson hat auch die Nerven, das Torpedoboot ruhig auf sich zurasen zu lassen. Die Entfernung beträgt 4100 bis 4200 m. Verdammt nah, denkt er. ‚Raus mit den kippers[1]), dann schleunigst wegtauchen!

„Fire number one, two, three, four! Rohr I, II, III, IV los!"

Im Kontrollraum drücken sie die Auslöseknöpfe. Vier Schußlampen leuchten im Bugraum auf, und die Torpedos verlassen einer nach dem anderen die Rohre. Ein Viererfächer. Mehr will der Kommandant nicht riskieren, zwei bleiben bewässert in den Ausstoßrohren. Hutchinson will gerade Befehl zum Tauchen geben, im gleichen Augenblick dreht der Kreuzer hart nach Backbord ab.

„Verdammt!"

Alles umsonst, denkt er, nun aber schnell 'runter.

„Take her down, Number One! Auf Tiefe, IO!" ruft er.

Die sogenannte Norwegische Rinne, in der sie stehen, hat 250 bis 500 m Wasser. Das Boot kann bis ungefähr 110 m tauchen. Die Schraubengeräusche werden trotzdem lauter, es ist zu erkennen, daß jetzt alle 3 Torpedoboote an der Jagd beteiligt sind. Erregt wartet die U-Bootsbesatzung auf die Detonationen der Torpedos und das Krachen der Wasserbomben.

„Der Bursche hat mit Hartruder abgedreht", erklärt der Kommandant. „Wird wohl alles daneben gegangen sein."

Rummwummrabännnng!

„Treffer! Einer hat getroffen, Sir!" ruft der IO strahlend und die Männer im Kontrollraum, an den E-Maschinen und im Bugraum hauen sich lachend auf die Schultern. Die gleich darauf folgenden Detonationen der Waboserien, die rings um das U-Boot donnernd bersten, ersticken die freudigen Rufe.

---

[1]) Torpedos, in der deutschen Marine Aale, hier kippers, d. s. geräucherte und gegrillte schottische Heringe.

Kapitänleutnant MA. Michaelsen, der die Festung Odderoe zur Übergabe zwang

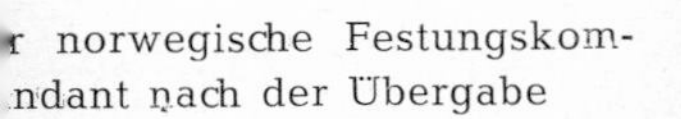

r norwegische Festungskommndant nach der Übergabe

„R 17" bei der Besetzung Hortens in Brand geschossen

Stabsobersteuermann Rixecker (Kmdt „R 23" 1. v. l.), Kapitänleutnant (Ing) Grundmann (Flottillen Ing. 3. v. l.) und Stabsobersteuermann Goderan (Kmdt „R 17" 4. v. l.)

Trotzdem erreicht *„Truant"*, wenn auch erheblich beschädigt, die Heimat. —

Kurz vor 20 Uhr 00, die Kriegsfreiwache der *„Karlsruhe"* tritt gerade zur Musterung auf der Schanz an und wird in wenigen Minuten ablösen, gellt ein Schrei vom Signaldeck:

„U-Bootsalarm an Steuerbord!"

In das schaurige Sirenengeheul mischt sich das Schrillen der Alarmklingeln. Das sichernde Torpedoboot dreht hart ab und rauscht mit AK davon. Auf dem Kreuzer sucht alles fieberhaft die See ab:

„Torpedolaufbahnen an Steuerbord! Zwo, vier nebeneinander!"

„Hart Backbord! Beide AK voraus!" ruft, ohne sich zu besinnen, Kapitän Rieve.

Der Winkel, in dem die Blasenbahnen heranlaufen, läßt keine andere Ausweichmöglichkeit zu. Kommandant, NO, WO stehen schweigend. Wie langsam der Kreuzer andreht, wie schnell sich diese weißlichen Blasen durch das dunkle Wasser heranfressen! Und die Torpedos laufen den Bahnen weit voraus, weil es einige Zeit dauert, bis die Luft aus der eingestellten Lauftiefe an die Oberfläche steigt.

„Ruder liegt hart Backbord! Maschinen gehen AK voraus!" melden Rudergänger und Posten Maschinentelegraf.

Mehr kann ich nicht tun, denkt mit zusammengepreßten Lippen der Kommandant. Wenn Hartruder und AK voraus nicht genügen ... da! die ersten beiden Bahnen werden vorbeilaufen, die dritte vielleicht auch, aber die vierte? Die dritte läuft vorbei. Äußerlich ruhig, innerlich maßlos erregt beugt sich Kapitän Rieve über die Reling, sieht nach achtern, wo das Heck mit schneller werdendem Schwung einen Bogen beschreibt und mit dem Schaum der Hecksee einen weißen Halbkreis auf die See malt.

Rummbänngrawumm!

Mit ohrenbetäubendem Krachen und nachrollendem Donner schießt Steuerbord achtern eine 60 bis 80 m hohe Spreng- und Wasserwolke von einer bläulichrot leuchtenden riesigen Stichflamme durchzuckt, hoch. Das Heck hebt sich etwas, schlägt zurück und der 170 m lange Kreuzer schwingt nach wie eine riesige Stimmgabel.

„Schiff läßt sich nicht mehr steuern!" meldet der Rudergänger.

Gleich hinterher eine andere Stimme:

„Umdrehungen beider Maschinen stehen auf Null!“

„Aye!“

„Mann über Bord!“

Der Schrei kommt vom Oberdeck und wird mehrfach wiederholt. Auf der Signalbrücke wird sofort das entsprechende Flaggensignal geheißt. Der Luftdruck der Torpedodetonation hat mehrere Seeleute über Bord geschleudert. Eins der Torpedoboote bricht die Jagd ab, eilt herbei und es gelingt ihm, die Männer zu bergen.

„Frage Parole?“ sagt Kapitän Rieve, während die *„Karlsruhe“* mit Steuerbordschlagseite bewegungsunfähig auf der Stelle liegt.

Es ist die Frage, auf die jede Abteilung, falls unversehrt, mit dem Schiffsnamen antwortet, bzw. die Beschädigungen nach Art, Umfang und Wirkung angibt. Es kann erst dann etwas veranlaßt werden, wenn die Lage voll zu übersehen ist. Die Schadensmeldungen gehen an den Ersten Offizier, der sie zusammengefaßt an den Kommandanten weitergibt.

Der Kreuzer sinkt langsam tiefer. Von achteraus dröhnen in unregelmäßigen Abständen die Wasserbomben, mit denen die Torpedoboote das U-Boot verfolgen. Verwundete werden von Sanitätsgasten und Krankenträgern ins Schiffslazarett gebracht, von Ärzten behandelt, verbunden und betreut. Inzwischen laufen, fast wie bei den friedensmäßigen Klarschiffübungen, in der Zentrale ernste, fast verzweifelte Meldungen ein.

„Treffer in Abteilung V und VI.[1]) Abteilung III bis VIII laufen voll. Steuerbordschlagseite nimmt zu, beträgt jetzt 12 Grad. Beide Maschinen, E-Anlage, sämtliche Lenzmittel, Ruder und Nebelgeräte ausgefallen.“

Die Lage ist hoffnungslos. Wohl arbeiten die Lecksicherungsgruppen unter Aufbietung aller Kräfte. Sie stützen Schotten und Schottüren ab, um einen weiteren Wassereinbruch zu verhindern, aber, da weder Dampf- noch Elektropumpen arbeiten, bleibt alles umsonst.

---

[1]) auf Kriegsschiffen werden die einzelnen Abteilungen von achtern beginnend mit römischen Zahlen numeriert.

Auf der Brücke laufen von allen Seiten neue Hiobsbotschaften ein, die der Kommandant ruhig und gefaßt entgegennimmt und mit dem NO bespricht.

Zu tun bleibt ihm nichts. Es ist nur eine Frage der Zeit, wie lange die *„Karlsruhe"* sich noch über Wasser halten kann. Sie ist tödlich getroffen.

Da ertönt erneut der Ruf eines Ausgucks:

„U-Boot an Backbord!"

Schlagartig rattern die Fla-Waffen los. Das Sehrohr ist minutenlang durch die Aufschläge der Fla-Granaten und der 10,5 cm der Torpedoboote von einem schäumenden, sprudelnden Kreis umgeben. Der englische Bericht erwähnt diese Beschießung nicht. Danach ist die *„Truant"* die ganze Zeit auf größtmöglicher Tauchtiefe gefahren. Möglicherweise waren die Beobachtungen tatsächlich irrtümlich, wie es im Kriege auf beiden Seiten des öfteren vorkam.

Kapitän Rieve wirft einen Blick nach Norden, wo die hohen Berge des norwegischen Hinterlandes blaudunstig über der ruhigen Kimm stehen.

„Wir können das Schiff nicht halten, Neuendorff", sagt er ernst. „Abschleppen ist auch unmöglich."

„Wenigstens sind keine Flieger da!" meint der NO.

„Nein, werden wohl auch nicht kommen, die Torpedoboote haben das U-Boot die ganze Zeit unter Wasser gedrückt, es hat uns noch nicht melden können."

Eine halbe, dreiviertel Stunde ist seit dem Torpedotreffer vergangen. *„Karlsruhe"* sinkt langsam tiefer. Dem Kommandanten ist klar, daß er nicht lange mehr zögern darf, will er nicht das Leben der Besatzung aufs Spiel setzen. Er reckt sich. Er hat einen Entschluß gefaßt, vielleicht den schwersten seines Lebens. Ernst sieht er den NO an:

„Ich kann es nicht länger aufschieben. Signaldeck! Blinkspruch an FdT: bitte zwei Boote zur Übernahme Besatzung längsseit schicken!"

Dann winkt er den Haupt-BÜ heran:

„Durchsagen an alle Stellen! Alle Mann an Oberdeck antreten. Schiff muß verlassen werden!"

Es ist 20 Uhr 45. Der Gefechtswachhabende setzt die Bootsmannsmaatenpfeife an, trillert und ruft den Befehl aus. Die Obermaate und Maate in den unteren Decks wiederholen. Der FdT läuft mit *„Luchs"* und *„Seeadler"* heran.

Schweigend folgen die Männer dem Befehl. Niemand macht eine Äußerung. Sie verlassen die Gefechtsstationen, steigen aus den Heiz- und Turbinenräumen, der Zentrale, den Rechenstellen, den Munitionskammern und allen anderen Räumen unter Deck, die Niedergänge empor, die jungen Rekruten ebenso mustergültig wie die älteren Gefreiten und Obergefreiten. Auf allen Gesichtern steht die Enttäuschung, der Schmerz, „ihren" Kreuzer, an dem sie hängen und auf den sie stolz sind, verlassen zu müssen. Für den Seemann ist das Schiff, auf dem er fährt, kein totes, seelenloses Gebilde aus Stahl und Eisen, vielmehr ein lebendes Wesen, ein Freund, ein Kamerad.

Fürsorglich in Hängematten gehüllt oder auf Tragbahren gebettet schaffen sie zunächst die Schwerverletzten auf die Torpedoboote. Die Besatzung folgt so wie sie, in Musterungsdivisionen angetreten, von ihren Vorgesetzten aufgerufen wird. Als letzter aufrecht mit ernstem Gesicht, verläßt der Kommandant, Kapitän z. S. Friedrich Rieve, sein Schiff. *„Luchs"* und *„Seeadler"* legen ab und werden wenig später nach Kiel entlassen, das sie am 10. April erreichen.

Um 22 Uhr 30 ist *„Karlsruhe"* erst bis zur Schanz weggesunken. Kapitän Rieve gibt Befehl, das Schiff selbst zu versenken. *„Greif"* läuft an. Unter zwei gewaltigen Detonationen schüttelt sich der Kreuzer noch einmal wie im Todeskampf und sinkt um 22 Uhr 50 schnell über Steuerbordseite. Mit ihm 11 Seeleute, die durch den Torpedotreffer der *„Truant"* ihr Leben verloren.

Der Untergang der *„Karlsruhe"* nach erfolgter Durchführung der Aufgabe während des Rückmarsches war bedauerlich, schien jedoch im Vergleich zu dem Erreichten erträglich, zumal die Kriegsmarine für das Unternehmen „Weserübung" mit weit höheren Verlusten gerechnet hatte.

BESETZUNG VON OSLO DURCH DIE GRUPPE V

Gruppe V Oslo:

Konteradmiral Kummetz auf „Blücher"
Schwerer Kreuzer „Blücher", Kapitän z. S. Woldag
Panzerschiff „Lützow"[1]), Kapitän z. S. Thiele

[1]) ex „Deutschland", später als Schwerer Kreuzer klassifiziert.

Leichter Kreuzer „Emden", Kapitän z. S. Werner Lange
Torpedoboot „Möwe", Kapitänleutnant Neuß
Torpedoboot „Albatros", Kapitänleutnant Strelow
Torpedoboot „Kondor", Kapitänleutnant Hans Wilke

1. Räumbootflottille, Korvettenkapitän Forstmann
8 Minenräumboote: „R 17" — „R 24"

ferner:
„Rau 7" (bewaffnetes Walfangboot)
„Rau 8" (bewaffnetes Walfangboot)

Nach Oslo bestimmt waren 5 Schiffe der 1. Seetransportstaffel, 11 der 2. Seetransportstaffel und 2 der Tankerstaffel.

Eingeschifft waren Stab und Kommandeur, Generalmajor Engelbrecht, der 163. Infanterie-Division sowie Luftwaffenverbindungsstab, die 2. Staffel der 163. Infanterie-Division mit 2 Bataillonen Infanterie und Pionieren, zusammen rund 2000 Mann; (Die 1. Staffel der 163. Infanterie-Division, 2 Bataillone des Infanterie-Regiments 234 und 1 Kompanie des Pionier-Bataillons 234, wurde durch Luftwaffentransportverbände überführt, traf jedoch erst drei Stunden nach der vorgesehenen Zeit ein, da die Fallschirmjägerkompanie, die den Flugplatz Oslo-Fornebu vorher besetzen sollte, wegen der Wetterverhältnisse nach Aalborg zurückgezogen worden war) ferner (auf „Lützow") rund 400 Mann Gebirgstruppen und etwa 50 Mann Luftwaffenbodenpersonal. Zusammen rund 2450 Mann.

Die Einschiffung der Truppen in Swinemünde. Nächtliche Admiralsbesprechung in Kiel.

Es ist sehr kalt, als am 6. April morgens der Schwere Kreuzer *„Blücher"* und der Leichte Kreuzer *„Emden"* die Molen von Swinemünde einlaufend passieren.

„Blücher", die erst nach Ausbruch des Krieges am 20. September 1939 in Dienst stellte, und das Schwesterschiff *„Admiral Hipper"* sind die ersten Einheiten einer in der deutschen Marine neuen Schiffsklasse. Die Besatzung besteht zumeist aus jungen Rekruten, von denen viele vorher nie zur See gefahren sind. Jung, erlebnishungrig und unbekümmert ist ihre einzige Befürchtung, zu den großen Ereignissen dieses Krieges zu spät zu kommen.

Der Kommandant, vorher Kommandeur der Schiffsartillerieschule, hat sich schon im ersten Weltkrieg als Führer einer Sondergruppe von armierten Fischdampfern einen Namen gemacht. Klein, blauäugig, blond und lebhaft wirkt er, den seine Freunde „Dackel Woldag" nennen, mit einem frischen jugendlichen und stets vergnügten Gesicht, jünger als er in Wirklichkeit ist. Seine kameradschaftliche Art ist der Besatzung ein Ansporn, in der Kürze der Zeit Schiff und Waffen soweit irgend möglich beherrschen zu lernen.

Sie alle, Offiziere und Mannschaften sind in den vergangenen Wochen kaum zur Ruhe gekommen: Artillerie-, Fla- und Torpedoschießen, Fahrübungen und vieles andere haben ihre Kräfte voll beansprucht. Das Motto „Vorwärts Blücher!" stand über allem. Tatkräftige Unterstützung in dem Bestreben, die Gefechtsbereitschaft des Kreuzers möglichst bald herzustellen, fand Kapitän Woldag durch den Ersten Offizier, Fregattenkapitän Heymann und den Leitenden Ingenieur, Fregattenkapitän (Ing.) Diplomingenieur Karl Thannemann. Der LJ, einer der tüchtigsten Offiziere dieser Laufbahn, fiel später als Flotteningenieur auf dem Schlachtschiff *„Bismarck"*.

Der Kommandant des Leichten Kreuzers *„Emden"*, Kapitän z. S. Werner Lange, ist vom gleichen Jahrgang wie der *„Blücher"*-Kommandant, sie sind Crewkameraden, die 1912 in die Kaiserliche Marine eintraten.

Daß irgend etwas Besonderes anliegen muß, vermuten alle. Aber niemand außer wenigen eingeweihten Offizieren weiß etwas Genaueres, als sie unter den Klängen der Bordkapelle in Swinemünde einlaufen. Trotz der eisigen Kälte stehen freudig winkende Menschen am Badestrand und der zum Hafen führenden Straße. An Backbord gleitet langsam der schlanke Leuchtturm und der kleine Ort Osternothafen mit Vorposten-, Minensuch- und Torpedobootshafen vorüber. Die Schiffe gehen zum Eichstaden, dem langgestreckten Anlegeplatz vor den Häusern und Hotels der an der Oder liegenden Stadtseite und machen dort fest.

Noch während dieses Manövers, das die Seeleute an Oberdeck beschäftigt, beobachten die Signalgasten allerhand Auffälliges.

„Herr Signalmeister", ruft aufgeregt der Signalmaat der Wache, „sehn Sie sich 'mal die Dampfer, vor allem die großen drüben genauer an! Merkwürdig viele liegen hier und ..."

„Sie meinen die 85er, die da überall an Deck 'rumwimmeln? Ich hab's ja schon gesagt, als wir aus Kiel ausliefen: irgend 'was liegt in der Luft! Dicke Sache scheint das zu sein!"

Etwas davon erfahren sie bereits, als sie sich wenig später beim Bootsmaaten der Wache nach der Möglichkeit eines Landganges erkundigen.

„Is nich!" erklärt der rundheraus. „Landurlaub fällt flach!"

Und dann verkündet der Lautsprecher den erstaunt Aufhorchenden:

„Vorbereitungen treffen zur Übernahme von Heeressoldaten, die im Lauf der Nacht an Bord kommen. Eine Landungsübung soll durchgeführt werden!"

Die sofort auftauchenden Fragen wo und warum, kann niemand beantworten. Es bleibt auch keine Zeit zu großen Erörterungen. Umfassende Maßnahmen sind zu ergreifen, wenn z. B. auf *„Blücher"*, die einschließlich ihres Mobilmachungszuschlags eine rund 1600 Mann starke Besatzung hat, nun auch noch 900 Feldgraue, Infanteristen und Pioniere, samt Waffen, Gepäck und sonstigem Gut untergebracht werden sollen.

IO und Rollenoffizier eilen mit einigem Anhang umher, schwenken Listen und zücken Bleistifte. Sie bestimmen die Räume für den an Bord erwarteten Kommandeur der 163. Infanterie-Division, für den General der Luftwaffe und für die Offiziere der beiden Stäbe. Sie stellen fest, wo die aus ihren Kammern verdrängten Leutnants bleiben, welche Messen für die Feldwebel und Unteroffiziere geräumt und wo die Mannschaften untergebracht werden können.

Auf den Transportern stehen die Feldgrauen in dichten Reihen an der Reling und auf den Ladeluken. Für die meisten von ihnen sind die beiden grauen Kriegsschiffe die ersten, die sie zu sehen bekommen. Besonders bestaunen sie die *„Blücher"*, die schön geschwungenen Linien, den mächtigen Gefechtsmast, die wuchtigen Doppeltürme und die vielen schlanken Rohre der Flak- und Fla-Waffen, die geballte Kampfkraft, die das Schiff ausstrahlt.

Nach einem flammenden Abendrot senkt sich gegen 19 Uhr 00 die Dämmerung über die lange Strandpromenade, den weißen Strand, das Kurhaus und die vielen Hotels und Pensionen des Ostseebades. Mit der Dunkelheit der Nacht rollen lange Güterzüge in den vom Hafengelände ziemlich weit entfernten Bahnhof von Swinemünde. Durch die kriegsmäßig abgeblendeten Straßen marschieren kurz darauf feldgraue Kolonnen. Lastwagen mit Heeresgut fahren hafenwärts. Hier und dort hört man in den Häusern den Marschtritt. Das Licht erlischt, die Verdunklungsblenden gehen hoch und die Fenster öffnen sich. Frauen und Mädchen starren in die Finsternis der Neumondnacht.

Das sind doch Soldaten, feldgraue Kompanien, die da heran- und vorüberrücken? Sie sehen die Männer, hören das Klappern, wenn Spaten, Gasmasken und Ausrüstungsstücke gegeneinanderschlagen. Sie sehen den Kolonnen nach, seufzen und schließen die Fenster, als der letzte Lastwagen in der Finsternis verschwindet.

Den wenigen Geschäftsreisenden im Hotel „Drei Kronen", den Hafenarbeitern, Fischern und Ladenbesitzern in den Kneipen am Staden geht es ebenso. Sie hören den Marschtritt benagelter Soldatenstiefel, lugen aus den Fenstern und wundern sich. Dann stecken sie die Köpfe zusammen.

„Da liegen doch die Frachter mit den Landsern", meint ein Gemüsehändler, „und heut' morgen sind zwei Kriegsschiffe eingelaufen und jetzt wieder Soldaten? Was soll das alles?"

Ein Hafenarbeiter rührt nachdenklich mit dem Glasstab in seinem Grog.

„Das ist doch kein Zufall. Das gehört doch irgendwie zusammen!"

Sein Gegenüber, ein stämmiger Fischer, der während der Sommerzeit nachts die fetten Flundern draußen fängt, die geräuchert von den Badegästen so gern gekauft werden, schüttelt bedächtig den eisgrauen Kopf:

„In der Ostsee ist nichts mehr zu holen. Die Polen sind erledigt, und mit den Russen haben wir einen Vertrag. Ich versteh' das nicht!"

Er sieht die Männer seiner Tischrunde der Reihe nach fragend an. Nein, auch sie wissen nicht, was das alles bedeutet. Sie raten, vermuten und können die Lösung nicht finden.

Den Geschäftsreisenden und Kaufleuten, die in den „Drei Kronen" hinter ihrem Burgunder sitzen, geht es nicht anders.

„Die skandinavischen Länder sind neutral", stellt ein Berliner sehr bestimmt fest. „Meine Firma hat Geschäftsfreunde in Kopenhagen und Stockholm, wir hätten längst Wind davon bekommen, wenn dort irgend etwas nicht in Ordnung wäre!"

„Gegen England kann es auch nicht gehen. Landung oder so. Dann würden sie doch nicht von hier, sondern von den Nordseehäfen auslaufen!" meint ein anderer Vertreter. „Na, wir werden es ja noch erfahren."

Ein Kaufmann aus der Stadt nickt:

„Und wir werden kaum lange warten müssen. Die Matrosen haben keinen Urlaub, nur die von den Booten in Osternothafen. Ich hab' ein paar gefragt", setzt er erklärend hinzu, „sie tragen ja jetzt im Kriege alle nur Mützenbänder mit der Bezeichnung ‚Kriegsmarine', nicht mehr mit den Namen der Schiffe. War keiner von den Kreuzern dabei. Also werden die bald wieder auslaufen."

Nein, auch nicht die Geschäftsreisenden und die Kaufleute, die doch sonst das Gras wachsen hören, finden einen Reim auf die Zusammenziehung der Truppen und die Anwesenheit der beiden großen Einheiten in Swinemünde.

Während sich die Einwohner der Stadt derartige Gedanken machen, werden die Kompanien und ihr Gut auf *„Blücher"* und *„Emden"* sowie drei Torpedobooten eingeschifft und verladen. Die Ersten Offiziere geben Instruktionen und ihre Helfer, Bootsmaate und Matrosen, weisen die Feldgrauen ein. Infanteristen und Seeleute horchen erstaunt auf, als die Bordlautsprecher bald darauf verkünden:

„Vom Kommandanten! Keiner der Heeresangehörigen darf an Deck gesehen werden! Wer Luft schöpfen will, muß sich von den Seeleuten eine Bordmütze und einen blauen Mantel leihen."

Der Bootsmaat der Wache auf *„Blücher"* sieht den Wachhabenden Offizier fragend an:

„Warum eigentlich, Herr Leutnant? Wo doch auf den Dampfern die 85er in hellen Haufen den ganzen Tag an Deck 'rumstanden?"

„Das ist doch klar, Menschenskind!" lacht der Leutnant. „Auf den Frachtern sind Soldaten ziemlich unverdächtig. Die können als Ablösung oder Verstärkung irgendwohin geschafft werden. Gotenhafen zum Beispiel, Pillau, Königsberg. Wenn aber jemand Feldgraue auf den Kriegsschiffen sieht, würde das auffallen, stimmt doch?"

„Allerdings, Herr Leutnant. Glauben Sie übrigens noch an eine Landungsübung?"

„Nee! Aber ich kann Ihnen versichern, ich bin genau so schimmerlos wie Sie oder unser Läufer an Deck hier!"

Der Swinemünder Kaufmann hat Recht. Die Kreuzer gehen sehr bald in See. Am nächsten Morgen, Sonntag, dem 7. April, werfen *„Blücher"*, *„Emden"* und die Torpedoboote *„Möwe"*, *„Albatros"* und *„Kondor"* los und laufen oderabwärts. Für die wenigen, die von den Molen aus den Verband beobachten, bleibt das Ziel der Schiffe, die im Norden allmählich hinter der Kimm verschwinden, ungewiß. Konteradmiral Kummetz auf *„Blücher"* weiß genau, warum er diesen Kurs wählt und erst außer Landsicht nach Westen abdreht.

Der kleine drahtige Admiral mit dem knorrigen, wie aus Holz geschnitzten Gesicht ist Führer der Gruppe V, Oslo. Zu seinem Flaggkreuzer, der *„Emden"* und den Torpedobooten werden in Kiel noch das Panzerschiff *„Lützow"*, Kapitän z. S. August Thiele, Crewkamerad der Kommandanten von *„Blücher"* und *„Emden"*, sowie im äußeren Oslo-Fjord die 1. Räumbootflottille, Chef Korvettenkapitän Gustav Forstmann, und die Walfangboote *„Rau 7"* und *„Rau 8"* stoßen.

Die See ist glatt, aber ein schneidendkalter Ostwind weht. Auf der Brücke der *„Blücher"*, an den freistehenden Fla-Geschützen und auf dem Signaldeck frieren die Männer trotz ihrer dicken Mäntel, Schals, Kopfschützer und lammfellgefütterten Wachstiefel bis auf die Knochen.

Admiral Kummetz, der sich mit seinem Stab auf der oberen, der Admiralsbrücke, aufhält, will die Gelegenheit benutzen, wenigstens mit den beiden Kreuzern Fahrübungen durchzuführen. Es sind völlig verschiedene Schiffstypen mit unterschiedlichen Manövriereigenschaften, was übrigens auch für *„Lützow"* zutrifft.

Bis kurz vor Mittag laufen sie: Kiellinie, Dwarslinie, Staffel, Übergänge und Formationsänderungen, Wendungen, Schwenkungen usw. Ein solches Evolutionieren ist unter den gegebenen Voraussetzungen für Kommandanten und WO's eine äußerst schwierige Aufgabe.

„Diese Übung ist beendet!"

Auf *„Blücher"* geht der Adjutant zur achteren Brückenreling, beugt sich hinüber und ruft dem Oberdeckswachhabenden etwas zu. Der hebt die Rechte, macht kehrt, geht zum Lautsprecher, pfeift einen ganz bestimmten Pfiff und singt den Befehl aus:

„Alle Mann achteraus!"

Die wachfreie Besatzung tritt auf der Schanz an. Kapitän Woldag besteigt die bereitgestellte „Palaverkiste" und gibt die Aufgabe der Gruppe V, die Besetzung der norwegischen Hauptstadt Oslo bekannt.

„Sie soll", schließt er, „wenn irgend möglich, in friedlicher Weise und ohne Blutvergießen durchgeführt werden. Wir kommen nicht als Feinde, sondern als Beschützer vor englischen Übergriffen!"

Hochstimmung herrscht unter den Männern. Das hatte niemand erwartet. Sie sind stolz auf ihren Anteil an diesem Unternehmen, und die Älteren erzählen den Jungen von dem Land im Norden, das sie von sommerlichen Friedensfahrten her kennen und schätzen.

In der Nacht vom 7. zum 8. April ankert der Verband in der Kieler Bucht, wo auch *„Lützow"*, durch den Kaiser-Wilhelm-Kanal aus der Nordsee kommend, eintrifft. Wegen der Verwendung des Panzerschiffes hat es ein ziemliches Hin und Her gegeben. Ursprünglich für einen gleichzeitig mit der Norwegenunternehmung geplanten Atlantikraid vorgesehen, mußte dieser wegen einer Motorstörung verschoben werden. *„Lützow"* wurde nun für die Gruppe V bestimmt, am 26. März aber wieder herausgezogen, durch *„Blücher"* ersetzt und am 4. April der Gruppe II, Drontheim zugeteilt. Weil das Schiff zur Zeit aber nur 24 Seemeilen laufen konnte und damit für diesen Einsatz ungeeignet war, stellte man es auf Wunsch der Armeegruppe XXI kurz vor dem Auslaufen wieder in die Gruppe V ein.

Nach Eintreffen der *„Lützow"* befiehlt ein Scheinwerferspruch die Kommandanten der sechs Einheiten zur Lagebesprechung zum Admiral. Nacheinander rauschen die schnellen Motorboote der Schiffe und die schwarzen Motorjollen der Torpedoboote durch die Nacht zum Flaggschiff. Sie machen an langer Leine am Heck der *„Blücher"* fest.

Im Admiralsraum des Schweren Kreuzers bespricht Konteradmiral Kummetz kurz Vormarsch und geplantes Einlaufen. Fragen der Kommandanten werden durch ihn oder seinen Stabschef kurz und sachlich beantwortet. Auf dem runden Tisch liegt die große Übersichtskarte „Skagen", außerdem die drei Spezialkarten des südlichen, mittleren und nördlichen Teils des Oslo-Fjords. Der Admiral zieht letztere heran und weist auf Dröbak, die engste Stelle des Fjordverlaufs:

„Hier, meine Herrn, liegt im Falle eines Widerstandes die größte Gefahr. Auf beiden Seiten der Durchfahrt befinden sich die Hauptbefestigungen."

Er hebt kurz die Karte des mittleren Fjords:

„Mit den Außenforts auf den beiden Inseln Rauöy und Bolärne müssen nach dem Operationsbefehl die T- und R-Boote fertig werden."

Die Torpedobootskommandanten nicken sich zu und heben die Hand:

„Jawohl, Herr Admiral!"

„Die Verteidigungsanlagen der Dröbak-Enge sind unter dem Namen ‚Feste Oscarsborg' zusammengefaßt. Unsere Nachrichten besagen, daß weitere Stellungen vorbereitet sind, ohne daß wir Einzelheiten kennen."

Mit dem Bleistift zeigt Konteradmiral Kummetz auf die eingezeichneten, teilweise mit Fragezeichen versehenen Batterien und Geschützstände:

„Hier auf der Insel ‚Kaholm' 3—28 cm, 1—30,5 cm und 6—7 cm, ferner Kopaas mit 3—15 cm und Husvik mit 2—7,5 cm, Haaöy mit 4—28 cm Haubitzen und 10—12 cm Kanonen und endlich Nesset mit 3—5,7 cm. Ein für unsere artilleristischen Begriffe etwas seltsam anmutendes Sammelsurium, falls diese Angaben stimmen!"

Er wendet sich an die Kommandanten der großen Einheiten:

„Da ich mit *‚Blücher'* führe, kommt für die Abwehr eines Widerstandes zunächst nur deren Artillerie, vielleicht noch ein Teil der *‚Lützow'* in Frage."

Kapitän Woldag nickt:

„Also 8—20,3 cm und 12—10,5 cm, möglicherweise dazu 6—28 cm, 8—15 cm und 6—10,5 cm."

Er sieht seinen Crewkameraden, Kapitän Thiele, bedeutungsvoll an. Sehr gerade, schlank und zierlich gebaut ist der Kommandant der *„Lützow"* mit leicht schräg geneigtem Kopf aufmerksam den Ausführungen gefolgt. Er weiß, was Kapitän Woldag mit seinem zweifelnden Blick meint. Da ist eine Enge, so schmal, daß sie weder das geringste Ausweichmanöver noch die Ausnutzung der hohen Geschwindigkeit des Verbandes erlaubt, der somit gegen die schweren Küstenbatterien erheblich im Nachteil sein wird. Von vorhergehenden Bombenangriffen war bisher keine Rede. Eigentlich merkwürdig, daß man nicht die T-Boote vorausschickt, um die Absichten der Norweger zu erkunden. Aber man will ja die leichten Streitkräfte bei den Außenforts einsetzen. Der Admiral wird seine Gründe haben, denken die Kommandanten. Befehl ist Befehl und wir müssen versuchen, es auch so zu schaffen.

Konteradmiral Kummetz erkennt wohl, was in den Gesichtern der Offiziere geschrieben steht. Ihm selbst ist auch nicht recht wohl bei dem Gedanken an den Durchbruch. Er reckt sich und fährt fort:

„Das ist noch nicht alles. In der Enge steht noch eine Torpedobatterie mit 3—45-cm-Ausstoßrohren. Ferner soll dort eine elektrisch zündbare Minensperre ausgelegt und besetzt sein. Ich möchte noch einmal die Gegenmaßnahmen, wie ich sie in meinem Befehl für die Gruppe V niedergelegt habe, wiederholen."

Die Blätter des umfangreichen Operationsbefehls beiseite schiebend, sucht er einen Augenblick in den Papieren.

„Hier ist es: zwei als Handelsschiffe getarnte Sperrbrecher sollen in den Oslo-Fjord einlaufen, unabgeblendet, Dampfer- und Seitenlaternen gesetzt, und nach Passieren der Insel Rauöy zu uns stoßen. Vom Treffpunkt ab laufen sie mit 10 Seemeilen im Fahrwasser voraus, der Verband hängt sich an."

Der Admiral legt das Blatt aus der Hand und sieht auf:

„Laufen die Sperrbrecher auf Minen oder feuern die Küstenbatterien, habe ich unbedingtes Durchhalten befohlen, ebenso, falls die Norweger die Küstenfeuer löschen oder bei Nebel. Nur bei schweren Beschädigungen sollen sie das Fahrwasser freimachen. Noch eine Frage?"

Er sieht über die Kommandanten hin, die leicht vorgebeugt in dienstlicher Haltung schweigend um den Rundtisch sitzen. Was sie innerlich beschäftigt ist, wie sie bei Widerstand ihre Schiffe einigermaßen heil durch die Enge bringen sollen, noch dazu mit diesen kümmerlichen 10 Knoten. Und das den Admiral zu fragen, hat wenig Sinn. Konteradmiral Kummetz nimmt ein anderes, mit Zahlen bedecktes Blatt zur Hand:

„Ich habe hier eine Aufstellung der norwegischen Landstreitkräfte, die in und um Oslo stehen, also die Verbände, mit denen die eingeschifften Truppen zu rechnen haben. Das ist in Südnorwegen die 1., 2. und 3. Feldbrigade. Die Gesamtstärke des norwegischen Heeres beträgt 6 Brigaden mit rund 30 000 Mann, die bei einer Mobilmachung auf etwa 106 000 Mann gebracht werden können. Zu bemerken ist jedoch, daß Norwegen auf einen Krieg wenig vorbereitet sein wird und ja auch seit langer Zeit keinen solchen geführt hat."

Als der Admiral schweigt, ergreift einer der Kommandanten das Wort:

„Die Norweger haben schließlich auch den dauernden englischen Neutralitätsverletzungen nie ein energisches Veto geboten! Ob absichtlich oder aus Unvermögen, kann ich nicht beurteilen. Sie sind den englischen Streitkräften, die innerhalb der norwegischen Hoheitsgewässer unsere Erzdampfer anhalten oder verfolgen, nie ernstlich entgegengetreten. Ich kenne die Berichte der Dampfer *‚Heddernheim'*, *‚Lippe'*, *‚Hugo Oldendorf'* und *‚Karpfanger'*, um nur einige zu nennen."

„Erwähnen wir auch ruhig den Rest", meint ein anderer, „darunter *‚Nordland'* und *‚Europa'*, die der englische Zerstörer *‚Fearless'* innerhalb der norwegischen Dreimeilenzone ungestraft belästigte und *‚Neuenfels'*, die im Ros-Fjord, nördlich Kap Lindesnes, von zwei Zerstörern der *‚Tribal'*-Klasse gejagt wurde. Ganz zu schweigen vom *‚Altmark'*-Fall!"

Konteradmiral Kummetz sieht auf seine Armbanduhr und winkt mit der Hand ab:

„Meine Herren, wir kennen alle diese Tatsachen! Wahrscheinlich hat nie die Absicht bestanden, wirklich gegen die Engländer vorzugehen. Wundert Sie das bei den engen Beziehungen zwischen beiden Ländern? Was ich noch aus der Aufstellung hier erwähnen wollte: sollten die Norweger aus irgend einem Grunde noch vor unserer Landung eine Mobilmachung ausrufen und durchführen können, dann stünden um Oslo und den Oslo-Fjord, d. h. im Bereich ihrer 1. und 2. Division etwa 17 000 bis 18 000 Mann. Genauer: das Garde-Bataillon, 6 Infanterie-, 2 Artillerie- und 2 Kavallerie-Regimenter sowie ein Radfahr-Bataillon. Das bedeutet an Waffen: 400—600 Leichte und über 70 Schwere Maschinengewehre, 20 Granatwerfer und 64 Geschütze.[1]) Das ist alles, was ich zu sagen hatte!" schließt er aufatmend. „Halt, beinahe hätte ich es vergessen: 03 Uhr 00 seeklar! Ich danke Ihnen, meine Herren!"

Er klingelt den Läufer herbei und schickt ihn mit einem Befehl zum WO, der die Motorboote längsseit kommen läßt. Die Kommandanten fahren schweigend und sehr nachdenklich zu ihren Einheiten zurück.

Der Vormarsch. „Emden" gibt U-Bootsalarm! „Pol III". Scheinwerfersperren und Wachboote. Vor der Dröbak-Enge. „Alarm! Feuererlaubnis!"

Abgeblendet, geisterhaft und schweigend zieht der Verband durch die frostkalte, sternenfunkelnde Nacht. Über der Kimm blitzt das starke Feuer des hoch auf der Düne der Südspitze von Langeland stehenden Leuchtturms Kjels Nor auf. Gegen 05 Uhr 00 beginnt die Morgendämmerung, und eine Stunde später scheint die Sonne auf die zu beiden Seiten des Fahrwassers liegenden dänischen Inseln des Großen Belts. Lustig knattern die Glühkopfmotoren dänischer Fischerboote, deren Besatzungen kaum aufsehen, als die Gruppe, die Torpedoboote vorauf und seitlich als Sicherung, in Kiellinie passiert.

Die höher steigende Sonne spiegelt sich in den blitzblanken Fenstern der Häuser auf Langeland und Fünen. Laaland kommt an Steuerbord in Sicht, und später ist Seeland als blaugrau auf See liegender Streifen auszumachen. Als die Schiffe durch den Samsö Belt laufend sich dem Kattegat nähern, werden die letzten Vorbereitungen getroffen. Die volle Kriegswache zieht mit verstärktem U-Boots- und Luftausguck auf. Die Torpedoboote steuern Zickzackkurse. Um 13 Uhr 05 liegt im Kattegat die Insel Anholt querab. Auf der Brücke der

---

[1]) Die norwegische 1. Division befand sich am 9. April im Festungsgebiet am unteren Glommen zwischen Fredrikstadt und Askim, die 2. Division bei und nördlich Gardemoen in der Aufstellung.

„Blücher" zeigt der Adjutant einem der Hauptleute des Divisionsstabes die flache Küstenlinie:

„Allerhand losgewesen dort zur Hansezeit, Herr Hauptmann!"

„So? Interessant. Was denn?"

„Ziemlich lange Geschichte. Haben Sie 'mal 'was von dem berühmten Danziger Paul Beneke, dem ‚harten Seevogel' gehört?"

„Nein, keine Ahnung. Halt, doch: hat der nicht den Spaniern ein Bild abgejagt, das jetzt in der Danziger Marienkirche hängt? Muß ich irgendwo gelesen haben!"

„Stimmt. ‚Das jüngste Gericht'. Dieser Beneke war ein Findelkind, wurde von dem Danziger Kaperkapitän Kurt Bokelmann aus Seenot gerettet und von dessen Schwager, dem Ratsherrn Beneke, adoptiert. Die Hanse war gerade einmal von den Dänen geschlagen worden, als Eler Bokelmann, der Sohn des Lebensretters, mit dem *‚Mariendrache'* und dem *‚Pomuchel'* Anholt passierte. Dort im Hafen lagen mehrere dänische und einige den Danzigern abgenommene Prisen. Bokelmann schickte seinen Steuermann Beneke mit einem kurz vorher genommenen kleinen dänischen Schiff hinein. Es war eine tolle Sache: nachts geentert, Luken dicht genagelt, desgleichen die Scharten einer Landbatterie, der Stadt 10 000 Pfund Groschen, das sind etwa 250 000 Mark, abgeluchst und mit zwei Danziger und 9 dänischen Koggen nach Hause gesegelt."

„Wann war das?" erkundigt sich der Hauptmann interessiert.

„1466. Jedenfalls war die Niederlage ausgeglichen!" —

Auch für die Gruppe V ist, wie für alle anderen, Funkstille befohlen. Infolgedessen wird auf *„Blücher"* nur das empfangen, was aus der Heimat kommt, beispielsweise von der Marinegruppe Ost, Admiral Carls, der die operative Führung in der Ostsee bis Skagen hat, oder von der Gruppe West, Generaladmiral Saalwächter, dem die gleiche Aufgabe für die Nordsee und den anschließenden Seebereich zufällt, und natürlich das, was deutsche oder ausländische Rundfunksender ausstrahlen. Die in See befindlichen Streitkräfte dagegen sind stumm. Der Funkraum auf *„Blücher"* liegt im Gefechtsmast. Er ist fensterlos und die Funkmaate und -gasten sitzen an einer langen Back. Drei Wände des Raumes sind mit Appara-

Schwerer Kreuzer „Blücher"

Panzerschiff „Lützow"läuft in Oslo ein

Leichter Kreuzer „Emden" bei der Ausschiffung von Truppen

Truppentransporter im Hafen von Oslo

ten, Schaltkästen und Armaturen behängt. Jetzt am Nachmittag wird eine Durchsage des dänischen Senders Kalundborg aufgefangen, die der BNO ins Deutsche übersetzen läßt und selbst Kommandanten und Admiral auf die Brücke bringt. Sie lautet:

„Stärkere Verbände der deutschen Kriegsmarine haben heute vormittag mit nördlichem Kurs die dänische Küste passiert!"

Der Admiral reicht das Blatt dem General:

„Das war nicht anders zu erwarten. Man hat uns von begegnenden Schiffen wie von Land beobachten können. Aber aus der Meldung kann niemand Genaueres ersehen. Man wird annehmen, daß wir einen Vorstoß ins Skagerrak zum Schutz der eigenen Erzdampfer oder eine Unternehmung gegen die englischen Norwegenkonvoys beabsichtigen."

Die Gruppe steht um 17 Uhr 15 auf der Höhe der kleinen vor Frederikshavn in Nordjütland liegenden Insel Hirsholm und nimmt Kurs auf Skagen-Feuerschiff. Die See ist ruhig, nur die Dünung ist stärker geworden. Die Torpedoboote werfen eine hohe Bugsee auf und schlingern etwas.

Auf Admirals- und Schiffsbrücke der *„Blücher"* stehen die Offiziere der eingeschifften Stäbe. Darunter der wie der Kommandant jugendlich wirkende Divisionskommandeur, Generalmajor Engelbrecht, und der sportlich aussehende gedrungene General der Luftwaffe. Sie horchen auf, als hier im besonders U-Boots-verseuchten Gebiet die Ausgucks noch einmal auf die Gefahr und die Notwendigkeit schärfster Beobachtung hingewiesen werden.

Bis zum jüngsten Ordonnanzoffizier spüren die Gäste die Spannung auf beiden Brücken. Sie heben immer wieder ihre Doppelgläser, aber sie beobachten die Kiellinie der drei großen Einheiten und die Torpedoboote, nicht die See, aus der jeden Augenblick das Schlangenauge eines Sehrohrs auftauchen kann. Überrascht sehen sie plötzlich Bewegung auf dem Signaldeck, treten zurück und blicken zur Rah, an der zwei Reihen bunter Flaggen wehen.

„Flaggensignal von *‚Emden'*. U-Bootsalarm, Torpedolaufbahn an Backbord!" schreit der Signalmaat der Wache zur Brücke hinunter.

Während das Signal wiederholt wird, dreht der Leichte Kreuzer weit überliegend hart nach Backbord ab. Die Torpedoboote brausen mit AK, Bug hoch aus der See, Heck im wirbelnden Schraubenwasser tief eingesogen die Blasenbahn entlang. Ein Befehl des Admirals läßt *„Blücher"* und *„Lützow"* ebenfalls abdrehen und, wie für solche Fälle vorgesehen, Zickzackkurse steuern. An der Stelle, wo das U-Boot vermutet wird, bricht ein gewaltiger Schwall nach dem anderen aus der ruhigen See, über die der dumpf hallende Donner der Wasserbombendetonationen hinwegrollt. Die Armeeoffiziere beobachten die sich schnell folgenden Manöver.

„Warum hat *‚Emden'* auf die Bahn zugedreht?" fragt ein Generalstabsmajor leise den TO, als den vom allgemeinen Getümmel offenbar am wenigsten betroffenen Schiffsoffizier. „Ich war erschrocken, weil ich dachte . . ."

Der Oberleutnant verbeißt beim Anblick der karmesinroten Streifen an den Hosen des Fragenden ein Lächeln:

„Der Winkel, in dem der Torpedo herankam, Herr Major . . . aber nein, ich will Ihnen das lieber aufmalen, dann ist es leichter zu verstehen."

Er zieht einen Briefumschlag aus der Manteltasche, Füllfederhalter aus dem Jackett, zeichnet die Situation auf und gibt die Erklärung:

„Sehn Sie . . ."

„Signal von *‚Emden'*, Alarm beendet!"

Der Kreuzer dreht auf und nähert sich wieder der Gruppe, die erneut Kiellinie auf *„Blücher"* formiert und den Vormarsch fortsetzt. Auf einen fragenden Blick des Generals wendet sich Konteradmiral Kummetz an seine Gäste:

„Das Signal der *‚Emden'* bedeutet, daß das U-Boot weggetaucht ist. Die Torpedoboote haben es mit Wabos unter Wasser gedrückt. Bei unserer Geschwindigkeit kann es jetzt die vorliche Stellung, die es zum Angriff braucht, nicht mehr erreichen."

Korvettenkapitän Engelmann, der IAO, der beim Alarm auf die Brücke eilte, läßt an den IIAO als augenblicklichen Kriegswachleiter über den Haupt-BÜ durchsagen:

„An Artillerie! Ihr habt nun gesehn, daß hier tatsächlich englische U-Boote lauern. Also schärfsten Ausguck! Alles, was euch verdächtig erscheint sofort melden!"

Der Alarm hat wie ein elektrischer Schlag gewirkt, nicht nur die Ausgucks, sondern auch die an Oberdeck stehenden Geschützbedienungen der 10,5 cm und Fla-Waffen sind aufgerüttelt und suchen mit verdoppelter Aufmerksamkeit die zugeteilten Sektoren ab.

Gegen Abend, als sich der Sonnenball der westlichen Kimm nähert und goldene Streifen die Augen blendend auf der See flimmern, steht der Verband auf der Höhe von Skagen.

„Recht voraus Sehrohr!" ruft laut und erregt ein Brückenausguck.

Die Wirkung ist verblüffend! Alles geht Schlag auf Schlag:

„Alarm! Feindliches U-Boot, getaucht! Feuererlaubnis!"

Signale, Sirenengeheul, das Steuerbord zackende Torpedoboot rast los, und die vorderen 3,7 cm-Fla-Waffen des Flaggschiffes knattern ihre Leuchtspurgeschosse auf die Stelle, wo das Sehrohr seltsamerweise immer noch auszumachen ist. Die bunten Bahnen zischen wie Raketenfeuerwerk zu beiden Seiten an der Brücke vorbei nach vorn. Zornig sprühende Aufschläge springen hoch. In das stotternde Rattern tönt die helle Stimme des Kommandanten. Er hat sein Doppelglas abgesetzt und lacht fröhlich:

„Feuer einstellen! Sehrohr ist ein Fischerzeichen!"

Alle auf der Brücke, einschließlich der Armee- und Luftwaffenoffiziere brechen in erlösendes Gelächter aus. Kapitän Woldag tritt auf den verlegen und ärgerlich dreinblickenden Matrosen zu, der die Meldung machte:

„Vollkommen richtig, mein Junge! Du hast gut aufgepaßt. War eine schwer zu sehende dünne dunkle Stange ohne das sonst übliche Topzeichen. Niemand konnte das ahnen, ich hab's auch zu spät gemerkt. Lieber 'mal ein bißchen unnötiges Geknatter, als beim nächsten Mal einen oder zwei Torpedos im Bauch, nicht? Immerhin hat das Feuereröffnen gut funktioniert, AO!"

Korvettenkapitän Engelmann legt die Hand an die Bordmütze und stößt seinen BÜ an:

„Kriegsfreiwache abtreten!"

Skagen-Feuerschiff wird um 19 Uhr 00 passiert, als die Sonne eben hinter die Kimm taucht und schnell noch ihre buntesten Farben verstreut. Die wenigen Wolken zeigen purpurne und goldene Säume und dort, wo die orangerote Scheibe verschwindet, liegen langsam verblassende grüne, flamingofarbene und gelbe Streifen. Zögernd nur deckt die Nacht ihren Sternenmantel über den Farbenrausch.

Alle Einheiten werden sorgfältig abgeblendet. Der IO, Feldwebel und Fähnriche kontrollieren genau. Keine Taschenlampe, kein Lichtschein einer Zigarette, kein aufflammendes Streichholz, keine Schornsteinfunken dürfen die Gruppe verraten. Korvettenkapitän Hugo Förster, der NO der *„Blücher"*, ist mit dem Obersteuermann in der Friedenssteuerstelle am Kartentisch beschäftigt, Ansteuerung und Einlaufen in den Fjord vorzubereiten. Noch während des Vormarsches nach Norden wird „Klarschiff zum Gefecht" befohlen. Die Geschütze bleiben zwar gemäß Operationsbefehl in Ruhestellung, aber alle Mann sind auf Gefechtsstationen. NO und Steuermannsmaat der Wache spähen voraus, dorthin, wo im Dunkel der Nacht die norwegische Küste mit einer bunten, funkelnden Lichterkette von Leuchtfeuern und Leuchtbojen hinter der Kimm in friedlichem Schlummer liegt.

Konteradmiral Kummetz befindet sich nun mit den beiden Generalen auf der Schiffsbrücke. Hinter einem der Brückenpeilkompasse sucht der Steuermannsmaat mit dem aufgelegten großen Nachtglas in der Richtung, in der die ersten Außenfeuer auftauchen müssen. Es ist gegen 22 Uhr 30, als der Maat dem NO meldet:

„Voraus zwo Lichter, Herr Kaptän! An Steuerbord weißrotes Mischfeuer, an Backbord ein starkes Blitzfeuer mit drei Gruppen."

Er gibt die Peilung an den Obersteuermann in der Friedenssteuerstelle. Der zeigt dem hinzugetretenen NO die Karte:

„Stimmt, hier an Backbord Lille Faerder, an Steuerbord Torbjörnskjör."

Der NO meldet dem Kommandanten, der den Generalmajor aufmerksam macht:

„Haut genau hin, Herr General, es sind die Außenfeuer des Oslo-Fjords."

Eine Stunde später erscheint der IFTO, sucht im Dunkel nach dem Kommandanten, rennt gegen den General und entschuldigt sich. Kapitän Woldag hebt den Arm:

„Hier bin ich! Was ist los?"

„Der Sender Oslo hat um 22 Uhr 25 den Befehl der norwegischen Admiralität durchgegeben, alle Feuer sofort zu löschen, Herr Kaptän!"

„Das hab' ich mir gedacht!" Der Kommandant wendet sich an den Admiral. „Sie haben irgendwie Wind bekommen, weiß der Teufel, woher. Eindeutige Schutzmaßnahme, Herr Admiral. Na, vorläufig brennen sie noch!"

Sie brennen auch noch eine ganze Weile. Kurz vor Mitternacht kommen sogar einige Innenfeuer in Sicht und werden gepeilt.

Dann ertönt plötzlich die Stimme eines Steuermannsmaaten vom Peilkompaß her:

„Feuer sind gelöscht!"

„Hoffentlich kann man die Fahrwasserbojen und die Inselbefeuerung ausmachen", meint ruhig der NO, „dumm ist nur, daß jetzt ein starker Gezeitenstrom einsetzt!"

Er wendet sich an die Ausgucks:

„Scharf auf die Fahrwasserzeichen achten! Bojen, Baken, Inseln, Schären. Alles sofort melden!"

Der Obersteuermann selbst eilt zwischen Brücke und Kartenhaus hin und her. Das Steuermannspersonal hat alle Hände voll zu tun. Zuweilen verrät ein ganz schwacher Lichtschein eine der ausliegenden Leuchtbojen.

„Sagen Sie mal, Förster, müßten hier nicht unsere beiden Sperrbrecher stehn?" fragt der Kommandant, der sie bereits längere Zeit mit dem Nachtglas suchte.

„Jawohl, Herr Kaptän. Ich habe schon im Funkraum anfragen lassen, ob sie vielleicht trotz der Funkstille irgendetwas gesendet haben. Aber nichts gehört."

„Sehr ärgerlich, aber mit denen können wir uns nicht aufhalten. Vielleicht sind sie geschnappt worden, englisches U-Boot oder was weiß ich."

„Blinkspruch von *‚Emden‘*: 1. Räumflottille kommt auf!"

„Gut, der Forstmann!" bemerkt der Admiral.

Kapitänleutnant Gustav Forstmann ist der Flottillenchef, Kapitänleutnant (Ing.) Erich Grundmann der Flottilleningenieur. Letzterer bekam mit den zwei Kommandanten, Stabsobersteuermann Horst Riecker und Stabsobersteuermann Arthur Godenau für tapferes und umsichtiges Verhalten während der Unternehmung später das Ritterkreuz des Eisernen Kreuzes verliehen.

Kurz nach Eintreffen der R-Boote läßt Konteradmiral Kummetz den Verband stoppen.

„Die Sturmtruppen von *‚Lützow‘* und *‚Emden‘* werden jetzt auf die Räumboote abgegeben", erklärt er dem General. „Zwei Rotten für die Außenforts auf Rauöy und Bolärne, die beiden anderen für den Kriegshafen Horten, am West- und für Moss und Son am Ostufer weiter nördlich." —

Die 8 Boote der 1. Räumbootsflottille hatten in Kiel gelegen, Brennstoff, Munition und Lebensmittel ergänzt und dem Flochef waren Karten eines bestimmten Seegebiets übergeben worden, die sofort in dessen Geheimspind verschwanden. Kein Wunder, daß auf den Booten die verschiedensten Gerüchte über einen bevorstehenden Einsatz kursieren. Endlich kommt ein Befehl:

„07 Uhr 00 alle Mann an Bord! Seeklar!"

Es wird aber später. Korvettenkapitän Forstmann ist zu einer Besprechung gefahren. Über den Straßen liegt starker Frühnebel, der ihn auf der Rückfahrt aufhält. Sofort nach seinem Eintreffen laufen die schnittigen, schmalen Boote, die mit ihren 2 Motoren und 2 Voith-Schneider-Propellern 21 Seemeilen erreichen, aus. Die Bewaffnung besteht aus 2—2 cm Fla-Waffen und die Besatzung aus 34 Mann.

Nach Passieren des Marine-Ehrenmals bei Laboe dreht die Flottille nach Backbord zur Strander Bucht ab. Zwei Walfangboote, *„Rau 7"* und *„Rau 8"*, liegen dort, kleine, wendige, sehr seetüchtige Fahrzeuge, die im Frieden in der Antarktis mit Harpunengeschützen Wale jagten und zum Mutterschiff schleppten. Bei einem der beiden geht das Führerboot längsseit. Ein Signalgast gibt mit Winkflaggen einen Befehl des Flochefs weiter:

„Kommandanten zum Befehlsempfang für bevorstehende Unternehmung zum Chef!"

Korvettenkapitän Forstmann gibt den erstaunt Zuhörenden kurz die Umrisse der Gesamtoperation und die Aufgabe der Gruppe V bekannt. Dann zieht er die drei Spezialkarten des Oslo-Fjords aus dem Geheimspind und breitet sie auf dem schmalen Tisch seiner Kammer aus:

„Unsere Aufgabe ist es, zu den verschiedenen Außenbefestigungen und dem Kriegshafen Horten Sturmtrupps überzusetzen und deren Einsatz wirkungsvoll zu unterstützen!"

Er weist auf die Karte:

„Im Südteil des mittleren Fjords liegen an beiden Seiten die befestigten Inseln Rauöy und Bolärne. Dahinter, weiter im Norden und am Westufer, der Kriegshafen Horten. Die Flottille wird in Rotten aufgeteilt."

Er wendet sich an die einzelnen Kommandanten und zeigt die Ziele mit einem Stechzirkel:

„,*R 20*' und ,*R 24*' besetzen Rauöy hier an Steuerbordseite, ,*R 22*' und ,*R 23*' die Stellungen auf Bolärne an Backbord. Nach Horten gehen ,*R 17*' und ,*R 21*' sowie ,*Rau 7*' unterstützt durch die jetzt noch bei den großen Einheiten laufenden Torpedoboote ,*Kondor*' und ,*Albatros*'. Die letzte Rotte, ,*R 18*' und ,*R 19*' landen ihre Stoßtrupps bei Moss auf der Ostseite gegenüber Horten und weiter nördlich in Son."

Korvettenkapitän Forstmann erläutert die Einzelheiten, Lage und Kaliber der Batterien, soweit sie bekannt sind oder vermutet werden, Stärke, Belegung und Kriegsschiffe in Horten. Die Kommandanten sehen sich verstohlen an: großer Himmel, das ist eine Sache, denken sie. Dunkle Neumondnacht, unbekannte Gegend und sicherlich feindlicher Widerstand. Na, immerhin allerhand, daß man uns und unseren kleinen Fahrzeugen diese Aufgabe anvertraut! Sie stellen Fragen, die der Flottillenchef ein wenig ungeduldig beantwortet. Er sieht auf die Uhr, verteilt die Karten und erhebt sich:

„Es ist spät geworden, Herrschaften! Nicht meine Schuld, für den Nebel bin ich nicht verantwortlich. Ich werde aber während des Vormarsches noch eine weitere Besprechung einlegen. Höchste Zeit jetzt loszuwerfen! Schluß der Sitzung! Marschformation und Geschwindigkeit wie befohlen!"

Kurz danach passiert die Flottille Kiel-Feuerschiff und läuft nordwärts durch den Langeland Belt auf ungefähr den gleichen Kursen wie vor ihr die anderen Einheiten der Gruppe V. Kurz vor dem Skagerrak, bei der im Kattegat liegenden Insel Laesöe, findet die angekündigte Besprechung statt. Die Flottille ankert, die Kommandanten bringen einige Fragen vor und der Chef gibt Anweisungen:

„Noch eins", betont er abschließend, „keine Kampfhandlung vor 05 Uhr 15! Habe ich zwar bereits in der Strander Bucht gesagt, aber die Führung legt größten Wert auf diesen Punkt. Ist das verstanden?"

„Jawohl, Herr Kaleunt!"

„Na schön! Dann ab dafür!"

Der weitere Vormarsch verläuft ereignislos. Die See ist ruhig, eine leichte Dünung steht aus Nordwesten. Die Feuer brennen noch, als sie im Oslo-Fjord eintreffen und den vereinbarten Treffpunkt ansteuern. Auch als sie mit einem Schlage verlöschen, laufen sie unbekümmert weiter, bis das Flottillenboot die weiße Hecksee und den Schatten des Schlußschiffs der Gruppe V, des Leichten Kreuzers *„Emden"*, ausmacht und mit einem Blinkspruch die Flottille dem Admiral meldet.

Der Verband stoppt, die abgeteilten Rotten gehen, während die Torpedoboote sichern, bei *„Lützow"* und *„Emden"* längsseit. Die Stoßtrupps steigen über, die für Rauöy und Bolärne bestimmten Boote werden entlassen und verschwinden in der Dunkelheit. Auf *„Blücher"*, wo man von der Brücke aus ungeduldig die Umschiffung beobachtet, wendet sich der Admiral an den Kommandanten:

„Hören Sie, Woldag, ist Ihnen auch aufgefallen, daß wir seit dem Einlaufen keinen einzigen Dampfer getroffen haben?"

„Jawohl, Herr Admiral. Kann sein, daß die Schiffahrt gewarnt worden ist. Umgelenkt nach Stavanger, Bergen usw."

Die Übergabe der Heereseinheiten ist beendet, und die Schiffe setzen ihren Marsch fort. Und nun tritt das ein, was die Führer der fünf Kampfgruppen zwar erwarteten, aber doch gerne vermieden hätten: die Norweger leisten Widerstand und es kommt zu Kampfhandlungen. Vor dem Flaggschiff taucht ein Licht auf. Eine Leuchtboje? Ein Fahrzeug?

„5 Grad Backbord voraus Dampferlicht!" meldet der Brükkenausguck. „Dicht überm Wasser rote Seitenlaterne, scheint kleines Fahrzeug zu sein."

Ein niedrig auf dem Fjord liegender Schatten ist auszumachen, auch die Positionslichter. Nichts sonst, weder Decksbeleuchtung noch ein Lichtschein aus den Bulleyes. Allerdings ist es kurz vor Mitternacht und außer der Wache wird alles schlafen, falls es ein kleiner Küstendampfer sein sollte. Noch überlegen sie, als drüben ein Scheinwerfer aufblendet, suchend hin und her fingert und dann Vorschiff, vordere Doppeltürme, die Brücken und den Gefechtsmast der *„Blücher"* anstrahlt. Das weiße Licht verweilt gleichsam stutzend einen Augenblick, huscht weiter und beleuchtet den Hintermann *„Lützow"*.

„Fahrzeug ruft an!"

„Was will er?" fragt der Kommandant.

„Unsere Nationalität, Herr Kaptän! Danach kam etwas von feuern", ruft der Signalmeister, dessen Stimme die Verblüffung anzumerken ist. „Wir haben das nicht ganz mitbekommen."

Konteradmiral Kummetz gibt dem neben ihm stehenden Kommandanten einen Wink. Hier muß der Führer der Gruppe selbst eingreifen:

„An *‚Albatros'*: aufbringen!"

Während der Befehl durch UK an das Torpedoboot geht, das ausschert und auf den Bewacher zudreht, der bereits die ersten beiden großen Schiffe passiert hat, setzt der NO das Doppelglas ab:

„Offenbar Walfangboot, Herr Admiral, fährt vorn auf der Back ein kleines Geschütz."

Kapitänleutnant Strelow, Kommandant der *„Albatros"* blinkt eine Warnung an den Norweger:

„Stoppen Sie sofort! Gebrauchen Sie Ihre FT nicht!"

Das Wachfahrzeug denkt nicht daran der Aufforderung nachzukommen. Ein Schuß blitzt auf. Vor dem Bug der *„Albatros"* springt die zierliche Fontäne des Aufschlags einer kleinkalibrigen Granate hoch. Auf die mündliche Aufforderung zur Übergabe kracht die vordere 10,5 cm des Torpedobootes als Antwort.

„Donnerwetter, der Kleine hat Mut!" bemerkt einer der *„Blücher"*-Offiziere. „Drei große Schiffe im Hintergrund, und er geht feuernd auf seinen Gegner los! Sieht fast so aus, als ob er rammen wollte . . ."

Ein Telefonposten unterbricht:

„Anruf aus Funkraum, Herr Kaptän! Der Norweger gibt ununterbrochen Alarm. Meldet unbekannte Kriegsschiffe mit Standort, Kurs und Fahrt. Name: *‚Pol III'*!"

Drüben wird die Stenge des Mastes samt der FT-Antenne von einer Granate über Bord gefegt. Der Alarmruf verstummt. Ein Treffer kracht in die Brücke, aber das kleine Backgeschütz feuert unentwegt weiter. Eine dritte Granate schlägt ins Innere des Bootes, Feuer wütet unter Deck. Eins der beiden in Davits hängenden Rettungsboote wird zerschmettert. Erst jetzt ergeht der Befehl:

„Alle Mann aus dem Schiff!" 14 Überlebende werden von *„Albatros"* geborgen.

Wielding Osten hieß der Kommandant des Walfängers, der so furchtlos einen mehr als ungleichen Kampf wagte. Aber das nur 214 BRT große Boot erfüllte seine Aufgabe und löste an der ganzen norwegischen Küste Alarm aus. Der Brückentreffer zerschmetterte dem tapferen Offizier der Marinereserve beide Beine und verwundete ihn tödlich.

Jetzt morst ein weiteres Wachfahrzeug an.

„Unbeantwortet lassen!" befiehlt der Admiral.

Das Boot verschwindet schnell achteraus in der Finsternis des mit 18 Knoten marschierenden Verbandes.

„Großer Scheinwerfer an Steuerbord!"

„Scheinwerfer an Backbord!"

Eine Lichtsperre legt sich quer über den hier etwas enger werdenden Fjord.

„Scheinwerfer gegenleuchten!" ruft Kapitän Woldag.

„Das sind Rauöy und Bolärne, Herr Kaptän!" stellt nach einem Blick auf die Karte der NO fest. „Glücklicherweise wird die Sicht schlechter!"

Dunstschwaden, Nebelstreifen liegen voraus dicht über dem Wasser, fließen, treiben ab und bilden sich an anderen Stellen neu. An Steuerbord auf Rauöy blitzen dicht neben dem Scheinwerfer zwei, drei Mündungsfeuer auf, Geschützdonner rollt über den Fjord.

„15 cm schätze ich!" ruft sachlich der IAO. „Hier, voraus sind auch schon die Aufschläge!"

Weit vor *„Blücher"* fahren im Scheinwerferlicht glitzernde Aufschläge hoch, stehen einen Augenblick still und brechen dann zusammen.

„Warnschüsse!" meint der Admiral:

„Durchhalten!"

Wohl haben E-Messer und Zielgeber die Batterie in ihrer Optik, aber die Geschütze bleiben in Zurrstellung. Der Verband verfolgt unbeirrt seinen Kurs. Kein weiterer Schuß fällt, die Scheinwerfer auf den Inseln blenden.

„Wahrscheinlich nur eine formelle Warnung!" erklärt Konteradmiral Kummetz dem General. „Betonung der Neutralität. Sonst hätten sie doch weitergefeuert."

Nicht alle Offiziere teilen diese Meinung. Die Norweger sind als ein nationalbewußtes, freiheitsliebendes und stolzes Volk bekannt. Ebenso ihre vielfachen, oft auch verwandtschaftlichen Beziehungen zu England. Britische Kriegsschiffe würden sie wohl durchlassen, aber deutsche?

„Scheinwerfer blenden!"

Klackend schließen sich die Blenden. Der erste Sperrgürtel ist durchlaufen. Stockdunkle Nacht tritt wieder an die Stelle der kalkweißen Strahlen. Noch glauben die Augen fahlweiße Streifen zu sehen, bis sie sich wieder an die Dunkelheit gewöhnt haben. Die Sicht nimmt schnell ab. Die hohen Berge der Inseln, deren Umrisse in den Basisgeräten, Zielgebern und den scharfen Nachtgläsern trotz der mondlosen Nacht erkennbar waren, treten in die Finsternis zurück. Kurz vor 01 Uhr 00 beträgt die Sichtweite nur noch 800 bis 1000 m. Der Admiral hält ein Weiterlaufen mit 18 Seemeilen für zu gefährlich:

„Langsam vortasten, Woldag. Wir müssen irgendwo die Stoßtrupps für Horten an die R-Boote abgeben und dann auf bessere Sicht warten. Das wird allerdings unser Einlaufen in Oslo verzögern. Leider nicht zu ändern. Die Geschütze wollen wir aber doch vorsichtshalber in Suchstellung gehn lassen. Befehl an die Gruppe:

„Langsame Fahrt!"

Eine, zwei Stunden kriecht der Verband langsam weiter. Dann wird es vorübergehend etwas sichtiger. Der Admiral läßt stoppen. *„Emden"* ruft *„R 17"*, *„R 21"* und *„Rau 7"* längsseit. Nach Übernahme der Feldgrauen werden die Boote detachiert, und die Gruppe nimmt ihren Vormarsch mit 9 Seemeilen wieder auf. Sie stehen jetzt querab des Kriegshafens Horten.

Für die auf *„Blücher"* eingeschifften Soldaten des Heeres bedeutet die lange Fahrt eine erhebliche Nervenbelastung. Sie müssen unter Deck bleiben und von dem, was draußen vor sich geht, hören sie auf ihre Fragen nur hastige Antworten der Seeleute, die durch die Decks eilen, Schottüren öffnen und wieder fest mit Vorreibern verschließen. Die meisten hält die Spannung, die fremde Umgebung wach, die ungewohnten Geräusche, das Summen der Turbinen, das Schlagen der Schrauben, das Fauchen der Lüfter, Trappeln von Seestiefeln an Oberdeck und auf den Niedergängen. Als das Schießen dumpf und fern an ihr Ohr dringt, denken sie unwillkürlich an die dunkle Tiefe eiskalten Fjordwassers unter dem Schiff.

Einer ist an Bord, der fühlt, wie den Landsern zumute sein muß: der Kommandant. Er läßt über den Bordlautsprecher Durchsagen geben, die in der Hauptsache den Feldgrauen gelten:

„Von Kommandant an Alle! Gegen 04 Uhr 00 haben wir den norwegischen Kriegshafen Horten passiert. Die Gruppe nähert sich nun dem schmalsten Teil des Fjords mit den Artilleriestellungen der Feste Oscarsburg, die wir in etwa einer Stunde in der Morgendämmerung erreichen werden, also zu der Zeit, zu der wir eigentlich schon vor Oslo stehen sollten! Nebliger Dunst machte es unmöglich, eine höhere Geschwindigkeit durchzuhalten."

Der Fjord verbreitert sich hinter Horten wieder, wo noch links zwei Arme, die Sande-Bukt und der Drams-Fjord abzweigen. Danach verengt er sich in nordöstlicher Richtung zu einem Fahrwasser von knapp 2000 m Breite. Die Ansteuerung der Enge bietet bei gelöschten Feuern erhebliche navigatorische Schwierigkeiten. Der Obersteuermann gibt die Peilungen, in denen die Fahrwassertonnen und Baken erscheinen müssen. NO, Steuermannsmaat der Wache und die Ausgucks starren angestrengt voraus auf die dunklen Fjordwasser. Auf der Brücke ist fast nichts anderes mehr zu hören als die Sichtmeldungen:

„Frage: Peilung Boje Bilekrakken? Peilung Boje Lindholmgrunn?"

Noch stehen die Sterne am Himmel, aber es wird lichter. Die erste Ahnung der Morgendämmerung läßt bereits die Umrisse von Inseln und Bergen in der Dunkelheit erkennen. Um 04 Uhr 30 liegt Backbord querab die Insel Tofteholmen.

„Passen Sie auf!" mahnt der NO den Steuermannsmaaten. Die nächste ist die Bake Beveöykollen Steuerbord voraus. Die brauchen wir unbedingt, weil dort Kurs geändert werden muß."

Es ist der NO selbst, der sie als erster erkennt und ausruft. Der Steuermannsmaat nimmt die Peilung und Korvettenkapitän Förster meldet dem Kommandanten:

„In 5 Minuten Kursänderung ins Fahrwasser der Dröbak-Enge, Herr Kaptän!"

„Danke, Förster!"

Der NO sieht noch einmal zu der mitten im Fahrwasser auf einer Untiefe stehenden Bake hinüber und gibt dem Gefechts-WO einen Wink:

„Neuer Kurs Nord!"

„Blücher" dreht in das nur noch 800 bis 1000 m breite Fahrwasser ein, *„Lützow"* und *„Emden"* folgen. Fahrt ist immer

noch 9 Seemeilen, der Abstand zwischen den Schiffen beträgt je 600 m. Die Einheiten sind als große, unförmige Schemen in dem etwas helleren Dämmerdunkel zu erkennen. Von Land sind Einzelheiten wegen des nebligen Dunstes nur verschwommen auszumachen.

„Fahrzeug an Steuerbord!"

Es ist ein norwegisches Wachboot, das plötzlich ziemlich nah vor dem Bug der *„Blücher"* auftaucht. Es hat bei dem dicht über dem Wasser wabernden Nebel offensichtlich den Schweren Kreuzer gar nicht bemerkt, da es ahnungslos seinen Kurs durchhält.

„Positionslichter zeigen!" ruft Kapitän Woldag. „Schnell, der pennt da unten!"

Dampfer- und Seitenlichter werden kurz eingeschaltet. Bis auf die Brücke des Flaggschiffs schallen einige norwegische Flüche, als das Boot kurz vor dem Kreuzerbug hart abdreht, fast an der Bordwand längsschliert und achteraus gleitet. Offenbar sieht es nun erst die *„Lützow"* und flüchtet mit Hartruder und Höchstfahrt, wie das plötzlich wirbelnde Schraubenwasser verrät, entsetzt in den Schatten der Uferfelsen. Der Steuermannsmaat sieht dem Norweger belustigend nach:

„Die werden einen schönen Schrecken bekommen haben! Meine Tante, um ein Haar übergekarrt!"

Auf beiden Seiten ragen hohe, schneebedeckte Berge empor. Ein Ausguck weist gegen jede Vorschrift plötzlich erstaunt mit dem Arm nach Steuerbord:

„Da! Ein Auto! Auf halber Höhe fährt ein Auto!"

„Aye! Erkannt!" quittiert der Kommandant erheitert die Meldung. „Die Scheinwerfer sind nicht zu übersehen, mein Junge! Ziemlich kurvenreiche Straße scheint das zu sein, was? Na, NO, was gibt's?"

„Noch 5 Meilen bis Dröbak, beziehungsweise Kaholm und Oscarsborg, Herr Kaptän!"

Der Kommandant nickt schweigend. An Steuerbord beim Ort Dröbak stehen die ersten Batterien. Kurz dahinter, an der engsten und schwierigsten Stelle der Durchfahrt, liegen an Backbord die kleinen Inseln Kaholm Nord und Süd, mit den starken Stellungen der Feste Oscarsborg. Er hat es sich mehr als einmal auf der Karte angesehen und eingeprägt.

Auf der Brücke sind jetzt nur die Fragen und Antworten des Steuermannspersonals zu vernehmen. Alle anderen schweigen. Jeder denkt an die Geschütze, deren Rohre irgendwo aus dem Dunkel lauern und drohen. Werden sie feuern?

Konteradmiral Kummetz gehen die Abmachungen mit dem X. Fliegerkorps durch den Kopf. Ein gleichzeitiger Einsatz der Luftwaffe zur Besetzung Oslos war vorgesehen, aber den hat wohl der Bodennebel vereitelt. Der Stabschef des Fliegerkorps, Generalleutnant Harlinghausen, der als ehemaliger Seeoffizier besonders viel Verständnis für die Kriegsmarine zeigt, hatte ausgiebige Luftwaffenunterstützung angeboten: Kampfflugzeuge, Bomber oder Stukas. Der Admiral denkt auch an die Sperrbrecher. Warum in aller Welt blieben sie aus? Ein Druck auf den Knopf an Land kann die möglicherweise dort in der Enge ausgelegte Minensperre zünden. Er nimmt sein Glas wieder vor die Augen, weist die Gedanken von sich. Es wird klargehen, denkt er, weil es klargehen muß.

„Steuerbord voraus Scheinwerfer!" rufen zwei, drei Ausgucks gleichzeitig.

Quer über den schmalen Fjord wirft sich ein Lichtbalken. Eine Sperre? Eine Warnung? Letzteres wohl kaum, denn der Strahl bleibt unbeweglich stehen. Von ihm umflossen liegt silbrig glänzend ein Seeflugzeug auf dem Wasser. Gestalten sind zu erkennen, die aus einem Boot auf die Schwimmer steigen.

„Wahrscheinlich Frühaufklärer, der zum Start klargemacht werden soll", bemerkt der Kommandant.

Niemand erwidert etwas. Sie wissen, daß die Norweger nun schon mehrfach gewarnt und alarmiert worden sind. Und dann sehen sie, wie der Scheinwerfer dreimal ganz kurz auf und nieder wischt. Die Schneehänge der gegenüber liegenden Berge leuchten auf. Alarmsignal für die Batterien der Feste Oscarsborg? Oberleutnant Kurt Zöpfle, der Adjutant, der das Kriegstagebuch führt, zieht seinen Notizblock hervor und benutzt den hellen Schein zu einer Eintragung:

„05 Uhr 17, Scheinwerfer an Steuerbord."

„Kursänderung in 5 Minuten!" kündet die gelassene Stimme des NO dem Gefechts-WO an.

„Blücher" läuft als Spitzenschiff in den Scheinwerferkegel. Im gleichen Augenblick bricht die Hölle los. Zugleich mit dem dreimaligen tiefroten Aufflammen des Mündungsfeuers rollt ohrenbetäubender Donner schwerer Artillerie in dem engen

Kessel der Felswände zu drohenden Gewitterschlägen gesteigert, tobend über die Enge.

„Alarm! Feuererlaubnis!" gellt die helle Stimme Kapitän Woldags durch das lärmende Dröhnen.

Zwischenspiel in Oslo

Alles, was sich während des Vormarsches der Gruppe V im Oslo-Fjord ereignete, war durch Maßnahmen bedingt, die die norwegische Regierung, der Generalstab und die Admiralität auf Grund einlaufender Nachrichten und Meldungen der letzten Tage getroffen hatten. Die Bemühungen Norwegens, die Neutralität zu wahren und die diplomatischen Verhandlungen seit Kriegsbeginn sind im Vorwort geschildert worden.

Am 1. April wies nun der norwegische Gesandte in Berlin, Scheel, in einem längeren Bericht auf deutsche Absichten hin, die Unterbindung der Narvik-Erzzufuhr durch die Engländer zu verhüten. Er gab allerdings zu ,daß mit Ende des Winters 80 Prozent des Erzes wieder über den schwedischen Hafen Lulea und die Ostsee laufen würden, da Lulea dann eisfrei sei. Die Truppenverschiffungen in Stettin, über die er berichtet habe, wären kaum gegen Norwegen gerichtet. Die Soldaten sollten wahrscheinlich nach Osten transportiert werden.

Am gleichen Tage, nur etwas später, benachrichtigte der norwegische Gesandte in Kopenhagen seine Regierung, der holländische Gesandte habe Mitteilungen über deutsche Angriffspläne erhalten. Am 4. April meldete Scheel aus Berlin, daß sich solche jedoch möglicherweise nur auf die Westküste Jütlands, also auf Dänemark, bezögen. Dort sollten Flugplätze und U-Bootsstützpunkte geschaffen werden. In dem nächsten Bericht vom 5. April war dann zum ersten Male die Rede von eventuellen deutschen Absichten auf Südnorwegen.

Der norwegische Außenminister, Professor Koht, hielt von den am 4. April eingetroffenen Nachrichten ebensowenig wie von einer Behauptung der Zeitung „Aftenposten", Deutschland beabsichtige Südnorwegen zu besetzen. Er erklärte:

„Ich bin der Auffassung, daß ein deutscher Angriff auf Norwegen schon wegen der englischen Beherrschung der See undurchführbar ist!"

Es erscheint natürlich, daß sich nun eine zunehmende Spannung und Erregung unter den Einwohnern der Hauptstadt bemerkbar machte. Ausgerechnet in dieser Lage befahl Berlin dem deutschen Gesandten in Oslo, Dr. Bräuer, einem Diplomaten alter Schule, der diesen Posten seit November 1939 innehatte, vor geladenen Gästen einen Film vorzuführen, der den Einsatz der Luftwaffe in Polen zeigte und allgemeine Bestürzung unter den Zuschauern erregte.

Am Sonntag, dem 7. April abends, liefen Nachrichten in Oslo ein, daß eine deutsche Transportflotte von 15 bis 20 Schiffen mit zusammen 150 000 BRT in der Nacht zum 5. Stettin bzw. Swinemünde mit Westkurs verlassen hätte. Das norwegische Außenministerium legte auch dieser Meldung keine Bedeutung bei und erklärte:

„Die Transportflotte hat bisher die dänischen Gewässer noch nicht passiert. Sie wird durch den Kaiser-Wilhelm-Kanal in die Nordsee gehen."

Außenminister Koht meinte:

„Entweder ist die Nachricht falsch, dann braucht sie nicht weitergeleitet zu werden, oder sie ist richtig, aber dann kann man diese Flotte nicht mehr aufhalten!"

Montag, der 8. April wurde zum kritischen Tag, an dem die alarmierenden Meldungen sich geradezu überstürzten. Die erste stammte vom norwegischen Wachboot *„Syrian"* und traf um 06 Uhr 10 morgens ein. Der Bewacher stand am Eingang des West-Fjords südlich der Lofoten:

„Britische Fahrzeuge haben am Ausgang des Fjords innerhalb der norwegischen Hoheitsgewässer eine Minensperre geworfen. Ich habe gegen die Neutralitätsverletzung und den Aufenthalt britischer Zerstörer innerhalb unserer Gewässer sofort Protest eingelegt."

Zu einer durchaus ungewöhnlichen Zeit, um 07 Uhr 00 morgens, überreichten der britische und französische Gesandte in Oslo gleichlautende Noten. Ihr Inhalt sollte das Auslegen der Minenfelder rechtfertigen. Als Grund wurden angebliche deutsche Neutralitätsverletzungen angegeben, die diese Maßnahmen rechtfertigen sollten: die Zuführung von Kriegsmaterial für Deutschland innerhalb der norwegischen Hoheitsgewässer müsse verhindert werden. Die Begründung war unzutreffend, und die Neutralen mußten das Minenlegen als eine unerhörte Verletzung der Souveränität Norwegens empfinden.

Um 07 Uhr 48 lief ein Funkspruch des norwegischen Zerstörers *„Sleipner"* ein:

„Bin auf Höhe Hustadvika vom britischen Zerstörer *‚H 97'* — *‚Hyperion'* angehalten und auf eine soeben innerhalb unserer Dreimeilenzone geworfene Minensperre aufmerksam gemacht worden. Habe protestiert."

Bemerkenswert ist, daß für derartige Fälle ein Befehl bestand, das Feuer zu eröffnen. Keiner der beiden norwegischen Kommandanten hat aber bezeichnenderweise diese Anordnung befolgt! Es ist auch nie erwogen worden, etwa die Sperren durch norwegische Minensuchboote beseitigen zu lassen.

Gleich danach folgten Meldungen aus Berlin und Kopenhagen: deutsche Truppentransporter und Kriegsschiffe aller Art befänden sich mit nördlichen Kursen in See. Kaum waren diese Nachrichten gerüchtweise in der Stadt verbreitet, als prompt der englische Marineattaché den norwegischen Außenminister aufsuchte und ihm versicherte, englische Seestreitkräfte seien zum Kattegat unterwegs, um die deutschen Verbände abzufangen!

An diesem 8. April befand sich bereits der deutsche Oberstleutnant i. G.[1]) Pohlmann, Ia[2]) der Gruppe XXI mit einem Vorkommando in der norwegischen Hauptstadt. Er hatte sich bis zum Augenblick der Landung zur Verfügung der deutschen Gesandtschaft zu halten. Ihm war ein Legationssekretär des Auswärtigen Amtes als Sonderkurier beigegeben, der in versiegelten Umschlägen die Operationspläne und ein Memorandum mitführte, das der deutsche Gesandte gleichzeitig mit dem Einmarsch der Truppen der norwegischen Regierung zu überreichen hatte.

Die beiden hatten am 7. April ihre Reise in Zivil angetreten, als sich bereits die Transportstaffeln und die Kriegsschiffsgruppen in See und auf dem Marsch zu ihren Zielen befanden. Der Generalstabsoffizier nahm sofort Verbindung mit dem deutschen Marineattaché, Korvettenkapitän Schreiber auf. Letzterer glaubte nicht, daß es bei der Besetzung zu einem bewaffneten Widerstand der Norweger kommen würde, eine Ansicht, die von dem Oberstleutnant nicht geteilt wurde. Pohlmann bestellte den deutschen Luftwaffenattaché,

---

[1]) im Generalstab

[2]) Erster Generalstabsoffizier

Hauptmann Spiller, für den nächsten Morgen zum Osloer Flugplatz Fornebu.

In den ersten Nachmittagsstunden erkundigte sich die norwegische Admiralität beim deutschen Gesandten nach dem Bestimmungshafen schiffbrüchiger deutscher Soldaten, ohne den Namen des torpedierten Dampfers anzugeben. Der ahnungslose Dr. Bräuer wurde von Oberstleutnant Pohlmann veranlaßt zu erklären, daß ihm nichts davon bekannt sei. Das entsprach durchaus der Wahrheit, da er bisher noch nicht über die Unternehmung unterrichtet worden war.

Im Laufe des Nachmittags nahm die Unruhe in den Straßen Oslos zu. Auffallend viele norwegische Soldaten in Felduniform liefen umher und Menschenansammlungen bildeten sich vor dem zu einer Tagung zusammengetretenen Storthing, den beiden Kammern der norwegischen Volksvertretung.

Bei der norwegischen Admiralität trafen um 16 Uhr 35 genauere Nachrichten über die deutschen Seestreitkräfte ein. Gerüchte liefen schon früher genug durch die Stadt. Diesmal war es ein Däne, Fregattenkapitän Pontoppidan, der mitteilte, daß 2 Schlachtschiffe vom Typ *„Deutschland"*, der Kreuzer *„Emden"* und 3 Torpedoboote der *„Möwe"*-Klasse um 13 Uhr 05 die Insel Anholt im Kattegat mit nördlichem Kurs passiert hätten. Die gleiche Meldung übermittelte auch der Chef der Nachrichtenabteilung des schwedischen Wehrmachtsstabes, Oberst Aldercreutz.

Aus Dänemark kamen weiter Standortsangaben, so um 17 Uhr 15 von der Insel Hirsholm bei Frederikshavn und um 19 Uhr 00 vom Feuerschiff Skagens-Rev. Selbstverständlich wurden diese Nachrichten auch in Deutschland abgehört und das OKW forderte daraufhin von der dänischen Regierung die sofortige Einstellung derartiger Passiermeldungen durch die dänischen Landstationen oder Feuerschiffe.

Um 18 Uhr 15 rief der Kommandeur der norwegischen 3. Division, Generalmajor Liljedahl, telefonisch den Generalstab von Kristiansand aus an. Der deutsche Truppentransporter *„Rio de Janeiro"* sei gegen Mittag auf der Höhe von Lillesand nach Torpedierung gesunken. Etwa 100 uniformierte deutsche Soldaten, 20 Verwundete und 22 Tote seien an Land gebracht worden. Die Überlebenden hätten ausgesagt, der Dampfer sei unterwegs nach Bergen gewesen, um auf Wunsch der Regierung den Norwegern zu Hilfe zu kommen.

Der norwegische Admiralstab teilte die Aufregung, die diese Nachricht hervorrief, nicht. Er bezweifelte die Richtigkeit der Aussagen und daß der Transport für Norwegen bestimmt gewesen sei. Auch die norwegische Regierung war nicht von einer unmittelbar bevorstehenden Gefahr überzeugt und hielt daher eine sofortige Mobilmachung für unnötig.

Inzwischen hatte in London der stellvertretende Chef des Admiralstabes, Admiral Philips, gegen 14 Uhr 00 dem norwegischen Gesandten mitgeteilt, deutsche Seestreitkräfte seien am 7. April in die Nordsee und am 8. April frühmorgens an der norwegischen Küste gesichtet worden. Die Admiralität schlösse hieraus mit Sicherheit, daß eine Operation gegen Narvik im Gange sei, wo die Deutschen gegen 23 Uhr 00 eintreffen könnten. Der Gesandte gab die Mitteilung weiter, die etwa um 19 Uhr 00 in Oslo eintraf.

Auch die nachmittägliche Storthing-Versammlung beschloß keinerlei besondere Verteidigungsmaßnahmen, so daß bis zum Abend des 8. April weder die Landstreitkräfte verstärkt noch irgendwelche Vorbereitungen dazu angeordnet wurden. Die Mobilmachung der norwegischen Marine und Luftwaffe war dagegen bereits beim Ausbruch des finnisch-russischen Winterkrieges erfolgt. Die Haltung der Regierung und des Storthing ließ den norwegischen Kommandierenden General Laake annehmen, daß mit einer Unterstützung durch britische See -und Luftstreitkräfte zu rechnen sei. Den gleichen Gedankengang verriet auch die mehrfach in den Storthing-Versammlungen des 8. und 9. April geäußerte Absicht, nichts gegen England zu unternehmen, falls Norwegen in einen Krieg hineingezogen würde. —

Oberstleutnant Pohlmann und der Legationssekretär sind am Abend dieses ereignisreichen Tages Gäste des deutschen Gesandten und seiner Frau. Auch hier in der Gesandtschaft machen sich die Zeichen der Nervosität der Hauptstadt bemerkbar. Wiederholter falscher Fliegeralarm mit Sirenengeheul und Verdunkelungen durch Abschalten des Stromes vom Elektrizitätswerk aus stören das Zusammensein. Um 23 Uhr 00 bittet der Oberstleutnant den Gesandten um eine vertrauliche Unterredung.

Er läßt den Legationssekretär die Dokumente aus der Aktentasche nehmen, löst die Siegel der Umschläge und überreicht die Papiere. Dr. Bräuer ist aufs höchste überrascht. Es ist eine fast gespenstisch anmutende Szene. Draußen spannungsgeladene dunkle Nacht über einer Stadt, deren Menschen erregt und unruhig erst spät zur Ruhe kommen, drinnen flackerndes Kerzenlicht, bei dem die Diplomaten und Offiziere die einzelnen Anordnungen und Befehle durchgehen. Die nächtliche Stille zerreißt das Schlagen der Kirchturmuhren: 12 lange, schicksalshaft hallende Schläge: Mitternacht.

Etwas später klingelt ein Telefon. Seufzend nimmt der Gesandte den Hörer zur Hand, erfreuliche Nachrichten sind um diese Stunde kaum zu erwarten:

„Die norwegische Admiralität hat sofortiges Löschen der Leuchtfeuer bis zur mittleren Küste bei Haugesund befohlen!"

„Haugesund!" wiederholt Dr. Bräuer automatisch und läßt sich schwer in den Sessel fallen. „Das ist am nördlichen Ausgang des Karmsundes. Am Südausgang bei Skudesnes gehen die Dampfer, die nach Norden wollen, in den Schärenweg."

Sie entschließen sich, zusammenzubleiben und den weiteren Verlauf der Dinge abzuwarten. Ihr Gespräch dreht sich um die Möglichkeit eines norwegischen Widerstandes und die schwere Aufgabe der Kriegsschiffe, in einem solchen Fall die Küstenbatterien der Fjorde auszuschalten. —

Kurz nach Mitternacht vom 8. zum 9. April konnte man in Oslo von Süden her das dumpfe Grollen von Geschützfeuer hören. Spärliche und noch dazu unklare Nachrichten besagten, daß fremde Fahrzeuge in den Fjord eingelaufen seien. Ein Bewacher habe Alarm gegeben und Sternsignale geschossen. Trotzdem wurden Zweifel laut, ob es sich nicht nur um harmlose Frachter gehandelt habe. Dieser Zweifel behob eine um 00 Uhr 53 eingehende Meldung der Außenforts Rauöy und Bolärne, daß sie sich im Gefecht befänden.

Dem Kommandierenden General war dieser Funkspruch noch nicht bekannt, als er um 01 Uhr 00 befahl, die zwischen den beiden Inseln vorgesehenen Minensperren zu werfen. Da die Gruppe V die Fjordeinfahrt zu dieser Zeit aber schon passiert hatte, wurde der Befehl um 03 Uhr 00 von der norwegischen Admiralität widerrufen. Überdies mußte aus Mitteilungen des britischen Marineattachés geschlossen werden, daß englische Seestreitkräfte zur Hilfe unterwegs seien, so daß es auch aus diesem Grund besser schien, das Fahrwasser freizuhalten.

Gleichzeitig gab die Admiralität den Küstenbefestigungen und Seestreitkräften Befehl, auf einlaufende deutsche Kriegsschiffe das Feuer zu eröffnen, englische jedoch passieren zu lassen, und schließlich ordnete der Generalstab auf die erwähnte Meldung der Außenforts hin um 01 Uhr 53 an, die Hauptstadt zu verdunkeln.

Alle eingelaufenen Nachrichten wurden den Regierungsmitgliedern unterbreitet, die sich nachts um 02 Uhr 30 in der sogenannten Victoria Terrasse des Auswärtigen Amtes versammelten. Militärische Berater zog man zu der Sitzung erstaunlicherweise jedoch nicht hinzu. General Laake, der offenbar als einer der ersten die Lage richtig erkannte, forderte indessen telefonisch wiederholt und dringend die Mobilisierung des Heeres, die die Regierung endlich wenigstens für die in Südnorwegen stehende 1. bis 4. Feldbrigade für den 11. April befahl. —

In der deutschen Gesandtschaft klingelte kurz vor 04 Uhr 00 morgens wieder das Telefon. Es ist der deutsche Konsul in Stavanger, der sich nach der Bedeutung des Stichwortes „Weserübung "erkundigt. Dr. Bräuer teilt die Anfrage mit dichtgehaltener Hörmuschel dem Oberstleutnant mit, der warnend den Finger erhebt. Es ist nicht ausgeschlossen, daß die Leitungen der Gesandtschaft angezapft wurden und die Telefongespräche abgehört werden. Der Gesandte gibt eine ausweichende Antwort.

Die Anwesenden sind unruhig, ihre Gedanken folgen den Schiffen, die jetzt die langen Fjorde hinauf ihren Zielen zusteuern. Dr. Bräuer steht auf und tritt an eins der großen Fenster. Die anderen folgen. Die Fenster dieses Raumes gehen auf die Gärten hinaus, an denen auch die englische und die französische Gesandtschaft liegen. In der dunklen Nacht flammen Feuer auf. Dokumente, Briefe, Geheimsachen werden verbrannt. Über die winterkahlen Bäume wirbelt der Rauch, sprühen die Funken verkohlender Papiere.

Es ist 05 Uhr 00 morgens, die von Berlin befohlene Zeit, zu der Dr. Bräuer den norwegischen Außenminister um eine Unterredung gebeten hat. Der Professor erklärt ruhig, er habe auf diese Zusammenkunft gewartet. Er nimmt das Memorandum entgegen und hört schweigend das Ultimatum, daß Dr. Bräuer verliest. Es ist inzwischen 05 Uhr 20, die gleiche Zeit, in der das Flaggschiff der Gruppe V, der Schwere

Kreuzer *„Blücher"*, im Feuer der Feste Oscarsborg den Durchbruch zur Hauptstadt zu erzwingen versucht.

Der Außenminister begibt sich zur Regierungsversammlung und trägt dem Kabinett die deutschen Forderungen vor. Die Ablehnung ist einstimmig, und der deutsche Gesandte erhält wenige Minuten später diesen Bescheid.

Als der Morgen heraufsteigt, steht der deutsche Marineattaché Korvettenkapitän Schreiber am Hafen, er wartet vergeblich auf das Einlaufen der Kriegsschiffe. Er hat alles bis ins einzelne für den Empfang der Schiffe und der Truppe vorbereitet, sogar die Liegeplätze bestimmt, damit die Ausschiffung reibungslos und so schnell wie möglich erfolgen kann. Er hat ferner den Leutnant z. S. Kempf mit einem deutschen Schiff in den Fjord hinaus und den Kriegsschiffen entgegengeschickt. Er soll als Lotse dienen. Aber weder kommt der deutsche Verband in Sicht noch ist Gefechtslärm zu hören. Alles bleibt ruhig, unheimlich still. Korvettenkapitän Schreiber fährt, einen Zivilmantel über der Uniform, unbelästigt durch die Stadt.

Seit den frühen Morgenstunden verlassen Engländer und Franzosen Oslo. Die Gesandten und das Gesandtschaftspersonal folgen etwas später. Die deutschen Vertreter verstehen die Verzögerung nicht. Anrufe in Berlin bleiben unbeantwortet.

Endlich, kurz nach 09 Uhr kreist das erste deutsche Flugzeug über dem Hafengelände und die norwegische Flak eröffnet das Feuer. Und immer noch ist von den Kriegsschiffen nichts zu sehen. Ihr Ausbleiben verschärft die Lage. Dr. Bräuer befürchtet, daß norwegische Soldaten, die Polizei oder englische Gruppen sich gewaltsam Eingang in die Gesandtschaft erzwingen könnten. Er läßt das Haus so gut wie möglich sichern und Pistolen an das Personal ausgeben. Im Büro des Marineattachés werden die wichtigsten Geheimsachen vernichtet.

Um 10 Uhr 23 ist der Flugplatz Fornebu nach wechselvollem Kampf in deutscher Hand. Um 10 Uhr 30 wird die über dem Schloß wehende Standarte des Königs niedergeholt. Haakon VII. verläßt auf Vorschlag des Storthing-Präsidenten Hambor mit seiner Familie und der Regierung die Hauptstadt. Sie begeben sich nach dem 100 km nördlich gelegenen Hamar.

Deutsche Kampfflugzeuge greifen die Befestigungen von Akershus, an der Fjordseite der Stadt, und die davor gelegene Insel Hovedöy an. Die erschreckte Bevölkerung hört das Dröhnen der Motoren, das Abwehrfeuer der Fla-Batterien und das Krachen der Einschläge der Bomben. In Oslo bricht eine Panik aus.

Der Mittag vergeht. Eine Stunde später, gegen 13 Uhr 00 dringen die ersten deutschen Soldaten vom Flugplatz Fornebu kommend in die Stadt ein. Sechs Kompanien des Infanterie-Regiments 324 und zwei Kompanien des Fallschirmjäger-Regiments 1 besetzen und halten Oslo, während die in der Umgebung stehenden norwegischen Brigaden untätig zusehen.

Im Feuer der Batterien der Dröbak-Enge. Treffer, Brände und Verwüstung. „Ruderversager!" Torpedotreffer. „Alle Mann aus dem Schiff!" Das Ende der „Blücher".

Es ist 05 Uhr 20.

Auf einen Schlag wird *„Blücher"* auf eine Entfernung von nur 200 bis 500 m von beiden Seiten von den Norwegern unter Feuer genommen. Die schweren Treffer dröhnen fast gleichzeitig mit den Abschüssen, die blutrot aus den Berghängen flammen, auf Stahl und Eisen. Sie erschüttern das mächtige Schiff, das in seiner ganzen Länge schwingt und bebt. Die schweren Türme schweigen, können nicht geschwenkt werden, nur die Flak und sämtliche Fla-Waffen schmettern in schnellster Salvenfolge ihre 10,5 cm Granaten und Leuchtspurgeschosse in die Stellungen. Sie halten auf das Mündungsfeuer der irgendwo von halber Berghöhe aus dem Dunkel heraus auf diese unmöglich zu verfehlende Riesenscheibe feuernder Batterien.

Also doch Widerstand! Wir stehen an der schmalsten Stelle, fährt es dem Kommandanten durch den Kopf. Vielleicht kann ich, wo wir schon so weit vorgedrungen sind, mit erhöhter Fahrt durchbrechen? Aus dem Bestreichungswinkel herauskommen? Das bedeutet eine Strecke von mindestens 500 m im grellsten Scheinwerferlicht unter schwerstem Beschuß zu durchlaufen. Ausweichmanöver sind vollkommen ausgeschlossen. Mein Himmel, Schwere Kreuzer sind für die freie See und Gefechtsentfernungen von 180 bis 300 Hektometer gebaut, wenig geeignet zum Kampf gegen Küstenbatterien auf kürzeste Entfernung! Deren Granaten schlagen bei diesem Auftreffwinkel durch den härtesten Panzer und entfachen im Schiffsinnern lohende Brände. Es ist instinktives Handeln, keine lange Überlegung, die Kapitän Woldag, kaum daß er den Befehl zum Feuereröffnen gab, Fahrt vermehren läßt.

Der Posten Maschinentelegraf im gepanzerten Kommandostand meldet das Hochfahren der Turbinen, die steigenden Umdrehungszahlen. Die drei Schrauben wirbeln das Fjordwasser hinter dem Heck in breiten Schaumbändern auf.

„Volltreffer Vormars!" muß im Licht der Scheinwerfer und zuckenden Abschußflammen der Adjutant notieren.

Eine detonierende 28 cm-Granate hat mit ihren Sprengstücken die dortige Artillerieleitstelle zerschlagen und fast alle, die draußen auf der Galerie standen, verwundet, zerfetzt oder getötet. Der an Bord von allen geschätzte IIAO ist gefallen, beide Fla-Leiter schwer verwundet. Um die Offiziere herum liegen die Männer, E-Messer, BU's, Ausgucks, Maate, Gefreite und Matrosen in ihrem Blut. Im Kommandostand der Schiffsführung laufen die Meldungen für den Kommandanten ein:

„Vormars ausgefallen!"

„Feuerleitanlage ausgefallen!"

„Feuerleitanlage?" fragt Kapitän Woldag grimmig.

Wo die Türme sowieso nicht schießen können und die GF's der Leichten Artillerie selbständig in direktem Schuß feuern, so schnell die Munition an die Geschütze kommt, ist das im Augenblick kaum wichtig. Das harte Dröhnen der 10,5 cm und das Rattern der Fla-Waffen reißt nicht ab. Die Bedienungen feuern, laden, feuern wie sie es gelernt haben. Mit präzisen Griffen, fast mechanisch, wütend, daß sie den Gegner nicht zum Schweigen bringen können.

„Treffer in der Flugzeughalle! Halle brennt!" ruft gleich danach der Adjutant.

In grellen Flammen lodern die Bordflugzeuge. Eine Riesenstichflamme schießt bis zur Höhe des Gefechtsmastes empor. Flugzeugbomben detonieren. Mit rasender Schnelligkeit frißt der Brand um sich, leckt züngelnd immer weiter. Und nun rächt es sich, daß auf *„Blücher"* bei der Übernahme des Heeresgutes in Swinemünde das unterblieb, was z. B. auf dem

Schwesterschiff *„Admiral Hipper"* durchgeführt wurde, nämlich das Verstauen der Heeresmunition in den Munitionskammern und das Entleeren der Benzintanks der Bordflugzeuge und der vielen Motorräder.[1])

An Oberdeck der *„Blücher"* stehen musterhaft aufeinandergeschichtet und seefest gezurrt die Kisten voller Gewehr- und MG-Patronen, voller Handgranaten und Granatwerfergeschosse. Es ist ein grausiges, tötendes Feuerwerk, das die nach allen Seiten peitschend explodierende Munition und die glühend umherfahrenden Sprengstücke vollführen. Auslaufendes Benzin entzündet sich und gibt dem Brand neue Nahrung.

Wohl eilen sofort Feuerlöschgruppen herbei. Männer von den achteren Türmen versuchen verzweifelt, mit Schaumlöschern und Schläuchen gegen den größten Brandherd vorzudringen. Dabei schlagen immer noch neue Treffer ein, zerreißen und verbiegen die Eisenwände der Aufbauten, verdrehen die Niedergänge zu wirren Gebilden, hacken Laufstege in Stücke und versperren den Weg.

So furchtlos und tapfer sie es auch versuchen, sie können durch den Stahlhagel explodierender Geschosse, glimmender Kabel und aus den Halterungen gerissener Rohrleitungen, vor allem aber durch die ungeheure, fauchende, wütende Hitze des Brandes nicht vordringen. Tote liegen verkrümmt umher, Verwundete suchen kriechend und stöhnend Deckung vor den in das wüste Durcheinander krachenden Granaten.

Feuer bricht aus Trefferlöchern, Splitter und Sprengstücke schlagen dumpf klatschend in Menschenleiber. Todesschreie Getroffener übergellen das Donnern und Bellen der eigenen Abschüsse und das erbarmungslose Klirren und Schmettern der Einschläge. Die Luft zittert von ununterbrochenen Erschütterungen. Niemand kann sich bei dem unbeschreiblichen Getöse, das mit hundertfachem Echo von den nahen Felswänden widerhallt verständigen.

Eine schwere Granate schlägt gegen die Bordwand, fährt glatt hindurch und detoniert im Innern. In der getroffenen Abteilung halten sich 30 bis 40 Feldgraue auf. Gewehr in der Hand, Stahlhelm aufgesetzt, Sturmgepäck umgehängt. Ein

---

[1]) Die Brandgefahr auf den Schweren Kreuzern der „Blücher"-Klasse war tatsächlich sehr groß, und auf die unzureichenden Feuerlöscheinrichtungen hatte das „Erprobungskommando für die Kriegsschiffe" mehrfach hingewiesen.

einziges feuriges Grausen vernichtet sie, löscht sie aus. Von ihnen bleibt keine Spur zurück.

Für die Heeresangehörigen unter Deck ist es die Hölle. Sie hören den gewaltigen Lärm, spüren die Erschütterungen der Treffer. Wie in schwerem Traum sehen sie Schottüren von Geisterhand geöffnet aufschlagen, atmen schwer im hereindringenden graugelblichen Pulverqualm, bis die Schottposten herbeistürzen und die Türen wieder schließen und sichern. Sie sehen ihre Kameraden fallen, betreuen ihre Verwundeten. Sie fühlen die Hitze der Brände, beobachten, wie von glühheißen Eisenwänden die Farbe abblättert. Sie stehen oder sitzen und warten schweigend auf den Befehl an Deck zu kommen, auszusteigen. Sie müssen doch bald in der norwegischen Hauptstadt sein. Es erscheint ihnen unfaßbar, daß dieser große, mächtige Kreuzer sein Ziel Oslo nicht erreichen könnte. Sie haben unbeirrtes Vertrauen zu dem Schiff, zu den Seeleuten und den schweren Geschützen, die sie bewunderten, als sie an Bord kamen. Daß die Türme mit den langen Doppelrohren schweigen, wissen sie nicht.

„Wir sind bald durch!" ruft ein vorübereilender Bootsmannsmaat.

Sie nicken stumm. Sie glauben ihm, sehen ihm nach, als er trotz der Eile die Vorreiber der Schottür, durch die er verschwindet, wieder anzieht.

Mit vermehrter Fahrt geht *„Blücher"*, nach beiden Seiten feuernd, durch die Enge. Erleichtert beobachten sie vom Kommandostand aus, daß die schwere Batterie an Backbord nach zwei oder drei Salven ihr Feuer einstellt: der Kreuzer ist bereits über den Bestreichungswinkel hinaus. Dagegen wird von Steuerbord her pausenlos weitergeschossen.

Hinter dem Flaggschiff fahren orangerote Mündungsflammen aus den 15 cm-Geschützen der *„Lützow"*. Auch *„Emden"* nimmt jetzt die trotz der Morgendämmerung nur schwer in den dunklen Felshängen auszumachenden, gut getarnten Stellungen unter Beschuß. Die Landbatterien Dröbak, Kopaas und Husvik sind nur am Aufblitzen ihrer Abschüsse zu erkennen. Kurz darauf ist *„Blücher"* auch aus ihrem Bereich heraus. Das Schlimmste scheint vorüber zu sein, als ein Ruf des Gefechtsrudergängers neues Unheil verkündet:

„Ruderversager! Ruder klemmt Backbord. Schiff läßt sich nicht steuern!"

Alles in solchem Fall Übliche wird versucht. Nichts hilft. Die Ruderanlage ist außer Gefecht gesetzt, und das Ruder klemmt in Backbordlage. Langsam beginnt das Schiff auf die Insel Nord-Kaholm zuzudrehen. Inzwischen hat der Kommandant selbst das Kommando übernommen. Es gelingt ihm, mit den Schrauben steuernd den Dreh aufzufangen. Der Bug schwingt zurück nach Steuerbord, frei von den gefährlichen Felsen.

Noch während der Drehung wird *„Blücher"* von zwei gewaltigen Schlägen getroffen. Es ist, als ob ein Dampfhammer mit ungeahnter Wucht gegen die Bordwand schlüge. Zwei Wasser- und Feuersäulen steigen mittschiffs an Backbordseite hoch, stehen sekundenlang unbeweglich und brechen dann in sich zusammen, zerstäuben, zersprühen und lassen breite Schaumkreise auf dem Fjord zurück. Eine leichte Backbordschlagseite macht sich bemerkbar. Minen? Torpedos?

Laufbahnen sind nicht beobachtet worden, die Männer im Stand vermuten Minentreffer. Entsetzt zucken sie zusammen, als der Posten Maschinentelegraf plötzlich meldet:

„Umdrehungen aller Maschinen stehen auf Null!"

„Von LJ an Kommandant!" ruft ein Telefonposten. „Maschine ausgefallen!"

„Aye! Warum wird eigentlich noch gefeuert?" fragt Kapitän Woldag, da die Flak und Fla-Waffen nach wie vor auf die nun achteraus liegenden Batterien schießen. „Feuer einstellen!"

Es waren Torpedos, nicht Minen, die das Schicksal des Schweren Kreuzers besiegelten. Sie wurden von einer älteren, hervorragend getarnten, in die Felsen von Süd-Kaholm gesprengten Batterie von drei Rohren auf 400 m Entfernung losgemacht.

Schnell dringen große Mengen Wasser ein. Trotz des verzweifelten Kampfes der Lecksicherungsgruppen unter Fregattenkapitän Heymann und dem Schiffssicherungsingenieur bricht ein Schott nach dem anderen und Raum für Raum muß verlassen und aufgegeben werden.

Aus dem Feuerbereich ist *„Blücher"* jetzt zwar heraus, aber um welchen Preis! Soweit sich noch feststellen läßt, wurde der Kreuzer, abgesehen von den Torpedos und kleineren Kalibern, mindestens von 3 bis 4 28 cm und über 20 15 cm-Granaten getroffen. Über ihm wälzt sich eine dunkle, schwere

Wolke, aus der die himmelhohen Flammen der prasselnden und fauchenden Brände lodern.

Kapitän Woldag tritt aus dem Stand hinaus auf die Brücke. Er ist wie betäubt, als er über das Schiff blickt. Ein über und über brennendes, bewegungs- und steuerloses Wrack, das mit dem Gezeitenstrom treibt. Tote und Verwundete liegen inmitten der Zerstörung und Verwüstung. Er beobachtet, wie die Seeleute sich vergebens bemühen, des Feuers Herr zu werden. Ein weiterer Brand eben unter der Brücke an Backbord frißt sich langsam nach vorn durch. Er kommt aus einem riesigen, gezackten Trefferloch und dem weit aufgerissenen schwelenden Oberdeck. Am schlimmsten aber ist der Brand, der von der Flugzeughalle ausgeht.

Die Backbordschlagseite nimmt zu. Konteradmiral Kummetz sieht von der achteren Brückenreling über das Heck nach *„Lützow"* und *„Emden"*. Beide waren dem Flaggschiff feuernd gefolgt, aber nun vergrößert sich der Abstand. Der Kommandant, der zum Admiral tritt, nickt:

„Sie lassen ihre Schrauben zurückschlagen, Herr Admiral. Thiele hat ganz richtig erkannt, daß hier nicht durchzukommen ist."

Er setzt das schwere Nachtglas ab, dreht sich um, geht zur vorderen Brückenreling und sieht zu den nahen Ufern hinüber. Die beiden Kaholm-Inseln liegen hinter ihnen. An Steuerbord ragen die Hänge der Halbinsel Hangstangen, an Backbord liegt langgestreckt die Insel Haaöy. Voraus hebt sich eine Gruppe kleinster Inseln aus dem Wasser. Mit niedrigem Buschwerk und winzigen Waldstücken bestanden, wirken sie wie von der Faust eines Riesen mutwillig in den Fjord gestreut. Kapitän Woldag überlegt. Er winkt den NO heran, weist auf die Felsbrocken:

„Wie heißen die Inseln, Förster?"

„Askolme, Herr Kaptän!" sagt prompt der NO. „Die Wassertiefen sind dort unregelmäßig, bis zu 65 m."

Der Kommandant dankt, geht zum Admiral und legt die Rechte an die Mütze:

„Die Flut treibt uns langsam nach Norden, Herr Admiral. Ich will zwischen dem Festland und den Inseln dort ankern, versuchen den Wassereinbruch und die Brände unter Kontrolle zu kriegen."

Konteradmiral Kummetz nickt und winkt einen der BÜ's heran:

„An Funkraum: Ich lasse den IFTO bitten."

„Ist Ihre Anlage noch klar?" fragt er, als der sich kurz danach meldet. „Kann gesendet werden?"

„Jawohl, Herr Admiral!"

„Gut. Funkspruch an Kommandant *‚Lützow'*: *‚Blücher'* Maschine ausgefallen, ankert. Leitung Kampfgruppe: Kommandant *‚Lützow'*. Unterschrift, Uhrzeit usw. Bitte Meldung, wenn abgegeben und verstanden."

„Jawohl, Herr Admiral!"

Der Spruch wird um 05 Uhr 50 als letzter des Schweren Kreuzers gesendet.

„Lützow" und *„Emden"*, die sich heftig feuernd mit AK über den Achtersteven zurückzogen, sind nicht mehr auszumachen. Nur das Rollen der Salven ihrer Mittelartillerie grollt noch aus der Ferne herüber. *„Blücher"* ankert querab der Inselgruppe Askolme.

Die Schlagseite hat so weit zugenommen, daß die Backbordreling kaum noch wenige Zentimeter über dem Wasser liegt. Wegen der immer mehr um sich greifenden Brände ist eine Verbindung zwischen Vor- und Achterschiff nur über die hochliegende Steuerbordseite möglich. Es ist alles umsonst, denkt der Kommandant, das Schiff ist nicht mehr zu halten. Höchste Zeit, die anvertrauten Truppen noch einigermaßen sicher an Land zu bekommen, und natürlich auch die Besatzung.

Mein Himmel, sicher? Er sieht über Deck. Alle Boote, die beiderseits des mächtigen Schornsteins und des Flugzeugkatapults in ihren Klampen standen, sind unbrauchbar geworden. Von Sprengstücken zerschlagen, verkohlt, verbrannt. Nur der Steuerbordkutter hängt noch unversehrt in seinem Rahmendavit hinter der vordersten 10,5 cm Doppellafette. Von den großen roten Rettungsflößen ist kaum eins unversehrt, die meisten Schlauchboote durchsiebt. Die Schlauchboote! Ihm fällt etwas ein, an das er bisher nicht dachte: wir haben noch nicht einmal zusätzliche Schwimmwesten für die Landser an Bord! Ich darf nicht länger zögern. Er nimmt ein Megafon, beugt sich über die Reling und ruft so laut er kann durch das Prasseln und Knacken der Brände:

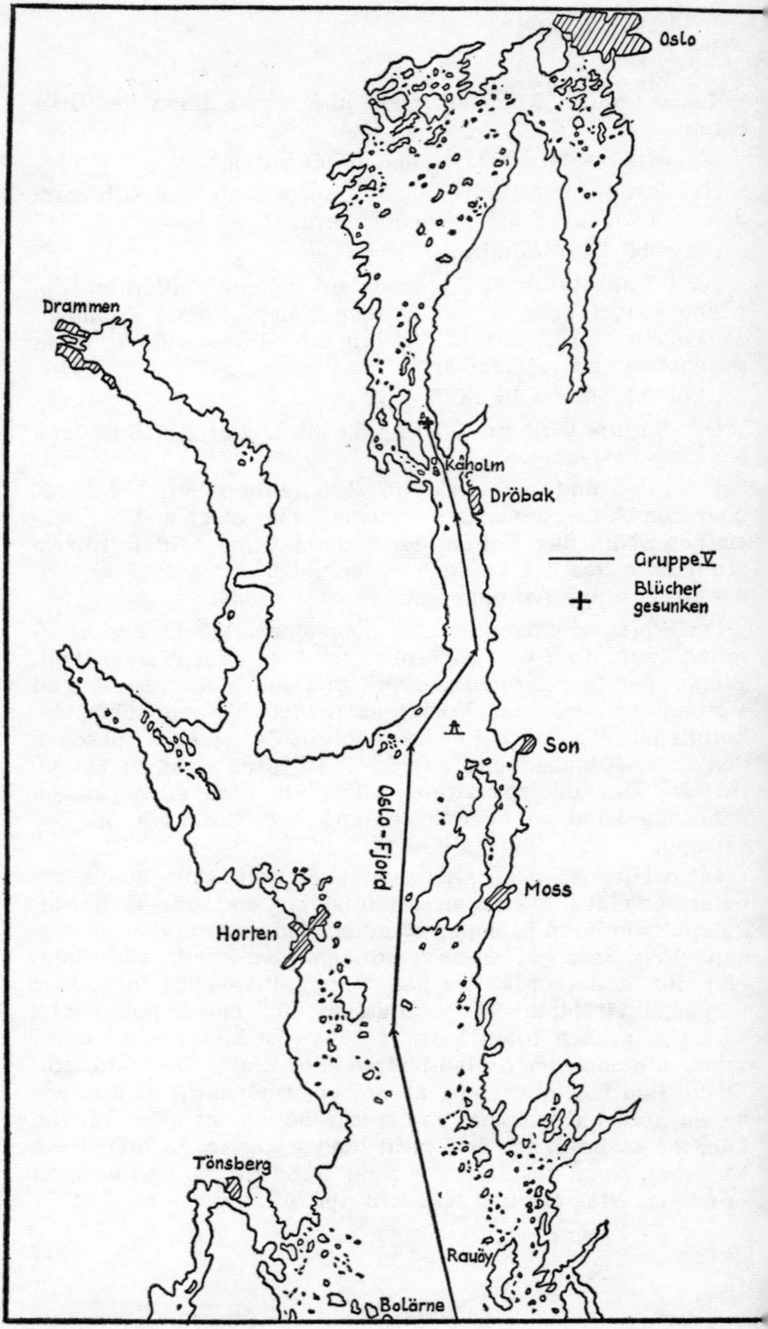

Oslo

Drammen

Kaholm

Dröbak

Gruppe V

Blücher gesunken

Son

Oslo-Fjord

Moss

Horten

Tönsberg

Rauöy

Bolärne

Die Besetzung von Oslo

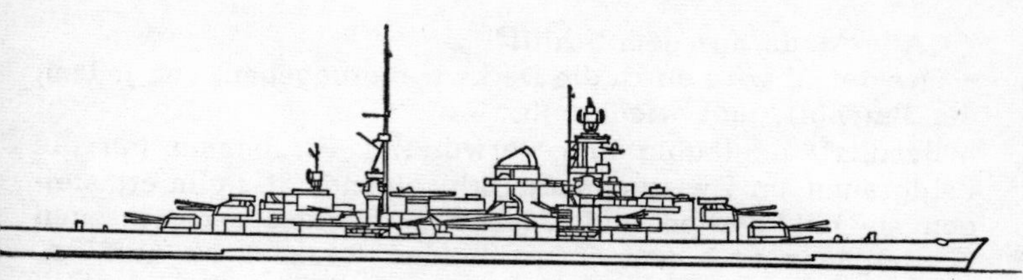

Dtsch. Schw.-Krz. Blücher (37)
8—20,3; 12—10,5; 12—3,7; 12TR—53,3; 3Flgz.; 13900 t; 32,5 kn; 195, 21,3, 7,7 m.

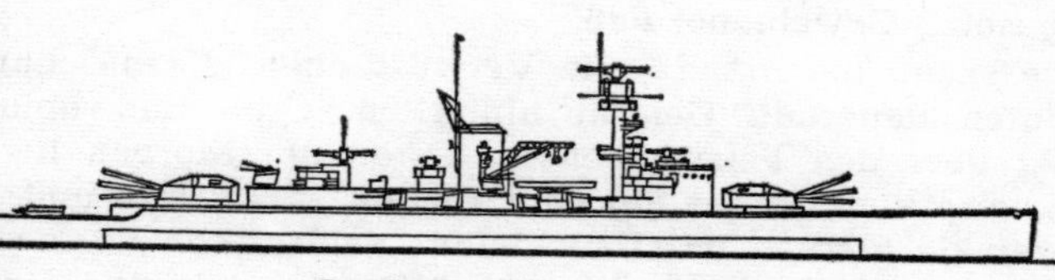

Dtsch. Pz.-Sch. Lützow (31)
6—28; 8—15; 6—10,5; 8—3,7 8TR—53,3; 2Flgz.; 11700 t; 28,0 kn; 182, 20,7, 7,2 m.

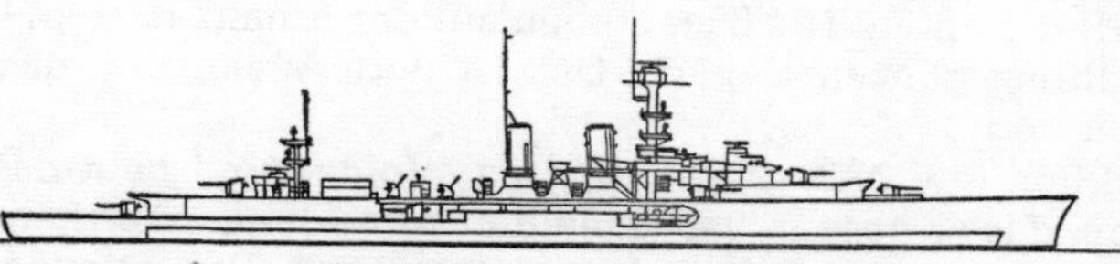

Dtsch. L.-Krz. Emden (25)
8—15; 3—8,8; 4—3,7; 4TR—53,3; 5600 t; 29,0 kn; 150, 14,3, 6,6 m.

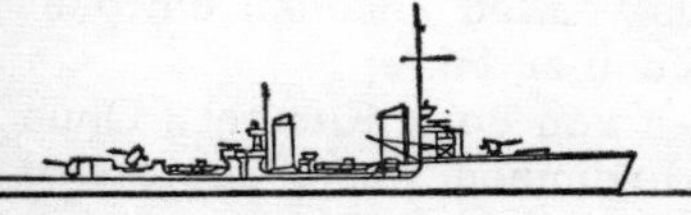

Dtsch. Torp.-Bte. Möwe, Albatros, Kondor (26)
3—10,5; 6TR—53,3; 924 t; 33,0kn; 85, 8,3, 2,8 m.

Dtsch. R-Bte. R 17—R 24 (34—38)
21,0 kn; 115 t; 37; 5,5, 1,3 m.

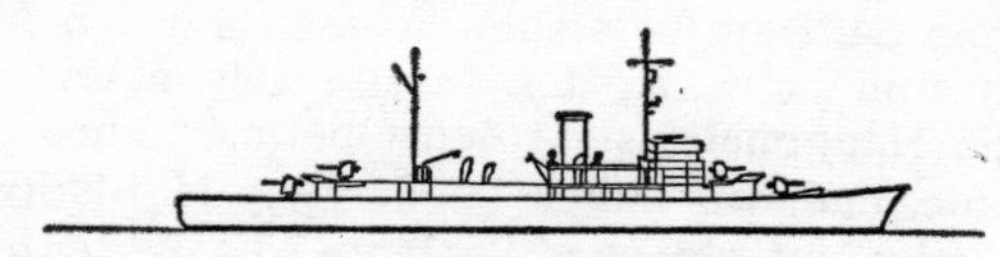

Norw. Min.-Leger Olaf Tryggvason (32)
4—12; 1—7,6; 2—4,7; 4TR—45,6; 250 Min.; 1596 t; 23 kn; 93, 11,5, 3,6 m.

„Alle Mann aus dem Schiff!"

Der Befehl wird durch die Decks weitergegeben, von jedem, der ihn hört, laut wiederholt.

Bestürzt, ungläubig und verwundert vernehmen ihn die Feldgrauen im Zwischendeck. Schweigend, diszipliniert steigen sie mit Waffen und Gepäck wegen der zerschossenen Niedergänge und dem Chaos in den Räumen oft auf Umwegen und unter Schwierigkeiten nach oben. Wie es vorgesehen ist, sammeln sie auf dem langen Achterdeck, treten an und werden ihren Offizieren gemeldet. Sie warten, Stahlhelm aufgesetzt, Gewehr bei Fuß.

Sie sehen die Brände, die Verwüstungen, die das nur 15 Minuten dauernde Gefecht hinterließ. Grau und unlustig steigt über den Felswänden im Osten der Morgen herauf. Teilweise liegt Schnee auf dem kahlen Granit, hier und dort als dunkle Flecken im Grau kleine Waldstücke.

Von der Brücke beobachtet der NO kopfschüttelnd die antretenden Soldaten des Heeres. Er macht den Kommandanten aufmerksam:

„Herr Kaptän! Die 85er stehen auf der Schanz treu und brav mit ihrem ganzen Gepäck! Das ist doch Wahnsinn, das muß ihnen doch . . ."

„Schon gut, NO!" nickt Kapitän Woldag und hebt das Megafon, das er noch in der Hand hält zum Mund. „Fertigmachen zum Aussteigen!" ruft er laut mit seiner hellen Stimme über Deck.

Von den achteren Flak und Fla-Waffen kommen ein paar Maate und Matrosen den Feldgrauen zu Hilfe:

„Ihr müßt so schnell wie möglich von Bord, Kumpels! Ohne Gepäck und Waffen. Ihr müßt schwimmen, unsre Boote sind zum Teufel. Los, beeilt euch!"

„Wenn diese verdammten Brände die Munitionskammern erreichen, fliegt hier alles haushoch in die Luft!" erklärt der GF einer 3,7 cm einem Infanterieleutnant:

Die jungen Offiziere verstehen, messen mit den Augen die Entfernung zum Land, zu den Inseln: 400 m und eiskaltes Wasser. Ein Hauptmann sieht den Obermaat an:

„Hören Sie 'mal, wir haben leider viele Nichtschwimmer."

Der GF zeigt auf ein paar Seeleute, die gezurrte Hängematten herbeischleppen und den Soldaten erklären, daß die einen Mann zwei Stunden über Wasser halten können:

„Herr Hauptmann, Sie müssen Ihre Männer alles Schwimmbare zusammentragen lassen, hier die Miefrollen zum Beispiel, Holzgrätings, ich meine Holzgitter, Planken und Stangen vom Bootsdeck da oben. Waschbaljen, wir werden Ihnen zeigen, wo das alles herumliegt. Aber schnell muß es gehen, der Pott kann jeden Augenblick kentern."

„Und schmeißt vor allem die Knarren und das Gepäck weg!" mahnt ein Matrosengefreiter.

Sie machen Platz: Ärzte, Sanitäter und Matrosen tragen Verletzte herbei, andere holen die wenigen heil gebliebenen Schlauchboote. Sie legen die Schwerverwundeten hinein und schieben sie ebenso wie schnell zusammengelaschte Flöße in das Wasser, das nun schon am Fuß der Backbordreling steht.

Von der Brücke wird zum zweiten Male der Befehl zum Verlassen des Schiffes heruntergerufen. Die Soldaten fangen jetzt erst an, Waffen, Stahlhelme, Gepäck und Ausrüstungsstücke abzulegen und an Deck zu werfen. Sie ziehen ihre schweren Infanteriestiefel aus, Mäntel, Koppel, Feldblusen. Auf den Rat der Matrosen holen sie aus den achteren Mannschaftsräumen Backen und Banken, aus der Offiziersmesse und den Offizierskammern Stühle. Seeleute zerren die braunroten Hängematten aus den Hängemattskästen, bündeln sie und rufen den Feldgrauen zu, wo sie Waschbaljen, Grätings und Planken finden können. Sie fühlen sich verantwortlich für ihre seeungewohnten Gäste und helfen wo sie nur können. Viele Männer der Kreuzerbesatzung geben den Nichtschwimmern die eigenen Schwimmwesten, legen sie ihnen um und zeigen, wie sie aufgeblasen werden.

Langsam, einer nach dem andern, manche in Gruppen, lassen sich die Soldaten an der Backbordseite in das kalte Fjordwasser gleiten, klammern sich an alles, was schwimmbar ist und suchen die nächsten Inseln zu erreichen. Andere springen von der hochgelegenen Steuerbordseite in den Fjord und streben dem Festland zu. An der Backbordseite achtern quillt von unten her brennendes Öl aus den Tanks herauf, breitet sich schnell an der Oberfläche aus und verursacht den Tod mancher Schwimmer. Andere treiben, vom Herzschlag getroffen, tot vorüber.

Auf der Back sammelt der Kommandant die Mannschaften aus dem Vorschiff. Bei ihm sind die beiden Generale, die bisher mit ihren Adjutanten und Stäben auf der Brücke ausharrten.

„Geheimsachen vernichten!" ruft einer der Schiffsoffiziere dem Adjutanten zu.

Oberleutnant Zoepffel zeigt klar und stürzt davon. Sie sind in seiner im Achterschiff liegenden Kammer. Hastig zieht er die schweren verschlossenen eisernen Kasten aus dem Geheimspind. Er schleppt sie hinaus an Oberdeck, wirft sie über Bord und sieht, wie sie aufklatschend versinken. Aber das ist noch nicht alles, er muß noch einmal hinunter. Bei dem stark überliegenden Schiff ist das ein schwieriger und ungemütlicher Weg. *„Blücher"* kann jedenAugenblick kentern. Mit einer Hand sich an den schrägen Wänden der Gänge abstützend, stolpert er zurück. Feldgraue, die der zweite Befehl zum Verlassen des Schiffes gerade erreichte, fluten ihm von ein paar Matrosen geführt, entgegen. Er wühlt sich hindurch, erreicht die Kammer, zieht die letzten Papiere aus dem Spind, stopft sie unter den Arm und kämpft sich zurück. Über Bord werfen? Geht nicht, sie würden schwimmen. Also klettert er über das verwüstete, zerschossene Deck nach vorn zu dem Flammenmeer um die Flugzeughalle.

Die Glut nimmt ihm den Atem, kaum kann er hineinsehen, sein Gesicht brennt, und er stemmt sich mit dem Fuß einen Halt suchend gegen irgendetwas, das im Wege liegt. Dann schleudert er, von einer ihm selbst später unerklärlichen Wut befallen, jedes Aktenstück mit einem Fluch in die Flammen.

„Zum Teufel mit dem ganzen Mist! Weg mit dem verdammten Papierladen!"

Es ist wohl die verzweifelte, grausige Erkenntnis, daß alles, was er und die ganze Besatzung vom Kommandanten bis zum Läufer Brücke, vom Leitenden bis zum jüngsten Heizer taten, umsonst war. Die Opfer der Toten und Verwundeten, der Schwimmer, die im kalten Fjord um ihr Leben kämpfen: alles umsonst.

„Verdammte Sauerei!"

Das letzte Stück Papier wird von der Glut angesaugt, verschlungen und fliegt verbrennend mit den wirbelnden Flammen empor. An der Steuerbordreling vorwärts hangelnd, gelangt er zur 10,5 cm unter der Brücke. Bereitschaftsmunition liegt dort herum. Gleichmütig wirft ein Matrose, ungerührt von dem Chaos um ihn herum, ein Geschoß nach dem anderen über Bord. Seeleute, die vorüberkommen, stutzen. Sie verstehen und greifen ebenfalls zu.

„Könnten explodieren!" sagt Zoepffel und hilft, den Rest außenbords zu werfen. Der Matrose nickt dem Oberleutnant befriedigt zu:

„Die gehn nicht mehr hoch!"

Daß schon lange der Befehl zum Verlassen gegeben wurde und ihr Tun umsonst ist, weil sie selbst im nächsten Augenblick von Bord müssen und der Kreuzer kentern wird, kommt ihnen nicht in den Sin.

Jetzt erst bemerkt der Adjutant den unbeschädigten Steuerbordkutter. „Ein heiles Boot! Welch ein Glück!"

„Hier! Alles anfassen! Fieren! Für die Verwundeten!"

Die umstehenden und vorbeihastenden Seeleute springen als Vorhandsleute an die Klampen, andere nehmen die Kutterläufer klar, die langen Leinen zum Wasserlassen und Hochheißen des Bootes. Verwundete werden von Kameraden herbeigeführt, steigen ein:

„Klar zum Fieren! Fier weg!"

Mit den Riemen halten die Bootsinsassen den Kutter frei von der Bordwand. Er kommt klar zu Wasser, legt ab und pullt dem Festlandsufer zu.

Als sich Zoepffel noch einmal nach achtern begibt, sieht er den TO am Steuerbord achteren Drillingsrohrsatz stehen. Unter den Löffeln der Ausstoßrohre lugen die roten Gefechtköpfe der drei Torpedos hervor. Wenn die von dem Feuer erfaßt plötzlich losgehen, denkt der Adjutant, aber da läßt der TO schon den Rohrsatz ausschwenken und zum Schuß klarmachen.

„Los!"

Die Aale zischen ins Wasser, ihre Bahnen laufen wie schnurgerade weiße Pfeile auf das nahe Festlandsufer los und detonieren dort krachend an den Felsen. Minutenlang rollt das Echo zwischen den Berghängen.

Erstaunt sieht der Adjutant einen Meistersgasten, der zornigen Gesichts einen roten Feuerlöschschlauch hinter sich drein zerrt. Er will offenbar, während alle anderen von Bord gehen, noch einmal allein gegen den Brandherd ankämpfen. Zoepffel hält ihn auf, reicht ihm eine Zigarette:

„Laß man. Hat keinen Sinn mehr. Unmöglich!"

Der Mann nickt, läßt den Schlauch fahren und geht mit.

Inzwischen ist *„Blücher"* Backbord vorn schon tief weggesunken. Die letzten verlassen das Schiff. Schreie Ertrinkender hallen über den Fjord. Das eiskalte Wasser, 2,8 Grad Celsius, und das brennende Öl fordern viele Opfer. Einige, die ohne Hilfe die steil aufsteigenden Felsen zu erklimmen versuchen, gleiten erschöpft zurück in den nassen Tod.

Auf der Festlandsseite oder auf den kleinen Inseln hocken die Überlebenden um schnell entzündete Feuer. Sie sind naß, durchfroren und zu Tode erschöpft. Sie schrecken auf, als plötzlich auf dem sinkenden Kreuzer eine schwere Explosion ausbricht. Das Feuer im Innern hat wahrscheinlich die Schottwände einer Munitionskammer erreicht und sie zum Glühen gebracht, so daß die dahinter liegende Munition hochging. Über dem nach Backbord sich neigenden und im Wasser verschwindenden Vorschiff wirbelt schwarzer Rauch. Dann versinkt die *„Blücher"* mit hochragendem Heck 60 m tief auf den Felsengrund des Oslo-Fjords.

Der Kommandant, der im Kreis einiger Offiziere und vieler Mannschaften in einer kleinen Schlucht am Feuer steht, sieht auf die Uhr: 07 Uhr 23.

Kapitän Woldag erreichte, ebenso wie der Führer der Gruppe V, Konteradmiral Kummetz, Generalmajor Engelbrecht und viele andere schwimmend das Festlandsufer. Die wenigen Schlauchboote oder Flöße blieben sämtlich den Verwundeten vorbehalten. Von den eingeschifften Truppen fielen etwa 300 Mann. Die genaue Zahl ist nicht bekannt. [1]) Immerhin konnte der größte Teil der Besatzung und der Heeresangehörigen gerettet und später nach Oslo gebracht werden.

Der Kommandant überlebte den Untergang seines Schiffes nur um wenige Tage. Zur Berichterstattung nach Berlin befohlen, flog er von dort am folgenden Tage zurück, um der Beerdigung der geborgenen Gefallenen beizuwohnen. Das Flugzeug, das ihn nach Oslo bringen sollte, kam nie an. Wahrscheinlich wurde es über See abgeschossen. —

Über der Untergangsstelle steht noch lange die dunkle Wolke, mit den lodernden Flammen des brennenden Öls. Die Sonne scheint, aber es weht ein kalter Wind. Fernes Gebrumm läßt die etwa 1000 Überlebenden auf der Halang-

---

[1]) Eine vorläufige Zusammenstellung vom 12. April nennt als gerettet von der Besatzung und eingeschifften MA-Einheiten: 38 Offiziere und 985 Mann.

stangen-Halbinsel aufhorchen. Es kommt näher, schwillt zum Dröhnen an. Die gerade dem Tode entronnenen Männer, die frierend, manche nur mit Hemd und Hose bekleidet, die Arme schlagen und auf dem Schnee herumstampfen, jubeln.

„Unsere Flugzeuge!"

Über den Bergen tauchen sie auf, zwei, fünf, immer mehr.

„Das sind die Transportmaschinen!" stellt der Luftwaffengeneral fest.

Norwegische Abwehrgeschütze der Dröbak-Enge beginnen zu hämmern. Kleine Explosionswölkchen erscheinen aufblitzend hinter den Flugzeugen, die unbeirrt nach Norden fliegen, der Hauptstadt entgegen. Eine Stunde nach dem Untergang der *„Blücher"* sind dies die ersten Ju 52, die nach einem Angriff von Teilen des Kampfgeschwaders 26 auf dem Flugplatz Fornebu landen. Um 08 Uhr 38, mehr als drei Stunden nach der vorgesehenen Zeit.

Gegen die meist waffenlosen Geretteten wurde das norwegische Gard-Bataillon eingesetzt, das dadurch zur Verteidigung Oslos gegen die aus der Luft gelandeten deutschen Kompanien fehlte. Teile der *„Blücher"*-Besatzung und der eingeschifften Truppen gerieten vorübergehend in Gefangenschaft, standen aber bereits am nächsten Tag für einen neuen Einsatz zur Verfügung.

Für die Kriegsmarine bedeutete der Verlust der *„Blücher"* einen empfindlichen Schlag. Nachträglich ist folgendes festzustellen: Die Befestigungen der Dröbak-Enge waren im allgemeinen bekannt. Das hier noch schwierigere und schmalere Fahrwasser als beispielsweise in Drontheim oder Bergen ließ eine Forcierung mit Kriegsschiffen ohne vorherige Niederkämpfung der Festungsanlagen durch Kampfflugzeuge aussichtslos erscheinen und war auch nicht notwendig. Das X. Fliegerkorps hatte jede gewünschte Unterstützung angeboten. Da der Nebel die Gruppe V aufgehalten und ihr planmäßiges Eintreffen vor Oslo sowieso verzögert hatte, hätte man ohne Frage auch noch das Eingreifen der Bomber und Stukas abwarten können.

Kapitän z. S. Thiele erkannte die Unmöglichkeit, im Feuer der Batterien durchzubrechen. Er zog *„Lützow"* und *„Emden"* schleunigst zurück, als ihm die Führung übertragen wurde und lief erst durch die Enge, als der norwegische Widerstand durch die Luftwaffe gebrochen war.

Als Fehler muß auch die Zusammenfassung der Führungsstäbe auf dem Spitzenschiff, d. h. die Unterbringung des Stabes der 163. Infanteriedivision mit Luftwaffenverbindungsstab auf dem Flaggschiff der Gruppe V angesehen werden. Sie ergab zwar eine gute Zusammenarbeit, verschuldete jedoch nach dem Verlust der *„Blücher"* eine mehrstündige Führungslosigkeit, vor allem bei den Heeresverbänden.

Konteradmiral Kummetz hat wohl bis zum letzten Augenblick angenommen, daß die Norweger keine ernstliche Gegenwehr leisten würden und aus diesem Grunde den Durchbruch versucht. Es ist später gesagt worden, er hätte seine leichten Streitkräfte, besonders die Torpedoboote vorausschicken sollen, um das Verhalten der Norweger rechtzeitig festzustellen. Diese waren aber zur fraglichen Zeit und noch lange darüber hinaus an andere im Operationsbefehl festgelegte Aufgaben gebunden. Außerdem erscheint es keineswegs unmöglich, daß die Norweger die kleinen Fahrzeuge unbehelligt hätten passieren lassen, um mit desto besserem Erfolg anschließend die großen Einheiten unter vernichtendes Feuer zu nehmen.

Konteradmiral Kummetz wünschte offensichtlich, als der Nebel sich löste, nicht allzu spät in Oslo einzutreffen. So wagte er den Durchbruch, wie das die anderen Kriegsschiffsgruppen auch, nur mit mehr Glück, getan haben. Der Verlust des Flaggschiffs war die Folge.

Es muß gesagt werden, daß in allen Phasen des Untergangs sowohl die Haltung der Besatzung wie die der eingeschifften Truppen vorzüglich und über alles Lob erhaben war. Zu keiner Zeit entstand eine Panik, wie sie vor allem bei den unter Deck eingeschlossenen Soldaten, die noch dazu durch einschlagende Treffer erhebliche Verluste erlitten, leicht hätte ausbrechen können. Es ist eine Tatsache, daß diese Männer nach dem Befehl, das Schiff zu verlassen, in voller Ordnung an Oberdeck erschienen, antraten und den Stahlhelm auf dem Kopf, Gepäck umgehängt, Gewehr bei Fuß, weitere Befehle abwarteten.

„Führung der Gruppe V: Kommandant ‚Lützow'!" Stabsarbeit. Der Kommandeur der Feste Oscarsborg und die Verteidiger von Bolärne. Endlich in Oslo! Rückmarsch, Torpedierung und Heimkehr der „Lützow".

Als die norwegischen Batterien das Feuer eröffnen und *„Blücher"* bereits nach wenigen Augenblicken einem in Flammen und Rauch gehüllten brennenden und feuerspeienden Vulkan gleicht, greift *„Lützow"* sofort mit der Mittelartillerie in den Kampf ein. Sie erhält kurz hintereinander drei Treffer schwerer Kaliber, die aber nur vorübergehend die Gefechtsbereitschaft behindern. Der Kommandant, Kapitän z. S. Thiele, sieht, daß ein Durchbruch unmöglich ist, ebenso ein Wenden auf der Stelle, das außerdem viel zu lange dauern würde.

„Beide AK zurück! An *‚Emden'* geben! Über den Achtersteven 'raus!"

Der NO, Korvettenkapitän Lutz Gerstung, ehemaliger Torpedobootskommandant, zeigt klar.

„*‚Emden'* hat verstanden, geht zurück!" meldet der Adjutant, während der IAO, Korvettenkapitän Robert Weber, mit allen 15 cm-Geschützen, die das Ziel erfassen können, weiterfeuert. Die LJ's beider Schiffe, Korvettenkapitän (Ing.) Wolfgang Günther auf *„Lützow"* und Korvettenkapitän (Ing.) Johannes Bachmann auf *„Emden"*, wissen wie ihre Fahrmaate an den Motoren und Turbinen, daß es auf Sekunden ankommt, wenn mitten im Gefecht ein solcher Befehl gegeben wird. Die Schiffe kommen zum Stehen, nehmen Fahrt über den Achtersteven auf und gleiten, nach beiden Seiten feuernd, schnell aus der Enge an Dröbak vorbei in breiteres Fahrwasser.

„An Backbordseite *‚Blücher'* zwo starke Detonationen!" meldet der AO von seinem Zielgeber.

Das Flaggschiff kommt über und über brennend, von schwarzen Rauchwolken fast völlig verdeckt, aus Sicht. Gleich danach wird dem Kommandanten der *„Lützow"* der letzte Funkspruch des Admirals gemeldet, der ihm die Führung der Gruppe V überträgt. Dann schweigt *„Blücher"*. Über ihr weiteres Schicksal wird zunächst nichts bekannt.

Da *„Lützow"* und *„Emden"* jetzt aus dem Feuerbereich der norwegischen Batterien heraus sind, läßt Kapitän Thiele das Feuer einstellen und begibt sich mit dem NO zur Friedenssteuerstelle. Einen Augenblick sieht er auf die Karte, fährt mit der Rechten über die Dröbak-Enge:

„Es wäre unverantwortlich, den Durchbruch nochmals zu versuchen, ehe die Luftwaffe eingegriffen hat. Also: Luftwaffenunterstützung beim X. Fliegerkorps anfordern. Dringend!"

Der Kommandant fährt fort:

„Ziel bleibt nach wie vor die möglichst schnelle Besetzung von Oslo. Was wir an Truppen haben, muß in Richtung dorthin abgesetzt werden. Zuerst die Dröbak-Batterien nehmen, dann nach der Hauptstadt vorstoßen."

Korvettenkapitän Gerstung nickt schweigend. Ihn setzt es keineswegs in Erstaunen, daß dieser schlanke, kleine und energiegeladene Mann, dem so unerwartet die Führung zufiel, genau weiß, was er zu veranlassen hat. Der Kapitän z. S. mit den großen dunklen Augen ist einer der fähigsten Offiziere des Jahrgangs 1912 und „Curry", wie er von seinen Freunden genannt wird, erwies sich vor dem Kriege als Kommandant eines Segelschulschiffes als ausgezeichneter Seemann und Segler. Für den Krieg war ihm ursprünglich das Kommando über einen Hilfskreuzer zugedacht, jedoch erhielt er aus irgendeinem Grunde zunächst die *„Lützow"*.

Korvettenkapitän Gerstung sieht zu, wie Kapitän Thiele, über die Karte des nördlichen Teils des Oslo-Fjords gebeugt, die Landungsmöglichkeiten für die eingeschifften Truppen prüft. Er fährt mit dem Vergrößerungsglas über eine Bucht, die weiter südlich auf der Höhe der Bevöykollen-Bake vor dem Eingang des langen nach Dröbak führenden Fjords liegt.

„Hier Gerstung. Die Sons-Bukten!" sagt er sich aufrichtend. „Der Stab der 163. Division sitzt ja auf *‚Blücher'* und ist vorläufig ausgefallen, also müssen wir jetzt so gut es geht auch dessen Aufgabe übernehmen." Er lächelt: „Großer Himmel, wenn das mein Seebataillonsoffizier vom Schulschiff wüßte, der gute Runge, nebenbei Pour le Mérite-Träger des ersten Weltkrieges!"

Er zieht den rechten Handschuh aus und zeigt auf das innere Ende des nach Norden führenden Arms der Bucht:

„Hier die Ortschaft Son. Unsere Gebirgsjäger und die Infanteristen auf *‚Emden'*, *‚Möwe'* und den R-Booten werden dort gelandet. Ich bespreche das noch mit den Heeresoffizieren, wir unterrichten dann die anderen Einheiten."

„Zu dumm, daß wir nichts über die Lage in Oslo wissen, Herr Kaptän!" wirft der NO ein. „Bisher kein Funkspruch, nichts."

„Sie meinen, ob es den Fallschirmjägern gelungen ist, den Flugplatz Fornebu zu nehmen und ob die Transportmaschinen mit den Truppen schon gelandet sind? Übrigens: ist irgendetwas von den Räumbooten, die die Außenforts besetzen sollten, bekannt?"

„Nein, Herr Kaptän."

Die Meldungen über die verschiedenen Unternehmungen der Torpedo- und Räumboote laufen erst nach und nach ein. Zur Zeit wird noch heftig um Rauöy und Bolärne gekämpft. Die Besatzungen der Küstenbatterien und norwegische Kriegsschiffe haben bisher alle Landungsversuche vereitelt. *„R 23"*, Stabsobersteuermann Rixecker, gelang dabei bei Bolärne die Außergefechtsetzung des norwegischen U-Bootes *„A 2"*.

Nur bei Asgardstrand, südlich des Kriegshafens Horten, können die R-Boote ihre Stoßtrupps absetzen. Aber auch sie stoßen auf Widerstand. *„R 17"* wird durch Artillerie des norwegischen Minenlegers *„Olav Tryggvason"* vernichtet, der mit seinen 4 — 12 cm-Geschützen auch das Torpedoboot *„Albatros"* auf 100 Hektometer unter heftiges Feuer nimmt. *„Albatros"* und *„Kondor"* sind nicht in der Lage, gegen die Batterien und die Küstenpanzerschiffe die Einfahrt zum Hafen zu erzwingen. Sie laufen zu *„Lützow"* zurück und setzen ihre Truppen später in Sons-Bukten bzw. beim Torpedoschießstand Tronvik, südlich davon, an Land.

In Horten gelingt es dem Flottilleningenieur der 1. Räumbootflottille, Kapitänleutnant (Ing.) Grundmann, mit einer Landungsabteilung von nur 140 Mann die wichtigsten Punkte der Stadt zu besetzen und durch sein sicheres Auftreten und geschicktes Verhandeln den norwegischen Admiral zu bestimmen, den Kriegshafen und die etwa 1000 Mann starke Garnison zu übergeben.

Für den Kommandanten der *„Lützow"*, nunmehr Führer der Gruppe V und gleichzeitig für den Einsatz der eingeschifften Heereseinheiten verantwortlich, gibt es eine Menge ungewohnter Planungsarbeiten zu erledigen, für die ihm kein Stab zur Verfügung steht. Befehle für die in Sons-Bukten und Tronvik zu landenden Truppen müssen ausgearbeitet, *„Lützow"* und *„Emden"* während der Ausschiffung gesichert, der Transport geregelt und die Brennstoffvorräte der Torpedo- und R-Boote aufgefüllt werden. Trotzdem gelingt es Kapitän Thiele, alle Schwierigkeiten zu meistern. Klare, kurze Befehle gehen an die unterstellten Streitkräfte.

Die Ausschiffung läuft reibungslos, die Besetzung von Sons-Bukten und Tronvik wird ohne Widerstand durchgeführt. Zum Pendelverkehr zwischen *„Lützow"* und dem Landesteg in Son wird ein norwegischer Fjorddampfer benutzt, der auslaufend passiert und nach ein paar Schüssen vor den Bug beidreht. Die U-Bootssicherung übernehmen einander ablösend die Torpedoboote *„Rau 7"* und *„Rau 8"* sowie ausgesetzte Schiffsbeiboote. Die abgelösten Torpedo- und Räumboote beölen gleichzeitig. Die Ausschiffung und Landung ist um 09 Uhr 10 beendet.

Hoch über dem geschäftigen Treiben dröhnen endlich die Motore der ersten Transportstaffeln und der He 111 der Kampfverbände des X. Fliegerkorps. Die Luftwaffenführung sieht sich wegen der noch ungeklärten Lage im Oslo-Fjord veranlaßt, gegen Dröbak, den Kriegshafen Horten und die Außenforts stärkere Verbände anzusetzen. Teile des Kampfgeschwaders 4, das Kampfgeschwader 100 und die I. Stukagruppe 1 sowie weitere Verbände, die in Aalborg sammeln, werden bereitgestellt und fliegen später rollende Angriffe auf diese Ziele.

Kapitän Thiele sorgt sich um das Schicksal der *„Blücher"* und ihrer Besatzung und die schwache Landungsabteilung unter Kapitänleutnant Grundmann und dem Heeresleutnant Budäus in Horten. Er läßt seinen IO, Fregattenkapitän Fritz Krauß, kommen und bespricht sich mit ihm und dem NO:

„Ich will endlich wissen, was mit *‚Blücher'* weiter passiert ist. Wie kann man das nur 'rausbekommen? Auf UK hat sie nicht mehr geantwortet."

„Deutsches Motorschiff *‚Norden'* einlaufend!" meldet da der Signalmaat der Wache.

„Was war das? Wiederholen!"

Der Maat wiederholt und zeigt auf das kleine Fahrzeug.

„Hier haben wir die Lösung, Herr Kaptän!" lächelt der IO. „Den werden wir ansetzen!"

Und so geschieht es. Der Kapitän des kleinen Tankers ist zu einer Erkundungsfahrt bereit. Er bekommt einen Bootsmannsmaaten und einen Funkgasten an Bord und fährt los.

Nicht ohne genügende Sicherung, denn *„Lützow"* geht bis auf 80 Hektometer an die Dröbak-Enge heran und nimmt die Batterien um 14 Uhr 30 unter Feuer. Diesmal mit der schweren Artillerie ihrer 28 cm-Drillingstürme, worauf dem Motortanker der Durchbruch gelingt. Kurz danach läuft auch sein Funkspruch über das traurige Schicksal des Schweren Kreuzers ein:

„*'Blücher'* bei Askholme nach wahrscheinlich zwei Torpedotreffern gesunken."

Auch die Frage wegen des Kriegshafens Horten erledigt sich:

„Wir müssen unbedingt diese 140 Mann dort verstärken!" erklärt Kapitän Thiele. „Auf die Dauer können die sich nicht halten. Wir laufen wieder nach Süden, nach Horten!"

Schwierigkeiten gibt es nicht für den energischen Kapitän. Ein Landungskorps der Besatzung wird zusammengestellt, während der Verband den Hafen ansteuert. Als er sich Horten nähert, wird ein Blinkspruch des vorauslaufenden Torpedobootes *„Albatros"* abgenommen:

„Im Kriegshafen und auf allen dort liegenden Kriegsschiffen weht weiße Flagge!"

Horten hat bereits die Waffen gestreckt. Im Lauf des Nachmittags stellt auf telefonische Anweisung des Stadtkommandanten von Oslo auch die Besatzung der Insel Rauöy jede Gegenwehr ein. Die Stellungen werden von Stoßtrupps besetzt.

„Wo wir nun schon vor Horten stehen", meint Kapitän Thiele, „könnten wir den norwegischen Admiral an Bord nehmen. Vielleicht kann er den Kommandeur der Feste Oscarsborg überreden, den sinnlosen Widerstand aufzugeben!"

Ein Räumboot bringt den Norweger an Bord. Der Kommandant selbst verhandelt. Der Admiral lehnt ab.

Ein Funkspruch des X. Fliegerkorps teilt um 17 Uhr 05 den Angriff der Luftwaffe auf die Batterien bei Dröbak mit. Für den Fall ernsthafter Gegenwehr nehmen *„Lützow"* und *„Emden"* Feuerstellung vor der Enge ein. Die Torpedoboote laufen voraus, und die R-Boote erhalten Befehl, unter ihrem Schutz Truppen zu landen. Um 18 Uhr 30 sind die Stellungen niedergekämpft und werden um 19 Uhr kampflos besetzt.

Ungebrochen, standhaft wehren sich nur noch Oscarsborg und Bolärne. Beide verweigern die Übergabe.

Der lange und ereignisreiche Tag neigt sich seinem Ende zu. Als die Abenddämmerung über den Fjord sinkt, gibt Kapitän Thiele einem der Torpedobootskommandanten den Befehl, als Parlamentär in Oscarsborg zu verhandeln und den tapferen Befehlshaber der Feste, den norwegischen Oberst Erichsen, zur Übergabe aufzufordern.

Die Verhandlungen ziehen sich hin. Der Führer der Gruppe V, den das Schicksal der *„Blücher"*-Besatzung nicht ruhen läßt, entschließt sich, ein Torpedoboot und die Räumboote durch die Enge vorstoßen zu lassen. Sie sollen auf der Festlandsseite und den Askholme-Inseln nach Überlebenden forschen.

Die Nacht löst die Dämmerung ab, und noch immer kommt keine Nachricht von Oscarsborg. Kapitän Thiele bittet die älteren Offiziere zu einer Lagebesprechung.

„Ich laufe nicht eher ein", erklärt er, „bis feststeht, ob die für den Mobfall vorgesehene elektrisch zu zündende Minensperre in der Enge ausliegt oder nicht!"

„Da ist doch ein Funkspruch, Herr Kaptän!" wirft der Adjutant ein. „Einen Augenblick!"

Er wühlt in dem Haufen der vor ihm liegenden Papiere. Der Kommandant sieht geduldig zu, wie der junge Offizier in den Listen über Munitionsverbrauch, Treffer-Schadensmeldungen und Brennstoffbeständen, in Befehlsentwürfen für die Landungstruppen und an die Kommandanten der Schiffe und Boote sucht. Schließlich zieht er ein Formular heraus und reicht es hinüber:

„Der Funkspruch vom Motortanker *‚Norden'*, Herr Kaptän. Danach hat *‚Blücher'* keine Minen- sondern Torpedotreffer erhalten."

Der AO beugt sich vor:

„Das war auch mein Eindruck, Herr Kaptän. Ich sah die beiden fast gleichzeitigen Detonationen im Zielgeber. Ich halte sie einwandfrei für Torpedotreffer. Zwei Minen gehen nicht gleichzeitig an derselben Stelle hoch."

Ein wenig ungeduldig nimmt Kapitän Thiele wieder seine Aufzeichnungen zur Hand:

„Ich stimme Ihnen zu, Weber, wir vermuten es, aber wir wissen es nicht. Ich trug dem Torpedobootskommandanten auf, bei seinen Verhandlungen zu fordern: Sicherheit vor einer eventuellen Minensperre und vor der Torpedobatterie.

Weiterhin habe ich befohlen, dem Kommandanten der Feste zu sagen, daß Bolärne, falls nicht sofort die Übergabe erfolgt, durch die Luftwaffe bombardiert wird. Wie weit seine Befehlsgewalt allerdings in diesem Falle reicht, ist mir unbekannt."

„Oberst Erichsen scheint ein tüchtiger Offizier zu sein!" meint einer der Anwesenden. „Ich an seiner Stelle würde auch so viel Schwierigkeiten wie möglich machen!"

Kapitän Thiele verzieht keine Miene, aber er denkt genauso:

„Die Beölung der Torpedoboote ist im Gegensatz zur Brennstoffergänzung der R-Boote noch nicht abgeschlossen und wird erst im Lauf der Nacht beendet sein. Ich habe angeordnet, daß die beiden Walfangboote im Südausgang des Oslo-Fjords als Sicherung patrouillieren. Das war alles. Noch Fragen?"

Es geht auf Mitternacht, als die Boote von der Suche nach den Schiffbrüchigen der *„Blücher"* zusammen mit dem Motortanker *„Norden"* zurückkehren. Mit ihnen alle diejenigen Überlebenden, die sich auf dem verschneiten Ufer der Halangstangen-Halbinsel und auf den kleinen Inseln der Askholme-Gruppe befanden. Durch sie erfährt der Führer der Gruppe V zum ersten Male Einzelheiten über die Ereignisse auf dem Flaggschiff.

Kapitän Thiele und seine Offiziere haben noch eine Menge Arbeit zu erledigen, ehe sie lange nach Mitternacht an Ruhe denken können. Auf allen Fahrzeugen sind die Kriegswachen aufgezogen. Auf den Brücken, in den Ständen, an den Scheinwerfern stehen die Männer auf ihren Stationen. Sie sehen über den dunklen, stillen Fjord, zu den finsteren Schatten der schneebedeckten Berge hinüber, die dunkeldrohend unter einem funkelnden Sternenhimmel wie Rücken gewaltiger Urtiere bereitgelagert die Ufer bewachen.

Das Wetter hat sich gebessert und die Nacht vom 9. zum 10. April bleibt ruhig. Die langwierigen Verhandlungen auf Kaholm haben endlich den gewünschten Erfolg, so daß am Morgen des 10. um 09 Uhr 00 auf Oscarsborg die deutsche Kriegsflagge geheißt werden kann. Widerstand wird nur noch auf Bolärne geleistet. Kapitän Thiele sieht sich gezwungen, die Torpedoboote *„Albatros"* und *„Kondor"* zur Eroberung der Insel zu detachieren, die nach rollenden Bombenangriffen erfolgen soll.

Vorsichtshalber läßt er die Dröbak-Enge nach Minen absuchen, ehe er mit *„Emden"*, *„Möwe"* und der 1. Räumbootflottille den Fjord hinaufläuft. Als nach Passieren der Feste Oscarsborg die Askholme-Inseln in Sicht kommen und bald danach querab liegen, schreibt Kapitän Thiele ein paar Zeilen auf einen Zettel, setzt „WdL", den Befehl zum Weitergeben durch die Linie darunter und winkt seinem Läufer:

„Dem Signalmaaten der Wache 'raufbringen. Soll als Winkspruch abgegeben werden!"

„Beim Passieren der Untergangsstelle der *‚Blücher'* gedenken wir der in treuer Waffenbrüderschaft gefallenen tapferen Kameraden von Heer, Kriegsmarine und Luftwaffe."

Noch am Vormittag läuft die Gruppe V, stürmisch begrüßt von den inzwischen auf dem Luftwege eingetroffenen Heeresverbänden, in den Hafen von Oslo ein.

Am Nachmittag des gleichen Tages führt *„Albatros"*, Kapitänleutnant Strelow, eine Geleitaufgabe im südlichen Oslo-Fjord durch. Während des Passierens von Bolärne von den dortigen Batterien unter Feuer genommen, gerät das Torpedoboot auf Grund. Die starken Beschädigungen, Brände und ein schwerer Wassereinbruch im Vorschiff zwingen, das Boot aufzugeben. Die Besatzung stellt am 13. April den norwegischen Minenleger *„Olav Tryggvason"* unter dem Namen *„Albatros"*[1]) in Dienst.

Von Hamburg kommend trifft um 18 Uhr 00 der Befehlshaber der Gruppe XXI, General der Infanterie v. Falkenhorst, mit dem größten Teil des Führungsstabes in Oslo ein. Der Rest folgt einen Tag später am 11. April.

Bolärne, das sich nochmals hartnäckig zur Wehr setzt, wird am Abend des 10. April nach heftigen Bombenangriffen durch eine Landungsabteilung des Torpedoboots *„Kondor"*, Kapitänleutnant Hans Wilcke, kampflos besetzt. Die letzten Batterien, Haaöy und Maakeröy, ergeben sich am 14. April. Die Zufahrt nach Oslo ist damit vollständig in deutscher Hand.

Die Aufgabe der Gruppe V ist gelöst. —

Der Leichte Kreuzer *„Emden"*, die Torpedoboote *„Kondor"* und *„Möwe"* sowie die 1. Räumbootflottille bleiben zunächst

---

[1]) später „Brummer"

in Oslo. Jeweils zwei R-Boote übernehmen die Sicherung des südlichen Oslo-Fjords. Nur *„Lützow"* tritt den Rückmarsch nach Kiel an.

Das Panzerschiff soll nunmehr für die schon früher geplante Atlantikunternehmung instandgesetzt und ausgerüstet werden. Von einer gemeinsamen Tätigkeit mit den bereits dort operierenden Hilfskreuzern Schiff 16 *„Atlantis"* und Schiff 36 *„Orion"* verspricht sich die Seekriegsleitung mit Recht einen Abzug britischer Seestreitkräfte aus der Nordsee und damit eine Entlastung auch auf dem norwegischen Kriegsschauplatz.

„Lützow" läuft am 10. April um 16 Uhr 00 mit dem Torpedoboot *„Möwe"* zunächst von Oslo nach Dröbak und Horten, wo sie je 75 Mann ihrer Besatzung zur Verstärkung der dortigen Batterien abgibt. Dann setzt sie die Fahrt den Fjord hinunter allein fort.

Kapitän Thiele wählt auf Grund von Nachrichten, die englische U-Boote unter der schwedischen Küste melden, einen Kurs durch das westliche Skagerrak. Er hofft, damit das Gefahrengebiet zu vermeiden, läuft aber dem britischen U-Boot *„Spearfish"* vor die Rohre.

„Spearfish", Kommandant Lieutenant-Commander J. H. Forbes, war am Abend des 10. April von 18 Uhr 30 bis 19 Uhr 40 auf der Höhe von Skagen von deutschen U-Jägern mit 66 Wasserbomben gejagt worden. Um 21 Uhr 00 folgte ein neuer Angriff, der neben den anderen Beschädigungen das achtere Sehrohr außer Gefecht setzte.

Stunde um Stunde wurde das Boot unter Wasser gedrückt, die Lage durch das Herunterfahren der Batterie für die E-Maschinen und den Mangel an Sauerstoff allmählich gefährlich, als die Verfolger es verloren. Endlich kurz nach 01 Uhr 00, nach mehr als 20 Stunden, konnte es auftauchen.

Aber es sollte die Ruhe nicht allzulange genießen. Bereits eine Stunde später wird plötzlich Steuerbord querab die fahlweiß leuchtende Bugsee eines Zerstörers gesichtet. Wegen der noch nicht aufgeladenen Batterie tauchunfähig, weicht das Boot der neuen Gefahr mit Backbordruder aus. Während der Drehung erkennt der Kommandant im Doppelglas, daß die vermeintliche Bugsee in Wirklichkeit die Hecksee eines hohe Fahrt laufenden großen Kriegsschiffes ist. Ein mehr als lohnendes Ziel für seine Torpedos! Aufgetaucht, manövriert er sein Boot in Angriffsposition.

Es ist *„Lützow"*, die das U-Boot eben an Steuerbord sichtet und hart nach Backbord abdreht. Das Manöver, das die Rettung bringen soll, verrät tragischerweise das Schiff.

Als es drei Minuten später wieder auf den alten Kurs geht, kann Forbes, ohne den Typ des Gegners zu erkennen, sechs Torpedos losmachen. Einer davon trifft. Der Lieutenant-Commander verliert keine Zeit mit weiteren Beobachtungen. In Unkenntnis darüber, daß *„Lützow"* ohne Sicherung fährt, beeilt er sich, schleunigst nach Westen abzulaufen.

Es ist 01 Uhr 29, als *„Lützow"* auf der Höhe der Paternoster-Schären einen ähnlichen Treffer erhält, wie später das Schlachtschiff *„Bismarck"*. Beide Schrauben und das Ruder gehen verloren. Der herrschende Nordostwind treibt das bewegungsunfähige und steuerlose Schiff auf Skagen zu. Ein Wassereinbruch von 1300 Tonnen läßt es achtern tief wegsacken. Als Sicherung steht vorläufig nur das ausgesetzte Verkehrsboot zur Verfügung.

Auf den Funkspruch des Kommandanten eilen Boote der 17. U-Jagd und der 19. Minensuchflottille zu Hilfe. Sie treffen aber erst am 11. morgens um 05 Uhr 00 ein. 600 Mann der Besatzung werden von ihnen übernommen und in Frederikshavn in Dänemark gelandet. Drei Boote nehmen das Panzerschiff in Schlepp, das im Kattegat vorübergehend festkommt. Starke Schlepper haben inzwischen die Fischdampfer abgelöst. Am 13. April nachmittags um 15 Uhr 00 läuft *„Lützow"* in Kiel ein und geht zur Reparatur in die Werft, die sie erst nach 12 Monaten wieder verläßt.

KAMPF UND UNTERGANG DER GRUPPE NARVIK

Die britische 2. Zerstörerflottille. Warburton-Lee: „Beabsichtige bei Morgengrauen und Hochwasser anzugreifen!" Die deutschen U-Boote. Vorpostenplan.

Am Vormittag des 9. April hatte der C-in-C dem Chef der 2. Zerstörerflottille und ältesten Offizier an Bord der Admiral Whitworth zugeteilten Zerstörer, Captain Warburton-Lee den Funkbefehl gegeben, einige Boote nach Narvik zu schikken, um eine deutsche Landung zu verhindern. Gegen Mittag funkte gegen jeden Brauch auch die Admiralität direkt an den Zerstörerführer, daß nach Presseberichten bereits ein deutsches Schiff in Narvik eingelaufen sei und ein kleines Truppenkontingent gelandet hätte. Seine Aufgabe sei es, das Fahrzeug zu nehmen oder zu versenken und, falls möglich, durch ein Landungskorps dem Feind die Stadt zu entreißen.[1])

Die Dringlichkeit der Angelegenheit hatte sowohl Admiral Forbes wie die Admiralität zu dem ungewöhnlichen Schritt veranlaßt, den verantwortlichen Admiral zu übergehen. Immerhin waren die Anordnungen der Admiralität ziemlich unklar und stützten sich auf recht vage Nachrichten. Sie bürdeten Warburton-Lee eine große Verantwortung auf, überließen es ihm überdies zu entscheiden, welche Kräfte er für das Unternehmen als notwendig ansah und einsetzen wollte.

Warburton-Lee steht mit seinem Verband jetzt vor dem Eingang des West-Fjords. Er wendet sich an seinen Ersten Offizier:

„Admiral Whitworth braucht, wenn *‚Repulse'* und *‚Penelope'* zu *‚Renown'* gestoßen sind, als Sicherung mehr als die

---

[1]) s. a.: Das Lofoten-Gefecht und der Rückmarsch der Schlachtkreuzer mit der Gruppe Drontheim.

4 Zerstörer, die sie mitbringen.[1]) Wir lassen Bickford mit seiner 20. Flottille hier vor dem Fjord als Sicherung und gehen mit unserer 2. nach Narvik. Eintreffen dort gegen 21 Uhr 00 abends."

„Für diesen lächerlichen Dampfer, den die Jerries da angeblich hingeschickt haben, werden unsere 4 Boote bestimmt genügen, Sir!"

Der Flottillenchef läßt die nötigen Signale heißen und läuft mit *„Hardy"* an der Spitze in den Fjord ein. Unterwegs überlegt er. Ihm sind Bedenken gekommen. Er steigt von der frei über dem Ruderstand liegenden Brücke mit dem NO zum Kartenhaus hinab. Dort fragt er nach dem Segelhandbuch des Lofoten-Seegebiets:

„Hier muß doch irgendwo eine Lotsenstation sein?"

Sie schlagen die Seiten um, suchen.

„Da steht es: Tranoey!" sagt der NO, zieht die Seekarte näher heran und zeigt auf den kleinen Ort. „Den halben Fjord hinauf auf der Festlandsseite. Warum wollten Sie das wissen, Sir?"

„Mir ist diese Nachricht der Admiralität zu unsicher, Pilot! Wenn tatsächlich ein deutscher Dampfer einlaufend passierte, werden die Lotsen ihn beobachtet haben. Glauben Sie vielleicht, daß die Deutschen so harmlos sind, mit einem einzigen kümmerlichen Schiff und ein paar Mann Narvik besetzen zu wollen? Ich nicht. Es sind bestimmt mehrere gewesen, womöglich obendrein mit einer Sicherung, wenn die Meldung überhaupt stimmt. Ich will die Lotsen fragen."

Gegen 17 Uhr 00 stoppt die Flottille vor Tranoey. *„Hardy"* setzt die Motorjolle aus. Ein junger Offizier meldet sich beim Flottillenchef.

„Sehn Sie zu, was Sie erfahren können!" sagt Warburton-Lee. „Sei'n Sie besonders höflich und freundlich. Die Norweger mögen die Jerries nicht."

---

[1]) Der Schlachtkreuzer „Repulse", Schwesterschiff „Renown", der Leichte Kreuzer „Penelope" und 4 Zerstörer, waren nach der Gefechtsmeldung des Zerstörers „Glowworm" am 8. April vom C-in-C, den Chef des Schlachtkreuzergeschwaders, Admiral Whitworth, zur Unterstützung gesandt worden und hatten später von diesem den Befehl bekommen, vor dem West-Fjord mit dem Flaggschiff „Renown" zusammen zu treffen.

Das Boot rauscht davon. Der Leutnant hat allerhand zu berichten, als er zurückkommt und sich im Kartenhaus meldet:

„Die Lotsen haben, wie sie sagen, 6 größere Kriegsschiffe einlaufend passieren sehn, Sir. Wie sie sie beschrieben, nehme ich an, daß es Zerstörer gewesen sind. Sie haben auch ein U-Boot beobachtet, das den Fjord hinauflief. Muß ein deutsches gewesen sein, von unseren steht keins in dieser Gegend."

„Nein", bestätigt der Captain, „alle im Süden, Deutsche Bucht oder Südküste Norwegen, Skagerrak, Kattegat. Los, weiter!"

„Sie vermuten, daß der Eingang zum Ofot-Fjord vermint worden ist. Haben nebenbei ein fantastisches Zeug, ähnlich unserem Gin!"

„Kann ich mir denken!" lacht der Flottillenchef. „Waren schon immer Freunde guten Alkohols, wenn sie an Bord kamen! Also: genau wie ich dachte. Mit einem einzigen Dampfer kurbeln die Deutschen nicht hier herum, um diesen Erzhafen zu nehmen! Vermint, sagen die Lotsen? Dann müssen wir eben die Ottern ausbringen.[1]) Sonst noch etwas?"

„Doch, Sir. Sie meinten, die Jerries hätten schon allerhand Truppen in Narvik. Wir brauchten zweimal soviel Schiffe, wie wir haben, um die zu erledigen. Schienen mir ziemlich besorgt, Sir."

„NO: Notizblock, Bleistift! Das müssen wir gleich nach London melden!"

Er stellt einen Funkspruch zusammen und drückt das Blatt dem Offizier in die Hand:

„Runter zu Paymaster-Lieutenant Stanning[2]), soll sofort geschlüsselt und gesendet werden. Halt! Die Hauptsache hätt' ich beinah' vergessen! Wann haben wir Hochwasser im Ofot-Fjord, Pilot?"

„Ungefähr um 05 Uhr 00 morgens, Sir."

„Geben Sie den Zettel nochmal her!"

Er kritzelt eine zusätzliche Zeile, zeigt sie dem NO:

---

[1]) Minensuchgeräte

[2]) In der englischen Marine ver- und entschlüsseln die Zahlmeister die Funksprüche, Paymaster-Lieutenant: Zahlmeister-Oberleutnant.

„Beabsichtige bei Morgengrauen und Hochwasser anzugreifen!"[1])

Der NO nickt zustimmend:

„Wenn sie tatsächlich im Ofot-Fjord Minen geworfen haben, laufen wir bei Hochwasser drüber weg. Und einen Gegner überrascht man am sichersten immer noch in der Morgendämmerung!"

„Richtig, da schläft alles, das haben schon die ollen Indianer im Wilden Westen gewußt!" lacht Warburton-Lee vergnügt. „Los, weg mit dem Funkspruch! Nanu, wer kommt denn da?"

Von See anlaufend nähert sich ein Zerstörer. Ein Signalscheinwerfer blinkt von seiner Brücke.

„*‚Hostile'*, Sir!" ruft der Yeoman of Signals durch die Kartenhaustür. „Meldet sich zurück!"

„Die mußten wir doch zur *‚Birmingham'*[2] detachieren, die aus irgendeinem Grund nach Hause geschickt wurde. Allerhand, daß sie schon zurück ist!" meint der NO.

„Gut für sie! "sagt anerkennend der Flottillenchef. „Also los, wieder 'raus nach See zu, Pilot. Dort bleiben wir so lange, bis wir anlaufen müssen, um im Morgengrauen vor Narvik zu stehn!"

Bemerkenswert ist, daß die nun aus dem Westfjord steuernde Flottille von *„U 51"* gesichtet und gemeldet wird. Der Funkspruch in seinen Folgen ähnlich dem des englischen Flugbootes über die Gruppe II, wiegt Kommodore Bonte in Narvik in eine sehr verhängnisvolle Sicherheit. Er nimmt daraufhin an ,die englischen Zerstörer seien nach einer Erkundungsfahrt wieder in See gegangen.

Inzwischen fährt die Admiralität in London fort, über den Kopf Admiral Whitworths hinweg, Befehle direkt an die 2. Zerstörerflottille zu funken. So u. a. um 22 Uhr 59, als sie Warburton-Lee den Auftrag gibt, während der Nacht den Eingang zum Ofot-Fjord zu sichern. London befürchtet, die Deutschen könnten aus Narvik auslaufen und durch den Tjelsundet, einen schmalen Nebenfjord der nach Norden

---

[1]) Der im Originaltext gebrauchte Ausdruck „intend" = beabsichtige wird in der englischen Marine von rangjüngeren Offizieren ihren Vorgesetzten gegenüber gebraucht, wenn sie sich für eine Aktion entschlossen haben und sie ausführen wollen, ohne erst eine Antwort abzuwarten.

[2]) britischer Leichter Kreuzer

zum Vaags-Fjord führt, unbemerkt entkommen. Der Flottillenchef liest kopfschüttelnd:

„Das führe ich nicht aus!" erklärt er dem Ersten Offizier. „Die Deutschen lassen doch bestimmt dort einen Zerstörer patrouillieren. Treffen wir den, ist's aus mit der Überraschung! Kommt nicht in Frage!"

Der IO reicht das Formular zurück und weist auf die letzten Worte des Textes:

„Sie wünschen Ihnen wenigstens Glück, Sir. Hier: ‚Angreifen im Morgengrauen: alles Gute!"

Bezeichnend für die in der Admiralität bei näherer Überlegung der Lage um sich greifende Unsicherheit ist ein weiterer Befehl. Er wird auf *„Hardy"* gegen Mitternacht abgenommen:

„Die norwegischen Küstenpanzerschiffe *‚Eidsvold'* und *‚Norge'* sind möglicherweise in deutscher Hand. Sie allein können beurteilen, ob unter diesen Umständen ein Angriff ratsam erscheint. Wir werden aber jede von Ihnen getroffene Entscheidung unterstützen!"

Warburton-Lee zuckt nur die Schultern. Er hat längst gehandelt, seine 5 Zerstörer arbeiten sich bereits mühsam, fast blind im Tanz großer weißer Flocken, fjordaufwärts. Zeitweise sind nicht einmal die hohen Felsberge an beiden Seiten auszumachen. In der Kiellinie folgen hinter dem Führerzerstörer *„Hardy"*, *„Hunter"*, Lieutenant-Commander L. de Villiers, *„Havock"*, Lieutenant-Commander Rafe Courage, *„Hotspur"* mit dem Second in Command,[1]) Commander H. F. N. Layman und *„Hostile"*, Commander Wright.

Vor *„Hardy"* taucht unvermutet, ähnlich wie am frühen Morgen des vorigen Tages vor dem deutschen Zerstörer *„Diether von Roeder"*, ein schneebedeckter Felsen auf, dem noch im letzten Augenblick mit Hartruder ausgewichen werden kann. Das unvorhergesehene Manöver bewirkt ein erhebliches Durcheinander in der Formation. Aber das ist noch nicht alles! Plötzlich erstrahlen zwischen der abgeblendeten Flottille die hellen Deckslampen und erleuchteten Bulleyes eines Küstendampfers. Schrilles Klingeln von Maschinentelegrafen, Ruderkommandos, Schaumwirbel der mit AK zurückschlagenden Schrauben, Rufe, Flüche, Befehle: alles scheint

---

[1]) etwa Halbflottillenchef

den ruhig seinen Kurs durchhaltenden Norweger absolut nicht zu stören. So schnell wie er erschien, taucht er im Schneegestöber unter. Die Zerstörer hat er anscheinend gar nicht bemerkt.

Im Dämmer des ersten Morgengrauens läuft die Flottille bei Baroey durch die Enge am Eingang zum Ofot-Fjord. Aus dem Kartenhaus zur Brücke steigend, streicht der NO kopfschüttelnd mit der behandschuhten Rechten den frischen Schnee von Doppelglas und Düffelmantel:

„Schneit wie auf den Bildern der Christmascards![1]) Noch 15 Meilen bis Narvik, Sir!" —

Am Abend des 9. April stellte sich die Lage der 10 deutschen Zerstörer in Narvik als sehr ungünstig heraus. Sie sollten laut Operationsbefehl den Rückmarsch nach Brennstoffergänzung bereits in der Nacht vom 9. zum 10. antreten. An Stelle der zwei für sie vorgesehenen Tanker stand aber nur *„Jan Wellem"* zur Verfügung. Die *„Kattegat"* war, wie schon erwähnt, vor Narvik von dem norwegischen Hilfsschiff *„Nordkapp"* angehalten und von der eigenen Besatzung versenkt worden. Während der langen Sturmfahrt hatten die Boote aber fast ihren gesamten Ölvorrat verbraucht. Jeweils 500 bis 600 Tonnen mußten somit übernommen werden. Allerdings reichte der Brennstoff auf *„Jan Wellem"* aus, wenn jedes Boot zu einem Drittel Dieselöl nahm. Unglücklicherweise konnten aber jeweils nur 2 Zerstörer gleichzeitig beölt werden, und die Übernahme dauerte pro Boot 7 bis 8 Stunden.

Durch die Seeschäden der zur Ausschiffung der Truppen benötigten Zerstörer-Beiboote, die erst wieder instand gesetzt werden mußten, und durch die lange Suche nach den nicht vorhandenen norwegischen Küstenbatterien ging erheblich mehr Zeit als vorgesehen verloren. Die Folge war, daß die Zerstörer, die als erste die Ausschiffung beendeten, ohne Rücksicht auf den Zustand ihrer Maschinenanlage auch als erste zur Brennstoffergänzung bei *„Jan Wellem"* längsseit geschickt wurden. Schon sehr bald stellte sich das als ein recht schwerwiegender Fehler heraus. Beölt und gefechtsklar war um Mitternacht des 9./10. nur der Führerzerstörer *„Wilhelm Heidkamp"*. *„Georg Thiele"* und *„Bernd v. Arnim"*

---

[1]) Weihnachtskarten

hatten zwar Brennstoff ergänzt, waren jedoch wegen Maschinenschadens nicht voll verwendungsfähig.

Es muß bemerkt werden, daß ein Auslaufen von 3 bis 4 Zerstörern in der Nacht vom 9./10. sehr wohl möglich gewesen wäre, wenn die nicht fahrbereiten Boote ihr Öl und Kesselspeisewasser an die maschinell klaren abgegeben hätten. *„Jan Wellem"* wäre hierdurch wesentlich entlastet worden, und man hätte einen erheblichen Zeitgewinn erreichen können.

Kommodore Bonte war, wie aus den KTB's, Logbüchern und offiziellen Berichten hervorgeht, der Ansicht, der mit den beiden Schlachtkreuzern in See stehende Flottenchef würde den Rückmarsch nicht mit nur 2 Zerstörern antreten wollen, vielmehr bis zur Nacht des 10./11. auf das Klarwerden der anderen Boote warten. Hierzu ist festzustellen, daß Vizeadmiral Lütjens sich bereits für einen getrennten Rückmarsch entschieden hatte. Mehrfache Anfragen des Marinegruppenkommandos West, Generaladmiral Saalwächter, lassen eindeutig erkennen, daß auch von dort das rottenweise, d. h. paarweise Auslaufen der gefechtsfähigen Zerstörer angestrebt und erwartet wurde. Der Kommodore verstand den Sinn der wiederholten Anfragen durchaus, auch er fühlte sich „verpflichtet, ein Auslaufen aller nur irgendwie fahrbereiten Zerstörer anzustreben". Zwischen den Zeilen des KTB's lesend, kann man aber mit Recht annehmen, daß er darunter im Hinblick auf die zu erwartenden feindlichen Streitkräfte den gemeinsamen Rückmarsch einer möglichst großen Zahl seiner Boote verstand.

Im KTB des FdZ ist seine Beurteilung der Lage in Narvik für die Nacht des 9./10. niedergelegt. Er erwartete einen Angriff zur Vernichtung seines Verbandes und hielt ein unbemerktes Eindringen des Gegners durch den Ofot-Fjord bis nach Narvik hinauf wegen des Fehlens der norwegischen Küstenbatterien für möglich. Erst als die deutschen U-Boote auf ihren Innenpositionen standen, glaubte er in ihnen eine ausreichende Sicherung zu besitzen. Er nahm an, daß sie jede Annäherung des Gegners rechtzeitig erkennen und melden, die feindlichen Streitkräfte schwer schädigen und das Eindringen selbst verhindern könnten.

Der Verlauf der U-Bootsoperationen zeigte jedoch, daß Bonte die Leistungsfähigkeit der U-Boote in diesen Gewässern verkannte. Sie waren nur sehr bedingt in der Lage, einlaufende feindliche Seestreitkräfte zu sichten, zu melden oder gar zu bekämpfen. Sie wurden durch die starke Abwehrtätigkeit der englischen Zerstörer außerordentlich behindert, ständig unter Wasser gedrückt und damit zum Aufbrauchen ihrer Batterien gezwungen. Die hellen nordischen Nächte verrieten sie, und das stille, klare Fjordwasser machte sie dem Gegner selbst in getauchtem Zustand sichtbar. Sie waren praktisch lahmgelegt.

Vorweggenommen sei, daß vor allem bei den späteren Angriffen auf die vor Harstad liegenden englischen Kriegsschiffe und Transporter Versager der neuen Magnettorpedos auftraten, wie sie sich ähnlich übrigens ein Jahr später auch bei der amerikanischen Marine zeigten. Die Gefechtsladung zündete zu früh oder überhaupt nicht. Außerdem versagten gleichzeitig die Aufschlagzünder. Aus sicheren Positionen, von bewährten Kommandanten wie Prien, Schultze u. a. abgegebene Schüsse verfehlten selbst sich überlappende Ziele. Spätere Untersuchungen ergaben, daß fehlerhafte Tiefensteuerung und Undichtigkeit der Behälter der Tiefensteuerapparate neben den Fehlern der Magnetzündung die katastrophalen Versager verursachten.

In diesem Zusammenhang seien kurz die Maßnahmen genannt, die von der Führung der U-Waffe im Zusammenhang mit der Operation „Weserübung" in Übereinstimmung mit der SKL getroffen wurden.

Der Befehlshaber der U-Boote (BdU), Konteradmiral Karl Dönitz, stoppte bis auf weiteres jeden Handelskrieg. Er ordnete unter dem Tarnnamen „Hartmut" Sonderaufgaben für alle verfügbaren Boote an, einschließlich der 6 der U-Schule und der 2 auf Erprobungsfahrt befindlichen. Ab 11. März gingen 31 U-Boote aller Typen auf Wartestellungen. Ein Teil wurde bei den Shetlands und Orkneys zur Beobachtung und zum Angriff auf etwa aus Scapa Flow auslaufende englische Seestreitkräfte ausgesetzt, der Rest rings um die norwegische Küste von Kap Lindesnaes-Stavanger bis hinauf nach Harstad bei Narvik verteilt. Die Beteiligung am Norwegenunternehmen machte einen Einsatz dieser Waffe im Atlantik erst wieder ab Anfang Juni möglich.

Die Sicherungsmaßnahmen, die der FdZ-Stab anordnete, müssen nachträglich als unzureichend bezeichnet werden.

Wegen der vielen in der Hafenbucht zu Anker liegenden Dampfer, wurde zwar richtigerweise ein Auseinanderziehen für die 10 Zerstörer befohlen, um eine Massierung der Ziele zu vermeiden. Der Chef der 1. Z-Flottille, Fregattenkapitän Berger, ging mit *„Georg Thiele"* und *„Bernd von Arnim"* in den Ballangen-Fjord westlich von Narvik, der Chef der 4. Z-Flottille, Fregattenkapitän Bey mit *„Wolfgang Zenker"*, *„Erich Giese"* und *„Erich Koellner"* in den Herjangs-Fjord nördlich des Hafens.

Es erscheint aber unverständlich, daß der am weitesten nach Westen vorgeschobenen 1. Flottille keinerlei Sicherungsdienst vorgeschrieben wurde und daß auch der Flottillenchef nichts dergleichen anordnete. Lediglich die zusammen mit dem FdZ-Zerstörer *„Wilhelm Heidkamp"* in Narvik selbst belassene 3. Flottille, Fregattenkapitän Gadow, mit *„Hans Lüdemann"*, *„Diether von Roeder"*, *„Anton Schmitt"* und *„Hermann Künne"* erhielt Befehl, die Hafeneinfahrt mit einem Zerstörer zu bewachen. Es wurde darin aber nicht gesagt, ob in Fahrt oder zu Anker, auch nicht auf welcher Position, ob vor der Einfahrt selbst oder weiter westlich im Ofot-Fjord, ebensowenig wann und wie lange.

Es fällt auf, daß der für den Vorpostendienst verantwortliche Chef der 3. Flottille, der energische und lebhafte Fregattenkapitän Gadow, selbständig u. a. anordnete, daß der draußen postierte Zerstörer *„Diether von Roeder"* vom Flottillenboot *„Hans Lüdemann"* abgelöst werden sollte. Aus unbekannter Ursache erreichte jedoch dieser Befehl niemals den Kommandanten der *„Diether von Roeder"*. Korvettenkapitän Holtorf kannte nur den ihm früher übermittelten UK-Spruch:

„Ab 04 Uhr 00, *‚Anton Schmitt'*, ablösen. U-Bootssicherung vor Hafeneinfahrt bis Helligkeit."

Der Ausdruck „U-Bootssicherung" läßt annehmen, daß auch dem Flottillenchef offenbar der Gedanke an einen Überfall feindlicher Überwasserstreitkräfte nicht in den Sinn kam. Korvettenkapitän Holtorf lief also bei Hellwerden wieder ein, ohne die Ablösung durch *„Hans Lüdemann"* abzuwarten, die zu dieser Zeit noch immer zur Brennstoffübernahme längsseit *„Jan Wellem"* lag. —

Für alle Zerstörer ist für die Nacht vom 9./10. höchste Bereitschaft befohlen. Die Maschinen werden getörnt, d. h. man läßt in bestimmten Zeitabständen die Turbinen kurz drehen. Es wird Kriegswache gegangen. Die Freiwache, ermüdet von den Anstrengungen der langen Sturmfahrt und den vielfachen Arbeiten des vergangenen Tages, schläft.

Zwischen den seltenen Pausen der dichten und wilden Schneeböen sehen die frierenden Posten an den Geschützen, Torpedorohren und Fla-Waffen hier und da das Funkeln und Blitzen der Sterne durch die Lücken der vor dem Wind herjagenden Wolken. Es ist bitter kalt. Die herabwirbelnden großen, weichen Flocken hüllen die Boote wie mit weißen Tüchern ein. Die Seeleute fluchen, daß sie bei dieser Kälte und einem Wetter, bei dem doch nichts zu erkennen ist, an Oberdeck herumstehen müssen. Um 21 Uhr 22 betritt einer der Offiziere des Stabes die Kammer des FdZ:

„Funkspruch von *‚U 51'*, Herr Kommodore!"

Bonte nimmt das Blatt, liest:

„5 feindliche Zerstörer in Sicht. Feind steuert südwestlichen Kurs, mittlere Fahrt, West-Fjord."

Er sieht auf:

„Schön. Wissen Sie, wer der Kommandant ist?"

„Jawohl, Knorr. Kapitänleutnant Knorr."

„Wenn keine weiteren Meldungen einlaufen, nehme ich an, daß dieser Verband eine Erkundungsfahrt unternahm und nun wieder nach See zu abläuft."

Es kommen keine weiteren Meldungen. Wegen des auslaufenden Kurses wird dem Funkspruch unglücklicherweise keine besondere Bedeutung beigelegt. Niemand ahnt, daß *„U 51"*, das wie die anderen Boote bereits die Zwischenposition verlassen hat und befehlsmäßig jetzt im Außenfjord steht, die Flottille Warburton-Lee rein zufällig auf Westkurs sichtete und daß die englischen Zerstörer sehr bald schon zum Angriff beidrehen werden.

Der Vorpostenzerstörer. Die Engländer sind da! Die Hölle in der Hafenbucht. „Diether von Roeder" im Kreuzfeuer. „Ich lasse meinen Zerstörer nicht sinnlos zusammenschießen!" An der Postpier. Der Schiffsfriedhof.

Es ist kurz vor 04 Uhr 00 am Morgen des 10. April, als auf *„Diether von Roeder"* der Läufer Brücke, vom Kriegswachleiter geschickt, seinen Kommandanten aus tiefem Schlaf reißt:

„UK von der Flottille, Herr Kaptän."

„Um diese Bäckerjungenzeit", knurrt Korvettenkapitän Holtorf verschlafen in das Licht blinzelnd, das der Matrose einschaltet. „Na, lies schon vor, Mann!"

„Jawohl! Befehl, ab 04 Uhr 00 *‚Anton Schmitt'* ablösen. U-Bootssicherung vor der Hafeneinfahrt bis Helligkeit."

„Ist das alles? Wie denn, verdammt nochmal? Zu Anker, in Fahrt? Wer löst denn uns ab?"

„Nichts weiter durchgekommen, Herr Kaptän."

Der Kommandant wirft einen Blick auf den Chronometer über dem Schreibtisch, dann auf den Barografen und jumpt aus der Koje:

„Wie war die Uhrzeit? 04 Uhr 00? Herr des Himmels, dann müssen wir ja sofort auslaufen."

„Der IO ist schon gewahrschaut, Herr Kaptän", entgegnet der Läufer und hilft seinem Kommandanten in den schweren Wachmantel.

„Wetter?"

„Schneit noch immer wie zu Weihnachten, Herr Kaptän", grinst der Mann, der irgendwo in den bayrischen Bergen zu Hause ist und sich einen Heiligabend ohne Schnee nicht vorstellen kann.

Holtorf stülpt die Mütze mit dem goldenen Eichenlaub am Schirm über den schmalen Kopf, schnappt Doppelglas und Pelzhandschuhe und stürzt durch das Schneegestöber zur Brücke. Unten an Oberdeck werden bereits die Seeposten gemustert, während auf der Back das runkelnde Spill den Anker kurzhievt, d. h. die Kette so weit einholt, daß der Anker noch gerade im Grund hält. Mißmutig sieht der Kommandant über die Brückenreling. Das fußhoch mit Schnee bedeckte Vorschiff ist trotz der hellen Nacht im Wirbel der Flocken kaum zu erkennen. Mit hochgeschlagenem Mantelkragen, den Schnee von den Gummistiefeln stampfend, erscheint der IO und meldet das Boot seeklar. Holtorf nickt ihm zu:

„Ich hab' so 'ne Ahnung, mein Guter, daß spätestens morgen die lieben Vettern hier auftauchen. Heute war noch eine Chance zurückzulaufen oder glauben Sie, daß der Engländer noch früher kommt?"

„Bei dem anhaltenden Schneefall kaum möglich, die Sicht ist bestenfalls 100 Meter!"

Es ist gar nicht so einfach, sich bei diesem Wetter durch die vielen zu Anker liegenden Dampfer hindurchzuwinden. Um einen sicheren Abgangspunkt zu bekommen, gehen sie möglichst nah an die Huk von Framnes an der Nordseite der Einfahrt heran und laufen in den Ofot-Fjord. Im gleichen Augenblick sinkt die Sicht auf Null.

„Runter mit der Fahrt, WO! 7 Seemeilen. Was für Wind, Obersteuermann?"

„Nord bis Nordost, Herr Kaptän. Stärke 3 bis 4."

„WO: bißchen nach Luv aufdrehn wegen des Abtreibens."

Lauernd, wachsam, starren die Ausgucks und Offiziere in den weißen Wirbel, während der Zerstörer mit wechselnden Kursen auf und ab steht. Gesichtet wird nichts. Nicht einmal die hohen Uferberge sind auszumachen. Als es hell wird, setzt Korvettenkapitän Holtorf das Doppeglas ab, mit dem er seit Beginn der Morgendämmerung ständig die Richtung zur Hafenbucht absuchte. Keinen Sinn, hier noch länger herumzuschwabbern, denkt er. Brennstoffergänzung ist wichtiger und Ablösung habe ich nicht. Also! Er wendet sich zum WO:

„Einlaufen!" befiehlt er kurz.

Er ist ein wenig besorgt, ob sie trotz der Abdrift durch das auflaufende Wasser und die unbekannte Strömung bei der Unsichtigkeit die Einfahrt finden werden. Aber das Steuermannspersonal hat gut mitgekoppelt. Sie sichten die Framnes-Huk und gehen um 05 Uhr 25 gleichweit vom Malmkai und der Postpier zu Anker.

„Hier, WO!" ruft Holtorf. „Ich verschwinde ins Kartenhaus. Wir sind dran zum Ölen, sowie ‚HL' vom Tanker ablegt. Die Funkbude soll gut aufpassen, die Flottille wird das sicher durch UK mitteilen. Dann verholen wir zwischen diesen Dschunken hindurch bis kurz vor die Eisenbahnpier nördlich vom Beis Fjord-Eingang und gehn bei *‚Jan Wellem'* längsseit. Klar?"

Außer dem Schnee treiben nun auch noch Nebelballen vor dem Nordost her, verhüllen die weite Hafenbucht und die Holzhäuser der Stadt. Kein Laut ist zu hören. Längsseit *„Jan Wellem"* liegen mit ausgebrachten Ölschläuchen *„Hans Lüdemann"* und *„Hermann Künne"*. *„Wilhelm Heidkamp"* ankert südlich des ehemaligen Walfangmutterschiffs, zwischen beiden *„Anton Schmitt"*.

Es ist 05 Uhr 30, als die Kriegswache auf dem FdZ-Zerstörer von irgendwoher einen Schuß hört. Der Kriegswachleiter springt zur Alarmklingel, drückt den Knopf und sofort quarren die Hupen durch alle Decks:

„Alarrrrm!"

Der im Kartenhaus angezogen auf einer Lederkoje schlafende Kommandant eilt auf die Brücke:

„Seid ihr verrückt, Herrschaften? Seht ihr weiße Mäuse? Was ist denn los?"

Achselzuckend hebt der Steuermannsmaat der Wache sein Glas. Auch er kann sich nicht vorstellen, wer bei diesem Wetter hier schießen könnte. Er hat das schwere lange Nachtglas noch nicht vor den Augen, als mit einem Schlage rings umher die Hölle tobt. Vom Granit der Berge verstärkt und zurückgeworfen, dröhnt es wie Urweltdonner über die Hafenbucht und übertönt Rufe, Befehle und Kommandos.

„Flugzeuggeräusche!" gellt eine Stimme durch den Lärm.

„Fliegeralarm!"

Fla-Maschinenwaffen beginnen Störungsfeuer zu rattern. Feuerstöße schnellen bunte Leuchtspurbahnen gegen den Schneehimmel. Dazwischen dröhnt ohrenbetäubendes gewaltiges Donnern.

„Artilleriefeuer und Torpedos!" registriert instinktiv Korvettenkapitän Erdmenger, und dann haut ein Treffer krachend und feuerspeiend in Höhe des Signaldecks ein und reißt die Backbord-Brückennock weg. Die Männer, die eben noch über die Reling starrten, werden über Bord gefegt. Eine mächtige Detonation schmettert alles übertönend fast gleichzeitig achtern gegen die Bordwand. Stinkender grüngelblicher Pulverqualm wirbelt hoch. Der Kommandant reißt an der Tür des Ruderstandes, er bekommt sie nicht auf, sie klemmt. Durch die andere eilt er auf den freien Teil der Brücke. Er traut seinen Augen nicht: das ganze Achterschiff verschwunden, einfach weggebrochen.

Entsetzt blickt er um sich. Eins der achteren 12,7 cm Geschütze ist samt Schutzschild hochgeschleudert und auf die Back geworfen worden, das zweite zerschmetterte einen Heizraumniedergang und landete im 2. Kesselraum, das dritte traf den Brückenniedergang.

„Torpedo, das kann nur ein Torpedo gewesen sein!" murmelt Korvettenkapitän Erdmenger.

Er hat recht. Aber es war nicht allein die Gewalt der Torpedodetonation. Einer der sieben Torpedos, die der als erster angreifende englische Zerstörer *„Hardy"* losmachte, traf die achtere Munitionskammer, die hochging. Der FdZ, Kapitän z. S. und Kommodore Friedrich Bonte, mehrere Offiziere und Mannschaften fielen.

Zeitweise ist das Boot von schwarzen Brandwolken und dem grünlichen Qualm des Sprengstoffes völlig eingehüllt. Es beginnt achtern wegzusacken, fängt sich aber erstaunlicherweise wieder, als das Wasser schon am zweiten Schornstein steht.

Meldungen aus den unteren Räumen erreichen den Kommandanten.

„Gott sei Dank, wir schwimmen noch!" sagt er erleichtert zu sich selbst und wirft einen Blick über sein Boot.

Auf der Brücke sieht es wüst aus. Trümmerstücke, losgerissene Eisenplatten, bizarr verbogene und zusammengedrehte Niedergänge, zersplitterte Holzgrätings, zerfetztes buntes Flaggentuch, das an ausgezackten, von Sprengstücken zersägten Eisenblechen hängt und halbverkohlte Flaggleinen bilden ein wirres Durcheinander. Und die Waffen? Drei von den 5 — 12,7 cm-Geschützen sind vernichtet. Nüchtern, kühl, sachlich und schnell, wie er es gewohnt ist, überschaut und prüft er die Lage. Irgendetwas muß veranlaßt werden, schnell veranlaßt sogar, um die ihm anvertrauten Männer, soweit sie noch leben, und das Wrack des Zerstörers zu retten.

In der Nähe liegt der schwedische Dampfer „Oxeloesund" vor Anker. An den will er das Vorschiff mit Leinen heranholen. Er greift nach einem Megafon, schreit Befehle durch den Gefechtslärm. Er läßt Kette stecken, d. h. die Ankerkette weiter auslaufen. Das Manöver gelingt. Das, was von *„Wilhelm Heidkamp"* überblieb, liegt nach mühsamer Arbeit neben dem Schweden. Stellings werden ausgebracht. Die Verwundeten und alles, was an wertvollem Material, Waffen, Geräten usw. geborgen werden kann, wird hinübergeschafft. Mitten im Toben, während Granateinschläge das Wasser hochwuchten, die restlichen Zerstörer feuern, was aus den Rohren geht, und fehlgelaufene englische Torpedos an den Uferfelsen detonieren!

Es sei vorweggenommen, daß der nur halbversunkene Restteil der *„Wilhelm Heidkamp"* erst am 11. April früh und nachdem die Bergungsarbeiten rechtzeitig abgebrochen wurden, versank. Gewiß hätte man das Vorschiff mit den noch intakten beiden Buggeschützen auf Strand schleppen und als Hafenbatterie verwenden können. Korvettenkapitän Erdmenger unterließ jedoch jeden derartigen Versuch, weil er glaubte, bei einer eventuellen englischen Landung die moderne und geheime Feuerleitanlage nicht schnell genug vernichten zu können.

Kurz nach dem Treffer auf *„Wilhelm Heidkamp"*, wird auch *„Anton Schmitt"* ein Opfer des englischen Führerzerstörers *„Hardy"*. Zwei gleichzeitig losgemachte Torpedos, von denen je einer Maschinen- und Kesselraum trifft, heben das Boot buchstäblich aus dem Wasser. Es bricht in zwei Teile auseinander und sinkt rasch.

Und immer noch dröhnt und donnert es. Granaten wühlen das ölige Hafenwasser auf. Sprengstücke klacken gegen Bordwände und Aufbauten. Splitter surren und kreischen. Torpedos schmettern in Dampferrümpfe und lassen sie in Feuer und Qualm bersten.

Als der erste Gefechtslärm aufbrüllt, schlagen die beiden längsseit des Tankers liegenden Zerstörer hastig die Ölschläuche ab, werfen die Leinen los und suchen über den Achtersteven von *„Jan Wellem"* freizukommen. Zwei Treffer aus englischen 12 cm-Geschützen schlagen auf *„Hans Lüdemann"* ein. Sie setzen ein Geschütz außer Gefecht. Feuer bricht aus, und der Kommandant muß die achtere Munitionskammer fluten lassen. Die beiden Torpedodetonationen, die *„Anton Schmitt"* vernichten, beschädigen durch ihre ungeheuren Erschütterungen die Maschinenanlage der nur 40 m entfernten *„Hermann Künne"* derart, daß sie für etwa eine Stunde ausfällt.

Gleich danach springen vor dem Bug des großen Tankers zwei Torpedos, offenbar am Ende ihrer Laufbahn, ohne Schaden auszurichten aus dem Wasser. Sie stammen von *„Hunter"* und *„Havock"*, die nach dem englischen Bericht keine Treffer erzielten und die nun *„Diether von Roeder"* unter heftiges Artilleriefeuer nehmen. *„Jan Wellem"* hat unerhörtes Glück: mitten zwischen sinkenden Handelsschiffen und schwer getroffenen Zerstörern bleibt sie völlig unbeschädigt und verholt nach dem Angriff an den großen Erzkai. Sie hat abgesehen von Gefrierfleisch und anderen Lebensmitteln in ihren Kühlräumen und Lasten immerhin noch fast 3000 t Öl an Bord.

Bei dem Alarm und der Detonation, die das Achterschiff der *„Wilhelm Heidkamp"* wegreißt, stürzt die Kriegsfreiwache der *„Diether von Roeder"* auf die Gefechtsstationen. Von der Hafeneinfahrt dröhnt Artilleriefeuer herüber. Was aber draußen tatsächlich vorgeht, können Offiziere und Brückenpersonal im dichten Schneegestöber nicht erkennen. Blitzt es dort wirklich hellgelb auf? Sind die schemenhaft vorbeigleitenden Striche, die Holtorf einmal zu sehen glaubt, Zerstörerschornsteine, oder ist alles eine Täuschung und werfen Flugzeuge hoch über den Wolken fliegend Bomben?

In die Überlegungen, die blitzschnell durch den Kopf des Kommandanten huschen, krachen zwei Treffer in die Backbordseite unterhalb der Brücke. Einschußlöcher klaffen. Dann detoniert vier Meter tiefer eine Granate. Aus dem getroffenen Ölbunker des 2. Kesselraumes schlagen steile Stichflammen. Stinkender schwarzer Ölrauch wallt auf und hüllt in wenigen Minuten das ganze Vorschiff in eine übelriechende klebrigrußige Wolke. Die Engländer sind da!

An Oberdeck steht in Feuerlee[1]) an Steuerbordseite der IO und stößt einen Maschinenmaaten, der mit anderen Kameraden des technischen Personals nach dem Doppeltreffer zwar lebend aus dem Kesselraum kam, dessen Uniformstücke aber noch lodern, als er das Oberdeck erreicht, über Bord, Das Wasser löscht den Brand sofort. Wenig später wird er wieder an Deck gezogen.

Im Vorschiff schlägt eine Granate ins Heizerdeck. Umhersausende glühende Sprengstücke töten acht Mann und verwunden zwei, ein einziger entkommt unverletzt.

Ein Wort kommt dem Kommandanten in den Sinn, der weder ängstlich noch sentimental ist: Weltuntergang!

Salvenweise feuern jetzt die englischen Zerstörer. Daß es nur solche sein können, erkennt Holtorf augenblicklich.

In Sekundenschnelle sind die Bedienungen an den Kanonen, Fla-Waffen und Torpedorohren. Aber sie sehen kein

---

[1]) Feuerlee — die vom feuernden Gegner abgewandte Seite; Feuerluv — die dem feuernden Gegner zugewandte Seite.

Der Hafen von Narvik nach dem britischen Überfall am Morgen des 10. April

Wrack des deutschen Zerstörers „Geog Thiele“ im Rombakkenfjord bei Narvik

Wrack des britischen Zerstörers „Hardy“ im Ofotfjord bei Narvik

Ziel. Die Kabel der Feuerleitanlage sind durch die Treffer zerstört. Vom Artillerieleitstand sucht der AO vergebens Verbindung zu bekommen. Kapitän Holtorf reißt ein Megafon vom Haken:

„Geschütze Backbord querab! Feuererlaubnis! Ziel: die Hafeneinfahrt, schießen, schießen!"

In dem Lärm verstehen die Männer nicht gleich, was er will, so brüllt er noch einmal so laut er kann:

„Schießt, Kameraden! Schießt doch, zum Teufel!"

Da begreifen sie: Sekunden später kracht es aus allen Rohren. Nur zuweilen wird der Gegner schattenhaft sichtbar, leuchtet sein Mündungsfeuer durch das Schneetreiben. Aus Qualm und Rauch, aus Brand und Flammen fahren aus den fünf Rohren der 12,7 cm gelbrote Feuerstrahlen, blafft das zornige Bellen der 3,7 cm Doppelflak und das Kläffen der 2 cm. Das Getöse der eigenen und das Grollen der feindlichen Abschüsse übergellend tönt ein Schrei:

„Torpedolaufbahn!" Und noch einmal „Vorm Bug zwo Torpedolaufbahnen!"

Der Kommandant springt zur Brückennock, sieht die Blasenbahnen heranschäumen. Zu spät, irgend etwas zu unternehmen. Schneetreiben und Nebelschwaden haben sie bis zum letzten Augenblick verborgen. Aber da rast die eine schon haarscharf am Bug vorbei, die andere kurz darauf hinter dem Heck. Der erste Torpedo detoniert irgendwo am Felsufer, der zweite dagegen trifft einen deutschen Dampfer, der in zwei Teilen auseinanderbricht. Seine Trümmer fliegen hochgeschleudert durch die Luft und schlagen aufklatschend in das durch ausfließendes Bunkeröl vielfarbig schillernde Wasser. Der Rauch der Explosionen zieht dick und träge zum Südwestufer in Richtung Ankenes davon.

Seit Minuten feuern auch *„Hans Lüdemann"* und *„Hermann Künne"*. Die weite Hafenbucht dröhnt vom Gefechtslärm. Auf *„Diether von Roeder"* schmettert der vierte Artillerietreffer gegen die linke Seite des auf der Hütte vor dem kurzen achteren Mast stehenden III. Geschützes. Sprengstücke klakken gegen Stahl und Eisen. Sechs Gefallene, einige Schwer- und zwei Leichtverwundete liegen daneben. Der Geschützführer hat nur unwesentliche Splitterverletzungen an der Hand, aber er wird vom Luftdruck hochgerissen und landet auf dem Steuerbord Seitendeck. Stoßweise Erschütterungen gehen durch den Zerstörer, Flammen lodern auf dem Achterschiff. Ersatzmannschaften und die Männer einer Löschgruppe eilen herbei, geisterhaft von flackerndem Feuerschein übergossen.

Dann haut kurz danach der fünfte und letzte Treffer als Querschläger eben über der Wasserlinie in die Konservenlast.

„Gleich wird die Munitionskammer hochblown!" bemerkt Holtorf trocken zum WO.

Aber das verhindert der Maschinenobermaat Baisch, der als Leckgruppenführer geistesgegenwärtig und selbständig den Raum sofort fluten läßt. Unterdessen fahren ununterbrochen die Mündungsfeuer aus den Rohren der 3 achteren 12,7 cm-Geschütze. Die Batterie des Zerstörers hat ihr Feuer nicht eine Minute eingestellt.

Wie sich später herausstellt, hat *„Diether von Roeder"* nacheinander das heftige Feuer von *„Hardy"*, *„Hunter"*, *„Havock"* und *„Hostile"* auf sich gezogen.

„Hotspur" und *„Hostile"* standen, als *„Hardy"*, *„Havock"* und *„Hunter"* angriffen, als Sicherung außerhalb der Hafeneinfahrt. Sie sollten notfalls die an der Nordseite der Bucht bei Framnes vermuteten norwegischen, bzw. von Deutschen besetzten Geschützstellungen niederkämpfen. Als sie erkannten, daß dort keine Batterien standen, beteiligte sich *„Hostile"* am Kampf gegen die deutschen Zerstörer.

Der Gefechtslärm läßt jetzt nach, verstummt sogar für einige Minuten, um nochmals loszubrechen.

In dieser Zeit ziehen sich *„Hardy"*, *„Hunter"* und *„Havock"* vor dem wirkungsvoller gewordenen deutschen Feuer zurück und werden von *„Hotspur"* und *„Hostile"* durch einen künstlichen Rauchschleier gedeckt. *„Hotspur"* benutzt die Gelegenheit, vier Torpedos auf die Masse der im Hafen zusammengedrängten Schiffe loszumachen. Die Unsichtigkeit erlaubt Warburton-Lee nicht, Einblick in die Seitenfjorde zu nehmen. Es scheint ihm auch unwichtig, da er während des Gefechtes 5 von 6 Zerstörern, die ihm von den Tranoey-Lotsen als einlaufend angegeben worden waren, in der Bucht festgestellt zu haben glaubt. Er zieht aus diesem Grunde seine 5 Zerstörer noch einmal unter Einsatz der gesamten Artillerie an der Einfahrt vorbei. Sie geraten in heftiges Abwehrfeuer, das jedoch nur geringe Beschädigungen verursacht. Dann laufen die Engländer drei bis vier Meilen den Ofot-Fjord hinab. Der Flottillenchef fordert bei dieser Gelegenheit seine Boote zur Angabe der bisher nicht losgemachten Torpedos auf. Die Meldungen ergeben: *„Hardy"* hat nur noch 1, *„Hunter"* 0, *„Hotspur"* 4, *„Havock"* 3 und *„Hostile"* 8, d. h. den gesamten Bestand.

Vor der kurzen Gefechtspause scheint dem Kommandanten der *„Diether von Roeder"* endlich eine Gelegenheit zur Verwendung seiner Torpedowaffe gekommen zu sein. Obwohl eine neue Schneeböe einsetzt, sind deutlich die gelben Abschußblitze vor der Einfahrt zu erkennen. Der Gegner scheint außerdem auf Auslaufkurs zu liegen; also höchste Zeit, wenn er überhaupt noch zum Schuß kommen will. Holtorf winkt seinen TO heran:

„Torpedowaffe — Feuererlaubnis!"

Splitter haben die Feuerleitanlage außer Gefecht gesetzt. So eilt der TO hinab an Oberdeck. Nacheinander macht er aus den beiden ausgeschwenkten Vierlingssätzen vor und hinter dem Schornstein acht Torpedos auf die grauen Schemen vor der Einfahrt los. Hoffnungsvoll lauschen alle. Kommandant, TO und ein paar andere hören zwei Detonationen, können aber nicht feststellen, ob sie von Treffern herrühren.

Captain Warburton-Lee, der nun schon über eine Stunde vor der Einfahrt operiert, will vor dem endgültigen Ablaufen noch einen letzten Angriff fahren. Von der Brücke der *„Hardy"* blinkt ein Signal:

„Kiellinie, 15 Seemeilen!"

Die Zerstörer schwenken nach Backbord, laufen zurück und eröffnen erneut das Feuer auf einzelne Ziele, die trotz des Schneegestöbers und des dicker gewordenen Nebels zu erkennen sind. *„Hostile"* macht fünf von ihren acht Torpedos los und beobachtet dabei schon zum zweiten Male eine mittschiffs harmlos unter ihr durchlaufende Blasenbahn. Es sind zwei der von *„Diether von Roeder"* losgemachten Torpedos. Die anderen versinken spurlos am Ende ihrer Laufbahn oder detonieren am Ufer des Ofot-Fjords.

Als die Engländer das Artilleriefeuer von der Einfahrt her wieder aufnehmen, das von den Geschützen der 3 deutschen Zerstörer erwidert wird, wendet sich Korvettenkapitän Holtorf an seinen IO:

„Wir sind, weiß der Himmel in einer bescheidenen Lage! So, wie wir in der Strömung liegen, zeigen wir den Burschen unsre ganze Längsseite. Durch den verdammten Qualm und Rauch sind wir selbst bei dem Schneetreiben ein unverkennbares Ziel, und in den Pausen zwischen den Böen liegen wir dunkelgrau gegen den verschneiten Berghintergrund!"

„Nicht zu ändern, Herr Kaptän!" sagt achselzuckend der Erste Offizier.

„Doch, Mensch! Wir brauchen nur so zu drehn, daß wir denen da draußen den Bug zeigen . . ."

„Richtig, Herr Kaptän!" unterbricht der IO. „Aber der Strom für die Spills ist ausgefallen. Die Kette steht zum Brechen steif und schlippen können wir den Anker auch nicht."

Zornig fährt der Kommandant mit der Faust durch die Luft: „Sehn Sie sich das an! Ich laß' mir meinen Zerstörer nicht sinnlos zusammenschießen, zum Teufel auch! Wir laufen an eine geschütztere Stelle, jetzt, sofort. Was der verdammte Anker macht, ist mir schietegal! WO: beide Langsam Voraus, hart Backbord! Dann weiter über den Achtersteven."

Der IO verzieht keine Miene. Laß ihn, denkt er, er hat die Verantwortung, wenn die Kette bricht und der Anker . . .

„An den Malmkai komme ich so natürlich nicht", erklärt Holtorf, „aber an die Postpier. Wetten IO?"

Er wendet sich ab, sieht achteraus und stellt mit Befriedigung fest, wie der Schraubenstrom weiße Kreise im öligen Wasser aufzuwerfen beginnt.

„Ruder versagt!" ruft der Matrosenobergefreite Sauer laut durch das Krachen der eigenen Geschütze und die Salven der Engländer.

„Auch das noch! Dann schaffen wir's eben mit den Maschinen. Ich kriege den Bock hin, darauf können Sie sich verlassen!"

In diesem Augenblick geht ein deutscher Dampfer ankerauf und verholt mit langsamer Fahrt vorsichtig zwischen Wracks und Aufschlägen hindurch zur Erzpier. Holtorf, der den Frachter verwundert mit dem Doppelglas beobachtet, wendet sich wieder dem IO zu:

„Der hat doch tatsächlich in dem ganzen Remmidemmy überhaupt nichts abbekommen, unberufen!" setzt er schleunigst hinzu, als eine Granate dicht hinter dessen Heck einschlägt.

Ringsum liegen rauchende, brennende, teilweise sinkende Schiffe. *„Hans Lüdemann"* und *„Hermann Künne"* schießen ununterbrochen. Englische Granaten heulen durch das Schneetreiben, Aufschläge springen hoch. Der eigene Zerstörer feuert aus Ölqualm, Flammen und schwarzem Brandrauch heraus und der gesteigerte Gefechtslärm hallt nachrollend von den Bergen wider. Das kann ja nicht klargehn, denkt der Kommandant, ausgeschlossen! Wo bleiben denn die Treffer? Warum geschieht noch nichts? Ich muß etwas sagen, zumindest sollen sie hier auf der Brücke wissen, was ich von der Besatzung halte. Er hebt die Stimme, ruft laut und lacht dazu:

„Toll ,wie unsre Geschütze feuern! Großartig! Kaliberschießen in der Ostsee vor dem FdZ ist nichts dagegen!"

Innerlich ist er überzeugt und gibt das auch später zu, daß es keine drei Minuten mehr dauert, bis sie mit gewaltigem Krach wie Elias im feurigen Wagen in den Schneehimmel fahren. Bestimmt! Aber der Zerstörer fliegt nicht in die Luft! Die 70 000 Pferde der beiden Turbinen zerren den Anker durch den Felsgrund. Das schwierige Manöver gelingt. Langsam, sehr langsam verholt *„Diether von Roeder"* zur Postpier. Der gewaltsam mitgeschleifte Anker hält den Bug nach außen, das Heck berührt die kurze Pier. Ein paar Seeleute springen an Land, gleiten aus, fangen sich wieder, nehmen die hinübergereichten Leinen wahr und machen sie fest. Triumphierend sieht Kapitän Holtorf seinen IO an:

„Na also! Was hab' ich gesagt? Kennen wir doch vom Mittelmeer: Bug an 'ne Boje, Heck an die Pier. Genua, Neapel, Ceuta, ja Ceuta: Sonne, Wärme, nicht diese Kälte. Und die lieben Vettern feierten mit uns statt uns zu befunken!"

Er hebt das Glas, sieht zur Einfahrt hin und lauscht:

„Scheinen das Feuer einzustellen. Laufen wahrscheinlich ab. Na, woll'n uns den Schaden mal näher besehn, scheint ja allerhand, was sie bei uns angerichtet haben!"

Das Vorschiff brennt noch immer. Erst allmählich gelingt es den Löschgruppen, die Flammen zu bändigen und schließlich zu ersticken. Das aus dem getroffenen Bunker strömende brennende Öl wird mit Schaumlöschern bekämpft. Später gelingt sogar die Bergung der unverdorbenen Konserven aus der getroffenen Last.

Da der Zustand des Zerstörers hoffnungslos erscheint, befiehlt der Kommandant, alles an Land zu schaffen, was für die

Verteidigung von Narvik im Fall eines englischen Angriffs von Nutzen sein kann. Die gesamte Besatzung tritt zur Arbeitsverteilung auf der Postpier an. Der IO, die Waffen- und Ressortleiter bestimmen, was zuerst von Bord zu geben ist. Requirierte Lastwagen stehen zum Abtransport bereit.

5 von den 2 cm Fla-Maschinenwaffen, Granaten und Kartuschen der achteren 12, 7cm-Geschütze, die bei einem englischen Angriff doch nicht mitfeuern können, werden aus der inzwischen gelenzten achteren Munitionskammer auf die Pier gemannt, desgleichen rund 30 Wasserbomben, die Handwaffen und die Seesäcke der Besatzung. Die gesamte Funkanlage wird ausgebaut. Holtorf läßt den Vormann der Sprenggruppe kommen, um die Versenkung des Zerstörers für den Notfall vorzubereiten.

„Wasserbomben unten ins Schiff. Zündschnüre dran. Posten davor. Sie wissen ja, klar?"

„Jawohl, Herr Kaptän."

Aber dann laufen während des Vormittags genauere und bessere Meldungen über das Ausmaß der Schäden und den Zustand des Bootes ein. Vielleicht ist *„Diether von Roeder"* doch noch fahrbereit und bis zu einem gewissen Grade sogar gefechtsklar zu bekommen? Holtorf spricht mit IO und LJ.

„Wir brauchen Zeit, Herr Kaptän. Ein, zwo Tage, drei, wenn's geht", meint der IO, „dann kriegen wir's schon hin."

„Die Maschinen sind soweit klar", ergänzt der LJ, „an der Ruderanlage wird gearbeitet."

„Gut!" entscheidet der Kommandant. „Also versuchen wir's. Lassen Sie die Männer auf der Pier antreten, IO."

Der Erste Offizier meldet. Schlank, groß, hochaufgerichtet steht Holtorf vor seiner Besatzung. Der Blick seiner blauen Augen schweift über die Gesichter, die gespannt und erwartungsvoll zu ihm aufgerichtet sind. Er lächelt, macht eine umfassende Handbewegung:

„Rumschließen!"

Sie stehen nun im Halbkreis dichtgedrängt um ihren Kommandanten, stoßen sich an, nicken sich zu. Irgendetwas Erfreuliches muß er auf der Pfanne haben, denken sie, wenn der Alte lacht ...

„Das ist ja alles idiotisch, Kameraden! Versenken kommt nicht in Frage. Wir werden unsern Bock schon wieder hinkriegen. Fragt sich nur, wieviel Zeit wir dazu haben. Wir laufen wieder aus. Was wir übrig haben, geben wir zur Verteidigung von Narvik an die Jäger ab, soweit das nicht schon geschehn ist. Das ist nötig und muß gemacht werden. Wir geben nicht auf, wir fahren wieder zur See. Wegtreten!"

Laut palavernd und lachend eilen die Männer an Bord zurück. Der Alte ist richtig. Versenken? Lächerlich!

Solange die vielen Arbeiten zur Beseitigung der Gefechtsschäden nicht beendet sind, werden die Männer mit Ausnahme des Wachpersonals in den Häusern in der Nähe der Postpier untergebracht. Alle schuften wie die Wilden. In den Pausen werfen sie einen Blick über die Hafenbucht, auf die hohen Gerüste der Eisenbahn- und Verladeanlagen am Malmkai, die verschneite Stadt und die schneebedeckten Felshänge. Die Bucht selbst ist ein einziger großer Schiffsfriedhof. Da liegt das von Leinen gehaltene graue Vorschiff der *„Wilhelm Heidkamp"* neben dem schwedischen Dampfer *„Oxeloesund"*. Ein Schornstein, Aufbauten, klagend gen Himmel gerichtete Masten ragen hier und da aus dem öligen Wasser. Ein Frachter hat sich auf das Felsufer gesetzt. Andere machen mit dem Rest ihrer zerschmetterten Aufbauten, den durchlöcherten Bordwänden und den zerschossen in den Davits hängenden Booten den Eindruck wildgezackter unwirklicher Mondlandschaften. Über allem ziehen schwarze Rauch- und Qualmwolken brennender Schiffe dahin. Schweigend, mit steinernen Gesichtern, sehen die uralten Berge herab auf das Chaos.

2 deutsche Zerstörer und 7 Handelsschiffe verschiedener Nationen ruhen auf dem Felsgrund der Hafenbucht von Narvik.

Alarm im Herjangs Fjord. Ein typisches Zerstörergefecht. In der Zange. Der englische Flottillenchef fällt. „Hardy" wird auf Strand gesetzt. Rettung der „Hunter"-Besatzung. Das Ende des Dampfers „Rauenfels".

Sehr zufrieden mit seinem durch Wagemut und Überraschung errungenen Erfolg schickt sich der englische Flottillenchef an, endgültig auszulaufen. Aber das Glück, das ihm bisher so treu zur Seite stand, verläßt ihn jetzt. Aus dem nebligen Dunst, der nach Norden hin das Ende des Ofot-Fjords verschleiert, tauchen mit einem Male unvermutet drei weitere deutsche Zerstörer auf. —

Im innersten Herjangs-Fjord liegen am frühen Morgen dieses 10. April bei Elvegaarden die Boote der 4. Flottille: *„Wolfgang Zenker"*, mit dem Flottillenchef, Fregattenkapitän Bey an Bord, *„Erich Koellner"* und *„Erich Giese"*.

Es schneit. Von Bord aus sind die wenigen verstreut liegenden Häuser der kleinen Siedlung und die holzgefügte Anlegebrücke in dem Schneegestöber, das schon die ganze Nacht hindurch herabwirbelt, kaum auszumachen. Plötzlich dröhnt von irgend in der Ferne ein Schuß. Gleich danach rollt aus Richtung Narvik anschwellendes Salvenfeuer herüber und die Ausgucks der Kriegswachen beobachten, wie rote und gelbe Ketten von Leuchtspurmunition über die Berge klettern. In der Kammer des Flottillenchefs erscheint ein Offizier des Stabes:

„Funkspruch von *‚Hans Lüdemann'*, Herr Kaptän. Alarm. Überfall auf Narvik!"

Mit einem Ruck ist der große, schwere Mann, der angezogen auf der Lederkoje lag, auf den Beinen und hellwach. Kapitän Bey braucht sich nicht lange zu besinnen. Was bei einem Überfall zu veranlassen ist, hat er längst mit seinem Stab besprochen. Am vorhergegangenen Abend noch.

„Signal an alle Boote: Ankerlichten, Auslaufen in Reihenfolge WZ, EK, EG. Klarschiff zum Gefecht!"

Eine Minute später steht er auf der Brücke. Aus der Richtung des Hafens grollt immer lauter werdend Geschützdonner. Dazwischen schmettern starke Detonationen. Kapitän Bey nickt dem Führerbootskommandanten, seinem Freund Fregattenkapitän Pönitz, zu, der zur Seeklarmeldung vor ihm steht:

„Torpedos natürlich! Siehst du, jetzt haben wir den Salat! Und alles nur wegen des verdammten Brennstoffs. Sonst wären wir längst auf dem Rückmarsch."

Auf dem Vorschiff überwachen IO und Oberbootsmann das Ankerlichten. Der Kommandant, klein, sehr schlank, sehr aufrecht, die Mütze verwegen schief über dem rechten Ohr, hebt, wie es seine Art ist, nachlässig elegant wie immer, die Rechte zum Mützenschirm:

„Jawohl! Der Funkspruch von *‚U 51'* natürlich. Hab' ich mir genauso gedacht. Diese 5 englischen Zerstörer, womöglich jetzt noch 'n Kreuzer dabei!"

„Bonte nahm an, sie liefen aus", knurrt der Flochef, „rumgestanden haben sie, auf 'ne Gelegenheit gewartet, die Brüder!"

Die drei Zerstörer sind nun ankerauf und Fregattenkapitän Bey läßt Signale für die Kiellinie, hohe Fahrt und Südwestkurs heißen. Dann dreht er sich zu einem der inzwischen auf die Brücke geeilten Offiziere seines Stabes um:

„Wie ist das mit dem Brennstoff?"

„Brennstoff und Kesselspeisewasser ist auf allen Booten knapp, Herr Kaptän."

„Hmm. Sehr unangenehm. Aber falls die vom Ballangen-Fjord aufgepaßt haben und rechtzeitig erscheinen, kriegen wir die Engländer in die Zange, wenn sie wieder auslaufen. Und das müssen sie ja schließlich 'mal. Wer ist im Ballangen Fjord? Der Chef der 1., nicht?"

„Jawohl, Berger mit *‚Georg Thiele'* und *‚Bernd von Arnim'*."

Der Flochef winkt dem Kommandanten zu:

„Vor der Hafeneinfahrt drehn wir nach Backbord auf, Pönitz. Erstmal sehn, ob die überhaupt noch da 'rumwimmeln bis wir hinkommen und feststellen, was eigentlich los ist. Das Weitere wird sich finden."

Kapitänleutnant (Ing.) Heye, Leitender Ingenieuroffizier des Zerstörers *„Erich Koellner"*, hat sich nach tagelangem Wachen erst um 03 Uhr 00 morgens vollkommen übermüdet angekleidet auf seine Koje werfen können. Bis in den Schlaf hinein verfolgte ihn der Gedanke an den sehr geringen Brennstoff- und Kesselspeisewasserbestand und die für ihn sehr ärgerliche Entscheidung, daß er erst ziemlich spät am 10. mit der Ölübernahme aus *„Jan Wellem"* an die Reihe kommt. Dann ist er endlich eingeschlafen. Nicht für lange, denn bereits nach zweieinhalb Stunden weckt ihn die Stimme eines Maschinengefreiten, der seinen Spruch dem fest und tief Schlafenden vorsichtshalber laut ins Ohr ruft:

„Befehl: Maschinen Achtung!, Herr Kaleunt!"

Der Kapitänleutnant richtet sich auf, reibt sich die Augen, streicht sein blaues Bordjackett glatt und fummelt noch in der Tasche nach Zigarettenetui und Feuerzeug, als bereits der zweite Läufer erscheint:

„Klar Schiff zum Gefecht! Herr Kaleunt!"

„Na nu aber nichts wie 'raus!" ruft der LJ und hastet zu seiner Gefechtsstation im vorderen Turbinenraum, wobei er um ein Haar den vorüberstürzenden Oberleutnant (V) Frenzen, umrennt.

„Überfall auf Narvik, Heye!" ruft der Verwaltungsoffizier und läuft weiter zum Gefechtsverbandsplatz.

Also Höchstfahrt und nur 20 Tonnen Kesselspeisewasser, fährt es dem Leitenden durch den Kopf. Das geht doch nicht, da muß ich sofort etwas unternehmen! Inzwischen in der Maschine angelangt, greift er zum Telefon, läßt den Leutnant (Ing.) Martin und den Stabsmaschinisten Paul, den Pumpenmeister und den Kesselmaschinisten kommen. Erklärt ihnen seine Sorge:

„Was haben wir jetzt noch an Bord? Genau?"

„16 Tonnen Trinkwasser, Herr Kaleunt!" sagt prompt der Pumpenmeister.

„12 Tonnen Speisewasser brauchen wir mindestens noch!" beeilt sich der Kesselmaschinist zu versichern.

Stabsmaschinist Paul ist es, der die Lösung findet:

„Herr Kaleunt, die benötigten 12 Tonnen pumpen wir von den Trinkwasserzellen in den Speisewasserkreislauf. Mit Schläuchen über Oberdeck. Geht ohne weiteres zu machen."

„Großartig, Paul, tatsächlich! Denn man los damit!"

So kommt es, daß Kapitänleutnant Heye nur 15 Minuten später der Schiffsführung melden kann:

„Maschinenanlage ist klar mit vier Kesseln!"

Von der Brücke des Führerzerstörers *„Wolfgang Zenker"* spähen Offiziere und Ausgucks angestrengt in Fahrtrichtung. Es dauert nicht lange, bis Backbord voraus durch das Schneegestöber hindurch Rauchwolken in Sicht kommen. Unter ihnen sind allmählich die dunkelgrüngrauen Umrisse englischer Zerstörer auszumachen.

„Steuern östlichen Kurs!" stellt der WO fest.

„Nein!" ruft der Kommandant dazwischen. „Drehen gerade auf, schwenken nach Westen."

Kapitän Bey beobachtet die scheinbar durcheinander laufenden Engländer, die im Augenblick vor der Landzunge stehen, die zwischen dem Rombaken-Fjord und der Hafenbucht in den Ofot-Fjord hinausweist. Er hebt den Kopf und ruft dem Stabssignalmeister ein paar schnelle Befehle zu. Bunte Flaggen und Wimpel fliegen zur Signalrah, wehen steif im Fahrtwind aus und werden von den anderen beiden Booten wiederholt. Inzwischen sucht der TO die großen weißen Buchstaben und Zahlen zu entziffern, die Kennungen der englischen Zerstörer an der Bordwand dicht hinter der Brücke. Er ruft sie dem Kommandanten zu:

„*‚H 35'*, *‚H 87'*, Herr Kaptän. *‚H 81'* ... halt, Irrtum: *‚H 01'* ist das, *‚H 35'*. Den letzten hab' ich nicht mehr mitgekriegt ... da! Sie feuern!"

„Aye. Das ist die 2. englische Zerstörerflottille, Pönitz", erklärt Fregattenkapitän Bey.

Die drei deutschen Boote holen das Signal nieder. Sie haben jetzt das Angriffszeichen deutscher Zerstörer und Torpedoboote gesetzt, den roten Doppelstander Zet: „Ran an den Feind!" Heftig erwidern sie das Feuer, das der ablaufende Gegner noch in der Schwenkung eröffnete.

Auf dem Artillerieleitstand der *„Erich Koellner"* hat der AO, Oberleutnant z. S. Hackländer, beim Insichtkommen des ersten englischen Zerstörers die Entfernung mit 80 Hektometer sowie den Wert für die Seitenverschiebung ermitteln lassen und an die 12,7 cm Batterie gegeben, dann dem Kommandanten die Artillerie klargemeldet. Im gleichen Augenblick, als vorn auf *„Wolfgang Zenker"* das Signal niedergeht, gibt Fregattenkapitän Schultze-Hinrichs durch Telefon seinem AO die Feuererlaubnis. Noch während der Gegner nach Backbord schwenkend auf Auslaufkurs dreht, donnert die erste Salve aus den Buggeschützen über den Fjord.

Fregattenkapitän Bey folgt dem Manöver der Engländer, so daß sich ein laufendes Gefecht auf 80 bis 100 Hektometer entwickelt, in dessen Verlauf sich die Entfernungen jedoch schnell verringern. Zwischen den deutschen und britischen Zerstörern wuchten die Aufschläge der 12,7 und 12 cm Granaten wie verschneite weiße Bäume hoch und überschütten zusammenbrechend die freistehenden Bedienungsmannschaften mit eiskaltem Fjordwasser. Der Lärm des Artillerieduells hallt laut mit vielfachem Echo von den hohen Felsbergen zurück. Die fahle Helle der aufsteigenden aber unsichtbar bleibenden Sonne zaubert ein seltsames Licht auf die schwach bewaldeten, tief verschneiten Hänge. Es ist eine merkwürdig abweisende, kalte, unbeteiligte Landschaft, vor die sich immer wieder Nebelschwaden und Schneeböen wie weißgewebte wehende Vorhänge ziehen.

Da der Gegner ständig seinen Kurs ändert, suchen die deutschen Zerstörer in leichter Staffel, d. h. schräg hintereinander und ebenfalls wechselnde Kurse steuernd, möglichst alle Geschütze zum Tragen zu bringen. Die zeitweise schwarz qualmenden englischen Boote verschwinden oftmals hinter Rauch und Nebel und erschweren damit die Zielbestimmung und das Amzielbleiben außerordentlich. Hinzu kommt, daß die eigenen Zerstörer nur noch wenig Brennstoff in den Tanks haben, d. h. nahezu leergefahren sind. Infolgedessen legen sie sich bei jeder Kursänderung so stark nach der Gegenseite über, daß die AO's zeitweise gezwungen sind, das Feuer einzustellen. Die Engländer haben ähnliche Schwierigkeiten. Nebenbei glauben sie anfänglich, auch einen Kreuzer erkannt zu haben. Warburton-Lee läßt einen entsprechenden Funkspruch an den C-in-C senden, dem er hinzufügt:

„Ziehe mich nach Westen zurück!"

Gleich darauf weht von den Rahen das Signal:

„30 Seemeilen!"

Dieser Gefechtsabschnitt ist typisch für einen Artilleriekampf schnellaufender, wendiger Zerstörer. Für beide Seiten scheinen sich die Boote ständig aneinander vorbeizuschieben, die Situation wechselt dauernd. Das Ausweichen je nach Lage der Aufschläge unterbricht nur zu häufig Feuerleitung und Schießverfahren, weil sich dadurch Entfernung und Stellung zum Gegner unablässig ändern. Die deutschen Beobachter glauben, daß ihre Salven gut liegen, wenn auch Treffer nicht mit Sicherheit erkannt werden.

Offiziere und Mannschaften, die ihre Gefechtsstationen an Oberdeck auf der Brücke, an den Geschützen und Torpedorohren haben, können immerhin noch verfolgen, was um sie herum vorgeht. Ingenieuroffiziere und das technische Personal, außer den Maschinengefechtsgruppen, die an Deck klarstehen, um bei Störungen durch Treffer helfend einspringen zu können, sehen dagegen vom Gefecht nichts. Sie hören nur das Krachen der Geschütze, spüren die Erschütterungen, die das Boot zittern und schwingen lassen. Wenn englische Granaten dicht neben der Bordwand einschlagen, wissen sie nicht und können auch nicht unterscheiden, ob es sich um eigene Abschüsse oder Treffer handelt, die ins Boot schmettern. Auf *„Erich Koellner"* springen beispielsweise, als die achtere Batterie ihre erste Salve feuert, die Maschinenraumtüren auf.

„Treffer?" fragt ein junger Heizer verwirrt.

Oberleutnant (Ing.) Poetsch sieht den Frager entrüstet an:

„Unsinn!"

Er winkt einem Maschinengefreiten:

„Machen Sie die Schottür vernünftig dicht, Vorreiber anziehn! Das nimmt einem ja die Ruhe, wenn das Biest dauernd auffliegt! Los, Beeilung!"

Die Männer im achteren Turbinenraum atmen erleichtert auf und grienen sich an. Wenn ihr Oberleutnant in dem Höllenlärm von Ruhe spricht, ist alles in bester Holstenbutter, denken sie. Kein Grund, sich aufzuregen. Oben an Deck arbeitet ebenfalls unbekümmert um die Ballerei noch immer der Stabsmaschinist Paul mit seiner Gruppe an den Schläuchen, um das Trinkwasser in die Kesselspeiseanlage zu pumpen.

Die feindlichen Aufschläge wandern nun bedenklich nahe an den letzten der deutschen Zerstörer, *„Erich Giese"*, heran. Der Kommandant läßt etwas mit der Fahrt heruntergehen. Die nächsten Granaten schlagen weit vor dem Bug ins Fjordwasser.

„Na also! Ganz einfach, was?" meint Korvettenkapitän Smidt. „Aufholen können wir ..."

„Torpedolaufbahn an ..."

Rummwummrummm donnert es, den Ausruf des Ausgucks erstickend, aus allen fünf Geschützen dazwischen.

„Dreimal AK voraus! Hart Backbord!" brüllt der Kommandant. Bei der hohen Fahrt weit nach Steuerbord überliegend schwingt das schmale ,lange Boot herum. Eine Blasenbahn läuft vorn vorbei, eine zweite dicht hinter dem Heck, und mitten durch die weiße Schaumschleppe der brodelnden Heckse zieht die dritte und vierte. Sie verschwinden wie mit dem Lineal gezogene Kalkstriche im Dunst, der über dem Fjord und dem Nordufer lagert.

„Meine Güte!" ist alles, was der kleine, blonde Kommandant zu den Fehlschüssen und der überstandenen Gefahr zu sagen hat.

Auch die vor *„Erich Giese"* laufenden beiden Zerstörer müssen mehreren Torpedos ausweichen, die vom Gegner aus Rauch und Schneetreiben losgemacht werden. Ein Signal von *„Wolfgang Zenker"* befiehlt eine Steuerbordstaffel, in der nun der Gegner weiter nach Westen verfolgt wird. Kurz danach kommen voraus auf Gegenkurs, eben links vom Pulk der feuernden Engländer, zwei graue Boote in Sicht. Auf

„Erich Giese" nimmt der Kommandant das Glas nicht mehr von den Augen:

„Wer kommt denn da angerauscht? Sind das etwa auch noch Engländer?"

Dann erkennt er undeutlich und kaum auszumachen, daß es deutsche Zerstörer sind, die mit höchster Salvenfolge und auf sehr nahe Entfernung auf die am weitesten rechts laufenden Gegner feuern.

Korvettenkapitän Smidt setzt das Glas ab:

„,Georg Thiele' und *‚Bernd von Arnim'* sind das", ruft er dem Gefechts-WO zu, haben Erkennungssignal im Top gesetzt! Donnerwetter, geht der Berger 'ran!"

„Die haben wir in der Zange, Herr Kaptän", lacht der WO, und sieht auf seine Armbanduhr. „06 Uhr 57, hat ein bißchen lange gedauert, aber nun sind sie da!"

Bei den Booten im Ballangen-Fjord setzt im Augenblick, als *„Hans Lüdemann"* alle deutschen Zerstörer im Bereich Narvik durch einen Funkspruch alarmiert, eine besonders dichte, heftige und langanhaltende Schneebö ein. Sie nimmt jegliche Sicht, so daß sich Fregattenkapitän Berger, Chef der 1. Z-Flottille, entschließt, eine Besserung abzuwarten.

Als das dichte, weiße Gestöber endlich nachläßt, läuft er mit seinen beiden Booten nach Norden aus und dreht im Ofot-Fjord nach Nordosten. Für ihn kommt der mit 30 Seemeilen nach Westen ablaufende und achteraus feuernde Gegner um 06 Uhr 50 in Sicht. Der Signalmaat des Führerboots beugt sich über die Reling:

„Herr Kaptän! Gegner morst. Kein Sinn, offenbar Erkennungssignal, soll ..."

Der Flochef winkt ab:

„Nicht beantworten! Signal: Feuereröffnen!"

Die beiden Flaggen Jot Dora werden gerade ausgerissen, als der Kommandant, Korvettenkapitän Wolff, die Feuererlaubnis gibt und von der Brücke aus den beiden GF's der Buggeschütze zuwinkt:

„Los, ihr beiden! Greift mir den Engländer!"

Ein, zwei Sekunden, dann rauscht die erste Salve aus den vorderen 12,7 cm-Rohren. Im selben Augenblick — 06 Uhr 57 — feuern auch die Engländer auf den plötzlich neu aufgetauchten Feind. Auf *„Hardy"* wird ein Flaggensignal geheißt:

„Keep engaging the enemy — den Gegner weiter angreifen!"

Gerade, als das Signal ausweht, kracht eine 12,7 cm Granate auf die Brücke des feindlichen Führerzerstörers. Flammen lodern um die Aufbauten, zucken an Deck und fressen sich weiter. Aus dem Einschußloch quillt schwarzer Rauch, Sprengstücke kreischen und Trümmer fliegen umher. Die in deckenden Salven liegenden vordersten englischen Boote schlagen trotzdem heftig feuernd zurück.

Auf *„Georg Thiele"* begleitet der Geschützführer des Backgeschützes den ersten Schuß mit einem lauten „Gib ihm, gib ihm!", dem beim Aufschlag der Granate im Ziel ein noch lauteres „Treffer!" und noch einmal „Treffer!" folgt. Ein schmetterndes Krachen, feurige Spritzer und schrill zerreißendes Eisen schließen dem Obermaaten den Mund. Sprengstücke hämmern dröhnend gegen die leichten Eisenwände der Aufbauten. Rauch steigt auf.

„Treffer am vorderen Geschütz! Bedienung bis auf zwo Mann ausgefallen!" meldet der BÜ des II. Geschützes.

Tote und Verwundete liegen umher, bis Krankenträger herbeieilen und die Getroffenen zum Verbandsraum schaffen. Während die Geschütze mit einem Salventakt von nur sechs Sekunden weiterschießen, prescht *„Bernd von Arnim"* aus allen Rohren feuernd an *„Georg Thiele"* vorbei und entlastet ihn von dem konzentrischen feindlichen Feuer.

„Treffer in Abteilung II und XI!"

Flammen lodern, schwelende Brände glosen. Feuerlöschgruppen stürzen zu den Brandstellen. Die Artillerierechenstelle, die den Geschützen die Schußwerte übermittelt, fällt aus. Kabel werden zerschossen, Telefone und Befehlsübermittlungsapparate versagen. Die GF's müssen selbständig weiterfeuern. Vorübergehend fallen zwei Geschütze aus, eine Munitionskammer muß geflutet werden.

„Treffer im Kesselraum 1!"

Der Heizölbunker läuft aus. Flammen spritzen umher. Von Oberdeck aus und durch die Einschußlöcher versuchen die Feuerlöschgruppen, den Brand mit Schläuchen einzudämmen. Die Maschinentelegrafen werden zerstört. Befehle müssen durch Telefone und Sprachrohre an die Turbinen gehen.

Auch auf *„Bernd von Arnim"* gibt es Ausfälle, Tote und Verwundete. Fünf Treffer richten an Oberdeck und im inneren Schäden und Verheerungen an. —

„Havock", Lieutenant-Commander Courage, das dritte Boot der englischen Kiellinie, manövriert einen Schwarm deutscher Torpedos aus. Sie laufen dicht unter der Oberfläche heran und werden rechtzeitig bemerkt. Während des Ausweichmanövers erfolgt auf dem Führerzerstörer *„Hardy"* mittschiffs eine schwere Explosion. Eine große, dichte Rauchwolke steigt empor.

„Torpedotreffer auf *‚Hardy'*!" ruft Courage entsetzt.

Aber was er für einen Torpedotreffer hält, ist die Wirkung einer deckenden Salve, die einen Kesselraumbrand hervorruft. Schon beim ersten Treffer werden Captain Warburton-Lee und der Navigationsoffizier, Lieutenant Gordon Smith, schwer verletzt. Offiziere und Mannschaften, die auf der oberen freien Brücke standen, liegen tot oder verwundet auf dem aufgerissenen Deck.

Die Brücke der *„Hardy"* ist ein wirrer Haufen grotesk verbogener Eisenplatten. Heilgeblieben ist die Sprachrohrverbindung zum Ruderstand und zur Maschine. Die Turbinen selbst sind unbeschädigt und machen nach wie vor Umdrehungen für 30 Seemeilen.

Paymaster-Lieutenant G. H. Stanning steht im Augenblick des Einschlags der Granate neben dem zusammenbrechenden Captain. Der Zahlmeister wird vom Luftdruck der Explosion hochgeschleudert und landet bäuchlings auf dem elektrischen Gyrokompaß. Noch halb betäubt sich aufrappelnd, bemerkt er, daß sein linker Fuß leblos herabhängt. Sonst ist er erstaunlicherweise unverletzt geblieben. Er sieht um sich: Tote, Verwundete, zackig aufgebogenes Eisen und die ganze zerfetzte Brückenplattform. Ringsum schäumt das Fjordwasser von Aufschlägen. Treffer hauen donnernd in das über und über brennende Boot. Stanning sieht auch die beiden deutschen Zerstörer, das rasende Schnellfeuer, das aus ihren Rohren schlägt. Er weiß genau, lange kann sich *„Hardy"* nicht mehr halten.

Er beugt sich über das Sprachrohr zum Ruderhaus, ruft, fragt: keine Antwort, kein Laut kommt herauf. Was ist mit dem Rudergänger? Warum antwortet er nicht? Führerlos jagt *„Hardy"* mit hoher Fahrt dahin und im Nachlassen des

Durch Bomben zerstörtes norwegisches Torpedoboot der Kjell-Klasse

Das britische Unterseeboot „Seal“ nach der Aufbringung im Kattegat

Auf Wache an der norwegischen Küste

Deutsche Batteriestellung bei Bodö

Schneegestöbers kommt an Backbord kahl, verschneit, abweisend und hoheitsvoll das felsstarrende Ufer in Sicht. Warum ist keiner der anderen Offiziere auf die Brücke gekommen, der IO, irgendeiner der Leutnants? Wissen sie nicht, was hier oben geschehen ist? Die unten an Oberdeck feuern, kämpfen gegen die Brände, verlassen sich darauf, daß der Captain sie führt, der Alte mit dem runden, offenen Jungensgesicht ...

Herr des Himmels, denkt der Zahlmeister, ich muß etwas veranlassen, das Boot aus diesem mörderischen Feuer herausbringen, vielleicht auf Strand setzen, der Besatzung die Möglichkeit zur Rettung geben, ehe wir absaufen. Kein Seeoffizier ist zur Stelle das zu tun. Und es muß sofort gehandelt werden, sonst ist es zu spät.

Zahlmeister sind keineswegs dafür ausgebildet, die Schiffsführung zu übernehmen. Niemand erwartet das von ihnen. Sie haben es nicht gelernt, sie haben andere Pflichten. Aber Stanning ist jung, sehr verantwortungsbewußt und tapfer. Er denkt nicht lange nach, dazu ist keine Zeit. *„Hardy"* läuft immer noch hohe Fahrt. Er handelt instinktiv. Den schmerzhaft verwundeten Fuß hinter sich herziehend, läßt er sich den Niedergang hinab zum Ruderstand. Der Rudergänger ist gefallen, liegt halbleibs über dem Rad. Der Zahlmeister löst die Hände des Toten von den Speichen, legt ihn sorgsam auf die Holzgrätings an Deck und übernimmt das Ruder selbst.

Die Sicht nach vorn ist behindert. Eisenträger der zusammengeschossenen Brückenaufbauten, verbogene Bleche haben sich so unglücklich ineinander verschoben, daß kein Ausblick möglich ist. Verzweifelt sucht Stanning. Endlich findet er eine Lösung: wenn er sich ein wenig zur Seite neigt, gibt das Einschußloch eine Durchsicht frei. Den verletzten Fuß leicht aufhebend, hält er sich aufrecht, fragt durch das Sprachrohr bei der Maschine an und legt das Ruder hart Backbord.

Erleichtert spürt er, wie das Boot sofort gehorcht und scharf aus dem bisherigen Kurs und der Feuerlinie der deutschen Zerstörer ausscherend andreht. Noch schwenkt das Heck herum, als eine 12,7 cm Granate das Deck durchschlägt, in die Hauptdampfrohre haut und mit einem Schlage den Lauf der Turbinen lähmt. Eine zweite Granate kracht hinterdrein und fegt das II. Buggeschütz über Bord.

Stanning nimmt Kurs auf den nächsten felsigen Strandstreifen. Es ist das Ufer zwischen Skjomen- und Ballangen-Fjord. Von irgendwoher erscheint ein Seemann und löst den Zahlmeister am Ruder ab. Stanning klettert den schmerzhaften Weg zurück, hinauf zur Brücke, um sich eine Übersicht zu verschaffen. Er merkt, daß *„Hardy"* durch den Dampfrohrtreffer sehr schnell Fahrt verliert, noch ehe sie ganz aus dem Feuer der Deutschen heraus ist. Sprengstücke und Splitter des nächsten Treffers klirren über Deck. Wieder gibt es Tote und Verwundete. Alle Boote mit Ausnahme des sog. Whalers, eines an Bug und Heck spitz zulaufenden Beibootes, werden durchlöchert, zerschlagen, unbrauchbar. Dampf und Rauch sind jetzt so stark, daß sie den Zerstörer völlig einhüllen und ihn der Sicht der deutschen Boote entziehen. Er hat aber noch soviel Fahrtüberschuß, daß er den Kurs hält.

Der TO, Lieutenant G. R. Heppel, hat inzwischen aus verschiedenen Anzeichen geschlossen, daß Ruderhaus und Ruderleitung ausgefallen sein müssen. Er geht nach achtern, um das Reserveruder besetzen zu lassen, beobachtet aber, daß *„Hardy"* wieder gesteuert wird und dem Ruder gehorcht. Durch Qualm, Rauch und Trümmer eilt er zur Brücke hinauf. Dort kommt er im gleichen Augenblick an, als Stanning eine Mitteilung an die Maschine durchgibt:

„Schiff wird, ehe es sinkt, auf Strand gesetzt."

Der Lieutenant nickt. Das ist die einzige Möglichkeit.

Das Fjordwasser wird heller, durchsichtiger, als die Küste näher rückt und sich das Vorschiff mit letzter Fahrt knirschend über die Steine des flachen Vorstrandes schiebt. Ein Ruck, dann sitzt *„Hardy"* 400 m vom Ufer auf flachem Wasser auf Grund. Der Bug ragt hoch heraus, das in Flammen und Rauch gehüllte Heck liegt eben über dem Wasserspiegel.

Die Besatzung versucht, den mit Verwundeten gefüllten Whaler zu fieren, aber die halbverbrannten Läufer brechen und das vollbesetzte Boot kommt von oben, klatscht ins Wasser und kentert. Die Seeleute ziehen ihre Düffelmäntel aus, streifen die Gummiseestiefel ab und suchen in ihren schweren Kapokschwimmwesten durch das kalte Fjordwasser schwimmend und watend den Strand zu erreichen.

Andere haben den sterbenden Flottillenchef und den schwer am Kopf verwundeten NO von der Brücke getragen. Sie legen den Captain auf eine Tragbahre, die der bärenstarke „gunner", der Stückmeister McCracken, durch das flache Wasser trägt. Als er keuchend das Ufer erreicht, ist Warburton-Lee tot. Lieutenant Heppel, der als letzter *„Hardy"* verläßt, befiehlt, den NO zunächst noch an Bord zu lassen. Er fürchtet, der Schock des eisigen Wassers könnte den Schwerverwundeten töten. Erst später wird auch er mit einem Dinghi an Land geholt.

Einige Verwundete, darunter der Schiffsarzt, Surgeon-Lieutenant[1]) dem ein Arm zerschmettert wurde, bleiben vorläufig am Ufer zurück. Der Rest der Überlebenden stampft durch den Schnee bergan zu einem auf halber Höhe des Berghangs gelegenen Blockhaus. 140 Überlebende finden sich dort allmählich ein und nehmen sich ihrer und vor allem der Verletzten an. Eins der Mädchen holt aus dem Ort Ballangen einen Arzt herbei, der die Überführung aller Verwundeten in das dortige Hospital in die Wege leitet.

Als im Laufe des Nachmittags der Abtransport plötzlich stockt, verteilt der IO, Lieutenant-Commander Mansell, das aus der Schiffskasse mitgenommene Geld unter die Zurückgebliebenen und schickt auch die Unverwundeten unter Führung Heppels nach dem 15 Meilen entfernten Ballangen. Er fürchtet, deutsche Soldaten könnten von Narvik her im Anmarsch sein, um die Überlebenden gefangen zu nehmen. —

Das Gefecht geht unterdessen weiter. Als *„Hardy"* zusammengeschossen aus der Kiellinie schert, zieht als nächstfolgende *„Hunter"*, Lieutenant-Commander Villiers, das Feuer der Deutschen auf sich. Sie wird in kurzer Zeit in Brand geschossen und schwer beschädigt. Hinter ihr läuft *„Hotspur"*. Ihre Maschinen gehen AK voraus, als ihr *„Hunter"*, deren Fahrt durch Treffer vermindert ist, plötzlich quer vor den Bug gerät. Commander Layman, Kommandant der *„Hotspur"*, ruft seinem Rudergänger hastig einen Befehl durchs Sprachrohr hinunter, der den mit 30 Meilen dahinjagenden Zerstörer klar von *„Hunter"* bringen soll. In diesem kritischen Augenblick jedoch schlägt eine Sprenggranate unter der Brücke ein, detoniert und zerfetzt mit ihren Sprengstücken nicht nur die Steuerstelle, sondern zerreißt und verklemmt auch die Kabel beider Maschinentelegrafen. Weder Layman's Ruderbefehl

---

[1]) etwa Oberassistenzarzt

noch ein im letzten Moment gegebener Befehl an die Maschine zum Stoppen und Zurückgehen können ausgeführt werden. Funkensprühend kracht der scharfe Vorsteven tief in die Bordwand der *„Hunter"*. Beide Zerstörer hängen hoffnungslos zusammen und das Fahrtmoment der *„Hunter"* läßt sie außerhalb jeder Kontrolle herumschwingen.

Der Kommandant rast den Niedergang hinab nach achtern, von wo aus er Verbindung mit dem Reserveruder und der Maschine zu bekommen hofft. Er hat unerhörtes Glück. Der nächste Treffer kracht gegen den Fuß der Richtungsweiseranlage auf dem Artilleriestand und tötet alle, die sich dort und auf der Brücke befinden.

Unter dem rasenden Schnellfeuer der deutschen Zerstörer geht der Commander zum achteren Aufbau, wo der verwundete Sub-Lieutenant L. J. Tillie das Schießen des III. und IV. oder, wie die Engländer sagen, des X und Y-Geschützes leitet. Der Kommandant stellt sich neben ihn und ruft durch das achtere Luk seine Befehle in die Maschine hinab. Durch Rückwärtsgang der Schrauben bringt er es fertig, sein Boot von der schon sinkenden *„Hunter"* freizubekommen. Eine Melderkette zum am Heck gelegenen Reserveruderstand wird gebildet. In Schlangenwindungen entzieht sich *„Hotspur"*, deren Oberdeck einem Trümmerhaufen gleicht, allmählich dem deckenden Salvenfeuer seiner beiden Gegner, die nun *„Hunter"* völlig zusammenschießen.

„Havock" und *„Hostile"*, die bisher noch ohne schwere Treffer davongekommen sind, schwenken, als *„Hotspur"* noch mit *„Hunter"* zusammenhängt, hinter den beiden herum. Die an der Spitze laufende *„Havock"* macht kurz entschlossen kehrt, um die havarierten, zerschossenen und brennenden Kameraden zu decken. Aber dann fallen ihre Buggeschütze aus und Lieutenant-Commander Courage geht wieder auf Westkurs. Hierbei passieren *„Havock"* und *„Hostile"* auf kurzem Abstand und Gegenkurs *„Georg Thiele"* und *„Bernd von Arnim"*, die nun den drei vom Herjangs-Fjord gekommenen Zerstörern zur Vereinigung entgegenlaufen.

„Havock", die durch das Kehrtmanöver hinter *„Hostile"* geriet, versucht jetzt, die nach Westen entweichende brennende *„Hotspur"* durch künstlichen Rauch der Sicht des Gegners zu entziehen, während sie mit ihren Heckgeschützen im

Ablauf weiter feuert. Etwa um die gleiche Zeit wird *„Hardy"* auf Strand gesetzt und sinkt *„Hunter"* mitten im Fjord.

Als dem Kommandanten die vorübergehend ausgefallenen Buggeschütze wieder klargemeldet werden, macht er nochmals kehrt und greift zusammen mit *„Hostile"* die nachdrängenden Zerstörer *„Wolfgang Zenker"*, *„Erich Koellner"* und *„Erich Giese"* an. Das Feuer der Deutschen ist jedoch so heftig, daß Lieutenant-Commander Courage zum letzten Male auf Gegenkurs geht und sich endgültig nach Westen zurückzieht. Trotzdem wird *„Havock"* nochmals von der 4. Flottille schwer eingedeckt und erleidet weitere Beschädigungen, die jedoch keine Personalverluste verursachen. Dann verschwindet die englische 2. Zerstörer-Flottille in Rauch und Dunst nach Westen.

Die Boote der 1. Flottille, *„Georg Thiele"* und *„Bernd von Arnim"*, haben inzwischen, jeder mehrmals getroffen und die Geschütze zum Teil unklar, ihre Fahrt den Ofot-Fjord hinauf nach Narvik fortgesetzt. Nun verbietet der fast verbrauchte Brennstoff auch der 4. Flottille, die Verfolgung des Gegners fortzusetzen. Kapitän Bey muß mit Rücksicht auf den Rückmarsch mit der Fahrt heruntergehen. Der Abstand von den Engländern vergrößert sich mehr und mehr. Hier und da zucken noch ein, zwei Mündungsfeuer auf, dann stellen beide Seiten das aussichtlos gewordene Schießen ein.

Mit dem Doppelglas beobachtet Kapitän Bey die brennende und auf Strand gejagte *„Hardy"*. Er sieht, wie Gruppen englischer Seeleute den Hang hinaufkrabbeln: schwarze Punkte im blendendweißen Schnee. Er wendet sich an den Kommandanten:

„Eh' wir zurücklaufen, müssen wir noch ein paar Salven auf den Briten dort abgeben. Er ist verlassen, an Bord ist niemand mehr. Ich habe das genau gesehen."

„Warum das, der ist doch fast schon ein Wrack?" wundert sich der Kommandant.

„Mein lieber Mann, wenn die Engländer zurückkommen, und das tun sie bestimmt, könnten sie ihn abschleppen und wieder instandsetzen!"

„Allerdings, daran hab' ich nicht gedacht! Ich werde den AO wahrschauen."

Korvettenkapitän Pönitz ruft den Artillerieleitstand an und gibt die nötigen Anweisungen.

Von den deutschen Zerstörern setzt allein *„Erich Koellner"* ohne Rücksicht auf den Brennstoff die Verfolgung fort, während *„Wolfgang Zenker"* und *„Erich Giese"* nach Backbord abdrehen, um die Untergangsstelle der *„Hunter"* anzusteuern und die im Wasser treibenden Überlebenden zu retten. Noch in der Schwenkung feuern die 12,7 cm des Führerzerstörers ein, zwei Salven auf die verlassene *„Hardy"*, schießen sie vollends zusammen und setzen sie erneut in Brand.

„Erich Koellner" hat bald die enge Stelle westlich des Ballangen-Fjords erreicht, wo eine Biegung nach Südwesten vom Ofot-Fjord zum West-Fjord überleitet. Zögernden Schrittes kommt der LJ, Kapitänleutnant Heye, den Niedergang zur Brücke herauf und meldet sich beim Kommandanten, der von der vorderen Reling mit dem Doppelglas den abziehenden Engländern nachblickt:

„Herr Kaptän! Ich muß leider melden, daß wir umkehren müssen, wenn wir mit dem Rest des Öls Narvik noch erreichen wollen!"

Fregattenkapitän Schultze-Hinrichs dreht sich um:

„Auf diese Meldung hab' ich schon lange gelauert, Heye. Schade, mit vollen Bunkern könnten wir die da drüben mit unseren 38 Meilen einholen. Der letzte brannte wie 'ne Scheune, der muß erheblich 'was abbekommen haben. Vielleicht hätten wir den noch untergekriegt!"

Er sieht wieder voraus, wo nur noch eine große, braunschwarze und scheinbar still stehende Rauchwolke den Gegner verrät. Was unter ihr liegt, wird durch die weißlichen Schwaden des dicht über dem Fjord lagernden Frühdunstes verdeckt. Resigniert die Schultern zuckend steckt der Kommandant die Linke in die Manteltasche und tippt mit der Rechten dem WO auf die Schulter:

„Nach Backbord auf Gegenkurs! Zur Untergangsstelle des feindlichen Zerstörers, bei der WZ und EG liegen."

„Erich Koellner" schwenkt herum, läuft den Fjord hinauf und stoppt nahe *„Erich Giese"*, die sich mitten in den Rettungsarbeiten befindet. Erschöpfte Schiffbrüchige treiben in schweren Kapokschwimmwesten oder in kleinen Schlauchbooten im schneidend kalten Fjordwasser, auf dem vereinzelt Eisstücke schwimmen. Ölverschmierte und rauchgeschwärzte Gesichter sehen zu den deutschen Seeleuten auf, die nun dem Gegner alle Hilfe angedeihen lassen. Boote sind ausgesetzt,

an den Bordwänden hängen Seefallreeps und Fangleinen mit angesteckten Rettungsbojen oder den weiten Schlingen kunstgerecht geknoteter Pahlsteks.

50 Mann werden geborgen, davon 16 durch *„Erich Koellner"*, 34 durch *„Erich Giese"*. Der Rest der Besatzung ist gefallen oder im eisigen Wasser ertrunken. Leider sterben trotz bester Pflege noch 10 der Überlebenden an ihren Verwundungen oder dem Schock durch die Kälte. Von den Gefangenen erfahren die Deutschen, daß der gesunkene Zerstörer, die *„Hunter"*, der als Wrack aufgelaufene das Führerboot selbst, die *„Hardy"*, war.

Nach Beendigung ihres Rettungswerkes laufen die drei Zerstörer weiter nach Narvik. Kapitänleutnant Heye, der noch mit dem Kommandanten auf der Brücke der *„Erich Koellner"* steht, blickt zufällig noch einmal zurück nach Westen. Was er dort sieht, läßt ihn schleunigst nach dem Doppelglas eines Ausgucks greifen. Da, wo vor der Biegung des Fjords weiß verschneite Berge die Sicht nehmen, wirbelt eine Rauchwolke mit unglaublicher Wucht höher und höher. Sie steigt schwarz und senkrecht gen Himmel, verfärbt sich schließlich weiß und breitet sich in einer Höhe von etwa 1000 m an ihrem oberen Ende pilzartig aus. Eine Explosionswolke, denkt der LJ, nur um eine solche kann es sich handeln. Fragend sieht er den Kommandanten an:

„Ob da wohl eines unserer U-Boote einen Zerstörer geknackt hat? Stehn doch welche draußen im Fjord, Herr Kaptän?"

Schultze-Hinrichs beobachtet lange durchs Glas, schüttelt dann den Kopf:

„Unwahrscheinlich, Heye, das würde anders aussehen. Vor allem nicht weiß, wie hier. Die Wolke würde auch wesentlich niedriger sein. Ich möchte wissen, was da wohl passiert ist."

Sie sehen das Ende des deutschen Nachschubdampfers *„Rauenfels"*. Glücklich bis zum Westfjord gekommen, setzt er seinen Weg nach Narvik fort und läuft nun den sich zurückziehenden englischen Zerstörern direkt vor den Bug. Der Kapitän, der beim Insichtkommen die Fahrzeuge sofort richtig erkennt, läßt die Zeitzünder der für solche Fälle angebrachten Sprengpatronen anschlagen. Als einer der Briten auf den Dampfer zudreht und ihm einen Warnungsschuß vor den Bug setzt, gehen 29 Mann der Besatzung in zwei Rettungsbooten von Bord, in das dritte und letzte steigen der Kapitän und 18 Mann. Den beiden ersten gelingt es an Land zu pullen, ihre Besatzungen geraten in norwegische Gefangenschaft.

Bei den Engländern ist indessen die Führung von der schwer beschädigten *„Hotspur"*, d. h. von Commander Layman an Commander Wright auf *„Hostile"* übergegangen, da auf *„Hotspur"* sämtliche Signalmittel ausgefallen sind und der Zerstörer außerdem von achtern gefahren werden muß. Es ist *„Hostile"*, die auf *„Rauenfels"* zudreht, den Warnungsschuß abgibt und damit die Besatzung in die Boote zwingt.

„Havock" nimmt den großen Dampfer, als die Rettungsboote abgelegt haben, unter Feuer. Der erste Schuß geht in den Bug, und im Vorschiff bricht Feuer aus. Lieutenant-Commander Courage schickt ein bewaffnetes Prisenkommando hinüber, ruft es aber bald zurück, als er beobachtet, wie rasend schnell sich der Brand im Vorschiff über den ganzen Frachter ausdehnt. Inzwischen wird von *„Havock"* die Besatzung des dritten Rettungsbootes mit dem Kapitän der *„Rauenfels"* geborgen. Ein Schiffsjunge des Nachschubdampfers ist, die Berichte sagen nicht wann und auf welche Weise, gefallen.

Lieutenant-Commander Courage läßt mit der Fahrt angehen und zwei Salven Sprenggranaten auf das in Flammen gehüllte Schiff feuern. Der Erfolg ist von den Engländern in diesem Ausmaß nun doch nicht erwartet worden! Der Dampfer fliegt unter mehreren Explosionen buchstäblich in die Luft. Trümmerstücke wirbeln bis zu 1000 m hoch, und die noch ziemlich nah stehende *„Havock"* kann glücklich sein, nur mit leichten Beschädigungen an der Außenhaut und ohne Menschenverluste davonzukommen.

Die *„Rauenfels"* hatte außer Kraftwagen und Verpflegungsnachschub große Mengen des leicht entzündlichen Fliegerbenzins, Fla-Geschütze, eine 15 cm Küstenbatterie und Unmengen von Munition an Bord. Wahrscheinlich ist das Schiff noch vor der Auslösung der Zeitzünder der eigenen Sprengpatronen nach Artillerietreffern durch eine Benzinexplosion gesunken. —

Das letzte Aufklärungssignal, das Warburton-Lee an den C-in-C funkte, war die Meldung über das Insichtkommen von einem Kreuzer und zwei Zerstörern mit dem Nachsatz vom Rückzug der 2. Flottille nach Westen. Auf *„Renown"* erhält

Admiral Whitworth, der direkte Vorgesetzte des Flottillenchefs, um 07 Uhr 00 morgens die irrtümliche Meldung ebenfalls. Ihm stehen inzwischen der Leichte Kreuzer *„Penelope"* und dessen Geleit von 4 großen Zerstörern der Tribal-Klasse zur Verfügung. Da es immerhin seine Boote sind, die da offenbar in der Klemme sitzen, befiehlt er durch Funkspruch dem Kreuzerkommandanten, Captain Yates:

„Rückzug der 2. Zerstörer-Flottille decken. Wenn nötig Gegner angreifen. Auf Höhe des Minenfeldes am West-Fjord-Eingang patrouillieren. Eindringen weiterer Feindstreitkräfte verhindern."

Yates, der den Befehl sofort ausführt und den West-Fjord hinaufläuft, trifft auf die drei restlichen Zerstörer der 2. Flottille unter Commander Wright. Von einem Feind, den er angreifen könnte, ist allerdings weit und breit nichts zu sehen.

Der Kommandant der schwer zusammengeschossenen und durch die Ramming beschädigten *„Hotspur"* schlägt vor, das Boot in den Schutz des Skjel-Fjords innerhalb der Lofoten zu bringen. Es kann dort wenigstens notdürftig repariert und wieder seefähig gemacht werden. Der Kreuzerkommandant stimmt zu und gibt *„Hostile"* als Sicherung mit.

In Ausführung der weiteren Befehle des Admirals Whitworth detachiert Yates alle verfügbaren Zerstörer, seine 4 der Tribal-Klasse, die 4 der 20. Flottille unter Captain Bickford sowie *„Havock"*, vor den West-Fjord. Gegen 13 Uhr 00 mittags wird ein ergänzender Funkspruch des Admirals überreicht:

„Augenblickliche Lage. Feindstreitkräfte in Narvik: 1 Kreuzer, 5 Zerstörer, 1 U-Boot. Wahrscheinlich Truppentransporter zu erwarten. Ihre Aufgabe: Feindverstärkungen am Erreichen Narviks hindern. Zerstörerpatrouille quer über den West-Fjord einrichten, dazu Anti-U-Boots-Warnpatrouille 30 Seemeilen nordöstlich der Zerstörerpatrouille."

Gegen 14 Uhr 00 erscheint der Zahlmeister in der Brückenkammer des Kommandanten:

„Hier ist der Funkspruch der Admiralität, Sir. Uhrzeit des Abgangs wie üblich angegeben. Danach heute frühmorgens gesendet. Grund der Verzögerung unbekannt."

Captain Yates liest:

„Vordringliche Aufgabe: Verhinderung Ausbrechens feindlicher Streitkräfte aus Narvik."

Der Kreuzerkommandant sieht auf und lehnt sich in seinem Ledersessel zurück:

„Well! Das ändert nichts an meinen Maßnahmen!" —

Für den Leitenden der *„Erich Koellner"* sind die Sorgen mit der Aussicht auf Brennstoff- und Kesselspeisewasserergänzung keineswegs beendet. Noch während der Rückfahrt nach Narvik erscheint ein Obermaschinist in der Kammer, wo Heye mit einem seiner Ingenieuroffiziere Fragen der Ölübernahme bespricht.

„Na, wieder 'was los unten?" fragt ahnungsvoll der Kapitänleutnant, als er die bekümmerte Miene des Eintretenden bemerkt.

„Leider ja, Herr Kaleunt. Erhebliche Störung. Durch die Erschütterungen beim Schießen ist eine Flanschdichtung der Hochdruckdampfleitung locker geworden und eben zum Teufel gegangen. Dampfgefahr im Kesselraum. Die Raumbesatzung hat sich gerade noch aus dem Kinken bergen können."[1])

Betroffen legt der LJ seine Brennstofftabelle beiseite und erhebt sich:

„Das muß als erstes instand gesetzt werden, sowie wir im Hafen sind. Bleiben Sie hier, wir gehn gleich zusammen 'runter, und dann muß ich das dem Kommandanten melden. Erfreulich, daß wenigstens niemand zu Schaden kam!" —

Das bedeutet, daß während der Reparatur die Feuer ausgemacht werden müssen. Das Boot wird während dieser Zeit fahrunklar sein.

Um 08 Uhr 15 kommen die Zerstörer mit den wirklich allerletzten Brennstoffreserven vor der Hafeneinfahrt an und gehen dort zu Anker. —

Der englische Überfall und das anschließende Verfolgungsgefecht fügte den deutschen Zerstörern schwere Verluste zu. 2 der 10 Boote sanken, 2 waren nicht mehr seefähig, 3 weitere wurden durch Artillerietreffer schwer beschädigt. Nur *„Wolfgang Zenker"*, *„Erich Giese"* und ab Mitternacht des 10./11. *„Erich Koellner"* blieben voll einsatzbereit. Die Personalverluste beliefen sich auf insgesamt 159 Offiziere, Unteroffiziere und Mannschaften.

Die englische 2. Zerstörer-Flottille hatte zwar auch 2 Boote verloren, während die anderen 3 mehr oder weniger beschä-

---

[1]) eigentlich aus den Schlingen einer Leine treten, hier: sich retten.

digt wurden, konnte aber insofern einen klaren taktischen Erfolg erringen als sie das Auslaufen der deutschen Zerstörer weiterhin verzögerte und dadurch tatsächlich unmöglich machte, Captain Warburton-Lee, der seinen deutschen Gegenspieler, Kapitän z. S. und Kommodore Friedrich Bonte, nur um zweieinhalb Stunden überlebte, erhielt für seinen schneidigen Angriff posthum die höchste englische Kriegsauszeichnung, das Victoria Cross. Es war das erste, das im zweiten Weltkrieg einem Angehörigen der Royal Navy verliehen wurde.[1])

Das Marinebataillon. Der Leutnant und der Fischdampfer. Kapitän Kord-Lüdgert und die englischen Geschütze. 1200 Seemeilen entfernt von der Heimat.

An die Stelle des gefallenen Kommodore Bonte als FdZ tritt nun der Chef der 4. Flottille, Fregattenkapitän Erich Bey.

Die Zerstörer geben ihre Schwerverletzten von Bord und überführen sie ins Krankenhaus von Narvik. Arbeitsgruppen gehen in fieberhafter Tätigkeit daran, die Trefferschäden zu beseitigen und die Boote für den langen Heimmarsch so schnell wie möglich fahr- und gefechtsbereit zu machen. In den Bordwerkstätten und an Oberdeck sind die Seeleute des technischen Personals bei der Arbeit. Elektroschweißer dichten die Einschußlöcher mit Stahlplatten. Von Sprengstücken zerhackte Eisenteile werden abgeschweißt und vor allem die vielen zerfetzten und verschmorten Kabel der Feuerleitanlagen zusammengeflickt, instandgesetzt, überholt und überprüft.

Auf „*Wilhelm Heidkamp*" hat die Besatzung bis Mitternacht des 10./11. alles, was abmontiert werden kann, an Land geschafft. An Bord bleibt nur eine Wache zurück. Alle anderen rücken zur Unterkunft in der Fachschule Narvik, wo sie todmüde von den Aufregungen und Anstrengungen der letzten 19 Stunden in einen traumlosen Schlaf fallen. Der Zerstörer sinkt am 11. morgens um 06 Uhr 00, nachdem vorher rechtzeitig Kriegsflagge, Hoheitszeichen, Schiffsglocke und

[1]) dem gefallenen Kommandanten der „Glowworm" Lieutenant-Commander Roope, wurde die gleiche Auszeichnung ebenfalls posthum, aber später verliehen, erst als sein Verhalten durch die deutschen Berichte und die Aussagen der aus der Gefangenschaft zurückkehrenden Überlebenden des Zerstörers bekannt wurde.

eine rote Rettungsboje mit dem Doppelstander des FdZ geborgen worden sind.

Der Kommandant, Korvettenkapitän Erdmenger, hat sich auf Befehl des nunmehrigen FdZ mit seiner eigenen und der Besatzung der gesunkenen *„Anton Schmitt"* sowie Teilen der Besatzung der schwerbeschädigten *„Diether von Roeder"* General Dietl zur Verteidigung des Hafens und der Hafenbucht zur Verfügung gestellt. Unter seiner Führung wird ein Marinebataillon gebildet. Am Morgen des 11. April beginnend, werden Verteidigungsstellungen in den Bergen oberhalb der Eisenbahnlinien ausgehoben und eingerichtet. Sie ziehen sich von der äußersten Spitze der Halbinsel bei Framnes im Nordwesten um die Bucht herum bis zur südlichen Eisenbahnpier, die an der Mündung des Beis-Fjords das Ende der Schienenwege der Erzbahn bildet.

Von hier aus nordwärts, in den Felsen von Fagernes, wo sich auch der Bataillonsgefechtsstand befindet, liegen die Männer der *„Wilhelm Heidkamp"*. Anschließend besetzen Besatzungsteile der *„Diether von Roeder"* die Stellungen oberhalb der Postpier, wo ein Tunnel die Bahnstrecke nach der südlichen Eisenbahnpier überdeckt. Die Seeleute der *„Anton Schmitt"* graben sich über den Hügeln nördlich des Malmkais und des Nordhafens westlich der Stadt in die Hänge bei Framnes ein.

Wie auf allen Zerstörern ist man auch auf *„Diether von Roeder"* mit Hochdruck, kaum daß man sich Zeit zum Essen gönnt, beschäftigt, die erlittenen Schäden auszubessern. Inzwischen besichtigt Korvettenkapitän Holtorf zusammen mit IO und AO die Berghangstellungen, an denen noch gearbeitet wird.

„Immerhin können wir von hier oben wenigstens unseren Vogel sehn!" meint er befriedigt und weist auf den Zerstörer, der lang und schmal, den Bug vom Anker nach außen gehalten, Heck an der Pier festgemacht, unter ihnen liegt.

„Prima Hafenschutzbatterie, Herr Kaptän!" nickt der AO. „Unsere Buggeschütze können die ganze Einfahrt unter Feuer halten, wenn jemand da die Nase 'reinsteckt: Munition genug: ich habe alles, was noch in den achteren Kammern lag, in die vorderen mannen lassen."

„Schön. Hoffentlich bekommen wir rechtzeitig die verfluchten Einschußlöcher dicht!“ brummt der Kommandant sorgenvoll.

„Doch, Herr Kaptän, kriegen wir hin!“ erklärt der Erste Offizier, der „Ritter ohne Furcht und Tadel“, wie der Kommandant ihn nennt. „Zu unseren eigenen hat sich der LJ noch ein paar Schweißapparate von der *‚Jan Wellem‘* besorgt, samt einem Schlag Eisenplatten, die der Tanker glücklicherweise in seinen Lasten hatte.“

„Großartig! Sagen Sie, haben Sie schon gehört, ob unsere Funkstation funktioniert?“

„Jawohl, bereits voll in Betrieb.“

Kurz nach dem Überfall am vorigen Morgen hatte sich nämlich der für Narvik vorgesehene Marinenachrichtenoffizier beim Kommandanten gemeldet:

„Mit den Geräten, die unsere Kraxelhuber mitgeschleppt haben, ist nicht viel los, Herr Kaptän. Wir haben aber Befehl, eine FT-Station an Land einzurichten. Ich habe das schon mit dem FdZ besprochen. Können wir nicht Ihre ausbauen? Sie sind doch für längere Zeit nicht fahrbereit, ich schlug dem FdZ ...“

Entrüstet unterbricht der Kommandant den Eifrigen:

„Nicht fahrbereit? Wir kriegen den Vogel schon hin! Sehn Sie nicht, wie alle hier schuften? Wir fahren wieder, das hab' ich meinen Männern versprochen ... aber warten Sie mal!“

Er winkt einen Matrosen heran:

„Der Funkmeister soll kommen!“

Der meldet sich leicht verwundert. Seine Anlage ist doch in Ordnung, was will der Kommandant?

„Hören Sie, der MNO[1]) hier möchte unsere FT haben. Was halten Sie davon? Können wir die schnell genug wieder einbauen, wenn wir auslaufen? Für die Jäger wäre eine vernünftige Station an Land sehr wichtig.“

„Jawohl, Herr Kaptän. Geht zu machen. Wir können Sie in ein paar Stunden wieder an Bord klar haben. Und wenn wir in See gehen, wissen wir das ja schon einige Zeit vorher.“

„Ausbauen!“

Das geschieht am 10. April nachmittags und dem MNO steht zu seiner Befriedigung nicht nur das Funkpersonal der

---

[1]) Marinenachrichtenoffizier

„Diether von Roeder", sondern auch das der beiden gesunkenen Zerstörer zur Verfügung. Die Marinefunkstation Narvik wird in einer am Berghang liegenden Villa untergebracht und leistet in der Folgezeit unersetzliche Dienste. Noch in den letzten Tagen erhält das Gebäude einen Artillerietreffer, ohne daß dem Personal oder den Geräten das geringste passiert. Später, als der Druck des Gegners sich verstärkt und man befürchtet, die Stadt nicht mehr lange halten zu können, wird die Anlage am 13. Mai abgebaut, der größte Teil auf ein noch vorhandenes Zerstörerbeiboot verladen, in einem tollkühnen Unternehmen in den Rombaken Fjord nördlich Narvik gebracht und dicht an der schwedischen Grenze, in Björnsfjell, wieder aufgestellt.

Der Kommandant hat die Besichtigung der für seine Besatzung vorgesehenen Stellung beendet. Er stößt seinen Ersten Offizier freundschaftlich in die Rippen:

„Passen Sie auf, Verehrungswürdiger! Wie Sie wissen dürften, bin ich alter Segelschulschiffsmann, Torpedoboots- und Zerstörerkommandant, also sozusagen nur ein einfacher Able Seaman[1]). Sie aber waren mal bei der MAA und kennen den infanteristischen Kram."

„Herr Kaptän!" unterbricht der IO, dem bereits schwant, was nun kommen wird, verzweifelt, „Sie sind doch ..."

„Keine Widerrede, Mensch! Ich übertrage Ihnen die Geschichte hier an Land. Davon versteh' ich nichts, liegt mir auch nicht. Also!"

Mit süßsaurem Lächeln legt der IO, dem nichts anderes übrigbleibt, die Rechte an den Mützenschirm. Das hab' ich nun davon, daß es mich mal zur Marineartillerie verschlug, denkt er. Alles, nur nicht gerade an Land, aber wenn der Alte befiehlt ... Daß er noch sehr lange an Land bleiben wird, wie alle die rund 2000 Zerstörerseeleute, Offiziere, Unteroffiziere und Mannschaften, ahnt er noch nicht.

„Unterkommen werden wir in dieser Villa drüben. Gefechtsstand oberhalb und hinter dem Tunnel. Da können die lieben Vettern, wenn sie hier wieder mit ihren Eimern erscheinen, mit den Schiffsgeschützen nicht hinlangen. Kommen werden sie so sicher wie das Amen in der Kirche!"

„Und Sie selbst, Herr Kaptän?"

---

[1]) Vollmatrose

„Beweglich werde ich sein, beweglich! Bei mir bleiben zwo Stoßtrupps mit zusammen 50 Mann. Klar?"

Holtorf grüßt und wendet sich, den Hang hinabsteigend, noch einmal um:

„Ich muß an Bord zurück. Ich habe, wie die Engländer sagen, eine ‚brain wave', eine gloriose Idee. Für unseren jüngsten Sub.[1]) Die muß ich ihm gleich auseinanderpuhlen. Sie werden Bauklötze staunen. Also viel Spaß bei der Buddelei, bißchen harter Felsgrund hier, nicht? Wiedersehn!"

An Bord läßt der Kommandant einen seiner Leutnants kommen. Es ist ein junger Offizier, der neben seinem Schneid und seiner Unbekümmertheit seemännisches Können, Umsicht und Klugheit besitzt, die ihm das Vertrauen und die Anhänglichkeit seiner Untergebenen sichern. Er scheint besonders geeignet zur Durchführung des Sonderauftrages, mit dem Holtorf ihn betrauen will.[2]) Der Leutnant erscheint und meldet sich zur Stelle, verwundert, was der Kommandant von ihm will. Die Messerechnung ist bezahlt und irgendwelche Dummheiten hat er nicht angestellt, war ja auch seit dem Auslaufen keine Zeit dazu. Aber da dreht sich Holtorf schon in seinem Schreibtischstuhl um und weist auf den einzigen Ledersessel in der kleinen Kammer:

„Erinnern Sie sich der beiden Fischesel, die wir beim Einlaufen trafen?"

Der Leutnant, dem eine Ahnung aufdämmert, lacht vergnügt:

„Jawohl, Herr Kaptän. Die beiden, die wir laufen ließen. Liegen jetzt im Hafen an der Erzpier."

„Richtig! Suchen Sie sich ein paar tüchtige Leute aus und dann schnappen Sie sich einen von denen. Haben 'ne kleine norwegische Kanone als Buggeschütz. Greifen Sie sich den am wenigsten vergammelten, soweit da überhaupt ein Unterschied besteht. Als Vorpostenboot, U-Jäger usw. Klar?"

„Jawohl, Herr Kaptän. Prima! Kann ich mir die Wasserbomben ..."

„Immer langsam! Signalmittel und Verpflegung fassen und, wie Sie ganz richtig bemerkten, junger Mann, als wichtigstes

---

[1]) vom englischen Sublieutenant = Leutnant.

[2]) der Name des Leutnants ist leider nicht mehr festzustellen.

Wasserbomben. Sein Sie vorsichtig mit den Dingern, klatschen Sie die nicht etwa unseren eigenen U-Booten auf den Hut."

„Jawohl, Herr Kaptän. Und wo ..."

„Sachte, sachte, nicht so hastig! Wollte ich gerade sagen. Der Steuermann soll Ihnen die Spezialkarte dieser herrlichen Gegend geben, er hat sie doppelt. Schlängeln Sie sich in jeden Fjord hier oben, kriechen Sie in jede Bucht und schnüffeln Sie, wo englische U-Boote stecken könnten. Vom Adjutanten erhalten Sie den schriftlichen Befehl, den ich für Sie ausgearbeitet habe. Ich lasse Ihnen völlig freie Hand. Sehen Sie zu, daß der Engländer Sie nicht erwischt, wenn er erscheint. Kommen Sie zwischendurch 'mal rein und melden Sie mir."

„Jawohl, Herr Kaptän! Selbstverständlich. Und gehorsamsten Dank!"

„Nichts zu danken. Ab dafür und auslaufen, möglichst noch heute! Im übrigen: Hals- und Schotbruch!"

Der Leutnant macht seine bisher zackigste Ehrenbezeugung und rast davon. Zum Signalmaaten. Erstmal einen Wimpel, einen Kommandowimpel besorgen. Und eine Kriegsflagge. Bloß nicht zu groß, denkt er, wir sind keine Franzosen! Kleine Sturmflagge genügt. Junge, Junge! Leutnant zur See und Kommandant!

Er läuft noch am 10. aus und fährt seine kleine Kanone und drei oder vier Wasserbomben spazieren. Grast mit seiner Leutnantsfrechheit die Fjordgewässer ab und kommt zufällig am Vormittag des 13. wieder in den Hafen. In einem Winkel der Eisenbahnpier macht er fest und beteiligt sich von dort aus an dem letzten Gefecht der Zerstörer, bis ihm sein Liliputgeschütz, das dieser Dauerbelastung nun doch nicht gewachsen ist, feuersprühend und zornig um die Ohren fliegt. Er läßt die Besatzung an Land jumpen und versenkt, nicht ohne vorher seinen ersten Kommandowimpel und die Flagge geborgen zu haben, das kleine Fahrzeug.

Inzwischen mannen die Seeleute des Zerstörers Munition für die Fla-Waffen und die Wasserbomben in eine Art Bunker, den sie bei der Postpier entdecken. Die 2 cm mit ihren sechs Zentner schweren Lafetten schaffen sie mit Hilfe von Fla-Artilleristen und Gebirgsjägern durch meterhohen Schnee den Berghang hinauf und bauen sie in die Verteidigungsstellung ein. Bei dem späteren englischen Fliegerangriff leisten sie gute Dienste.

Das Maschinenpersonal schweißt, nietet und hämmert ununterbrochen und bewältigt auch die ungewohnte Aufgabe der Instandsetzung der seit dem 9. stillgelegten Erzbahn. Hier sind Teile des technischen Personals der beiden gesunkenen Zerstörer *„Wilhelm Heidkamp"* und *„Anton Schmitt"* eingesetzt, die an einem einzigen Tage die schweren Elektro- und Dampflokomotiven betriebsfertig machen. Mit flatternden Mützenbändern nehmen sie den lahmgelegten Eisenbahnverkehr wieder auf.

Die Seeleute schaffen Kohlen und Holz aus der Stadt sowie Lebensmittel aus den Vorräten der *„Jan Wellem"* ins Hinterland. Die Gebirgsjäger haben gleich nach ihrer Ausschiffung am Bahnkörper nach wohldurchdachtem und vorher festgelegtem Plan Bergstellungen zum Schutz des Hafengeländes angelegt und bezogen. Das Hauptquartier des Generals Dietl, dem jetzt auch das Marinebataillon untersteht, ist das „Royal", ein erstklassiges Winter-Kurhotel in Narvik.

Überall, nicht nur an Bord der Zerstörer, herrscht regste Tätigkeit. Eine Menge ist zu bedenken, viel ungewohnte Arbeit zu bewältigen. Das Marinebataillon baut seine Stellungen am 10. und 11. weiter aus. Sie müssen aber, nachdem sie unter meterhohem Schnee ausgehoben wurden, ebenso wie die Verteidiger selbst, getarnt werden, Schneetücher und Schneemäntel werden aus Tischtüchern, Bettlaken und Leinen zugeschnitten und zusammengenäht. Die mit ihnen ausgestatteten Seeleute in den MG-Nestern sind bald im weißen Einerlei der verschneiten Landschaft nicht mehr auszumachen.

Übel ist nur, daß keine großkalibrigen Geschütze zur Verfügung stehen. Die vorgesehene Küstenbatterie ist mit der *„Rauenfels"* in die Luft geflogen. Aber da hat jemand, der die bisherigen Ereignisse aufmerksam verfolgte und der auch weiß, daß man diesen wichtigen Erzhafen kaum mit ein paar 2 cm und kleinen Gebirgskanonen verteidigen kann, eine Idee: Kapitän Kord-Lüdgert von dem deutschen Dampfer *„Lippe"*.

Bisher ist sein Frachter, der schon seit einigen Tagen in Narvik liegt, um Erz zu laden, unbeschädigt geblieben. Der Gedanke helfen zu wollen, läßt den Braven nicht mehr los.

Er ruft seine Männer zusammen, erklärt die Lage und weist dann auf die breite Einfahrt und die hohen, verschneiten Berghänge:

„Daß ich ein alter Fahrensmann bin, wißt ihr, und daß ich die Engländer kenne, werdet ihr mir glauben. Die kommen wieder, das kann ich euch flüstern. Und das mit starken Streitkräften. Ein Hafen wie dieser hier ist dann nur mit Küstenartillerie zu verteidigen. Stimmt's?"

„Jawohl, aber hier gibt's doch keine Batterien, Käpt'n!" ruft ein langer blonder Holsteiner.

„Richtig, mein Sohn! Das wollte ich gerade hören. Also müssen wir uns welche besorgen." Er macht eine Pause und mustert schmunzelnd die Gesichter der Seeleute, die kopfschüttelnd und ratlos zu ihm aufsehen.

Ein Heizer mit einer norwegischen Pelzmütze auf dem Kopf hebt unwillkürlich die Rechte:

„Da ist doch draußen dieser Eimer versenkt worden, Käpt'n, der hat einige 15er an Bord gehabt, sagen die Leute von den Zerstörern. Und Flak dazu, soll'n wir die ..."

„Unsinn!" schneidet der Alte dem Mann das Wort ab. „Nein die meine ich nicht, die sind nicht zu bergen. Aber hier, Jungs, hier im Hafen liegen fünf englische Schiffe, Erzdampfer wie wir, und die sind auf Befehl der britischen Admiralität alle bewaffnet. Deren Kanonen müssen wir 'runterholen, eh's zu spät ist."

Die Männer lachen, rufen, reden durcheinander. Der Alte ist goldrichtig! Dem Engländer die Dinger vom Heck klauben. Großartige Idee! Aber wie? Ruhig, Herrschaften, da spricht der Kapitän wieder. Was sagt er da? Sie stoßen sich an, spitzen die Ohren.

„Ich will euch 'was sagen. Ich habe Freunde an Land, und ich habe meine Ohren offen gehalten und mein Doppelglas benutzt. Jeder der Engländer hat zwei Geschütze an Bord und für jedes 30 Schuß Munition. So etwas ist in einem Hafen wie Narvik nicht geheim zu halten. Das hat sich herumgesprochen. Wie können wir die 'runterkriegen? Die Erzpier hat keine derartigen Löscheinrichtungen. Also?"

„Unsre Ladebäume, Käpt'n! Eigenes Ladegeschirr! Längsseit gehn, Käpt'n!" tönt es durcheinander. „Die pflücken wir leicht 'runter!"

Der Alte freut sich:

„Dann brauch' ich ja nichts mehr zu sagen!"

Kapitän Kord-Lüdgert ist ein erfahrener Mann. In seiner Jugend fuhr er noch auf den großen, schnellen Barken der deutschen Rickmers-Reederei, den Flying P-Linern, deren Namen alle mit P begannen, rund Kap Hoorn. Er hat in seinem langen Seemannsleben mehr als ein Notruder geriggt und mehr als eine Reserverah ausbringen lassen. Er begibt sich sofort an die Arbeit. Navigiert mit der 8000 Tonnen großen *„Lippe"* wie eine Hamburger Barkaß im Hafen umher und geht erstmal beim nächstliegenden Engländer längsseit. Die starken Ladebäume nehmen die beiden schnell abmontierten Geschütze in kurzer Zeit über. Dem seemännischen Geschick des Kapitäns und seiner Besatzung gelingt es nach vielstündiger Arbeit, die Kanonen sicher an Land zu stellen. Spät in der Nacht stehen sie auf der Pier. Am 11. zupft er dem zweiten Briten die Geschütze von Deck, am 12. dem dritten.

Am vierten Tage jedoch, am 13. April erscheinen die Engländer vor der Einfahrt und *„Warspite"* läßt ihre 38 cm Granaten über den Hafen heulen. Einer der zahlreichen feindlichen Torpedos trifft die wackere *„Lippe"*. Genau dort, wo sie ihre sechste Kanone an Land schaffte, sinkt das Schiff. Kapitän Kord-Lüdgert aber, Typ des unermüdlich tätigen, unverwüstlichen und unbeugsamen deutschen Handelsschiffskapitäns, wirkt weiterhin tatkräftig bei der Verteidigung von Narvik mit.

Dem technischen Personal auf den Lokomotiven der Erzbahn und hinter den Lenkrädern der Lastwagen, den Wachen vor wichtigen Gebäuden der Stadt, vor Lebensmittel- und Munitionslagern und den Marinetruppen an Land, denen zusammen mit den Gebirgsjägern die Abwehr eines feindlichen Angriffs anvertraut ist, kommt all das Geschehen seltsam und unwirklich vor: die noch im April tief verschneite Gebirgslandschaft, die Steindeckungen, die MG's und die norwegischen Karabiner in ihren pelzbehandschuhten frostklammen Fäusten, die Schneemäntel und Pelze über den blauen Marineuniformen.

Einer der Bootsmaate der *„Diether von Roeder"* gibt kopfschüttelnd dem Ausdruck, was sie alle mehr oder weniger stark empfinden und denken:

„Eine tolle Geschichte ist das, mein Gott! Da haben wir nun den Engländer unsre Minen vor die Küste und in die Flußmündungen geworfen, haben Vorstöße gefahren, noch und noch, und dann diese endlose Schlingerei mit den Jägern hier 'rauf. Und nun sitzen wir an Land, im tiefen Schnee hoch über'm Polarkreis!"

Ein Leutnant, Zugführer im Bataillon, lacht auf:

„Alles im Fahrpreis einbegriffen, mein Sohn! Ein Seemann muß eben vieles können. Wußten Sie das noch nicht? Sogar Infantrismus in Schneetüchern unter einem sagenhaften Polarhimmel!"

Es ist alles ein wenig schnell gekommen, überraschend, unerwartet, rücksichtslos. Schadet nichts, denken sie, 'mal 'was anderes. Aber im Herzen sind sie auf ihren Booten, bei den Kameraden an Bord, bei den gefallenen Freunden. In der ungewohnten Kälte, 1200 Seemeilen von der Heimat, wissen sie nur das eine, daß sie die ihnen anvertraute Aufgabe erfüllen werden, komme was da wolle.

Durchbruchsversuch. Der Bericht des U-Bootskommandanten. Die Gruppe West drängt zum Auslaufen. Aufgelaufen und nicht mehr seefähig. Fliegeralarm! „Taastad also!" Die Nacht vor dem Ende.

Am 10. April, dem Tage des englischen Überfalls, wird mittags gegen 11 Uhr 00 U-Bootsalarm gegeben, der sich aber sehr bald als Irrtum herausstellt. Dem LJ von *„Erich Koellner"* bringt er jedoch neue Sorgen. Einer seiner Obermaschinisten betritt die Kammer:

„Herr Kaleunt! Bei dem Alarm vorhin hatten wir Schwierigkeiten, die Maschine anzustellen. Wir ..."

„Das hat mir gerade noch gefehlt!"

Kapitänleutnant Heye, der Routinemeldungen und Anforderungszettel gegenzeichnete, steckt den Füllfederhalter in die Brusttasche und steht auf:

„Heiliges Gewitter! Das ist ja eine üble Schweinerei, das müssen wir sofort hinkriegen. Hier kann jeden Augenblick der Teufel los sein. Ich komme gleich mit!"

Der Obermaschinist setzt seine Mütze wieder auf und hält den Türvorhang für den LJ beiseite:

„Wir machen ja sowieso wegen der Hochdruckflanschdichtung Feuer aus, wenn wir beim Tanker längsseit liegen. Da könnten wir diese Geschichte doch gleich miterledigen, Herr Kaleunt!"

„Erst 'mal sehen, was überhaupt los ist. Das Längsseitgehn kann ziemlich spät werden", erklärt Heye, „womöglich erst gegen Mitternacht, wie mir der Flottilleningenieur sagte. Also los, 'runter!"

Die Ursache der ärgerlichen Störung wird festgestellt und Maßnahmen zu deren Beseitigung beraten.

Auf dem nunmehrigen FdZ-Zerstörer *„Wolfgang Zenker"* befaßt sich Fregattenkapitän Bey mit seinem Stab und dem Kommandanten, Fregattenkapitän Pönitz, mit den Funksprüchen des Marinegruppenkommandos West, Generaladmiral Saalwächter, die im Lauf des Nachmittags eintreffen. Der erste, der um 14 Uhr 06 aufgenommen wird, fordert das sofortige Auffüllen aller einsatzbereiten Zerstörer.

„Was soll das?" brummt Bey verstimmt. „Ist doch selbstverständlich und tun wir ja schon!"

Anderthalb Stunden danach, um 15 Uhr 36 kommt ein zweiter Befehl, der ausdrücklich das Auslaufen aller fahrbereiten Boote fordert. Ärgerlich wendet sich der FdZ an seinen Flottilleningenieur:

„Wann ist *‚Koellner'* zum Beölen dran?"

„Gegen Mitternacht, vielleicht noch später, Herr Kaptän. Die Brennstoffübernahme zieht sich leider sehr lange hin, die Pumpen von *‚Jan Wellem'* sind nicht stark genug für eine solche Beanspruchung. *‚Koellner'* will nebenbei während dieser Zeit ihre Maschinenschäden beseitigen."

Das volle Gesicht des FdZ ist ernst. Er überlegt kurz. Dann hebt er den Kopf, sieht den Flottilleningenieur scharf an:

„Das wird lange dauern nach dem, was mir Schulze-Hinrichs meldet. Oder sind Sie anderer Ansicht?"

„Jawohl, Herr Kaptän. Heye, der LJ, erklärte mir, daß er die Arbeit, die sonst Tage in Anspruch nähme, mit seinen Leuten in ein paar Stunden bewältigen könne. Ich halte das nicht für übertrieben, er hat wirklich ausgezeichnetes Personal!"

Der Kommandant beugt sich vor:

„Vollkommen klar sind nur wir beide: *‚Zenker'* und *‚Giese'*."

Der FdZ lehnt sich schwer und wuchtig in den Sessel zurück. Er ist unschlüssig: zwei Boote einsatzbereit, soll er mit nur zwei Zerstörern den Rückmarsch antreten? Was wird aus den anderen sechs? Er macht eine Notiz auf seinem Schreibblock, sieht auf:

„Zwo nur!" sagt er nachdenklich. „Ich werde, weil sie da oben derartig drängen, besser anfragen, ob wir unter diesen Umständen tatsächlich auslaufen sollen. Lassen Sie den Funkspruch sofort 'rausgehn!" wendet er sich an einen der Offiziere des Stabes.

Der Oberleutnant nickt, wartet bis der FdZ das Blatt abreißt, nimmt es entgegen und eilt damit zum Funkraum.

„Mehr kann ich auch nicht machen", erklärt Bey. „Der Saalwächter weiß doch ganz genau, daß ich nur den einen Tanker habe. Schließlich bin ich kein Hexenmeister. Dazu die Gefechtsschäden. Was denken sich die in W'haven eigentlich?"

Der kleine, drahtige Pönitz mit dem schmalen Gesicht grinst seinen Freund vergnügt an:

„Was die sich denken? Genau dasselbe wie wir: bloß 'raus aus dem Mauseloch hier, eh' die Engländer es zugipsen!"

„Natürlich, natürlich! Woll'n mal abwarten, was die Gruppe meint. Aber höchstwahrscheinlich nichts anderes als bisher", entgegnet der FdZ.

Die Antwort läuft um 18 Uhr 12 ein. Fregattenkapitän Bey reicht sie schweigend dem Kommandanten. Der liest:

„An Flotte, Chef 4. Z-Flottille. *‚Zenker', ‚Giese'* mit Chef heute nach Dunkelwerden auslaufen. Seebefehlshaber Treffpunkt durch Kurzsignal geben. Gruppe."

Seebefehlshaber ist der Flottenchef, Vizeadmiral Lüdjens. Er steht mit den beiden Schlachtkreuzern um diese Zeit weit entfernt, südlich der Insel Jan Mayen im Nordmeer. Aber das wissen sie auf WZ nicht. Fregattenkapitän Bey nimmt das Formular zurück, steckt es in die Jackettasche:

„Da haben wir's. Genau wie ich dachte! Wann setzt hier die Dämmerung ein? Gegen 20 Uhr 00, was?"

„Später, so um 21 Uhr 00 herum. Ich werde den Obersteuermann nach der genauen Zeit fragen . . ."

„Laß man", winkt Bey mit einem Blick auf den Chronometer über dem Schreibtisch ab, „kommt nicht so genau drauf an. Befehl an EG: 20 Uhr 40 seeklar!"

Der Kommandant erhebt sich, tritt an eins der Bulleys, sieht hinaus. Noch schneit es draußen:

„Schade, scheint mir langsam aufzuklaren. Wäre besser, wenn dies Schneetreiben anhielte!"

Fregattenkapitän Pönitz hat Recht. Es klart auf. Als die beiden Zerstörer bei einsetzender Dämmerung aus dem

Hafen laufen, ist die Sicht sogar sehr gut. Abgeblendet, mit aufgezogenen Kriegswachen gleiten die Boote wie zwei schlanke, graue Wölfe den Ofot-Fjord hinab. Eine Stunde noch, dann ist die Dunkelheit hereingebrochen. Nach Norden und Nordwesten hin zeigt der Himmel jene fahle, seltsam aufgehellte Art nordischer Vorfrühlingsnächte.

Der Kommandant, der auf der Brücke der *„Wolfgang Zenker"* neben dem FdZ steht, überlegt die Chancen eines Durchbruchs. Zweifelsohne ist mit weit überlegenen feindlichen Streitkräften zu rechnen. Aber auch die deutschen Zerstörer verfügen über je 8 Torpedorohre und 5—12,7 cm Schnellfeuergeschütze. Und ihre Turbinen verleihen ihnen eine Geschwindigkeit von mindestens 38 Meilen. Wir kommen durch, denkt Pönitz zuversichtlich, das wäre ja noch schöner.

Als sie auf der Höhe der großen, auf der Festlandsseite gelegenen Insel Tranoey stehen, ist es 22 Uhr 00. Von hier ab verbreitert sich der West-Fjord zu einer meilenweiten Bucht zwischen dem norwegischen Festland und der Kette der Lofoten-Inseln. Es ist eine sehr dunkle Nacht, in der ein Fahrzeug nur gegen den nach Norden und Nordwesten hin etwas helleren Himmel ausgemacht werden könnte. In die gespannte und erwartungsvolle Stille bricht die Stimme eines Ausgucks:

„Schiffspeilung 20 Grad ein Schatten!"

„Alarm! An EG durchgeben!" befiehlt der Kommandant.

Alle auf der Brücke, im Artillerieleitstand, an den E-Meßgeräten, suchen Steuerbord voraus in der angegebenen Richtung. Was ist das? Niedrig über dem Wasser, langgestreckt, abgeblendet wie sie selbst. Keine hohe Fahrt. Die deutlich auszumachende Hecksee schimmert nur schwach und die Peilung ändert sich nur langsam.

„Offenbar Zerstörer", sagt Pönitz sehr ruhig, „läuft gleichen Kurs und hat uns noch nicht bemerkt."

Der FdZ, Doppelglas vor den Augen, macht die gleiche Feststellung:

„Paar Grad mit nur wenig Ruder abdrehn und weiterlaufen, Pönitz!"

Kurz danach wird wieder ein Schatten gemeldet.

„Größer als der erste!" erklärt unerschüttert der Kommandant. „Wahrscheinlich Leichter Kreuzer. Ähnlicher Kurs, gleiche Geschwindigkeit."

Da der FdZ nichts sagt, schweigt auch er. In Ordnung, denkt er. Gegen die vorgelagerten Inseln, die gebirgige Küste und den nach Osten pechschwarzen Hintergrund des Himmels können die uns gar nicht sehn. Er beobachtet, daß die Entfernung allmählich zunimmt. Der Kreuzer hat bestimmt mehr als nur einen Zerstörer bei sich, überlegt er und sucht mit dem schweren Nachtglas in der Vorausrichtung weiter, Grad für Grad sorgfältig abtastend. Plötzlich hält er inne. Ist da nicht wieder ein Fahrzeug? Genau wie das erste? Natürlich:

„Steuerbord voraus Zerstörer! Liegt etwas auf uns zu", sagt Pönitz. „An AO: Frage Entfernung?"

Die E-Messer im Stand und auf der Brücke haben das Ziel bereits aufgefaßt:

„Entfernung 70 Hektometer. Nimmt langsam ab!"

Der Kommandant will gerade den Befehl geben, nach Backbord auszuweichen, als er neben sich die Stimme des FdZ vernimmt:

„Auf Gegenkurs! Hat keinen Sinn, Pönitz, wir laufen nach Narvik zurück."

Erschrocken sieht Fregattenkapitän Pönitz auf:

„Aber wir sind doch noch gar nicht bemerkt worden! Außerdem ist es nur ..."

„Ich weiß!" unterbricht Bey gereizt. „Draußen steht bestimmt mehr. AK und nach Backbord auf Gegenkurs, eh' sie uns entdecken. Durchgeben an EG. Die Nacht ist mir zu hell für einen Durchbruch".

Der energische kleine Kommandant ist verblüfft. Er begreift den Entschluß nicht. Nach seiner Meinung ist es finster genug und nichts deutet darauf hin, daß sie bereits erkannt wurden. Und draußen? Mein Himmel, draußen ist die freie See, da können zwei schnelle Zerstörer doch mit größter Wahrscheinlichkeit jeden Gegner abschütteln. Aber Befehl ist Befehl. Er legt sehr formell die Hand an die Mütze und gehorcht schweigend.

Mit Hartruder und Höchstfahrt gehen beide Zerstörer auf Gegenkurs. Grundgütiger Himmel, denkt der WO, wenn der Feind diese Hecksee, diesen fantastisch leuchtenden Halbkreis, den wir da auf den Fjord zaubern, nicht sieht, ist er blind oder pennt!

„Nebeln!" befiehlt der FdZ.

Der Kommandant gibt den Befehl weiter. Eine weißgraue künstliche Wolke quillt träge aus den Kannen am Heck, legt sich schwer wie eine vor dem Wind rollende Walze hinter die mit AK ablaufenden Boote. Niemand auf der Brücke sagt ein Wort, aber alle denken wahrscheinlich das gleiche: warum sind wir nicht durchgebrochen? Warum in dieser dunklen Nacht einen solchen gut sichtbaren Zauber anstellen?

Beim Engländer geschieht nichts. Absolut nichts. Er hat die beiden deutschen Zerstörer tatsächlich nicht bemerkt!

Was von *„Wolfgang Zenker"* gesichtet und richtig erkannt wurde, waren 2 Zerstörer und der Leichte Kreuzer *„Penelope"*. Ein englischer Seeoffizier, zu dieser Zeit selbst Zerstörerkommandant, schrieb später:

„Sich dicht unter der Küste haltend, wo die Umrisse eines Fahrzeugs sich mit dem dunklen Hintergrund des Festlandes verwischten, wäre Bey mit allergrößter Wahrscheinlichkeit ungesehen durchgebrochen. Ohne Radar an Bord hätten die britischen Schiffe die beiden Zerstörer unmöglich ausmachen können, die obendrein über ihre Höchstgeschwindigkeit verfügten und schlimmstenfalls ein laufendes Gefecht bei tiefster Finsternis zu führen brauchten. Aber Bey besaß nicht mehr das Herz dazu, seine Nerven waren durch die Ereignisse am Morgen erschüttert."

An dem Entschluß des FdZ konnte auch ein Funkspruch des Marinegruppenkommandos West nichts mehr ändern, der am 11. April 01 Uhr 11 nachts aufgenommen wurde und mit der Uhrzeit 00 Uhr 55 abgesetzt worden war. Als er in Narvik einging, müssen beide Zerstörer schon wieder im Hafen gelegen haben. Wann er in die Hände Beys kam, ist nicht bekannt. Er lautete:

„An Chef 4. Z-Flottille.

1. bei Rückmarsch jede Art Kriegslist, auch englische Flagge anwenden
2. Tanker *‚Skagerrak'* bleibt vorläufig auf Standlinie 64 Grad 30 Minuten Nord zwischen 0 Grad 30 Minuten Ost und 2 Grad Ost
3. bei Brennstoffmangel oder Schaden Anlaufen Bergen oder Kristiansand
4. Drontheim möglichst meiden. — Gruppe." —

Bald nach dem Einlaufen, noch in den frühen Morgenstunden, um 02 Uhr 30, findet eine Sitzung des FdZ mit dem Stab und Fregattenkapitän Pönitz statt. Der junge Kommandant des in Narvik eingetroffenen U-Bootes *„U 46"*, Kapitänleutnant Sohler, der spätere Chef der 7. U-Flottille in La Baule an der Loire, hat sich gemeldet. Er berichtet über seine bisherigen Erfahrungen. Der FdZ selbst ist es, der folgende Frage stellt:

„Sagen Sie mir eins, Sohler! Es stehen doch mehrere eigene U-Boote im Fjord. Warum hat kein einziges die Engländer gemeldet, als sie uns am 10. morgens überfielen?"

Kapitänleutnant Sohler sieht die Augen der Zerstöreroffiziere auf sich gerichtet, sieht fragende, leicht vorwurfsvolle Mienen. Er reckt sich. Meine Herren, denkt er, von denen ist sicher niemand jemals auf einem U-Boot gefahren. Er gibt, lauter vielleicht als beabsichtigt, eine Erklärung:

„Warum wir nichts gemeldet haben, Herr Kaptän? Sehr einfach: weil niemand etwas in Sicht bekam. Wie Sie selbst wissen, war das Wetter im ganzen Operationsgebiet von Narvik ausgesprochen schlecht und unsichtig. Nebel, Schneeböen mit nur kurzen Zwischenpausen. Zuweilen sah man kaum über das Vorschiff hinaus!"

Kapitän Bey reicht dem Kommandanten sein Zigarettenetui:

„Sie haben recht!"

„Außerdem", fährt der Kapitänleutnant fort, „konnten wir kaum aufgetaucht fahren."

Er nimmt dankend das Feuerzeug, das Fregattenkapitän Pönitz für ihn aufspringen läßt, steckt seine Zigarette an und erklärt:

„Es ist doch so, Herr Kaptän. Durch die langen Tage hier oben sind wir von vorneherein gehandicapt. Zum Beispiel bleiben uns zum Aufladen der Akku's für die E-Maschinen nur wenige Nachtstunden. Die Abwehr durch englische Zerstörer drückt uns zudem fast dauernd unter Wasser. Wenn ein Boot doch zum Schuß kommt, versagen ausnahmslos die Torpedos. Warum, wissen wir nicht."

Die Zerstöreroffiziere sehen sich vielsagend an. Das haben sie nicht gewußt.

„Sie halten also die Möglichkeit einer Verwendung von U-Booten unter den gegebenen Verhältnissen für gering?" erkundigt sich der FdZ.

„Herr Kaptän", meint Sohler zögernd, „ich bin erst ein paar Tage hier. Für ein abschließendes Urteil dürfte das zu wenig sein. Offengestanden fürchte ich aber, daß es so ist."

„Wo sind Sie eigentlich hergekommen?" fragt der Kommandant.

„Wir standen bereits im Seegebiet vor Narvik, Herr Kaptän, als unsere I. U-Bootsgruppe den Befehl erhielt, tiefer in den West-Fjord zu gehen, um die Einfahrt besser überwachen zu können."

Er schweigt und sieht deutlich, daß seine Erklärungen für alle eine unangenehme Überraschung darstellen. Ihm ist klar, daß keiner der Anwesenden daran zweifelt, daß die U-Bootskommandanten und ihre Besatzungen ihr Bestes tun. Der FdZ seufzt vernehmlich und legt den Bleistift, den er nervös zwischen den Fingern drehte, auf den Notizblock zurück:

„Ich weiß, daß der gefallene Kommodore sich hinter dem Schirm der U-Boote vollkommen sicher wähnte. Wir alle haben deren Möglichkeiten in diesen Gewässern überschätzt."

„Darf ich noch etwas erwähnen, Herr Kaptän?" unterbricht Sohler im Bestreben auch einmal etwas Erfreuliches zu sagen. „Ich weiß nicht, ob Ihnen bekannt ist, daß 4 Boote der V. U-Bootsgruppe, die zwischen den Shetlands und Norwegen standen, nach hierher unterwegs sind. Sie haben Befehl in den Vaags-Fjord bei Harstad zu laufen. Prien mit seinem *„U 47"* ist darunter. Der Rest der Gruppe, 2 Boote, soll nach Drontheim gehn. Vielleicht werden die ..."[1])

„Schon gut! Vielen Dank, aber nach dem, was wir von Ihnen erfahren haben, können die auch nicht mehr erreichen als Sie. Meine Herrn", wendet er sich an seinen Stab, „wir müssen jedenfalls einen Patrouillendienst unserer Zerstörer einrichten. Ich bin Ihnen wirklich sehr dankbar, Sohler, jetzt wissen wir immerhin, woran wir sind. Hoffentlich können Sie

---

[1]) Der BdU befahl schon am 15. April den Booten wieder in den Fjordeingang, am 19. und 20. in das Gebiet der Shetland-Inseln zurückzugehen, da ein Aufenthalt in den Fjorden nicht länger zu verantworten und am 13. U 64 im inneren Narvikfjord, am 16. U 49 im Vaags-Fjord verlorengegangen war. Ein Sonderausschuß stellte später fest, daß neben erheblichen technischen Mängeln auch der Eigenschutz zumindest der „Warspite" sowie ein unbekannter magnetischer Einfluß in den nördlichen Breiten die Magnetzündung der Torpedos unwirksam gemacht hatte.

uns wenigstens melden, wenn die Engländer das nächste Mal anrücken."

Gegen Mittag des 11. werden 4 Zerstörer fahrbereit gemeldet:

„Wolfgang Zenker", „Erich Koellner", „Hans Lüdemann" und *„Hermann Künne". „Erich Giese"* ist in dieser Aufstellung nicht angeführt. Offenbar versehentlich, denn er war ebenfalls klar.

Fregattenkapitän Bey hält jedoch nach wie vor einen Durchbruch selbst mit vier, bzw. fünf Booten für ausgeschlossen. Vielleicht beeindrucken ihn die bisherigen Verluste zu stark und hemmen ihn in seinen Entschlüssen: zwei Zerstörer gesunken, drei durch Gefechts- und Maschinenschäden in absehbarer Zeit nicht voll verwendungsfähig. Er entschließt sich, seine Ansicht dem Marinegruppenkommando West zu erklären, setzt sich an seinen Schreibtisch und beginnt mit schwerer Hand zu schreiben. Die Spitze des Bleistifts bricht und verschmiert das Papier. Wütend reißt er das Blatt ab, zerknüllt es und stopft es in die Jackettasche. Dann fängt er von vorn an. Den fertigen Text liest er noch einmal durch, haut seine Unterschrift darunter. Um 12 Uhr 11 mittags geht folgender Funkspruch an die Gruppe:

„Ausbruchsabsicht Zerstörer heute abend ebenso unmöglich wie gestern. Halte Rückmarsch Küstennähe angesichts gemeinsamer Kontrolle durch Norweger und englische Streitkräfte für nachteilig."

Die letzte Gelegenheit, wenigstens die fahrbereiten Zerstörer in die Heimat zurückzuführen, wird mit dieser unverständlichen Entscheidung verspielt.

Interessant ist, daß ein Fernaufklärer der Luftwaffe zwar am 11. nachmittags um 17 Uhr 00 auf der Höhe von Drontheim, etwa 40 Seemeilen von der Küste entfernt, einen englischen Verband von 3 Schlachtschiffen, 1 Flugzeugträger, 2 Kreuzern und 14 Zerstörern mit Nordostkurs sichtet, der von 10 deutschen Kampfflugzeugen mit beobachteter Trefferwirkung angegriffen wird, daß aber eine FW 200, die am 11. abends das Gebiet Narvik-Harstad-Tromsoe aufklärte vor dem West-Fjord keinerlei feindliche Seestreitkräfte feststellen kann.

Obwohl die Nacht vom 11./12. unsichtig, also für einen Ausbruch wesentlich günstiger ist als die vorige, wird kein solcher Versuch unternommen. Die einzige Maßnahme, die Fregattenkapitän Bey trifft, bleibt ein nächtlicher Vorpostendienst. Als erste werden *„Wolfgang Zenker"* und *„Erich Koellner"* hierzu bestimmt. Die umfangreichen Reparaturarbeiten der letzteren sind beendet. Sie hat Befehl zum Ballangen-Fjord zu gehen, dort bis 01 Uhr 00 morgens zu ankern und dann eine Position im Ofot-Fjord einzunehmen.

Gegen Mitternacht steht sie im Eingang des Ballangen-Fjords. Fregattenkapitän Schulze-Hinrichs beobachtet von der Brückennock in der Richtung nach Land zu.

„Sind das nicht Lichter, NO? Und das dort Fahrzeuge? Los, müssen wir uns näher besehn!"

Der Zerstörer dreht in den Fjord.

„Werden wohl Fischerboote sein, Herr Kaptän!" meint der NO. „Und die Lichter sind wahrscheinlich Häuser am Ufer."

Im Kartenhaus trägt der Obersteuermann die Kursänderung in die Karte ein und will gerade die Uhrzeit daneben schreiben, als eine heftige Erschütterung das Boot durchläuft.

„Beide Maschinen Stop!"

„Aufgelaufen!" stellt rein sachlich der Steuermannsmaat fest, der gerade seinen Mitternachtskaffee holen will.

Der Obersteuermann sieht blitzschnell auf den Kompaß, wirft einen Blick auf die Karte mit der neuen Kurslinie.

„Unmöglich!" ruft er entrüstet.

Dann zieht er das große Blatt vom Tisch und eilt zum Kommandanten auf die Brücke hinaus, Taschenlampe in der Rechten:

„Ausgeschlossen, Herr Kaptän! Überall tiefes Wasser hier. ich habe soeben ..."

Trotz der üblen Lage kann sich Schulze-Hinrichs ein Lächeln nicht verkneifen:

„Mein lieber Mann! Tatsache ist, daß wir festsitzen. Eisern sogar. Hier in den norwegischen Fjorden gibt's leider zuweilen Felsen, die auf keiner Karte verzeichnet sind!"

Alle an Bord haben den Ruck, das folgende rasselnde Schurren gespürt. Kapitänleutnant Heye stürzt zum Vorschiff, wo er die Meldungen aus den betroffenen Abteilungen entgegennimmt:

„Trinkwasserzellen stehen unter Druck! Waschwasserzellen versalzen, Torpedokopflast läuft voll! Schiffsboden vorn aufgerissen!"

Durchsagen über weitere Schäden folgen. Der LJ gibt sie an den Kommandanten weiter. Schulze-Hinrichs hat inzwischen im Kartenhaus selbst Standort und Kurse überprüft. Er nickt dem Obersteuermann zu, der sich immer noch nicht beruhigen kann:

„Sie haben vollkommen recht gehabt! Diese Klamotte ist nicht auf der Karte verzeichnet. Sie und wir alle können nichts dafür!"

Unten, im Vorschiff arbeiten die Leckgruppen, Lenzpumpen saugen. Mehrere Unterwasserabteilungen müssen verlassen und dichtgeschlossen werden, Schottüren und Wände mit Leckhölzern abgestützt und versteift, in zwei Kesselräumen Feuer ausgemacht werden. Der LJ, der sich zu einem zusammenfassenden Bericht auf die Brücke begibt, ist mehr als besorgt:

„Herr Kaptän! Der Schiffsboden ist von vorn her längs der Mittelkielplatte aufgerissen und weiter nach achtern hin eingedrückt."

Heye beschreibt die Einzelheiten, der Kommandant stellt einige Zwischenfragen.

„Reines Pech, Heye. Wir sitzen auf einer Felsnadel. Aber als wir aufliefen, war glücklicherweise Niedrigwasser und jetzt läuft schon seit einiger Zeit der Flutstrom. Hoffentlich kommen wir bei Hochwasser frei."

Sie beraten kurz und der LJ steigt erneut nach unten, um die Arbeiten selbst zu überwachen. Um 01 Uhr 00 erscheint er wieder auf der Brücke:

„Die vorläufigen Sicherungsmaßnahmen sind beendet, Herr Kaptän. Aber ich muß warnen: es dürfen nur geringe Fahrtstufen gelaufen werden!"

Der Zerstörer schwimmt bei steigendem Wasser um 01 Uhr 30 auf und tritt mit langsamer Fahrt den Rückmarsch nach Narvik an. Trotzdem biegen sich über den vollgelaufenen Abteilungen die Zwischendecksplatten unter dem Wasserdruck nach oben und drohen durchzubrechen. Aber es geht gut. *„Erich Koellner"* macht am Morgen des 12. April um 06 Uhr 00 am Malmkai fest.

Kaum sind die Augen der Festmacher um die dicken Poller an Land geworfen, als auch schon der Flotteningenieur an Bord kommt.

„Trösten Sie sich, Heye!" meint er. „Wir haben mit WZ auch Grundberührung gehabt. Propellerschaden! Nicht so schlimm wie Sie, aber immerhin können wir höchstens noch 20 Seemeilen laufen."

Er besichtigt die Schäden, die Arbeiten der Lecksicherungsgruppen und macht ein sehr ernstes Gesicht. Viel Staat ist mit dem Zerstörer nicht mehr zu machen. In einer Besprechung faßt er sein Urteil zusammen:

„Eine Reparatur ist hier in Narvik, auch mit Hilfe von *‚Jan Wellem'* nicht durchzuführen."

„Also nicht mehr seefähig und nur noch als Hafenbatterie zu verwenden", meint ruhig der Kommandant.

Es wird entschieden, Ersatzteile und Reservematerial, das andere durch Gefechts- und Maschinenschäden weniger schwer betroffene Boote zu ihrer Instandsetzung dringend benötigen, an diese abzugeben. Ebenso Brennstoff und Torpedos.

Der Kommandant wendet sich an den Ersten Offizier:

„Reitsch, sowie wir wissen, wie uns der FdZ verwenden will, steigt ein Teil des seemännischen und technischen Personals aus. Besorgen Sie bitte nachher mit Heye Quartier für die Männer. Ich melde jetzt dem FdZ."

An Land laufen IO und LJ dem Kommandeur des Marinebataillons, Fregattenkapitän Erdmenger, in die Arme. Sie tragen ihm ihren Auftrag vor.

„Sehr gut! Wieviele können Sie abgeben? Unterbringung in der norwegischen Fachschule oben am Berghang."

„Wat den een sin Uhl is, is den annern sin Nachtigall!" murmelt Heye vor sich hin, während der IO der Begeisterung des Bataillonskommandeurs einen kleinen Dämpfer aufsetzt:

„Eine genaue Zahl ist noch nicht bekannt, Herr Kaptän", erklärt Reitsch, „die kann ich Ihnen erst angeben, wenn der Kommandant vom FdZ zurückkommt und wir wissen, was der mit uns vorhat."

„Gut. Schicken Sie mir soviel Leute wie möglich. Es gibt eine Unmenge von Aufgaben, zu denen ich sie brauche. Ich muß weiter. Wiedersehen!"

Gegen Mittag sind die beiden wieder an Bord und erstatten Fregattenkapitän Schulze-Hinrichs Bericht. Er hört sie schweigend an.

„In Ordnung. Im übrigen", meint er ernst, „kann ich Ihnen sagen, daß wir als Sperrbatterie draußen im Ofot-Fjord vorgesehen sind. Gadow soll mit HL eine geeignete Stelle erkunden."

IO und LJ nicken sich zu. Was das bedeutet, wissen sie: Sicherung für die anderen. Die ersten am Feind, diejenigen, die ihn möglichst aufzuhalten haben, so lange, bis — nun ja, bis sie erledigt sind. Klarer Fall, nichts daran zu deuteln. Schießen können wir noch, denkt der IO, aber ist es richtig, die Torpedos abzugeben? Na, wir werden sehen, der Alte wird schon wissen, was er tut."

„So, wie die Dinge liegen", fährt der Kommandant fort, „können wir zunächst nur wenige Männer entbehren. Wie steht es mit dem technischen Personal, Heye?"

Der LJ, der diese Frage erwartet hat, hebt den Kopf:

„Sofort von Bord geben kann ich 29 Mann, Herr Kaptän. Unter Führung des 3. Wachingenieurs, Leutnant Altenmüller."

„Schön. Veranlassen Sie das bitte. Die Leute werden als Bahnhofswache eingesetzt. Halt, eh' ich das vergesse: wie ist's mit den Absteifungen? Werden die beim Schießen halten?"

„Das hab' ich mich auch schon gefragt. So wie sie jetzt sind, würden sie wahrscheinlich zusammenbrechen. Ich habe aber eine Verstärkung angeordnet, die uns gleichzeitig eine höhere Fahrtstufe erlauben wird, Herr Kaptän."

Auf *„Wolfgang Zenker"* läuft nachmittags ein Funkspruch des Marinegruppenkommandos ein. Fregattenkapitän Bey liest ihn dem Stab vor:

„Voll fahrbereite Zerstörer jede günstige Gelegenheit, insbesondere unsichtige Nächte ausnutzen. Kleinste Einheit Rotte.[1]) *‚Nordmark' und 'Skagerrak'* stehen auf bekannten Positionen.[2]) Gruppe."

Den Kopf gesenkt, sieht der FdZ auf die vor ihm liegende Seekarte. Die Augen der Offiziere sind auf den großen, schweren Mann gerichtet, dessen breite Rechte langsam über das Seegebiet vor dem West-Fjord streicht.

„Was die Gruppe da verlangt, ist unausführbar. Im West-Fjord können wir erst bei Helligkeit stehn, und dort stoßen wir mit Sicherheit auf starke englische Streitkräfte. Jetzt,

---

[1]) zwei Boote

[2]) „Nordmark", ex Westerwald, Troßschiff, 8053 BRT; „Skagerrak", Tanker, 6043 BRT; beide Schiffe lagen im südlichen Nordmeer.

Mitte April, sind die Polarnächte schon viel zu kurz und hell für derart gewagte Unternehmen."

Selbst dieser mehr als deutliche Befehl ist nicht imstande, den FdZ als Führer schneller und starker Artilleriezerstörer zu einem neuen Ausbruchsversuch zu bewegen. Allerdings würden ihm dazu bestenfalls zwei bis drei Boote zur Verfügung stehen und die Überlegenheit des Gegners wäre bedeutend, die Fjordgewässer überdies für ein solches Vorhaben keineswegs günstig.

Auf *„Erich Giese"* schrillt am gleichen Nachmittag der Pfiff des Bootsmannsmaaten der Wache durch die Lautsprecheranlage:

„Alle Mann achteraus!"

Der IO meldet die angetretene Besatzung dem Kommandanten, der auf der Plattform der oberen 12,7 cm steht. Ringsum ragen die Mastspitzen, Schornsteine und Aufbauten gesunkener Dampfer aus dem Wasser. Ein Wink an den IO. Ein Kommando: die Männer rühren.

„Ich habe diese Musterung befohlen", erklärt Korvettenkapitän Smidt, „um Euch zu sagen, daß ich mit Eurem Verhalten während des gestrigen Gefechts zufrieden war. Ihr habt Euch gut geschlagen. Aber bedenkt, daß der Kampf noch nicht zu Ende ist. Der Engländer wird alles versuchen, uns hier wieder hinauszuwerfen und Ihr wißt, wie entscheidend für Deutschland der Besitz von Narvik und der Erzbahn ist. Uns steht Schweres bevor. Aber wir kämpfen bis zum letzten Zerstörer und, wenn der gesunken ist, zusammen mit den Jägern an Land. Unsere gefallenen Kameraden haben uns mit ihrer Tapferkeit ein Beispiel gegeben, dem wir nacheifern werden."

Er wendet den Kopf zu dem hinter ihm stehenden Adjutanten. Der Leutnant tritt heran und reicht ihm eine Liste.

„Stillgestanden!"

Langsam, klar und deutlich verliest der Kommandant 13 Namen, die Namen der Männer, die im Gefecht fielen. Schweigend erweist die Besatzung ihren toten Kameraden die letzte Ehrenbezeugung, als sie in die Kriegsflagge gehüllt ans Fallreep getragen und unter dem Seitepfiff des Oberbootsmanns einer nach dem anderen sorgsam in ein Beiboot gelegt und zur letzten Ruhestätte an Land gebracht werden. Ernst und nachdenklich treten die Divisionen zum Dienst auseinander, den gleich danach der Bootsmaat der Wache durch den Lautsprecher ansagt.

„Hans Lüdemann", das Führerboot der 3. Z-Flottille, kehrt am Spätnachmittag von seiner Erkundungsfahrt zurück. Mit dem Motorboot fährt der Kommandant der *„Erich Koellner"* zur Besprechung mit Fregattenkapitän Gadow und Korvettenkapitän Friedrichs hinüber. Dabei kommen Schulze-Hinrichs angesichts der zahlreichen im Hafen liegenden Fahrzeuge einige Bedenken. Er wendet sich an seinen Adjutanten:

„Wenn die Engländer mit Flugzeugen angreifen, könnte das recht unangenehm werden, da jetzt alle unsere Zerstörer hier versammelt sind."

„Allerdings, Herr Kaptän! Aber sie werden ja wohl nicht . . ."

„Hoffen wir es. Ich bin aber leider nicht ganz überzeugt davon!"

Die Sitzung auf *„Hans Lüdemann"* hat kaum begonnen, als um 18 Uhr 50 Fliegeralarm gegeben wird. Die Bedienungen der Fla-Waffen rasen die Niedergänge hoch, stülpen noch im Lauf die Stahlhelme über die Schädel und eilen auf ihre Stationen. Die GF's klemmen sich in die Richtsitze, schwenken ihre 3,7 und 2 cm und visieren die anfliegenden Maschinen an. Drei, fünf, neun Flugzeuge erscheinen von Westen her in beträchtlicher Höhe über den Bergen des Ofot-Fjords, von Brücken und Leitständen aufmerksam verfolgt. Auch auf *„Erich Giese"* hat der Kommandant die Maschinen im Doppelglas:

„Das sind Radflugzeuge! Doppeldecker mit englischen Kokarden auf den Tragflächen. Deutlich auszumachen. Wahrscheinlich steht ein Flugzeugträger draußen vor dem Fjord!"

Näher und näher kommen die Maschinen und stehen bald, immer noch sehr hoch, über der Hafenbucht. Hart und laut bellt und kläfft ihnen heftiges Abwehrfeuer entgegen, an dem sich auch die von Bord gegebenen 2 cm in den Landstellungen beteiligen. Korvettenkapitän Smidt setzt das Glas ab und wendet sich an seinen WO:

„Sehen Sie, jetzt klinken sie ihre Bomben aus! Komische Vögel sind das. Unsere Luftwaffe würde das anders machen. Im Steilflug 'runter und 'ran!"

Er beobachtet, wie die Bomben erst torkeln und taumeln, um dann in gestreckter Kurve herabzufallen. Einige klatschen ohne Schaden anzurichten ins Wasser, andere krachen in die Felsen. Steinbrocken und Splitter fliegen empor, Sprengstücke schwirren umher. In Narvik selbst geht ein Holzlager in Flammen auf. Ein Treffer schlägt in eine Maschinenhalle, ein anderer in ein einzeln stehendes Haus. Gelbe, rote und grüne Leuchtspurgeschosse der Fla-Waffen schleudern unter unaufhörlichem Rattern und dem Dröhnen der Detonationen ein vielmaschiges buntes Netz gegen den Himmel.

Die immer wieder angreifenden Flugzeuge, die ihren Fehler des Bombenwurfs aus zu großer Höhe erkannten, wenden nun eine andere Taktik an. Sie fliegen ihre Angriffe flach über die Berge kommend, so daß sie von den Zerstörern erst im letzten Augenblick gesichtet und beschossen werden können. Aus den lahmen Enten sind bösartig stechende Wespen geworden. Korvettenkapitän Smidt, der die Einschläge verfolgt, sieht seinen IO an:

„Donnerwetter! Da haben sie doch ein Fahrzeug erwischt! Drüben die ‚*Senja*'!"

Es ist das kleine, moderne norwegische Fischereischutzboot, das am Tage des Einlaufens der Zerstörer von „*Anton Schmitt*" angehalten und nach Narvik zurückgeschickt wurde. Motorboote eilen herbei und schleppen das Fahrzeug ab.

„Geht da nicht einer 'runter, Herr Kaptän?" ruft erregt der Signalmaat der Wache.

Er zeigt auf eins der Flugzeuge, das dicht am Hang hingleitend tiefer und tiefer sackt und schließlich nicht mehr zu sehen ist.

„Abschuß!" meint strahlend ein Ausguck und auch der AO im Leitstand ist der gleichen Meinung.

Spätere Meldungen besagen, daß wahrscheinlich ein Bootsmaat mit einem der 2 cm-FlaMG's an Land die Maschine herunterholte. Die übrigen acht vermeiden heftig kurvend die Abwehr und ziehen sich in Richtung des West-Fjords über die Berge hinweg zurück. Das heftige Fla-Feuer, vor allem der Zerstörer, hat einen ungestörten Zielflug verhindert.

Auf der an der Erzpier liegenden „*Erich Koellner*" hat die Besatzung, natürlich außer den Geschützbedienungen, Befehl, bei Fliegeralarm in den am Hafen liegenden Steinhäusern Schutz zu suchen. Ein Teil der Männer eilt in einen halbfertigen Neubau in der Nähe der Pier. Sie stürzen in den dunklen Raum und sind froh, eine Deckung gefunden zu haben, die sicherlich besser ist, als die dünnen Eisenplatten eines Zerstörerdecks. Merkwürdig hart und uneben ist der Boden, aber das ist wohl bei Neubauten so. Während die Bomben herabpfeifen, gewöhnen sich ihre Augen allmählich an die Dunkelheit und ein Bootsmannsmaat lacht plötzlich schallend auf:

„Nanu? Was ist los?" fragt ärgerlich ein Matrosengefreiter. „Zum Lachen finde ich das nun gerade nicht!"

Er duckt sich unwillkürlich, als ganz nah eine heftige Detonation Staub und Dreck aufwirbelt.

„Mensch! Hast Du das große Loch in der Betondecke über Dir nicht gesehn? Und dann guck' 'mal auf Deine Latschen! Worauf stehn wir denn, Du Lorbaß?"

„Meine Herrn! Auf der Munition, die von den Lords[1]) der ‚*Heidkamp*' hier 'reingeschleift wurde. Heiliger Bimbam!"

Die so nahe einschlagende Bombe hat draußen erhebliches Unheil angerichtet, den Matrosengefreiten Mechler getötet, den Matrosengefreiten Hecht schwer und vier weitere Besatzungsangehörige leicht verletzt. Sie konnten sich nicht mehr rechtzeitig in Sicherheit bringen, bleiben aber auch nicht lange ohne Hilfe. Unbekümmert um den Bombenregen kommt ein Lastkraftwagen zum Hafen herabgebraust. Stabsmaschinist Paul ist der Fahrer, der den schweren Wagen geschickt durch Schneewehen und über vereiste Stellen laviert. Er hat für zusätzliche Absteifungen Holz von einem Bauplatz besorgt, sieht die blutenden Männer im Schnee liegen und stoppt sofort. Auf sein Rufen eilen ein paar Matrosen herbei und helfen, die Verletzten auf den LKW zu schaffen. Paul wendet und bringt in halsbrecherischem Tempo die verwundeten Kameraden ins Krankenhaus.

Der Angriff dauert von 18 Uhr 50 bis 20 Uhr 05. Keiner der Zerstörer wird getroffen, aber einige Bomben, die den beiden am Malmkai liegenden Booten galten, fallen auf die an der Pier vorbeiführende Straße, töten 8 und verwunden 20 Mann.

Das britische Seekriegswerk, das diesem Angriff nur sechs Zeilen einräumt und das ausführliche Buch „Narvik" des damaligen Zerstörerkommandanten, Captain Macintyre, sagen nichts über den Abschuß eines der Flugzeuge. Möglicherweise war die deutsche Beobachtung ein Irrtum, wie er beiden Seiten gelegentlich, aber unbeabsichtigt, unterlief. Nach den engli-

---

[1]) Üblicher Ausdruck der Seeleute untereinander.

schen Darstellungen spielt sich das Unternehmen folgendermaßen ab:

Die Admiralität in London gibt dem C-in-C der Home-Fleet, Admiral Forbes u. a. den Befehl, 2 angeblich in Narvik liegende Kreuzer und 6 Zerstörer durch Sturzbomber des Flugzeugträgers *„Furious“* anzugreifen. Der Angriff wird noch am selben Abend durchgeführt, jedoch sind die Vorbereitungen gleich unzulänglich wie alle anderen, die nach eigenem englischen Urteil „die ganzen Operationen in Norwegen zu einem Mißerfolg werden ließen.“

Vorherige Aufklärungsflüge werden nicht für nötig gehalten und unterbleiben. Es gibt kein ausreichendes Kartenmaterial. Die Flugzeugbesatzungen müssen sich auf Fotokopien von Seekarten ohne Höhenkonturen verlassen, die ihnen vom Flugzeugträger mitgegeben werden.

Als die Swordfish-Maschinen auf dem weit draußen stehenden Träger startklar gemacht werden, sind die hohen Berge drinnen im Fjord durch niedrig ziehende Wolken der Sicht entzogen. Unter der Wolkendecke wirbelt starkes Schneegestöber. Um 17 Uhr 00 nachmittags startet das erste Geschwader zu dem 150 Seemeilen langen schwierigen Flug nach Narvik. Die Besatzungen, die ihren ersten Gefechtseinsatz am vorigen Tag bei Drontheim erlebten, müssen stellenweise blind zwischen den steilen Hängen am Ofot-Fjord fliegen. Klare Sicht herrscht erst in dem Augenblick, als das Hafengebiet schon vor ihnen ausgebreitet liegt. Hoch in den blauen Himmel steigend, werden sie sofort von rasendem Abwehrfeuer verfolgt. Der englische Bericht erwähnt die ersten aus großer Höhe geworfenen Bombenserien nicht. Nach ihm kippen die schwerfälligen, keineswegs als Sturzbomber konstruierten Swordfish-Doppeldecker sofort ab und lassen ihre Bomben aus 400 und 130 m Höhe fallen, ohne, wie die Piloten nach der Rückkehr selbst angeben, Treffer auf ihren eigentlichen Zielen, den Zerstörern, zu beobachten.

Ein zweites Geschwader verläßt den Flugzeugträger eine halbe Stunde später. Das Wetter hat sich inzwischen durch Unsichtigkeit und Schneeböen so verschlechtert, daß der Verband Narvik überhaupt nicht findet und umkehren muß. Beide Geschwader landen erst nach Einbruch der Dunkelheit auf der vor dem West-Fjord wartenden *„Furious“*. Nebenbei ist dies für alle Teilnehmer die erste Nachtlandung, die sie durchführen.

Nach der Entwarnung fährt der Kommandant der *„Erich Koellner"* an Bord seines Bootes zurück. Dort läßt er die Offiziere in die Messe bitten. Auf dem Tisch liegt eine Spezialkarte des Narvikgebietes, die die Stadt, die Hafenbucht, die Nebenfjorde und den Ofot-Fjord bis zur Enge bei Breiviken zeigt.

„Bei diesem Ort hier sollen wir uns als Sperrbatterie hinlegen", erklärt der Kommandant.

Alle sehen gespannt zu, wie der Zeigefinger Schulze-Hinrichs das Nordufer des Ofot-Fjords entlanggleitend bei einer Stelle eben östlich vom Breiviken-Fjord anhält.

„Taarstad heißt das Nest. Kapitän Friedrichs von HL hat dort eine kleine Anlegebrücke festgestellt. Nur geringer Schutz gegen Sicht, dafür aber für uns gute Beobachtungsmöglichkeit und freies Schußfeld."

Er macht eine Pause, sieht suchend über die Offiziere und nickt dem TO, Oberleutnant March, zu:

„Leider hat die Torpedowaffe keine Chance. Der Flochef sagte mir, das Wasser dort ist zu flach, viel zu flach. Wir geben also noch heute nacht unsre Aale an *‚Bernd v. Arnim'* und *‚Georg Thiele'* ab. Heye! Die Entfernung Narvik-Taarstad beträgt rund 18 Seemeilen. Die beiden bekommen auch allen Brennstoff, den wir nicht mehr brauchen. Einer der Herrn noch eine Frage? IO? AO? "

Die Offiziere schütteln die Köpfe. Fragen gibt es hier nicht mehr.

„Das ist alles, meine Herrn!" schließt der Kommandant. „Uns bleibt noch eine Menge zu tun, also: 'ran an die Arbeit!"

Sehr nachdenklich verlassen sie die Messe. Taarstad also. Klingt ein bißchen nach Teer. Schön, denken sie. Munition haben wir genug. Das geht in Ordnung. Bis zur letzten Granate, falls wir nicht schon vorher zusammengeschossen werden. An uns soll's nicht liegen. Einem der Offiziere fällt ein Gemälde ein. Von Hodler. Eine Szene aus einer Schlacht der Schweizer Eidgenossen. Wie hieß es? Murren, Mürren? Egal, da stand ein Mann in mittelalterlicher Tracht, sehr aufrecht, blutüberströmt, standhaft. Er schlug wie rasend mit dem langen Zweihandschwert um sich, er deckte den Rückzug der anderen. So ähnlich wird es ja wohl werden.

Spät in der Nacht, um 23 Uhr 00, legt *„Erich Koellner"* noch einmal ab, läuft aus. Im stillen Ofot-Fjord wird unter sternenfunkelndem nordischen Himmel der beim Fliegerangriff des Nachmittags gefallene Matrosengefreite Mechler beigesetzt. In einer kurzen Ansprache gedenkt der Kommandant auch der Kameraden, die während der stürmischen Überfahrt von der See über Bord gerissen wurden.

Der Zerstörer läuft wieder ein, geht bei *„Bernd v. Arnim"*, danach bei *„Georg Thiele"* längsseits und gibt Torpedos und Brennstoff ab. Erst um 06 Uhr morgens am 13. April kann *„Erich Koellner"* nach einem ereignis- und arbeitsreichen Tag und einer ebensolchen Nacht am Malmkai festmachen. —

Noch am Abend des 12. April sehen die wenigen am Hafen herumstehenden Einwohner von Narvik ein großes schlankes U-Boot einlaufend zwischen den Dampfern hindurchmanövrieren und bei *„Jan Wellem"* längsseit gehen. Es ist *„U 64"*, eins der Boote der I. Gruppe. Der Kommandant, Kapitänleutnant Wilhelm Schulz, meldet sich sofort beim FdZ. Was er aus seinen Erfahrungen berichtet, ist das gleiche, das schon Kapitänleutnant Sohler von *„U 46"* dem Flottillenstab klarzumachen versuchte.

„Im übrigen", fügt der U-Bootskommandant hinzu, „habe ich am Eingang des West-Fjords abgeblendete Fahrzeuge beobachtet. Hauptsächlich wohl Zerstörer, genau war der Typ nicht auszumachen. Das ganze Gebiet dort wird stark bewacht und dabei versucht, eine Art Scheinwerfersperre zu bilden."

Fregattenkapitän Bey sieht triumphierend die Offiziere seines Stabes an. Sein Blick zeigt deutlich, daß er in dieser Feststellung eine Bestätigung seiner Ansicht zu finden glaubt, daß jeder Durchbruchsversuch erfolglos bleiben müsse. —

In der Nacht vom 12./13. April übernimmt *„Hans Lüdemann"*, das Führerboot der 3. Z-Flottille, den Vorpostendienst. Der Flottillenchef, Fregattenkapitän Gadow, macht schon während des Auslaufens in den Ofot-Fjord eine wichtige Beobachtung, die er sofort dem FdZ durch Funk und zwar auf der Vorpostenwelle meldet:

„Behelfsmäßige Befeuerung bei Framnes am Hafeneingang bei Klejwa und auf ausgebranntem Wrack des auf Strand gesetzten deutschen Dampfers *‚Bokenheim' anscheinend* für Einlaufen feindlicher Streitkräfte eingerichtet."

Der Funkspruch erreicht Fregattenkapitän Bey nie. Grund sind wohl die in dieser nordischen Bergwelt oft und unberechenbar auftretenden Störungen. So gelingt es beispielsweise auch der Funkstelle der 3. Gebirgsdivision nicht, ihre vorgesetzte, inzwischen von Hamburg nach Oslo verlegte Dienststelle, die Gruppe XXI, zu erreichen. Die Jäger müssen den gesamten Funkverkehr über die Marine abwickeln.

Um 01 Uhr 44 bringt einer der Offiziere des Flottillenstabes dem FdZ einen Funkspruch der Marinegruppe West in die Kammer. Er enthält die Übermittlung einer Fernaufklärungsmeldung der Luftwaffe über 1 großes Schiff — Typ wird nicht genannt, und 7 bis 8 Zerstörer, die im West-Fjord gesichtet wurden.

„Sehn Sie", bemerkt Fregattenkapitän Bey, „da haben wir ja die Bestätigung von dem, was der Kommandant von *„U 64"* berichtete! Wir können aber nicht mehr tun, als getan worden ist. HL steht draußen und der Gadow wird schon melden, wenn die Engländer angreifen sollten. Außerdem sind auf allen Zerstörern die Kriegswachen aufgezogen."

Ein einzelner Zerstörer auf Vorposten, die anderen zusammengedrängt im Hafen von Narvik: so warten die deutschen Boote in der Nacht des 12./13. April auf den kommenden Tag.

Draußen aber, über den grauen Wassern des West-Fjords, ziehen sich dunkle Schicksalswolken zu einem Unwetter zusammen. Fernes dumpfes Grollen verkündet das schwere, unheilvolle Gewitter, das am Tage mit Blitz und Donner vernichtend hereinbrechen wird.

Gegenmaßnahmen der Engländer. Admiral Whitworth greift ein. „Minen!" Commander McCoy's Funkspruch und seine Folgen. Eine vergebliche Jagd. „Penelope" fällt aus. Der Operationsplan für den Angriff auf Narvik.

Es ist interessant und aufschlußreich, die Maßnahmen zu untersuchen, die von englischer Seite zur Vernichtung der in Narvik vermuteten 2 Kreuzer und 6 Zerstörer getroffen wurden. Auch hier Unsicherheit und Irrtümer, ein hin und her von Befehlen und Gegenbefehlen. Mit dem Unterschied, daß es im Gegensatz zur klugen und richtigen Führung durch die Marinegruppe West auf deutscher Seite, die Admiralität in London war, die durch ihre Einmischung unter Umgehung der Seebefehlshaber, Unruhe stiftete und ungenügend vorbereitete Operationen veranlaßte.

Die Unsicherheit in London schwand am Abend des 10. April. Es ist kaum zweifelhaft, daß der Streit der Ansichten mit dem Auftreten Churchills endete, der niemals ein Freund halber Maßnahmen war. Als er am Abend des 10. nach seinem üblichen Nachmittagsschlaf frisch und tatendurstig im War Room erschien, ging kurz danach ein Funkspruch an die mit ihren Zerstörern vor dem West-Fjord stehende *„Penelope"*. Er scheint den Stempel des großen Mannes zu tragen.

„Wenn anhand der Erfahrung von heute morgen[1]) Angriffsunternehmung vertretbar, im Narvikgebiet verfügbare Zerstörer sammeln. Gegner heute Nacht oder morgen früh angreifen!"

Der Kommandant des Leichten Kreuzers, Captain Yates, antwortet 00 Uhr 10 mitternachts:

„Erachte Angriff für gerechtfertigt, obwohl Überraschungsmoment ausfällt. Navigation durch Wracks heute versenkter Schiffe gefährdet, sie verhindern Aussicht auf erfolgreichen Nachtangriff. Vorschlage Morgendämmerung Freitag, 12. April anzugreifen, da Operationsbefehle wegen gegenwärtiger Standorte der Patrouillenzerstörer nicht mehr für morgen ausgestellt und abgegeben werden können.

Diese Einstellung ist befremdend und steht in starkem Gegensatz zur Tatkraft und zum Wagemut des am Morgen gefallenen Chefs der 2. Zerstörerflottille. Warburton-Lee hatte sich weder durch unzulängliche Befehle, noch eine äußerst ungünstige Wetterlage abschrecken lassen. Zwei Punkte des Funkspruches sind unverständlich. Erstens ist nicht einzusehen, warum die Navigation, die doch in erster Linie nie den Anmarsch durch West- und Ofot-Fjord berücksichtigen mußte, ausgerechnet durch die im Hafen von Narvik liegenden Wracks behindert sein würde. Zweitens ist unbegreiflich, warum Operationsbefehle erst umständlich ausgefertigt und ihre Übermittlung einen derartig langen Zeitraum erfordern sollte. Captain Yates hatte offenbar, wie die englische Darstellung selbst urteilt, das berühmte Nelson-Wort vergessen: „Lose not an hour! — Verspiele nicht eine einzige Stunde!"

---

[1]) d. h. der Erfahrung des Überfalls der 2. Zerstörerflottille auf Narvik

Die hierdurch entstandene Verzögerung schenkte den deutschen Zerstörern einen weiteren Tag, den sie prompt und eifrig zur Brennstoffergänzung und Ausbesserung der Gefechtsschäden nutzten!

Für den Frontbefehlshaber, Admiral Whitworth auf *„Renown"*, ist die Art, wie die Admiralität wieder über seinen Kopf hinweg mit dem ihm unterstellten Kreuzerkommandanten verkehrt, kränkend. Er fühlt sich übergangen und äußert das unmißverständlich seinem Stab gegenüber:

„Sie haben ja die Funksprüche, die wir ebenfalls abhörten, gesehn. Mir fallen nun auf Grund der geplanten Maßnahmen statt einer fest umrissenen, drei verschiedene Aufgaben zu: ich soll das Auslaufen des Gegners verhindern, ich habe jeden deutschen Nachschub unmöglich zu machen und obendrein auch noch Narvik anzugreifen!"

„Gerade diese unsichere und ungeklärte Lage, in der wir uns befinden, fordert meines Erachtens besonders klare und unzweideutige Befehle. Und die bekommen wir nicht. Leider."

Der Admiral, gewohnt als ehemaliger Zerstörerführer schnell und energisch zu handeln, läßt sich Papier und Bleistift reichen:

„Ich glaube, es ist im Interesse unserer Aufgabe besser, der Admiralität meine Ansicht als Frontbefehlshaber auseinanderzusetzen. Die Herrn am Trafalger Square können das vom grünen Tisch einfach nicht beurteilen."

Der Funkspruch hat folgenden Wortlaut:

„Die *‚Penelope'* erteilten Befehle überschneiden sich mit der vorher offiziell geäußerten Ansicht, wichtigstes Objekt sei Verhinderung der Verstärkung deutscher Narvikstreitkräfte über See, mit der ich übereinstimme. Weitere Schiffsverluste meiner Streitkräfte, die möglicherweise bei Angriff auf Narvik eintreten, schlössen Erreichen vordringlichsten Zieles aus."

Aber die Admiralität läßt sich nicht umstimmen. Sie billigt den Vorschlag Captain Yates', den Angriff in der Morgendämmerung des 12. April, also des übernächsten Tages, auszuführen.

Ein lächerlicher Zufall will, daß die britischen Zerstörer in der Nacht vom 11./12. April, derselben, in der Fregattenkapitän Bey den vergeblichen Durchbruchsversuch mit *„Wolfgang Zenker"* und *„Erich Giese"* unternimmt, ein Erlebnis haben, dessen Folgen sich ähnlich auswirken wie das Sichten des Gegners auf dem FdZ. Die Engländer stehen in Ausübung ihres Patrouillendienstes am Abend des 11. nach Einbruch der Dämmerung eben außerhalb der Enge des Ofot-Fjords bei der Insel Baroey. Commander McCoy, Kommandant der *„Bedouin"*, ist rangältester Offizier und führt. Im gleichen Gebiet hält sich gemäß des Befehls, die Engen des Fjords zu bewachen, das deutsche U-Boot *„U 25"*, Korvettenkapitän Schütze, auf. Er ist einer der später berühmt gewordenen Kommandanten, zuletzt Führer der U-Bootsausbildung. Er sichtet die beiden ahnungslosen Zerstörer und macht auf jeden einen Torpedo los. Das ganze Boot hört einwandfrei zwei Detonationen und Schütze nimmt mit Recht an, er habe die Briten versenkt, zum mindesten schwer beschädigt. Nähere Beobachtung ist wegen der Dunkelheit nicht möglich.

Aber es sind Magentorpedos. Sie zünden harmlos, wie es in diesen Tagen häufig geschieht, wahrscheinlich als Oberflachläufer.

Auf der Brücke der *„Bedouin"* ist man anderer Ansicht. Als die nahen Feuerschläge der Detonationen aufflammend durch die Nacht donnern, läßt McCoy sofort stoppen.

„Minen!" erklärt er seinem Navigationsoffizier. „Klar, daß die Jerries die Enge vermint haben. Hätt' ich mir denken können!"

Vorsichtig manövriert er aus der vermeintlichen Minensperre heraus und läuft nach Westen ab. Er steht jetzt dicht unter der Küste der nahen Insel Baroey, die die Wachen mit ihren Doppelgläsern genau beobachten. Auch die E-Meßgeräte drehen sich und suchen die dunklen Uferlinien ab. Bewegen sich nicht Menschen da drüben? Zahlreiche Menschen? Merkwürdig, diese Regsamkeit mitten in der Nacht. Genaueres ist nicht auszumachen, aber sicherlich sind das deutsche Soldaten. Norweger laufen nachts nicht haufenweise herum. Commander McCoy hat Phantasie und zieht seine Folgen:

„Unglaublich, diese Deutschen! Sehn Sie den Betrieb dort?"

„Aye, aye, Sir!" beeilt sich der NO pflichtschuldigst zu versichern, der nun selbst drüben auf der Insel eine gewisse Bewegung wahrzunehmen glaubt.

„Voll besetzte Küstenverteidigung der Jerries mit allem, was dazu gehört!" belehrt ihn der Commander. „Daher auch diese von Land elektrisch kontrollierte Minensperre. Und das in drei Tagen aufgebaut. Hoffentlich noch keine schwere Küstenartillerie!"

„Die hätte längst gefeuert, Sir!" beruhigt der NO. „Bestimmt!"

„Scheint so. Mit einem Überraschungsangriff auf Narvik, wie ihn die 2. noch machen konnte, ist's aus. Keine Chance mehr."

Was der Commander und seine Männer auf Baroey eigentlich beobachtet haben, ist nie geklärt worden. Deutsche jedenfalls nicht, die Insel war noch unbesetzt.

Die Zerstörer laufen weiter den West-Fjord hinab. Dabei treffen sie auf die beiden deutschen Boote unter Fregattenkapitän Bey, die von ihnen allerdings nicht bemerkt werden.

Commander McCoy macht dem Kreuzerkommandanten eine ausführliche Meldung. Captain Yates wandelt sie in einen schleunigen Funkspruch um, nicht etwa an Admiral Whitworth, sondern direkt an die Admiralität, und setzt hinzu, daß er die Ansicht des Zerstörerkommandanten teile. Daraufhin wird man in London wieder unsicher. Die einen meinen, man müßte schließlich den Beobachtungen eines Frontführers zustimmen, die anderen trauen der Richtigkeit eben dieser Beobachtungen nicht. Sollten die Deutschen dort wirklich schon Minen geworfen und eine Küstenverteidigung aufgestellt haben? Trotzdem läßt die Antwort nicht lange auf sich warten. Yates zieht die Augenbrauen hoch, liest und teilt den Inhalt seinem NO mit:

„Wissen Sie, was die klugen Herrn sagen? Wir sollen alle Vorbereitungen für einen Angriff treffen für den Fall, daß er trotz meines Funkspruchs doch noch befohlen würde. Well, warten wir also."

Während *„Penelope"* tatenlos vor dem West-Fjord auf und ab steht, übermittelt Commander Wright von *„Hostile"*, die nach dem Gefecht die schwer angeschlagene *„Hotspur"* zum Skjel-Fjord geleitete, Admiral Whitworth recht merkwürdige Nachrichten. Die Besatzung des Zerstörers, die natürlich Verbindung mit dem Land unterhält, hat so allerlei aufgeschnappt. Spätabends am 10. bespricht der Admiral mit seinem Stab und dem Kommandanten des Flaggschiffs, den gerade eingegangenen Funkspruch:

„Endlich 'mal eine Meldung", sagt er, „die von einem meiner Kommandanten tatsächlich an mich und nicht an den

C-in-C oder die Admiralität abgegeben wurde! Immerhin, was Wright da sagt, ist wichtig. Offenbar beeilt sich jetzt die norwegische Polizei, uns mit Nachrichten über deutsche Schiffsbewegungen zu füttern. Sie hat am 10., also heute, ein Kriegsschiff — Typ leider nicht angegeben, im Tennholm-Fjord gesichtet. Weiß jemand, wo das ist?"

Captain Simeon, der *„Renown"*-Kommandant, hat die Karte im Kopf:

„Von hier etwa 50 Seemeilen südlich, Sir!"

„Aha, danke. Dort soll auch ein großer Tanker liegen. Wartet auf einen Lotsen, der ihn nach Narvik bringen kann. Was ist los, Flags, warum grinsen Sie?"

Der Flaggleutnant, der sich hinter dem breiten Rücken des Kommandanten sicher glaubte, setzt schleunigst sein Dienstgesicht wieder auf:

„Verzeihung, Sir! Ich dachte nur, da kann er lange warten, das machen die Lotsen nicht mehr."

„Möglich. Umso besser! Weiter: am Eingang zum West-Fjord bei Bodoe, in der Nähe unserer Minensperre, sind nach Angabe der Polizei, beziehungsweise ihrer Gewährsmänner, mehrere große Transporter eingetroffen. Scheint durchaus glaubwürdig. Nachschub für die Deutschen in Narvik. Das sind Aufgaben für Yates, die er mit *‚Penelope'* schnellstens erledigen muß. Ist jetzt wichtiger als ein Angriff auf den Hafen mit zweifelhaftem Erfolg. Ich werde ihm die nötigen Befehle geben."

Er überlegt kurz, schreibt, streicht ein paar Worte, setzt andere über die Zeile und liest vor:

„Lotsen bei Tranoey nehmen. Mit 2 Zerstörern bei Bodoe gemeldete Transporter angreifen, danach versuchen, Tanker im Tennholm-Fjord zu nehmen."

Er sieht auf, einer der Offiziere des Stabes hat die Hand erhoben und macht einen Vorschlag:

„Wollen Sie Captain Yates nicht lieber noch einen Hinweis auf die Dringlichkeit geben, Sir!"

„Richtig! "stimmt der Admiral zu und reicht das Blatt hinüber.

„Setzen Sie hinzu: Angriff auf Transporter hat Vorrang vor Angriff auf Narvik!"

In der Frühe des 11. wird der Funkspruch an den Kreuzer abgegeben. Captain Yates führt den Befehl sofort aus. Er läuft mit den Zerstörern *„Eskimo" und „Kimberley"* zunächst nach Tranoey. Das ganze erweist sich dann jedoch in der Folge als das, was man in England eine „Wild Goose Chase", eine Jagd auf wilde Gänse nennt. Eine vergebliche natürlich. Tranoey hat im Augenblick keinen Lotsen verfügbar. Also setzt Captain Yates seinen Marsch weiter nach Süden fort, um wenige Meilen von Bodoe sein Glück bei der Lotsenstation Fleinvaer zu versuchen. Er ist entschlossen, schlimmstenfalls seine Aufgabe auch ohne Lotsen durchzuführen. Er hätte es nicht tun sollen.

Um 16 Uhr 00 nachmittags läuft *„Penelope"* auf einen Felsen und wird schwer beschädigt. Dem Zerstörer *„Eskimo"* gelingt es nur mit Mühe und unter größten Schwierigkeiten, sie wieder frei zu bekommen und in den Skjel-Fjord abzuschleppen. Schäumend vor Zorn stellt Captain Yates fest, daß sein Kreuzer für den weiteren Verlauf der Norwegenunternehmung außer Gefecht gesetzt ist.

„Kimberley" geht dem Befehl folgend nach Bodoe. Sie muß dort zu ihrer Enttäuschung erfahren, daß bisher nur ein einziges deutsches Handelsschiff dort gewesen ist und zwar der Nachschubdampfer *„Alster"*[1]) der Ausfuhrstaffel. Aber der ist schon am Morgen des gleichen Tages von dem britischen Zerstörer *„Icarus"* angehalten und genommen worden.

„Diese norwegischen Bobbies haben Gespenster gesehn! Damn it all!" flucht der Kommandant der *„Kimberley"*, als er zum West-Fjord zurückläuft. „Statt der fetten Jerriedampfer und der Prisengelder nichts als ein außer Gefecht gesetzter Kreuzer und eine Menge Brennstoff verfahren. Polizei jagt Royal Navy in der Weltgeschichte herum. Komischer Krieg das!"

Aber nun ist der C-in-C mit der Home-Fleet in Anmarsch. Admiral Forbes hatte mit 18 Torpedoflugzeugen der *„Furious"* die in Drontheim vermuteten deutschen schweren Streitkräfte angreifen wollen. Die Maschinen, die um 05 Uhr 00 morgens starteten, fanden nur noch 3 Zerstörer vor, von denen sie 2 erfolglos angriffen. Die Home-Fleet kam zu spät. Anstatt, wie beabsichtigt, mitten in die Ausschiffungsmanöver der deutschen Streitkräfte zu stoßen, mußte der C-in-C einsehen, daß

---

[1]) 8570 BRT

er den Augenblick, in dem der Gegner am verwundbarsten und praktisch wehrlos war, bereits verpaßte.

Admiral Forbes läuft nach Norden, um seine Trägerflugzeuge nunmehr auf Narvik anzusetzen. Am frühen Morgen des 12. stößt Admiral Whitworth mit den Schlachtkreuzern *„Renown"* und *„Repulse" zu ihm.* Der Verband soll den für den Nachmittag angesetzten Luftangriff decken. Der Verlauf dieser Operation ist bereits geschildert worden.

Die Admiralität, ungeduldig und unruhig, daß nichts geschieht, hat wieder das Gefühl, etwas veranlassen zu müssen. Sie sendet einen Befehl an den C-in-C, nunmehr mit einem Schlachtschiff unter starkem Zerstörergeleit gegen den Hafen vorzugehen. Sie verlangt ferner, daß die Sturzbomber der *„Furious"* gleichzeitig mit den Seestreitkräften eingesetzt werden.

Der Funkspruch erreicht den C-in-C während des von ihm selbst angesetzten Angriffs der Swordfish-Maschinen. Admiral Forbes macht sich mit seinem Stab sofort daran, die nötigen Operationsbefehle für den Morgen des 13. April auszuarbeiten. Dem so oft übergangenen Admiral Whitworth wird die Führung übertragen. Auf Befehl des C-in-C verläßt er *„Renown"* und setzt seine Flagge auf dem Schlachtschiff *„Warspite"*[1]), das zusammen mit den Zerstörern *„Bedouin"*, *„Punjabi"*, *„Eskimo"* und *„Cossack"*[2]) *„Kimberley"*[3]), *„Hero"*[4]) *„Foxhound"* und *„Forester"*[5]) sowie *„Icarus"*[6]) die Unternehmung durchführen soll.

Der Verband hat am 13. April um 08 Uhr 30 etwa 100 Seemeilen vor Narvik zu sammeln und von dort seinen Vormarsch den West- und Ofot-Fjord hinauf anzutreten. Als Marschformation wird befohlen: einige Zerstörer laufen mit ausgebrachten Minensuchgeräten voraus, eine Folge der Meldung McCoys, die anderen sichern das Schlachtschiff.

Noch während der Vorbereitungen des kombinierten See- und Luftangriffs läuft am 12. ein Funkspruch der Admiralität

---

[1]) 30 600 t, 8—38,1 cm, 8—15,2 cm, 8—10,2 cm, 4—4,7 cm, 32—4 cm, 16 Fla-MG, 4 Flugzeuge, 24 kn.

[2]) 1870 t, 6—12 cm, 4—4 cm, 4 Fla-MG, 4 Torpedorohre 53,3 cm, 36,5 kn.

[3]) 1690 t, 6—12 cm, 4—4 cm, 8 Fla-MG, 10 Torpedorohre, 53,3 cm, 35 kn.

[4]) 1340 t, 4—12 cm, 8 Fla-MG, 8 Torpedorohre, 53,3 cm, 35,5 kn.

[5]) 1350 t, 4—12 cm, 8 Fla-MG, 8 Torpedorohre 53,3 cm, 35,5 kn.

[6]) 1370 t, 4—12 cm, 8 Fla-MG, 10 Torpedorohre 53,3 cm, 36 kn.

ein. Er enthält die Nachricht, daß ein Expeditionskorps unterwegs nach Narvik sei. Zunächst nur eine Vorausabteilung, ein halbes Bataillon einer Elitetruppe, nämlich der Scots Guards, das sich mit dem Military Commander, General Mackesy, an Bord des Leichten Kreuzers *„Southampton"* befindet, der aus Scapa Flow kommt und am 14. im Narvik-Gebiet stehen wird. Etwa zur gleichen Zeit hat der Leichte Kreuzer *„Aurora"* den Clyde verlassen. Er fährt die Flagge eines Admirals of the Fleet, des Earls of Cork and Orrery, der zum Naval Commander der Expedition ernannt worden ist. Da kein besonderer Oberbefehlshaber bestimmt wurde, fällt dem Earl wegen seines Ranges diese Aufgabe von selbst zu. Einen Tag später, am 15. April sollen 5 große Truppentransporter mit dem Rest der Garde sowie der 146. Brigade im Seegebiet von Narvik eintreffen.

Diese letzte Mitteilung veranlaßt den C-in-C sofort eine Sicherung abzuteilen. Er detachiert für den Schutz des mit N.P.1. bezeichneten Geleitzuges das Schlachtschiff *„Valiant"*, den Schlachtkreuzer *„Repulse"* und 3 Zerstörer.

Es ist eigenartig, daß die von Norwegen verbreiteten, aber völlig aus der Luft gegriffenen Gerüchte über eine Demoralisation der deutschen Truppen nach dem Angriff der 2. Zerstörerflottille sogar in London kursieren. Winston Churchill selbst drängt auf einen schnellen Transport des Expeditionskorps, um diesen Vorteil der angeblich gesunkenen Kampfmoral der Deutschen in Narvik auszunutzen. Aus diesem Grunde gibt er, wie die englischen Berichte erklären, dem Unternehmen den Tarnnamen *„Rupert"*. Dieser Rupert ist ausgerechnet von Geburt ein Deutscher, Sohn Friedrich V. von der Pfalz, der sich in englischen Diensten als schneidiger Reiter- und Flottillenführer im sogenannten Zivilkrieg auszeichnete!

In englischen Marinekreisen wird angenommen, daß nach Vernichtung der deutschen Seestreitkräfte Narvik dem britischen Landungskorps „wie eine reife Pflaume" in den Schoß fallen müßte. Das War Office und der von diesem ernannte Führer der Expeditionstruppen, Major-General J. P. Mackesy, teilen diese optimistische Auffassung jedoch keineswegs. In dessen Befehlen lautet ein Hauptsatz:

„Es ist nicht beabsichtigt, Sie angesichts ausgesprochenen Widerstandes zu landen!"

So vertreten die beiden Befehlshaber, noch dazu jeder auf einem anderen Kreuzer eingeschifft, durchaus verschiedene Ansichten über die vor ihnen liegende Aufgabe. Der Giftsamen des Gegensatzes der Auffassungen von Marine und Heer ist gesät und wird in der Folgezeit aufgehen und sehr unerwünschte Früchte tragen.

„Alarm!" Marinegruppe West warnt. „Erich Koellner" läuft aus. „Hermann Künne" gibt Alarm. Das Ende der „Erich Koellner".

Als der Morgen des 13. April graut, läuft wieder ein Boot der U-Bootsgruppe I, *„U 51"*, Kapitänleutnant Knorr, in den Hafen von Narvik ein und geht bei *„Jan Wellem"* längsseit. Vorräte sollen ergänzt, Hand- und Maschinenwaffen an die Truppen abgegeben werden.

Draußen im West-Fjord sind die englischen Streitkräfte im Anmarsch. Dunkelgrüne schlanke Zerstörer, hinter ihnen das massige Schlachtschiff mit der Vizeadmiralsflagge. Ihre Heckseen zeichnen weiße Streifen auf das dunkle Wasser des Fjords.

Auf *„Wolfgang Zenker"* eilt der FTO mit einem eben eingelaufenen Funkspruch zum FdZ. Es ist eine alarmierende Nachricht, die Fregattenkapitän Bey veranlaßt, die Offiziere seines Stabes schleunigst zu einer Besprechung bitten zu lassen. Er liest vor:

„Von Gruppe West. Heute nachmittag ist eine Aktion im Narvikgebiet von 2 Schlachtschiffen, 1 Flugzeugträger und 9 Zerstörern zu erwarten." Ein Blick auf die Armbanduhr. „Von uns aufgenommen um 10 Uhr 00. Falls die Meldung stimmt, bleibt uns wenig Zeit zu Vorbereitungen."

„Wird schon stimmen!" meint der Kommandant. „Das hat der B-Dienst sicherlich aus englischen Funksprüchen 'rausbekommen. Sonst würde die Gruppe das nicht mit solcher Sicherheit behaupten!"

Kapitän Bey nimmt den von einem Steuermannsmaaten angefertigten Hafenplan mit der Verteilung der 8 Zerstörer aus einer Schublade und legt ihn auf den kleinen Tisch der Kammer:

„*'Erich Koellner'* muß sofort 'raus!" befiehlt er dem Adjutanten.

„Winkspruch an Schulze-Hinrichs, sofort auslaufen nach — wie hieß der Ort noch?"

„Taarstad, Herr Kaptän."

„Also: Sperrbatterie bei Taarstad. Ferner an *‚Hermann Künne'*: Geleit fahren für EK. An die übrigen: bei Alarm Dampf auf in allen Kesseln, in die Nebenfjorde verteilen wie am 10. April."

Er macht eine Pause, streicht mit den Händen über die Karte:

„Zangenangriff wie damals", erklärt er und wendet sich an den Flottilleningenieur. „Fahrbereitschaft?"

„Alle fahrbereit außer *‚Georg Thiele'* und *‚Erich Giese'*, Herr Kaptän."

„Können die beiden bis 13 Uhr 00 soweit sein?"

Der Flottilleningenieur macht ein bedenkliches Gesicht:

„*‚Thiele'* wahrscheinlich ja, bei *‚Giese'* scheint mir das fraglich. Hat nur eine Maschine klar."

„Lassen Sie anfragen!" befiehlt Bey.

Es bleibt unverständlich, warum nicht sofort nach dem Eintreffen der Warnung der Marinegruppe West das Anheizen aller Kessel und damit die volle Fahrbereitschaft befohlen, sondern dies erst für den Fall eines Alarms angeordnet wird.

„Wir werden zusammen mit *‚Bernd v. Arnim'* auslaufen", fährt der FdZ fort. „EK wird sicher rechtzeitig melden, wenn die Engländer erscheinen."

Draußen klappert der Signalscheinwerfer. Blink- und Winksprüche übermitteln die Befehle an die einzelnen Zerstörer, während der FdZ mit seinen Offizieren alle Möglichkeiten einer Abwehr des bevorstehenden Angriffs bespricht. Nicht alle, denn den 4 oder 5 U-Booten, die sich im Narvikgebiet aufhalten, werden keinerlei Sonderanweisungen, weder zur Aufklärung noch zum Angriff gegeben.

Während der Stab über die Karte gebeugt Entfernungen abgreift und die Lage bespricht, macht der IAsto auf die leidige Munitionsfrage aufmerksam:

„Herr Kaptän, falls die Engländer wirklich angreifen, wird es zu einem längeren Gefecht kommen. Die Dotierung für jedes 12,7 cm Geschütz ist friedensmäßig 100, kriegsmäßig 120 Schuß. Das ist schon an sich nicht viel und am 10. ist allerhand verbraucht worden. Warum wir nicht die sonst fürs Ausland zuständigen 150 Schuß mitbekommen haben, weiß der Teufel! Und fast alle Zerstörer haben bereits nahezu die Hälfte ihres Bestandes verschossen."

„Von unseren Aalen ganz zu schweigen!" wirft der IIAsto ein. „Holtorf meldete, daß allein er acht losgemacht hat!"

Der Eintritt des von der Brücke kommenden Adjutanten enthebt den FdZ einer Bemerkung. Er winkt den Leutnant heran:

„Wie ist das mit *‚Koellner'* und *‚Künne'*? Laufen Sie schon aus?"

„*‚Koellner'* wirft die Leinen los, wird gleich ablegen. *‚Künne'* ist gerade beim Ankerlichten."

Der FdZ steht auf und verläßt die Kammer. Seinem Wink folgend begeben sich die Offiziere an Oberdeck. Es ist 11 Uhr 00 vormittags.

Auf *„Erich Koellner"* herrscht seit dem Morgen rege Tätigkeit. Im Lauf des Vormittags wird ein weiterer Teil der Besatzung abgegeben. Oberleutnant March, der TO, steigt mit seinen Leuten aus, ebenfalls der 1. Wachingenieur mit zusätzlichem Maschinenpersonal. Die 70 Mann treten auf der Erzpier an und werden vom Kommandanten und LJ verabschiedet. Kapitänleutnant Heye kommt ein Gedanke, er eilt in seine Kammer. Als er zurückkehrt, hat er sein großes Akkordeon unter dem Arm und stellt es neben den Flügelmann in den Schnee:

„Nehmt das mit, Kameraden! An Bord brauchen wir es nicht mehr, keine Zeit zum Singen. Macht's gut!"

Der Kommandant geht an Bord. Heye hastet hinter ihm her. Ein Pfiff des WO von der Brücke, die Stelling klattert eingezogen an Deck. Ein paar Matrosen begeben sich zum Loswerfen der Festmacher zu den Pollern. Anton, die Ankermanöverflagge, weht im Top des Vormastes. Maschinentelegrafen schnarren:

„Maschine Achtung!"

Der IO meldet dem Kommandanten den Zerstörer seeklar:

„Bis auf die Motorpinaß, Herr Kaptän. Konnte nicht eingesetzt werden, die Heißvorrichtung ist unklar. Sie liegt noch längsseit, soll sie ..."

„Soll loswerfen und folgen, Reitsch!" unterbricht Schulze-Hinrichs.

Der WO lehnt sich mit einem Megafon über die achtere Brückenreling:

„Kommandantenboot — folgen!"

Der Bootssteurer zeigt mit der Rechten klar. Prima, denkt er vergnügt. Selbständig das Boot zu fahren ist tausendmal besser als Ersatzmann an irgendeiner Kanone zu spielen. Und die Jolle? Die hängt sonst im Ladebaum neben dem vorderen Schornstein und wird zusammengeschossen, wenn sie uns beharken. Er läßt loswerfen, bleibt aber noch mit gestopptem Motor liegen.

Der WO greift zur Batteriepfeife, ein langer Pfiff gellt.

„Klar zum Manöver!"

Die Festmacher werden bis auf die Vorleine eingeholt. Nur noch von dieser gehalten, legt der Zerstörer langsam über den Achtersteven ab. Ein kurzer Pfiff:

„Leine los!"

Die letzte Verbindung mit dem Land ist abgebrochen. Die Maschinen gehen an. *„Erich Koellner"* nimmt Fahrt auf, dreht auf die Einfahrt zu. Als er *„Wolfgang Zenker"* passiert, setzt der Kommandant selbst die Batteriepfeife an die Lippen. Ein langer, ein kurzer Pfiff:

„Front nach Steuerbord!"

Die Seeleute, die an Oberdeck die Leinen aufschießen, richten sich überrascht auf, nehmen Front zum Flottillenboot und stehen still. Dabei schielen sie verwundert zur Brücke hinauf. Im Kriege ist diese Ehrenbezeugung im allgemeinen nicht üblich. Aber dann begreifen sie. Drüben auf *„Wolfgang Zenker"* steht der Flottillenchef, jetzt FdZ, mit seinem Stab an Oberdeck, legt die Rechte an die Mütze und grüßt. Die *„Koellner"*-Männer merken, daß hier etwas Besonderes geschieht, eine Ehrung, die niemand erwartet hat. Sie ahnen auch warum. Alle Torpedos sind abgegeben, kaum noch Brennstoff an Bord und nicht mehr seefähig, rund 100 Mann ausgeschifft. Wenn sie in diesem Zustand 'rausgeschickt werden, kann es sich nur um einen bestimmt gefährlichen Sonderauftrag handeln. Und wenn sie der FdZ sogar persönlich verabschiedet, Junge, Junge. Na, sie werden ja sehn!

Auch die 70 Mann auf dem Malmkai stehen still. Die beiden Offiziere grüßen. Sie wissen, daß sie ihr Boot, ihre bisherige Heimat und auch viele der Kameraden an Bord niemals wiedersehen werden.

Kurz nach 11 Uhr 00 ist die Hafeneinfahrt passiert, der Zerstörer dreht nach Backbord und läuft mit vorsichtig gesteigerter Fahrt den Ofot-Fjord hinab. Hinterdrein zottelt das

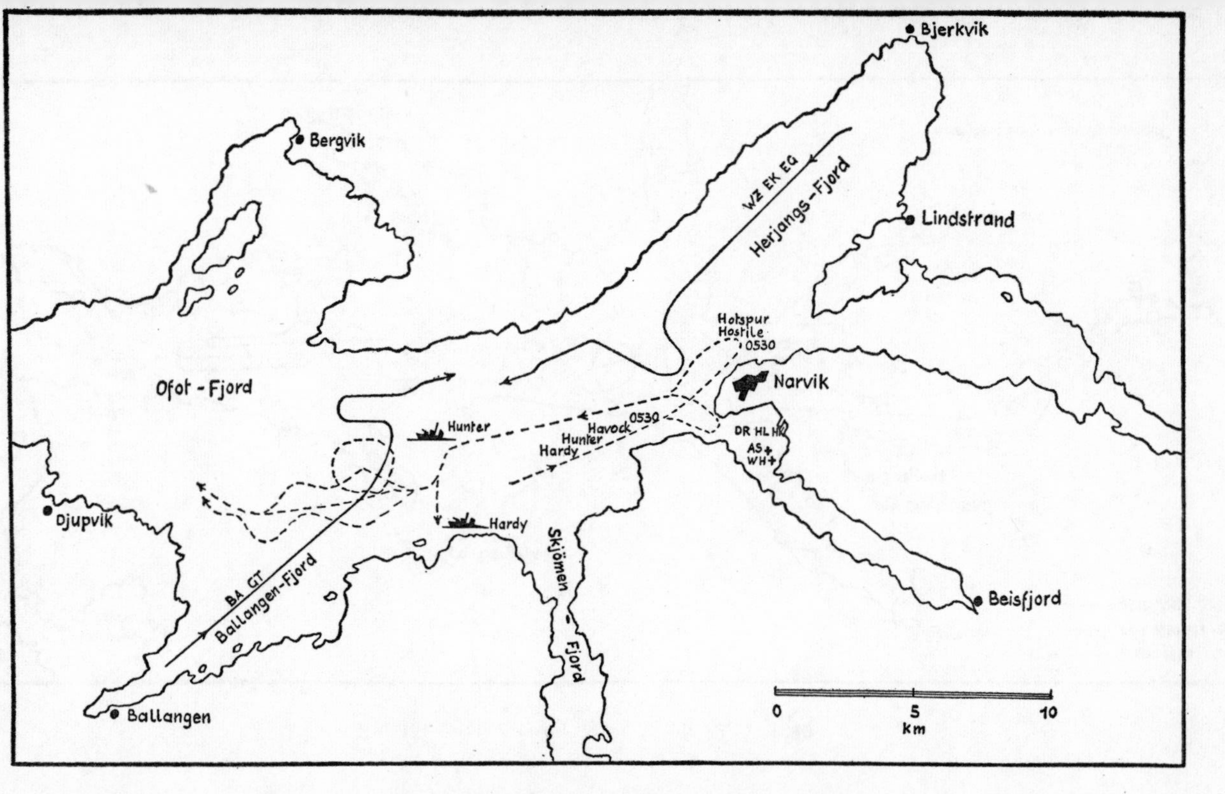

Zerstörergefecht vor Narvik am 13. 4. 1940

Zerstörergefecht vor Narvik am 13. 4. 1940

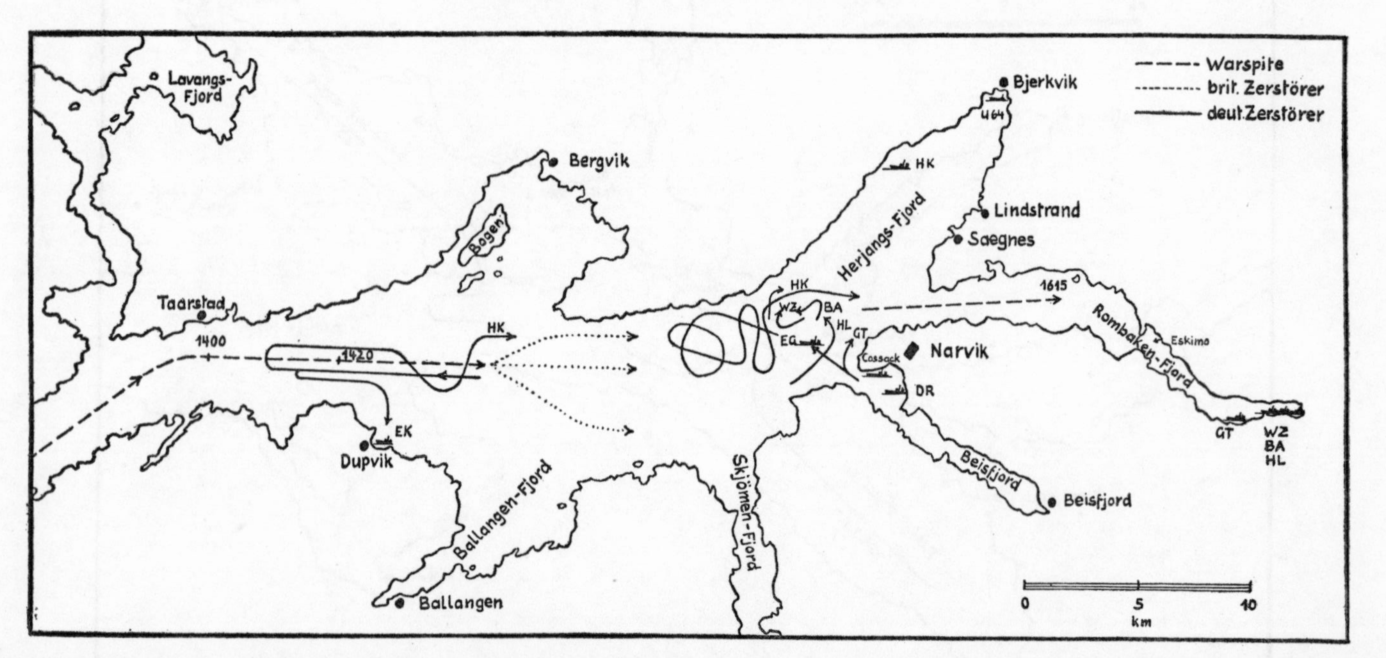

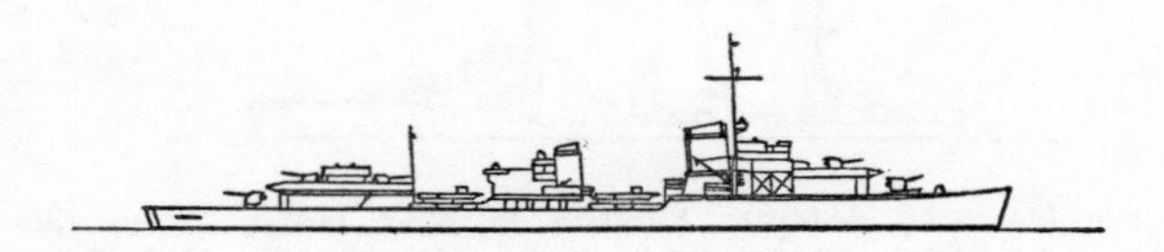

Dtsch. Zerst. Georg Thiele (35)
5—12,7; 4—3,7; 8TR—53,3; 2232 t; 38,2 kn; 114, 11,3, 3,8 m.

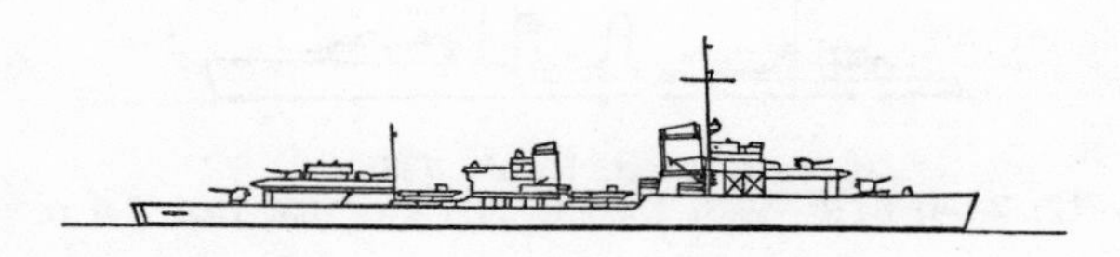

Dtsch. Zerst. Wolfgang Zenker, Bernd v. Arnim, Erich Giese, Erich Koellner (36—37)
5—12,7; 4—3,7; 8TR—53,3; 2270 t; 38,0 kn; 116, 11,3, 3,8 m.

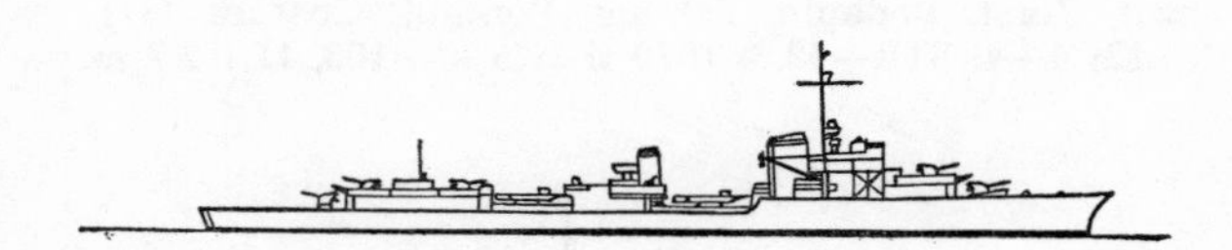

Dtsch. Zerst. Hans Lüdemann, Hermann Künne, Diether v. Roeder (37)
5—12,7; 6—3,7; 8TR—53,3; 2411 t; 38,0 kn; 120, 11,8, 3,8 m.

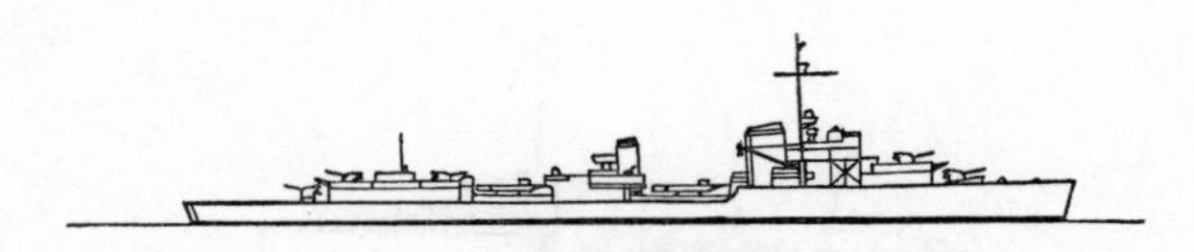

Dtsch. Zerst. Wilhelm Heidkamp, Anton Schmitt (38)
5—12,7; 6—3,7; 8TR—53,3; 2411 t; 38,0 kn; 120, 11,8, 3,8 m.

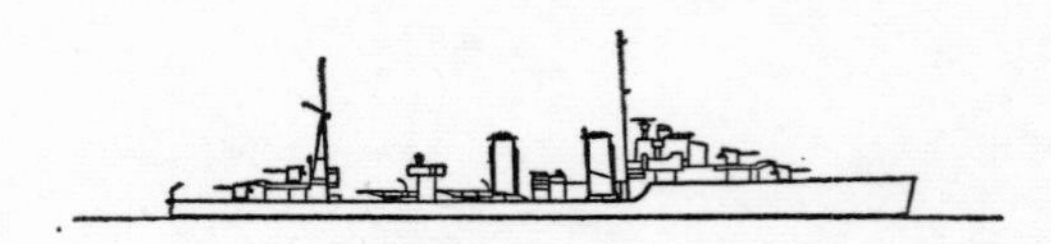

Brit. Zerst. Havock, Hotspur, Hostile, Hunter, Hero, Icarus (36—37)
4—12; 8TR—53,3; 1340/1370 t; 35,5—36,0 kn; 98, 10,0, 2,6 m.

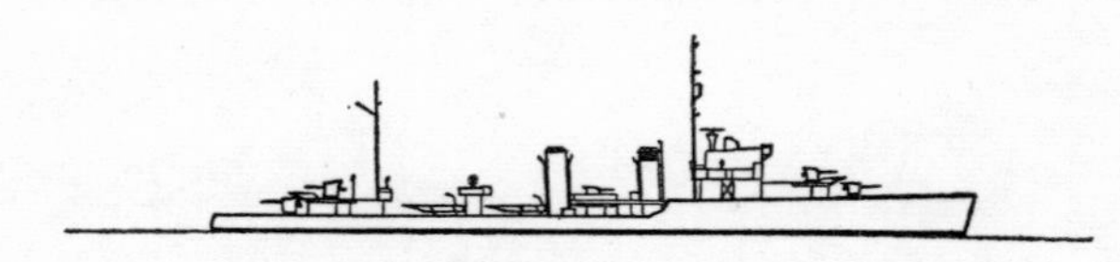

Brit. Zerst. Hardy (36)
5—12; 2—4; 8TR—53,3; 1505 t; 36,0 kn; 103, 10,4, 2,6 m.

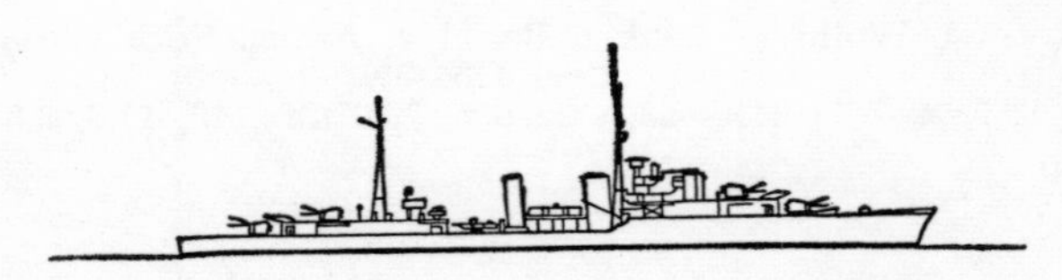

Brit. Zerst. Bedouin, Eskimo, Punjabi, Cossack (37)
8—12; 4—4; 8TR—53,3; 1870 t; 36,5 kn; 108, 11,1 2,7 m.

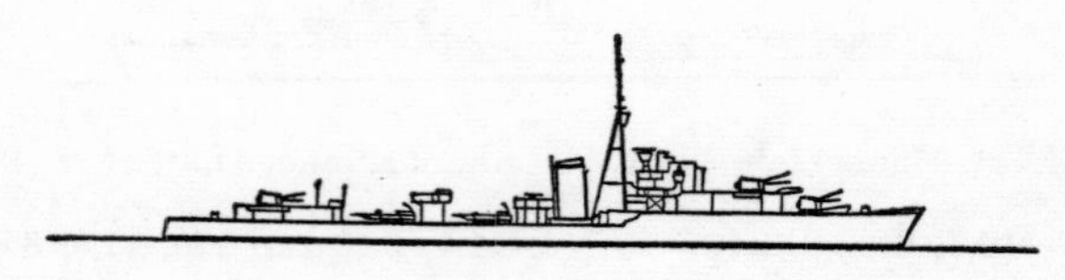

Brit. Zerst. Kimberley (38)
6—12; 4—4; 10TR—53,3; 1690 t; 36,0 kn; 106, 10,7, 2,7 m

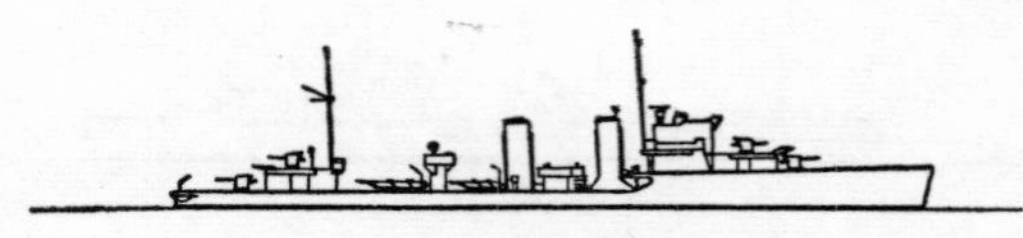

Brit. Zerst. Foxhound, Forester (34)
4—12; 8TR—53,3; 1350 t; 35,5 kn; 99, 10,2, 2,6 m.

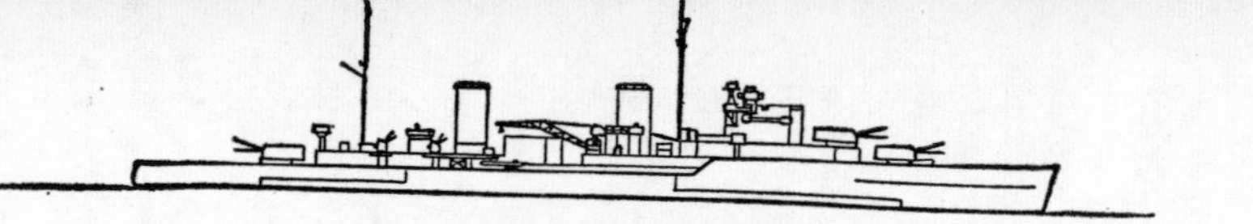

Brit. L.-Krz. Penelope (35)
6—15,2; 8—10,2; 2—4,7; 6TR—53,3; 1Flgz.; 5270 t; 32,2 kn; 152, 15,6, 4,2 m.

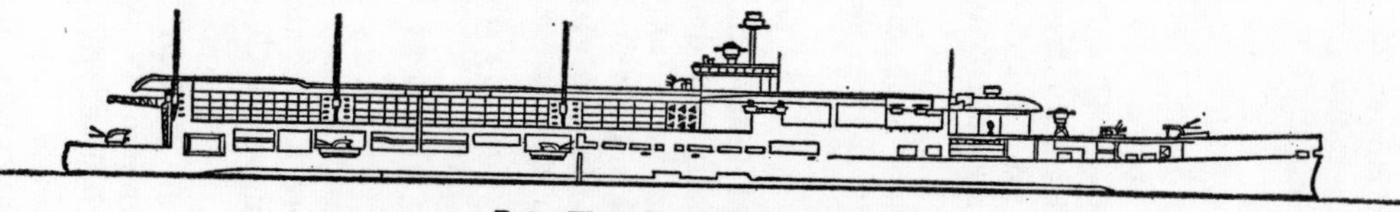

Brit. Flgz.-Tr. Furious (16)
12—10,2; 4—4,7; 24—4; 36Flgz.; 22 450 t; 31,0 kn; 240, 27,4, 6,6 m

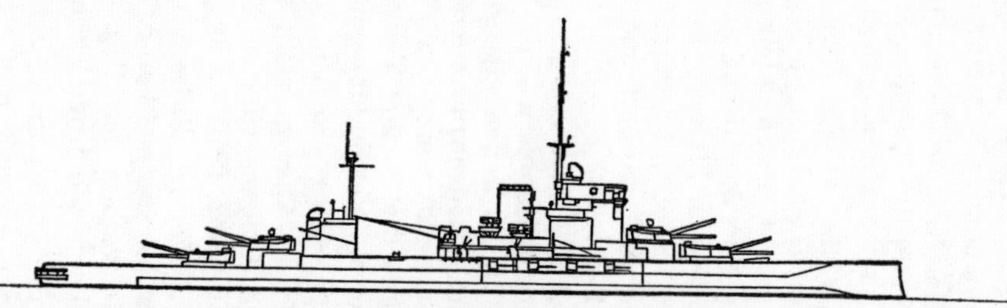

Brit. Schlachtsch. Warspite (13)
8—38,1; 8—15,2; 8—10,2; 4—4,7; 32—4, 4Flgz.; 30600 t; 24,0 kn; 183, 31,7, 9,3 m.

Kommandantenboot. Die sorgfältig ausgeführten Abstützarbeiten bewähren sich: es können 12 Meilen gelaufen werden. Narvik und die niedrigen Höhen bei Framnes bleiben weiter und weiter zurück, verschwinden allmählich, *„Hermann Künne"* kommt jetzt aus der Einfahrt und holt mit weißschäumender Bugsee auf.

Der Kommandant hält die Zeit für gekommen, seiner Besatzung die Aufgabe, die ihnen gestellt ist, bekanntzugeben. Er läßt auf dem Achterdeck antreten.

„Viele von euch", beginnt Schulze-Hinrichs, „werden schon wissen was anliegt. Hier die Einzelheiten. Wir gehen nach Taarstad, einem kleinen Ort im Ofot-Fjord, 18 Seemeilen von Narvik entfernt, und zwar als Sperrbatterie, als äußerster Vorposten für die anderen."

Er zeigt auf *„Hermann Künne"*, die mit hoher Fahrt an Backbord passiert und sich mit elegantem Manöver an die Spitze setzt.

„HK bringt uns nur hinaus. Auf der Höhe von Taarstad verläßt sie uns wieder. Wir sind dann ganz auf uns allein gestellt. Es liegen Nachrichten vor, daß der Engländer heute nachmittag anzugreifen beabsichtigt. Wenn wir nicht vorher überrascht werden, wird der LJ mit einem kleinen Landungskorps die dortige Telegrafenstation besetzen, den Ort selbst und die Verbindungswege nach Narvik erkunden."

Er macht eine Pause und beobachtet die Wirkung seiner Worte. Aber er sieht nur gespannte und eifrige Gesichter. Die Jungens sind in Ordnung, denkt er und atmet befreit auf. Dann fährt er fort:

„Jeder feindliche Vorstoß muß an uns vorbeiführen. Wir werden ihn melden, d. h. unsere Kameraden alarmieren, und wir werden den Gegner mit unseren Geschützen aufhalten, solange wir irgend können!"

Er blickt noch einmal über die Reihen der Seeleute, nickt ihnen zu und gibt dem IO einen Wink. Kapitänleutnant Reitsch legt die Hand an den Mützenschirm:

„Stillgestanden! Wegtreten!"

Seestiefel knallen bei der absichtlich guten Kehrtwendung auf das Eisendeck. Die Besatzung tritt auseinander. Die Gerüchte stimmen also doch, denken sie. Das mit dem FT-Spruch am Vormittag und die Geschichte mit der Sperrbatterie. Wenn die Engländer angreifen, sind wir also die ersten, die dran sind. Na, laß sie man kommen ...

Wenige Minuten danach geben die Alarmhupen Fliegeralarm. Als die Kriegsfreiwache an die Fla-Maschinenwaffen stürzt, feuert das Flugzeug mehrere Sterne.

„Schießt Erkennungssignal!" ruft der Signalmaat der Wache. „Wird beantwortet. Einwandfrei deutsche Maschine!" fügt er hinzu.

Es ist ein Flugboot, das kurz danach auf dem Fjord niedergeht und von einem schnellen Motorboot, das von Narvik heranbraust, abgeschleppt wird. Auf der Brücke werden noch Bemerkungen ausgetauscht, als einer der Ausgucks wenige Minuten später eine andere Maschine meldet, die voraus über den Bergen auftaucht.

„Fliegeralarm!"

Das hin und her kurvende Flugzeug hält sich jedoch außerhalb der Reichweite der Fla-Waffen. „Englischer Swordfish-Doppeldecker mit Schwimmern!" erklärt der Kommandant nach längerer Beobachtung. „Keine Trägermaschine, die hätte Räder. Vermutlich Bordflugzeug von einem der angekündigten Schlachtschiffe. Aha, verschwindet wieder, hat wohl genug gesehn."

„Tatsächlich Schwimmerflugzeug, Herr Kaptän?" fragt der IO zweifelnd.

„Unbedingt. Ich hab' die Dinger deutlich ausmachen können."

Sie schweigen. Lange kann es also nicht mehr dauern, denken sie ,bis die Engländer kommen. Hoffentlich liegen wir dann schon bei Taarstad.

„Was ist los?" fragt der WO einen der Ausgucks, der mit dem Doppelglas hartnäckig auf einen bestimmten Punkt unter dem Nordufer des Fjords starrt.

Der Matrosengefreite zögert noch, dann ist er seiner Sache gewiß und meldet:

„Sehrohr an Steuerbord, Richtung 125 Grad!"

„Hart Backbord! Erkennungssignal!"

Zum zweiten Male knallt die große Signalpistole, steigen die bunten Sterne gen Himmel. Noch während *„Erich Koellner"* abdreht, taucht das U-Boot auf, zeigt kurz seine Silhouette und verschwindet wieder.

„Deutsches!“ stellt der WO fest und tritt hinter den Rudergänger.

„Kielwasser Vordermann!“

Etwa drei Seemeilen voraus kommt Taarstad in Sicht. Unter dem verschneiten Berghang ducken sich verstreut ein paar Häuser. Telegrafenmasten zeigen den Verlauf einer Straße, und eben über dem Wasser ist der dunkle Strich eines Landungssteges zu erkennen. Sie sind seit einer Stunde unterwegs und jetzt kurz vor ihrem Ziel.

Kapitänleutnant Heye hat die Männer, die ihn an Land begleiten sollen, an Oberdeck antreten lassen und verteilt Handwaffen. Plötzlich horcht er auf und späht voraus.

Was war das? Geschützfeuer? Kurze, krachende Schläge und nachhallendes, von den hohen Bergen zurückgeworfenes dumpfes Rollen. Zu sehen ist nichts als die weit voraus stehende *„Hermann Künne“*. Aber jetzt! Rechts und links von ihr steigen plötzlich wie hingezaubert, weiße Aufschlagsäulen aus dem grauen Fjordwasser. Während sie zusammenfallen, grollt aus der Ferne die zweite Salve eines Gegners, den vorläufig die Berge noch verdecken. Eilige Schritte klappern den Niedergang zur Brücke hoch, atemlos erscheint der Adjutant:

„Herr Kaptän! Funkspruch von HK an 4. Flottille: „Alarm! Schwere Streitkräfte eindringen Ofot-Fjord!“

„Keine Typen angegeben? Anzahl?“

„Nein, Herr Kaptän, nichts weiter.“

„Hermann Künne“ hat den Feind bei dem klaren Wetter schon auf 220 Hektometer in Sicht bekommen.

Auf der Brücke der *„Erich Koellner“* beobachtet der AO, Oberleutnant Hackländer, die Aufschläge.

„HK dreht ab!“ ruft er, und kurz danach: „Hat Feuer eröffnet!“

„Hermann Künne“ von Aufschlägen umgeben, geht mit hoher Fahrt auf Gegenkurs. Schulze-Hinrichs wirft noch einen schnellen Blick auf den Zerstörer, der gleich an Steuerbord passieren wird und stürzt ins Kartenhaus. Er schiebt den Stabsobersteuermann Zimmermann beiseite, wirft einen Blick auf die Karte, ganz kurz nur, dann ist er bereits wieder draußen auf der Brücke. Er hat genug gesehen, die einzige sich bietende Möglichkeit klar erkannt. Er ruft dem WO zu:

„Hart Backbord! Nebelboje werfen, Kurs Djupvikbucht. Schnell!"

Zurück nach Narvik kann er nicht, der Gegner würde ihn sehr bald einholen. Mit dem lahmen Zerstörer ein Gefecht im offenen Fjord anzunehmen, wäre ebenfalls Wahnsinn. Taarstad liegt noch zu weit, die Djubvikbucht aber ist nah, von hier aus kann er die Aufgabe als Sperrbatterie zu wirken auch erfüllen. Überfallartig, gedeckt durch eine vorspringende Landzunge.

Noch während des Ruderlegens hat der WO die Umdrehungen gesteigert. Das leere Boot legt sich weit nach Steuerbord über und läuft mit Südostkurs zurück, auf die Küste zu. Hinter dem schmalen Heck quillt dichter, die Sicht verhüllender Nebel aus der in der Hecksee tanzenden Boje. Zehn Minuten nach der Kursänderung läßt Schulze-Hinrichs stoppen und etwa 1000 m von Land den Backbordanker fallen. Es ist 13 Uhr 00.

Um das Boot quer zum Wind und mit der Breitseite parallel zur Anmarschrichtung der Engländer zu halten, arbeiten die Schrauben mit geringen Umdrehungen weiter. So können alle Geschütze feuern. Oberfähnrich Bosse entert als Beobachter ins Krähennest. Er ist der einzige, der nun den schnell näher kommenden Feind sehen kann. Kaum oben angelangt, gibt er eine erste Meldung durch das Telefon zur Brücke:

„Etwa 12 Zerstörer, dahinter 1 Kreuzer, 1 Schlachtschiff!"

Eine irrtümliche Beobachtung, nur *„Warspite"* mit 9 Zerstörern läuft den Ofot-Fjord hinauf.

Dumpfer Geschützdonner dröhnt zwischen den Salven der englischen 12 cm Geschütze herüber.

„Schwere Artillerie, muß das Schlachtschiff sein!" meint der AO.

„Da! Da sind auch die Aufschläge, im Fjord vor Narvik. Riesenhoch, meine Herrn! 38er scheint mir."

Der Oberfähnrich meldet sich wieder:

„HK feuert ohne Unterbrechung mit den Heckgeschützen, läuft mit hoher Fahrt ab!"

In diesem Augenblick dreht das Kommandantenboot, das weit zurückgeblieben ist, auf die Djupvikbucht zu. Er wird längsseit gewinkt, bekommt einen Signalgasten und wird zur Beobachtung des Gegners zur Landzunge geschickt.

Oberleutnant Hackländer, obwohl Artillerist, flucht laut und lästerlich wegen der abgegebenen Torpedos:

„Diese verdammten Aale! Ungesehn könnten wir ihnen die beipuhlen sowie sie nur die Nase um die Huk stecken. Verfluchter Mist! Aber ich werde ihnen den Pelz mit meinen Kanonen ansengen, bis ich keine Granaten mehr habe. So ein Scheibenkleister!"

Der Gefechtslärm wird lauter. Hackländer eilt auf den Artillerieleitstand über der Brücke. Gerade kommen die ersten englischen Zerstörer frei von Land in Sicht. Voran *„Icarus"*, dann zwei, drei andere, immer mehr.

Schweigend, gespannt, starren Offiziere und Mannschaften auf die fremden Boote. Durch den Lärm des Artilleriefeuers, das die Engländer auf *„Hermann Künne"* unterhalten, und den Donner der Türme des noch unsichtbaren Schlachtschiffs, das irgendwelche Ziele bei Narvik beschießt, klingen die Geräusche des Ladens der eigenen 12,7 cm. Deutlich ist das Klirren zu hören, dann metallisches Klacken der dichtgeschlagenen Verschlüsse und die laut und eintönig von den BÜ's wiederholten Befehle des AO vom vorderen Leitstand. Warum wird noch nicht geschossen? Warum lassen ...

Da tönt von der Brücke laut, klar und scharf die Stimme des Kommandanten:

„Artillerie! Feuererlaubnis!"

Ein, zwei Sekunden später schrillt die Salvenglocke und die erste Breitseite donnert aus den bei der geringen Entfernung nur wenig erhobenen Rohren. Es ist 13 Uhr 09.

Die gleich darauf folgende zweite Salve liegt schon geschlossen am Ziel. Noch zwei, drei weitere heulen über den Fjord, ehe der Gegner merkt, daß diese Granaten nicht mehr aus den Heckgeschützen des von ihm gejagten Zerstörers kommen.

Ein englischer Bericht sagt, die Stellung der *„Erich Koellner"* sei vorher von einem Bordflugzeug der *„Warspite"* entdeckt worden und sie hätte nur gerade noch eine Salve herausbekommen. Diese Behauptung ist nach den Aussagen der Überlebenden falsch.

Es dauert mehrere Minuten, bis die Briten die Rohre nach Steuerbord schwenken und die ersten gelblichroten Abschüsse aufblitzen. Dann greifen weitere hinter der Landzunge auftauchende Zerstörer in das ungleiche Gefecht ein. Die Geschützführer der *„Erich Koellner"* schießen im Salventakt. Sie laden, feuern, laden, feuern, was aus den Rohren geht. Mit harten Gesichtern, zusammengepreßten Lippen sitzen die Nummern 1 und 2 auf den Richtsitzen. Augen an den Gummimuscheln der Zielgläser, Fäuste an den Handrädern für Höhe und Seite.

Der erste Treffer kracht in das Verkehrsboot unter dem Ladebaum neben dem vorderen Schornstein. Das Boot fliegt auseinander, im Schornstein klafft ein riesiges Loch. Splitter surren umher, prasseln gegen die Aufbauten und an Deck. Noch haben sie Glück: kein Ausfall! Unbeirrt feuern die GF's, Salve auf Salve verläßt im Takt der gellenden Feuerglocken die rauchenden Mündungen. Der ganze Zerstörer schüttert und bebt unter der Wucht der geschlossenen Breitseiten.

Ein anderer Treffer zerfetzt die Backbordbrücke, fegt Tote und Verwundete von den Gefechtsstationen. Hinter der Huk schiebt sich massig, schwer, fast schwarz die wuchtige, hohe Pyramide des Schlachtschiffs heran. Die Offiziere sehen hinüber, erkennen den alten, mehrfach umgebauten Veteranen aus der Skagerrakschlacht, die *„Warspite"*. Langsam schwenken deren Türme, bis die dunkeldrohenden Rohrmündungen auf *„Erich Koellner"* gerichtet sind. Aufbrüllend feuern die 38 cm. Rauch wirbelt empor, röhrender Donner grollt und fast gleichzeitig wachsen die ersten riesenhohen Aufschlagssäulen rings um den Zerstörer aus dem stillen Fjordwasser. Der Kommandant nimmt das Doppelglas von den Augen, dreht sich zum WO um:

„Immerhin! Wenn die bei uns einhauen ..."

In den Munitionskammern reißen sie die Granaten und Kartuschen aus den dunkelbraun polierten Holzracks, ununterbrochen rattern die Aufzüge. Die Munitionsmanner, Seeleute und Männer der Freiwache des technischen Personals arbeiten wie die Berserker, um die in schnellster Folge feuernden Geschütze rechtzeitig zu versorgen.

Ein dritter Treffer sprengt das Schutzschild des II. oberen Buggeschützes, das zertrümmert wird. Kartuschen entzünden sich, rote Flammen züngeln. Die Verbindung des vorderen Leitstandes zur Batterie fällt aus. Hackländer übergibt die Leitung der drei achteren 12,7 cm dem Leutnant Preuss und rast hinunter auf die Back zum I. Geschütz.

„Keine Munition, Herr Oberleutnant!" brüllt ihm die Bedienung schon von weitem entgegen.

„Vom II. Geschütz holen, liegt genug herum! Her damit!"

Matrosen eilen hinauf, jagen zurück. Das Artilleriedoppelglas mit dem Fadenkreuz und der Zahlenskala vor den Augen, baut sich der AO frei neben dem Schutzschild auf, läßt weiterfeuern, beobachtet die Aufschläge und gibt Verbesserungen.

Der unverwundet gebliebene Kommandant harrt noch immer auf der zerschossenen Brücke aus, sieht die tapfere Haltung seiner Besatzung und verfolgt die Wirkung des eigenen Artilleriefeuers. Vielleicht denkt auch er an die abgegebenen Torpedos, die er hier in geradezu idealer Schußposition auf das Schlachtschiff hätte losmachen können, auf die *„Warspite"*, die ihn, das weiß er nur zu genau, in wenigen Minuten zusammenschießen wird.

Des unvermeidlichen Endes gewiß, packen die Funker in fliegender Eile die Geheimsachen zusammen, schaffen sie an Oberdeck in Feuerlee des kleinen auf dem Vorschiff unter dem II. Geschütz liegenden Raums, stopfen sie in eine Holzpütz[1]) und zünden sie an. Sie warten, bis alles zu unkenntlicher Asche verkohlt ist. Eine Granate jault heran, haut in den Funkraum, detoniert und schlägt die Apparate in Scherben. Sprengstücke durchlöchern die dünnen Wände und verwunden einige der Leute draußen.

Die Entfernung zum passierenden Gegner ist nun so gering geworden, daß die 3,7 cm Doppelflak an Backbordseite des achteren Schornsteins mit eingreifen kann. Matrosenhauptgefreiter Hakenesch jagt mit seiner Bedienung in kurzen Feuerstößen Schuß auf Schuß aus den glühenden Rohren, bis sämtliche Munition verfeuert ist.

Über allem wacht der IO. Auf dem Zerstörer an keine feste Gefechtsstation gebunden, ist er überall und nirgends, hat alle Hände voll zu tun. Die Munitionsaufzüge versagen, sämtliche Bereitschaftsmunition ist verfeuert. Die drei Geschütze der achteren Batterie haben sich verschossen. Einer der vielen Treffer hat das III. Geschütz auf der Vorkante der Hütte[2]) außer Gefecht gesetzt, andere sind in die Maschinenräume

---

[1]) Holzeimer

[2]) achterer Aufbau

gegangen, die verlassen werden müssen. Im Vorschiff lodern flammende Brände.

Kapitänleutnant Reitsch jagt wie der Teufel umher, sorgt für rasche und sachgemäße Beseitigung von Störungen, leitet die Feuerlöschgruppen, schickt Ersatzmannschaften für die ausgefallenen Geschützbedienungen. Zwischendurch läuft er den Niedergang zur Brücke hinauf, berichtet dem Kommandanten und überzeugt sich selbst vom Stand des Gefechts.

Die Lage ist nun schon hoffnungslos, nur noch das I. Geschütz und zuweilen auch das IV. und V. können einen Schuß abgeben. Die Munition ist verschossen oder kann nicht mehr herangeschafft werden. Das ist das Ende.

Fregattenkapitän Schulze-Hinrichs, nicht gewillt seine Männer sinnlos zu opfern, nimmt ein Megafon und ruft den entscheidenden Befehl von der Brücke hinab über das Oberdeck:

„Jeder, der keine Gefechtsaufgabe mehr hat, Rettungsflöße und Schlauchboote über Bord werfen! Verwundete bergen. Alle Mann außenbords, Schiff verlassen!"

Die Verwundeten werden herbeigetragen. Keiner wird vergessen und es gelingt, sie mit Schlauchbooten oder Rettungsflößen an Land zu bringen. Dann führen ein paar Mann das aus, was der Kommandant befohlen hat, um den Zerstörer nicht in Feindeshand fallen zu lassen. Sie schaffen eine Wasserbombe dem brennenden Vorschiff so nahe wie möglich ins Bootsinnere, schlagen die Zündschnur an und stellen den Zünder ein. Der Bootsmaat steigt zur Brücke hinauf und meldet die Ausführung.

Jetzt bläst auch der Rest der Männer die Schwimmwesten auf und springt über Bord. Als letzte der Erste Offizier und der Kommandant.

Alle streben dem etwa 1000 m entfernten Ufer zu. Viele sehen noch einmal zurück. Ein zusammengeschossenes Wrack ist ihr Zerstörer mit zerschmetterten, durchlöcherten Aufbauten, halb zerfetzter Brücke und einem flammenden Brand im Vorschiff. Die verstummten Geschützrohre zeigen noch immer gegen den Feind.

Die inzwischen fjordaufwärts stehenden englischen Zerstörer feuern mit ihren Heckgeschützen weiter auf *„Erich Koellner"*. Grund ist wahrscheinlich die noch von der Gaffel wehende Kriegsflagge, die deutlich gegen den strahlend blauen Himmel auszumachen ist. Die Granaten schlagen größtenteils zwischen die im Wasser schwimmenden Seeleute, unter denen sie neue Verluste verursachen, oder sie detonieren an Land und den Felsen des Berghangs.

Auch Kapitänleutnant Heye, der LJ, dreht sich im Wasser hin und wieder auf den Rücken und blickt zurück. Er sieht die letzten beiden, IO und Kommandant, außenbords springen, wenig später eine Riesendetonation. Die ganze Back der *„Erich Koellner"* ist verschwunden, abgesprengt.

„Unsere Wasserbombe, Gott sei Dank!" murmelt er erleichtert vor sich hin.

Der Himmel scheint plötzlich mit emporgeschleuderten Trümmern jeglicher Art buchstäblich übersät zu sein. Holzgrätings, Eisenplatten, Backen und Banken fliegen umher, Uniformteile und Aktenstücke aus den Schreibstuben flattern durch die Luft. Waschbaljen, Einrichtungsstücke aus Kammern und Messen tanzen einen wilden Reigen.

Es muß erwähnt werden, daß eine englische Darstellung behauptet, einer der von den britischen Zerstörern losgemachten Torpedos hätte getroffen. Das stimmt nicht. Zweifellos hat die eigene Wasserbombe die *„Erich Koellner"* vernichtet. Ebenso unrichtig ist die Feststellung, der deutsche Zerstörer hätte mehrere Torpedos losgemacht, die sämtlich Fehlschüsse gewesen seien. Er hatte keinen einzigen an Bord!

Einige Zeit nach dem Hochgehen der Wasserbombe detonieren zwei britische Torpedos auf dem Steingrund unweit des Strandes auf flachem Wasser. Die weithin dröhnenden Explosionen lassen zwei riesige Flutwellen über die Schwimmer hinwegrauschen.

Nahe dem LJ paddelt eins der roten Rettungsflöße, vollbesetzt zum Ufer. Heye sieht, wie plötzlich zwei auf dem Floßrand hockende Matrosen mit leisem, kaum vernehmbaren Aufschrei kopfüber in den Fjord stürzen. Umhersirrende Granatsplitter trafen sie. Der eine treibt, nur noch von der Schwimmweste gehalten, tot an ihm vorbei, der andere ist bereits versunken.

Das Wasser ist eisig kalt, höchstens zwei Grad, und der Kapitänleutnant ist trotz des Lederzeugs, das er trägt, schon halb erstarrt. Da entdeckt er den Oberfunkmeister Heinsen und den Matrosengefreiten Nuhn, die auf einem langen Leckstützbalken dem Ufer zutreiben. Er ruft sie an:

„Habt ihr noch Platz für mich? Meine Arme und Beine wollen nicht mehr. Sind schon fast steif."

„Selbstverständlich, Herr Kaleunt!" ruft der Oberfunkmeister zurück.

Mit Händen und Füßen steuert er den Balken heran, zieht den Halberstarrten und völlig Erschöpften hinauf und hilft ihm, sich quer über das Langholz zu legen.

„Mit uns ist's jetzt vorbei", bemerkt Heye, „aber wir haben denen drüben bestimmt ein paar ordentliche Treffer verpaßt."

„Wichtig ist jedenfalls", meint Heinsen, „daß wir die Burschen ganz schön in Atem hielten und die in Narvik Zeit hatten, sich zu verteilen. Wie neulich auch!"

„Ja, das war der Sinn der Sache und hoffentlich hat es geklappt."

Er spürt steinigen Grund unter den herabhängenden Füßen. Mühsam richtet er sich auf, gleitet vom Balken und beginnt, mit steifen, kalt gefrorenen Beinen zu waten. Es fällt ihm in seinem vollgesogenen Lederanzug sehr schwer, und er sieht andere, die erschöpft in dem breiten Streifen flachen Wassers halb überspült liegen bleiben, bis sie von den Kameraden hochgezerrt und unterstützt den Gang zum Strand antreten können.

Endlich erreicht der Kapitänleutnant das felsige, von hohem Schnee bedeckte Ufer. Eine Granate rauscht heran, und er wirft sich noch gerade rechtzeitig in eine Schneegrube. Als die Detonation verhallt, sieht er sich um. Neben ihm liegt der unverletzte Obermaschinist Guhert, der einem Schwerverletzten den blutigen Stumpf des weggeschossenen Armes mit einem Hemdstreifen abgebunden hat. Andere Seeleute steigen an Land, helfen sich gegenseitig mit froststarren Fingern die Schwimmwesten loszubinden, stampfen mit den Füßen den Schnee und schlagen die Arme um den Leib. Dem LJ fällt eine Tafel Schokolade ein, die er in der Tasche hat. Er holt sie hervor und verteilt sie unter die Nächststehenden.

Guhert, der inzwischen seine Augen umherschweifen ließ, drängt zum Aufbruch:

„Herr Kaleunt! Wir müssen weiter, sonst holen wir uns in den nassen Klamotten bei dieser Saukälte den Tod!"

Er weist nach Norden, wo ein paar Bauernhäuser weit entfernt mit dick verschneiten Dächern zu erkennen sind.

„Aufstehn, Kameraden! Kommen Sie, Herr Kaleunt, ich helfe Ihnen! Nicht im Schnee liegen bleiben!"

Schnaufend rappeln sie sich langsam hoch. Der große, bärenstarke Obermaschinist stützt fürsorglich seinen LJ. Die anderen schließen sich an. Ein langer Zug, die Verwundeten untergefaßt oder getragen, bewegt sich am Fuß der Landzunge den Strand entlang.

„Übrigens habe ich unsern Stabsobersteuermann Zimmermann aus dem Wasser gezogen", berichtet Guhert. „War schon wieder ganz munter und zog mit ein paar anderen los."

Heye ist zum Sprechen zu müde und entkräftet. Schweigend taumelt er am Arm des Obermaschinisten weiter. Da sehen sie eine reglos zusammengesunkene Gestalt im Schnee sitzen. Als sie näherkommen, erkennen sie das blutüberströmte Gesicht eines Mannes, der mit großen, weit aufgerissenen Augen geistesabwesend in die Ferne starrt.

„Herr Kaleunt! Das ist ja Zimmermann!" sagt Guhert erschrocken.

Heye nickt:

„Bringen Sie ihn hoch, Guhert, ich kann mir schon selbst helfen."

Der Obermaschinist sieht den Kapitänleutnant zweifelnd an, aber dann eilt er hinüber, schüttelt den Mann, der ihn offensichtlich gar nicht erkennt, am Arm:

„Was ist los mit dir, Johnny? Das ist doch nur 'ne Schramme. Komm' hoch, du hast doch Frau und Kinder, Mann!"

Er zieht den verständnislos dreinblickenden Stabsobersteuermann hoch, legt sich dessen Arm um den Nacken und stapft mit der schweren Last weiter, den Gehöften zu.

Alleingelassen will der LJ noch einmal zurückblicken.

Er dreht sich um, taumelt und fällt. Schwindel packt ihn, alles dreht sich um ihn, ihm wird dunkel vor den Augen, er verliert die Besinnung. Als er wieder zu sich kommt, liegt er immer noch im Schnee. Mit letzter Energie reißt er sich zusammen, versucht aufzustehen. Zwei-, dreimal, dann gelingt es. Weit voraus, dunkle Punkte in der verschneiten Landschaft, gehen die anderen. Mit müden, schleppenden Schritten taumelt der Kapitänleutnant auf dem bereits hart getretenen Pfad hinterher. Nach einer Weile trifft er auf einen jungen, unverwundeten Matrosen, der sich völlig entkräftet niedergesetzt hat und hilfesuchend eine Hand ausstreckt. Heye schleppt sich hin, versucht den Ermatteten aufzurichten. Seine Kräfte reichen trotz aller Anstrengungen nicht aus. Schweren Herzens muß er ihn zurücklassen. Vielleicht kann einer derjenigen, die hinter mir kommen, helfen, denkt er. Aber auch sie, die weit auseinandergezogen folgen, sind dazu nicht mehr imstande. Norweger, denen Heye den Vorfall später begreiflich macht, finden den Jungen und retten ihn.

Für die Seeleute in dem nassen, steifgefrorenen Zeug bedeutet die Wanderung eine ungeheure körperliche Anstrengung. An einer Stelle müssen sie um einen Felsen herum für kurze Zeit durch flaches Wasser waten. Auf dem letzten Teil des Weges kreuzt ein von der Höhe herabkommender, kaum einen halben Meter hoher Drahtzaun, der bis zum Fjord hinabreicht, den Pfad. Für die erschöpften Männer ist das ein nahezu unüberwindliches Hindernis, über das sie nur mit gegenseitiger Unterstützung hinweg kommen. Endlich haben sie ihr Ziel erreicht. Ein kleiner Hügel noch, dann liegen die ersten Gehöfte vor ihnen. Links am Berghang lodern Flammen aus einem von den Weitschüssen der englischen Zerstörer in Brand geratenen Bauernhof. Ein paar Seeleute steigen hinauf. Sie wollen sich am Feuer auftauen und wärmen.

Auch der LJ hat nun das erste Haus erreicht. Zwischen diesem und einem Holzschuppen steht der Schiffsarzt. Unbeweglich. Erfreut ruft Heye ihn an. Der Arzt aber, der den Ruf gehört haben muß, rührt sich nicht. Ein seltsames Erlebnis, denn später stellt Heye fest, daß der Schiffsarzt, den er mit Bestimmtheit an jener Stelle zu sehen glaubte, niemals dort gewesen war.

Er wankt auf das Gebäude zu, tritt ein. Aus den zwei kleinen Räumen schlägt ihm wohltuende Wärme entgegen. Laute Zurufe der dreißig Männer, die hier schon Unterkunft fanden, begrüßen ihn. Sie freuen sich, den Offizier, den sie wegen seiner Frische, Tüchtigkeit und Kameradschaftlichkeit gern mögen, unverwundet wiederzusehen. Wohlig aufseufzend zieht er seine steifgefrorene Lederjacke aus. In einer Ecke erhebt sich der unermüdliche Stabsmaschinist Paul. Er war einer der ersten, die hier eintrafen und hat sich bereits etwas erholt.

„Hinsetzen, Herr Kaleunt! Nun werden wir erstmal die Seestiefel 'runterzerren, geht verdammt schwer, wenn sie naß geworden sind. Hoppla!"

Er hilft dem LJ auch aus der Lederhose. Andere legen ihm ein Bettlaken um die Schultern und sorgen dafür, daß er schleunigst in ein großes Bauernbett kriecht, in dem schon ein paar Männer liegen. Merkwürdig, denkt er, wie wohltuend doch Bettwärme ist. Großartig ist das hier: die hilfreichen Kameraden, all die bekannten Gesichter und der glühend heiße große Ofen. Lange bleibt er nicht liegen. Dann macht er Schwerverwundeten Platz, die inzwischen notdürftig verbunden wurden.

Ihr Anblick erinnert ihn an etwas anderes. Aus dem großen vor dem Ofen liegenden Haufen nasser Kleidungsstücke fischt er seine Lederjacke heraus. Sucht in allen Taschen und findet schließlich die Morphiumspritze, die bestimmte Offiziere vor einem Gefecht ausgehändigt bekommen, um Verwundeten notfalls und noch vor der ärztlichen Behandlung die Schmerzen zu lindern. Die Spritze ist glücklicherweise in ihrem Behälter unversehrt geblieben, und der LJ ist froh, den drei Schwerverletzten ein wenig helfen zu können.

Die Bewohner des Bauernhofes zeigen sich außerordentlich hilfsbereit und selbstlos. Sie schleppen Holz für den großen Ofen heran und geben heraus, was sie nur an wärmenden Decken und Kleidungsstücken jeder Art finden: buntbestrickte Arbeitspullover, Skihosen, Schals und Jacken, selbst Sonntagsanzüge und Frauenkleidung.

Die Seeleute tauen langsam auf, beginnen zu reden. Sprechen über das Gefecht, ihre Eindrücke und Erlebnisse. Sie fragen nach anderen Kameraden, nach den Überlebenden, die ringsum in den wenigen verstreut liegenden Höfen Unterkunft fanden. Versuchen festzustellen, wer gefallen ist. Noch sind sie ein wenig durcheinander von allem, was in den letzten Stunden auf sie einstürmte.

„Und der Kommandant? Hat einer von euch den Kommandanten gesehn?" erkundigt sich ein Bootsmaat.

„Doch, ich!" ruft ein Signalgast. „Ich sah ihn an Land kommen. Unverwundet sogar trotz des Treffers auf der Brücke. Muß in einem der anderen Häuser sein. Bestimmt, ich hab' ihn selbst gesehn!"

Zur Freude seiner Männer betritt Fregattenkapitän Schulze-Hinrichs kurze Zeit danach den Raum. Er hat über trockne Unterwäsche sein nasses Lederzeug gezogen und geht von Hof zu Hof, um selbst festzustellen, wer gerettet wurde.

Noch im Laufe des Nachmittags werden die Schwerverwundeten durch einen norwegischen Arzt abgeholt. Die Zurückbleibenden erhalten von den freundlichen Norwegerinnen heiße Milch, Suppe und etwas Tabak. Natürlich ist es Stabsmaschinist Paul, der grinsend eine kleine Flasche Cognac aus der Hosentasche zieht und sie den hocherfreuten Norwegern, die sonst wenig Alkohol bekommen, als kleines Gegengeschenk überreicht.

Aus den Fenstern des Bauernhauses geht der Blick hinaus auf den Fjord. Auf der leichtbewegten Wasserfläche zaubert die Sonne tausend flimmernde goldene Lichter. Jenseits ragen die hohen, verschneiten Berge in den blauen Himmel. Von den Engländern ist nichts mehr zu sehen. Den nachdenklich über diese friedliche Welt Schauenden ist es, als sei der erbitterte Kampf, das Krachen der Salven, die vorübergleitenden englischen Zerstörer, das Schlachtschiff mit seinen feuerspeienden Türmen, das Sterben der Kameraden, der zusammengeschossene, versunkene Zerstörer, das ganze blutrote Drama dieses Tages, ein wilder, erschreckender Traum, aus dem sie die Pfeife des Bootsmaaten der Wache bald, sehr bald erwecken müßte.

31 Unteroffiziere und Mannschaften sind gefallen, 3 Offiziere, 31 Unteroffiziere und Mannschaften verwundet. Das ist fast ein Drittel der rund 200 Mann, die beim letzten Gefecht der *„Erich Koellner"* an Bord waren. Die Geretteten geraten später in norwegische Gefangenschaft.

Der Kampf im Ofot-Fjord. Das Bordflugzeug der „Warspite" klärt auf. „U 51" reagiert nicht. Zerstörergefecht bei Schneetreiben. Das Schlachtschiff greift ein. „Boot läuft an zum Torpedoangriff!" 7 Treffer auf „Punjabi". Erfolglose Trägerflugzeuge. „UK an alle! Ausweichen in Rombaken Fjord!" „Hermann Künne" und „Erich Giese" sinken.

Unbeständig und schnell wechselnd ist das Wetter am 13. April. Am frühen Vormittag ist der Himmel mit tiefhängenden grauen Wolken bedeckt. Leichter, mit feinem Schnee untermischter Nieselregen stäubt im Nordostwind. Später klart es vorübergehend auf. Zeitweise scheint die Sonne. Bald danach hindern wieder Dunst und dichte Schneeböen die Sicht. Ripplige Streifen überziehen das am Morgen noch öligglatte Wasser.

Während die Engländer den West-Fjord hinauflaufen, gibt Vice-Admiral Whitworth seinem Verband ein Signal:

„Wir werden die Verteidigungsanlagen von Narvik und sämtliche deutschen Kriegs- und Handelsschiffe angreifen, die wir dort vorfinden. Ich bin überzeugt, daß jeder Widerstand, den der Gegner leisten sollte, auf rücksichtslose Weise gebrochen wird. Ich wünsche allen einen vollen Erfolg!"

Während des Vormarsches startet *„Warspite"*, die in etwa zwei Seemeilen Abstand den 9 Zerstörern folgt, ihr Bordflugzeug. Der Beobachter der Swordfish-Maschine, Lieutenant-Commander W. L. M. Brown, soll vor dem Verband aufklären. Er sichtet zuerst 2 Zerstörer, die in Kiellinie den Ofot-Fjord hinablaufen. Es sind *„Hermann Künne"* und *„Erich Koellner"* auf dem Marsch nach Taarstad. Das Flugzeug hält sich in ziemlicher Höhe und Entfernung außerhalb der Reichweite ihrer Fla-Waffen und fliegt weiter fjordaufwärts. Brown wirft einen Blick auf den Hafen von Narvik, in dem mehrere Zerstörer, aber kein Kreuzer auszumachen sind und läßt weiter auf den nördlichen Arm des Ofot-Fjords zuhalten. In dem stillen, völlig leeren Herjangs-Fjord ist keine Bewegung zu sehen. Oder doch? Der Flugzeugführer, Petty Officer[1]) F. R. Price, fühlt plötzlich die Hand des Lieutenant-Commanders auf seiner Schulter. Den Kopf wendend, sieht er ihn mit der Rechten nach unten zeigend:

„Das dort ist doch ein U-Boot?"

Tatsächlich! Ein langes, schmales Fahrzeug, kaum zu unterscheiden vom grauen Wasser! Der Flugzeugführer legt die Maschine, um besser beobachten zu können, in eine leichte Kurve:

„Stimmt, Sir! Noch dazu aufgetaucht!" meint er hocherfreut.

„Runter, angreifen!"

Eine Swordfish ist kein Sturzkampfbomber, aber der Petty Officer kippt in seiner Begeisterung in einem Winkel ab, den das schwerfällige Schwimmerflugzeug gerade noch aushält ohne abzutrudeln. Gleichzeitig drückt er die Auslöseknöpfe der zwei je 350 Pfund schweren Bomben. Sie rauschen hinab, während die Maschine in kühner Kurve wieder hochzieht. Auf dem U-Boot flammt eine Detonation auf, Trümmer fliegen umher. Die erste Bombe hat getroffen. Die zweite schlägt dicht

---

[1]) Deckoffizier, etwa dem deutschen Feldwebel entsprechend

daneben ein. Ihre Aufschlagsäule überwäscht den Bootskörper, als sie zusammenfällt.

„Treffer!" ruft Brown. „Gut gemacht, Price!"

„U 46", Kapitänleutnant Wilhelm Schulz, sinkt überraschend schnell in nur etwa zwei Minuten. 8 Mann der Besatzung fallen, den übrigen gelingt es, das Ufer zu erreichen.

Während des Rückflugs erkennt die Swordfish das eben in Gang gekommene Gefecht, sieht wie *„Hermann Künne"* sich heftig feuernd mit 24 Meilen Fahrt und Zickzackkursen vor den verfolgenden englischen Zerstörern fjordaufwärts zurückzieht und wie *„Erich Koellner"* hart abdrehend auf eine breite Bucht im Südosten zuhält. Sie meldet diese Beobachtungen dem Flaggschiff durch Funk. Die an der Spitze laufenden Zerstörer, neben *„Icarus" „Bedouin"* und *„Eskimo"* werden vor einem Hinterhalt gewarnt.

Nach dem Untergang der *„Erich Koellner"* ist die Sonne wieder verschwunden. Dunst liegt über dem breiten Fjord. Von den englischen Brücken folgen die Augen der Offiziere und Ausgucks dem undeutlichen Schatten der weit vor ihnen herlaufenden *„Hermann Künne"*, aus dem immer wieder das gelbrote Feuer der Heckgeschütze aufblitzt. Sie sind darauf gefaßt, jeden Augenblick die übrigen deutschen Zerstörer auftauchen zu sehen, vielleicht auch den sagenhaften Kreuzer, den allerdings weder die Flugzeuge der *„Furious"* bei ihrem Angriff am 12., noch heute das Bordflugzeug entdecken konnten.

Den von *„Hermann Künne"* gegebenen Alarm nimmt die 4.Z-Flottille gegen 12 Uhr 00 mittags an. Längsseit von *„Jan Wellem"* liegt noch *„U 51"*, Kapitänleutnant Knorr. Das U-Boot empfängt den Funkspruch ebenfalls, aber verstümmelt. Der Kommandant legt in der Annahme, es handelt sich um einen Fliegeralarm, ab und geht auf Sehrohrtiefe. Auf *„Wolfgang Zenker"*, die im Begriff ist, seeklar zu machen, wird der Vorgang von einem der Offiziere des Stabes beobachtet und dem FdZ gemeldet.

„Was ist das?" fragt Fregattenkapitän Bey erstaunt. „Warum taucht denn der Knorr? Warum läuft er nicht aus? Beste Gelegenheit auf die schweren Streitkräfte, die der Kothe da gemeldet hat, zum Schuß zu kommen! Signaldeck! Scheinwerfer auf das Sehrohr! Anrufen!"

Der Stabssignalmaat richtet, die Blende klappert. Nichts geschieht. Das Boot bleibt getaucht. Das Schlangenauge des Sehrohrs blickt auf den Führerzerstörer, fast sieht es so aus, als ob es höhnisch und listig blinzele. Der Kommandant der *„Wolfgang Zenker"*, ungeduldig wegen der Verzögerung, tritt zum FdZ:

„Wie wär's mit Unterwassertelegrafie? Das müßte er doch bestimmt hören?"

„Gute Idee! Er hat offenbar den Alarm falsch verstanden!" meint Bey und wendet sich an einen der Astos. „Den Funkspruch von HK für *‚U 51'* mit Unterwassersignal wiederholen. Dazu setzen: Auslaufen! Beeilung, bitte!"

Mittlerweile ist es 12 Uhr 15 geworden. Auch dieser Versuch, mit dem getauchten U-Boot in Verbindung zu treten, schlägt fehl. Anstatt schleunigst auszulaufen, taucht das Boot vollends weg und legt sich auf den Grund. Es nimmt an dem sich entwickelnden Gefecht nicht teil.

Jetzt, wo der Alarm gegeben ist, machen alle Zerstörer beschleunigt Dampf auf. Die Gelegenheit aber, den Gegner mit einem Zangenangriff zu überraschen, ist verpaßt. *„Hans Lüdemann"* lichtet als erster den Anker, danach legt *„Wolfgang Zenker"* vom Malmkai ab, *„Bernd von Arnim"* und *„Georg Thiele"* gehen ebenfalls ankerauf. Schon während des Auslaufens ist von draußen heranrollendes Geschützfeuer zu hören. Bald nach Passieren der Einfahrt kommt ein einzelner Zerstörer in Sicht.

„*‚Hermann Künne'* ist das!" stellt Fregattenkapitän Pönitz fest. „Sie feuert mit den Heckgeschützen, läuft Zickzackkurse. Noch nicht auszumachen, wer sie verfolgt. Der Gegner muß aber dicht hinter ihr stehen."

Er sieht flüchtig zum Himmel, schlägt den Mantelkragen hoch. Kalt ist es geworden, bitter kalt. Der Himmel ist voller Schneewolken und das Wasser des Fjords vom Wind aufgerauht. Stumm ragen ringsum die weißen Schneemauern der Berge. Ihre Häupter verhüllt Wodans grauer Wolkenhut. Nasser, großflockiger Schnee tanzt herab, verklebt die Fernrohrvisiere der Geschütze und die Optik der E-Meßgeräte. Hinter *„Hermann Künne"*, die schnell aufschließt und sich an den von *„Wolfgang Zenker"* geführten Verband anhängt, steht eine brodelnde Wand von Dunst, Geschützqualm und

Ölrauch. Aus ihr tauchen allmählich die verwischten Umrisse britischer Kriegsschiffe auf.

„Stander Zet vor!"

Im nu weht der blutrote Doppelstander, das gezackte Angriffssignal von den Rahen der fünf deutschen Boote.

„Die Engländer scheinen in Kiellinie zu laufen, die vordersten jedenfalls, die dahinter offenbar in zwo Kolonnen!" bemerkt der FdZ. „Aha! Jetzt laufen sie auseinander, ziemliches Gewimmel. Feuererlaubnis!"

Es ist 13 Uhr 00, als Fregattenkapitän Bey das entsprechende Signal Jot Dora heißen und gleichzeitig abdrehen läßt, um die vollen Breitseiten seiner Zerstörer zum Tragen zu bringen. Die Boote feuern und laufen, teils um den gegnerischen Salven auszuweichen, teils um dem Gegner das Schießen zu erschweren, selbstständig und in Zickzackkursen. Sie nutzen jede Gelegenheit, wenn der eine oder andere Gegner aus dem Gefechtsqualm und Schneetreiben heraustretend sichtbar wird oder am Mündungsfeuer seiner Abschüsse erkannt werden kann. Auf der anderen Seite geschieht das gleiche.

Es ist ein nahezu unentwirrbares hin und her, ein Vorstoßen, Zurückweichen und wieder Vorstoßen, das dem Steuermannspersonal bei der Navigation schwer zu schaffen macht.

Auf *„Wolfgang Zenker"* klirrt es im Kartenhaus. Glasscherben der Fenster fallen auf die Seekarte. Der Luftdruck der eigenen, in diesem Augenblick hart in Vorausrichtung feuernden Achterbatterie, hat den Schaden verursacht. Schwelender Pulverrauch hüllt die Boote ein. Aufschläge springen rings um sie herum aus dem Fjord. Die Engländer haben sich geteilt, hier und da lodern bei ihnen Brände auf, zucken Flammen hoch, die bald wieder verlöschen. Ein Jaulen und Poltern fährt plötzlich durch die Luft, als ob Güterzüge über die Weichen eines Rangierbahnhofs rollten. Mit einem Male wuchten gewaltige Wassersäulen, weit höher als die Masten, wie mächtige, wallende Fontänen zwischen den deutschen Zerstörern empor.

„Das Schlachtschiff!" ruft der Führerbootskommandant seinem TO zu. „Torpedowaffe Feuererlaubnis! Ran an den Burschen!"

Befehle, Kommandos: Maschinentelegrafen schnarren, die Zeigerpfeile liegen auf AK, das Boot dreht an und hält mitten auf das Gewimmel der im Dunst manövrierenden Masse der Gegner zu.

„Ich gehe auf Torpedoschußweite!" ruft Pönitz dem FdZ zu.

Hinter den britischen Zerstörern schält sich die stählerne Burg der *„Warspite"* aus Qualm und Rauch. Der Gefechtsmast, die hohen Aufbauten, die Türme. Ihr mächtiges Vorschiff wirft verächtlich eine breite Bugsee nach beiden Seiten.

„Boot läuft an zum Torpedoangriff!"

Der BÜ wiederholt. Längst steht der TO hinter dem Zielgerät, die Torpedomechaniker an den beiden Vierlingssätzen. Aber nun vereinigen, die Gefahr erkennend, mehrere Engländer ihr Feuer auf *„Wolfgang Zenker"*. Der Kommandant, der das Schlachtschiff beobachtet, dreht sich zum TO um:

„Näher kann ich nicht 'ran, verdammt nochmal! Wenn Sie den Dicken nicht kriegen können, machen Sie die Aale auf die Zerstörer los!"

Der Oberleutnant zeigt klar, peilt und stellt die veränderten Werte ein. Unten an Oberdeck werden die Rohrsätze ausgeschwenkt.

„Rohrsatz eins-fertig! Eins-los!"

Zischend klatschen vier Torpedos ins Wasser, gehen auf Tiefe und laufen schnurgerade auf den Gegner zu. Ein Vierfächer. *„Wolfgang Zenker"* dreht hart ab und erwehrt sich mit der Artillerie seiner zurückbleibenden Bedränger. Der TO, die Offiziere auf der Brücke und die Bedienungen der Rohrsätze sehen den Blasenbahnen nach und horchen gespannt, um trotz des Gefechtslärms die Torpedodetonationen nicht zu verpassen. Sie schütteln die Köpfe, es ist unmöglich! Bei den schnellen und häufigen Kursänderungen, die Freund und Feind hinter Rauch und Qualm im Schutz des Dunstes und der Schneeböen ausführen, ist eine sichere Beobachtung ausgeschlossen. Dagegen krachen unverkennbar Explosionen deutscher und englischer Fehlschüsse von den Uferfelsen herüber, die hier und da durch ihre gewaltigen Erschütterungen Schneelawinen von den Berghängen herabrollen oder Schneewehen aufsteigen lassen, die mit dem Wind davontreiben und in weißen, dünnen Schleiern über das Gefechtsfeld stieben.

Die englischen Zerstörer bilden nun zwei unregelmäßig gestaffelte, hin und her laufende Kolonnen im Nord- und Südteil des Fjords. Die deutschen Boote versuchen immer wieder, sich dem Gegner mit schnellen Angriffen entgegenzustemmen, sein Vordringen aufzuhalten.

Weit im Westen steht wie ein Bergklotz, ein in langen Abständen feuerspeiender Vulkan, ein Flammen schnaubender wütender Büffel, das alte Schlachtschiff. Zornig tastet es mit seinen durch das Schneetreiben heulenden und in Häuser, Felsen und Hafenanlagen schmetternden Granaten die Umgebung Narviks und die Berghänge nach vermeintlichen Küstenbatterien ab.

Die Zerstörer beider Seiten führen indessen fast eine Stunde lang einen Kampf, der sich schließlich in Einzelgefechte auflöst und dessen genauen Verlauf niemand mehr beobachten, geschweige denn aufzeichnen kann. Auf deutscher Seite haben fast alle Boote ihre Torpedos verschossen. Die Artilleriemunition geht zu Ende. Der Munitionsverbrauch am 10. war schon bedeutend und der dringend benötigte Nachschub traf nicht ein. Jedermann an Bord weiß, daß der Widerstand bald erlahmen muß.

Immerhin sind mehrfach einwandfreie Treffer beim Gegner beobachtet worden. So u. a. auf einem der modernen Zerstörer der Tribal-Klasse *„Punjabi"*. Die Wirkung ist in dem englischen Buch „Narvik" des Captain Macintyre ausführlich geschildert.

„Punjabi" liegt in einem Hagel schneller und deckender Salven der deutschen 12,7 cm Geschütze. Der 1. Treffer schlägt unter der Brücke durch die Bordwand und detoniert zwischen den Decks. Er tötet durch seine Sprengstücke einen und verwundet drei Mann der Artillerierechenstelle. Zwei der Unglücklichen erhalten durch den 2. Treffer noch schwerere Wunden. Das Geschoß kommt an Oberdeck am Fuß eines stählernen Spindes für Bereitschaftskartuschen zur Detonation. Durch das Einschußloch fahren Sprengstücke ins Zwischendeck. Dort töten sie zwei Munitionsmänner und verwunden weitere. Die getroffenen Kartuschen entzünden sich, gehen hoch und verursachen einen erheblichen Brand. Fast im gleichen Augenblick wird *„Punjabi"* durch einen 3. Treffer erschüttert, der ein Schott im Vorschiff zerschmettert, durch das nun das Wasser hereinstürzt. Eine 4. Granate entfacht ein weiteres Feuer. Der 5. Treffer schlägt ganz achtern in eine Last. Der dort ausbrechende Brand bedroht eine Munitionskammer, die geflutet werden muß.

Feuerlösch- und Lecksicherungsgruppen sind in voller Tätigkeit, als die 6. Granate, die am Steuerbordmotorboot detoniert, dieses in Trümmer fetzt und in Flammen aufgehen läßt. Ein großes, glühendheißes Sprengstück haut durchs Oberdeck und trifft eine Hauptdampfrohrleitung. Augenblicklich ist der Maschinenraum in eine zischende Hölle verwandelt. Splitter des gleichen Treffers kreischen über das Oberdeck, töten zwei Mann an einem der mehrrohrigen Fla-Geschütze, einem sogenannten Pom-Pom, verwunden zwei weitere, außerdem noch drei der Bedienung des Vierlingsrohrsatzes. Ein Anruf erreicht die Brücke:

„Maschinen müssen wegen Treffers in die Hauptdampfrohrleitung vorübergehend gestoppt werden, Sir!"

Noch ehe Commander H. T. Lean die Meldung bestätigen oder eine Bemerkung machen kann, hallt der laute Ausruf eines Ausgucks über die Brücke:

„Blasenbahnen! Oberflächenläufer!" Dazu Seite und Gradzahl.

Einen Fluch zwischen den Zähnen, sieht der Kommandant kurz in die angegebene Richtung, aus der mehrere Schaumstreifen heranschnüren.

„Hart Steuerbord!" ist alles, was er seinem ein Deck tiefer stehenden Gefechtsrudergänger durch das Sprachrohr zuschreien kann.

„Punjabi" hat noch einen erheblichen Fahrtüberschuß und dreht sofort an. In kurzem Bogen schwingt der Zerstörer herum und die Torpedos laufen unschädlich vorbei. Grinsend sieht der Commander seinen NO an:

„Allerhand, Pilot, was? Hätte nicht gedacht, daß das klarginge. Müssen jetzt schnellstens sehen, was wir tun können. Läufer! Der Chief[1]) soll auf die Brücke kommen!"

Er tritt zur Achterkante der Brücke, wirft einen Blick über sein Boot. Überall, im Vorschiff, mittschiffs und achtern lodern Flammen, wallen Rauchwolken. Durch Splitter aufgerissene rote Feuerlöschschläuche liegen weggeworfen an Deck. Die Schaumlöscher sind längst aufgebraucht. Da die Artillerierechenstelle ausgefallen ist, ist ein geleitetes Feuer unmöglich. Der AO hält aber nicht viel von einem wilden Schießen der GF's, das kaum Erfolge zeitigen würde. Die Geschützbedie-

---

[1]) chief engineer — Leitender Ingenieur

nungen müssen helfen, mit von Mann zu Mann gereichten Holzpützen der Brände Herr zu werden.

Mit blutunterlaufenen Augen und von Rauch und Brandruß verschmutztem Gesicht steigt der LJ ölverschmiert den Niedergang zur Brücke hoch. Kaum hat er die letzten Eisenstufen, die vom Ruderstand zur Plattform führen, erreicht, als eine 7. Granate in das unter dem Niedergang liegende Deck fährt und ihn schwer im Rücken und an beiden Armen verwundet. Sich mit äußerster Anstrengung aufraffend, kann er gerade noch seinen Bericht herausbringen, dann wird er bewußtlos. Durch den gleichen Treffer fällt auch der älteste Heizer und mehrere Männer einer Feuerlöschtruppe, die den zwischen beiden Schornsteinen durch den 4. Treffer ausgebrochenen Brand an Oberdeck bekämpfen.

Das technische Personal arbeitet indessen fieberhaft. Die Hauptdampfrohrleitung wird notdürftig geflickt, so daß die Maschinen wieder angehen können. Der NO nimmt die Meldung entgegen und gibt sie an den Kommandanten weiter:

„Wird höchste Zeit, Sir", fügt er hinzu, „das wir hier 'rauskommen und den Eimer wieder in die Hand kriegen!"

Commander Lean murmelt etwas Unverständliches vor sich hin, nickt dem NO zu und gibt durch das Sprachrohr Befehle an den Rudergänger und den Posten Maschinentelegraf. Klingeln schrillen, aus den Turbinenräumen kommt die Antwort und zur Erleichterung aller fangen die Schrauben an zu mahlen. *„Punjabi"* zieht sich langsam aus dem Gefecht zurück. Der Kommandant läßt dem Admiral auf *„Warspite"* Ausfälle und Absichten melden.

Die voll geflutete Munitionskammer wird gelenzt. Die aus allen nur verfügbaren Seeleuten gebildeten Ketten bringen es allmählich fertig, die vielen Brände zu löschen. Eine Stunde nehmen die notwendigen Reparaturen in Anspruch, dann kann der Zerstörer wieder ostwärts laufen und beteiligt sich noch an den letzten Kämpfen. Allerdings setzt das große Einschußloch des 3. Treffers am Bug die Höchstgeschwindigkeit auf 15 Seemeilen herab.

Gemäß dem Befehl der Londoner Admiralität, einen kombinierten Angriff mit See- und Luftstreitkräften zu führen, greifen nun die Trägerflugzeuge der vor dem West-Fjord stehenden *„Furious"* in das Gefecht ein. Sie haben beim Anflug die gleichen Schwierigkeiten wie am vorigen Tag zu überwinden. Tiefziehende, die Berghäupter verhüllende Wolken und Schneeböen nehmen anfangs jede Sicht. Erst kurz vor Narvik liegt die Wolkendecke in beträchtlich größerer Höhe. Die Maschinen steigen auf etwa 700 m, ehe sie zum Angriff herabstoßen.

Die 10 von dem Captain der Royal Marines Burch geführten Swordfish-Doppeldecker werden von der Bordflak der deutschen Zerstörer mit langen Feuerstößen empfangen. Wie die Beobachter der Maschinen selbst feststellen müssen, erzielen sie keinen einzigen Treffer. Zwar klatschen ein paar Bomben in der Nähe von *„Hermann Künne"* und *„Bernd von Arnim"* in das Wasser, aber sie verursachen weder Ausfälle noch Schäden. Die zornig kläffende Abwehr holt mit ihren Leuchtspurgeschossen 2 der Angreifer herunter, die brennend abstürzen. Die übrigen 8 ziehen wieder hoch, gehen auf Gegenkurs und fliegen zum Träger zurück.

Zur gleichen Zeit liegt *„Wolfgang Zenker"* im Feuer von drei englischen Zerstörern, als kurz vor ihrem Bug eine 38 cm Granate der „Warspite" einschlägt. Vorschiff und Brücke werden von den eiskalten, grünlichweißen Kaskaden der zusammenbrechenden Wassermassen überschwemmt. Die Bedienungen der beiden vorderen Geschütze schütteln sich wie nasse Hunde, aber sie schießen weiter. Der Führerzerstörer hat nur noch 12 Schuß pro Rohr, noch 8, noch 6, dann muß das Feuer eingestellt werden. Die gesamte Munition ist verschossen, ebenfalls die letzten Torpedos. Auch auf den übrigen deutschen Zerstörern sind die spärlichen Munitionsvorräte nahezu aufgebraucht.

Unbegreiflich und unerklärlich ist die Tatsache, daß vier der an diesem von beiden Seiten erbittert durchgefochtenen Gefechtsabschnitt beteiligten deutschen Boote keinen einzigen Artillerie- oder Torpedotreffer erhalten und zwar *„Wolfgang Zenker"*, *„Bernd v. Arnim"*, *„Georg Thiele"* und *„Hans Lüdemann"*.

Da jedoch alle Verteidigungsmöglichkeiten erschöpft sind, berät der FdZ kurz mit seinem Stab und dem Kommandanten. Es handelt sich nur noch um die Vernichtung der Boote, die nicht in Feindeshand fallen dürfen, und um die Rettung der Besatzungen. Der schon vorher erwogene Plan soll jetzt ausgeführt werden. Der entsprechende Befehl wird auf UK um 13 Uhr 50 durchgegeben:

„An alle! Ausweichen in Rombaken-Fjord!"

Dieser Fjord beginnt nördlich der Landzunge von Framnes, die den Nordteil des Hafens von Narvik begrenzt und ist von hohen Bergen umsäumt. An seiner Südseite, in halber Höhe der Hänge, verläuft der Schienenstrang der Erzbahn zur schwedischen Grenze.

Der UK-Spruch des FdZ erreicht jedoch *„Hermann Künne"* nicht. Verfolgt von dem englischen Zerstörer *„Eskimo"* und unfähig Widerstand zu leisten, läßt der Kommandant, Korvettenkapitän Kothe, Kurs auf den Herjangs-Fjord nehmen. Dort setzt er sein Boot auf die Felsen der Westseite und läßt es sprengen. Die Besatzung geht an Land.

Ein englischer Bericht gibt an, daß ein Torpedo der *„Eskimo"* das Ende der *„Hermann Künne"* herbeiführte. Wodurch sie tatsächlich vernichtet wurde, kann nicht mit Sicherheit gesagt werden, bleibt aber in diesem Fall letztlich auch unwesentlich.

In Narvik sind nur *„Erich Giese"* und *„Diether von Roeder"* mit einer unklaren und einer nur bedingt fahrbereiten Maschine. An letzterer arbeitet angestrengt das technische Personal und setzt die Instandsetzung mit verdoppeltem Eifer fort, als um 10 Uhr 10 der warnende Funkspruch der Marinegruppe West, kurz danach der Befehl des FdZ für Fahrbereitschaft ab 13 Uhr 00 eintrifft. Um 12 Uhr 00 erfolgt der Alarm durch *„Hermann Künne"* und etwa 20 Minuten später verlassen vier der deutschen Zerstörer den Hafen.

Sehr ungeduldig steht der Kommandant, Korvettenkapitän Smidt, auf der Brücke. Lahm liegt er hier und die Kameraden dürfen ins Gefecht. Dabei ist schon seit Mittag das ferne Rummeln von Geschützfeuer zu hören, das allmählich näher rükkend ein vielfaches Echo in den Bergen weckt. In immer kürzeren Abständen schickt er seinen Läufer hinunter, um beim Leitenden den Fortgang der Reparaturarbeiten zu erfragen. Seine begreifliche Ungeduld erreicht ihren Höhepunkt, als seit 13 Uhr 00 heftiges Artilleriefeuer der Zerstörer und dazwischen in längeren Abständen der langrollende Donner von Einzelschüssen schwersten Kalibers zu vernehmen ist. Ganz nah, draußen im breiten Tal des Ofot-Fjords muß das sein, denkt er und ich liege noch immer im Hafen.

„Läufer! Nochmal 'runter zum LJ, ob sie denn noch nicht fertig sind mit ihrer verdammten Radaddel!"

Gegen 14 Uhr 00 ist es endlich geschafft. Der Leitende, der mit seinen Männern das Menschenmöglichste getan hat, kommt selbst auf die Brücke und meldet die eine Maschine klar für 20 Seemeilen. Smidt, der wohl weiß, was für eine Leistung in der kurzen Meldung zum Ausdruck kommt, dankt und zeigt auf die schon dicht vor der Einfahrt in Richtung zum Rombaken-Fjord vorbeilaufenden englischen Zerstörer.

„Um Himmelswillen!" meint der LJ ehrlich erschrocken. „So weit sind die schon?"

Der Kommandant nickt nur und gibt dem WO Befehl abzulegen.

Als *„Erich Giese"* die Leinen loswirft, entfernt sich der Lärm des Gefechts bereits wieder. Der Zerstörer muß der vielen Wracks wegen von seinem ungünstigen Liegeplatz aus erst einmal über den Achtersteven zurückgehen, ehe er auf Auslaufkurs drehen kann. Die Engländer draußen haben ihn aber bald bemerkt. Sie eröffnen das Feuer auf das noch mitten im Manöver befindliche Boot.

„Artillerie! Feuererlaubnis!" ruft Smidt dem AO zu, während der WO durch Aufschläge hindurch die Einfahrt ansteuern läßt.

Die beiden Buggeschütze feuern Granate auf Granate in die einander überlappenden Engländer. *„Erich Giese"* steht nun auf der Höhe der Huk von Framnes und will in den Ofot-Fjord einlaufen, als die ersten Treffer einschlagen und die eine fahrbereite Maschine außer Gefecht setzen. Es gelingt dem Kommandanten, das Boot mit dem letzten Fahrtüberschuß um die Huk herumzubringen, dann bleibt es hilflos liegen, umstellt von nicht weniger als 6 feindlichen Zerstörern, die es mit ihren Salven überschütten. Aber *„Erich Giese"* wehrt sich, obwohl sie Treffer auf Treffer erhält, Kessel- und Maschinenräume ausfallen, Flammen und Rauch aus den Decks schlagen und Brände im Innern und um die zerschossenen Aufbauten lodern. Mit verbissener Wut jagen die GF's ihre Granaten aus den Rohren. Auf nur 1800 m Entfernung schleudern sie bei ständigem Zielwechsel den Angreifern Schuß auf Schuß entgegen.

Korvettenkapitän Smidt, der noch unverwundet auf der Brücke steht, beobachtet, wie ein Feldwebel auf einen Vierlingssatz springt. Es ist der Stabsmechaniker Klauke, der in einem der Rohre noch einen roten Gefechtskopf bemerkt hat.

Weder das über Oberdeck rasende sengende Feuer, noch der weiß und brühheiß aus den getroffenen Kesselräumen ausströmende Dampf, weder das Krachen der Aufschläge noch die umhersausenden Splitter und Sprengstücke können ihn abschrecken. Er klemmt sich auf den Sitz, macht den Torpedo los und richtet sich auf. Mit zusammengezogenen Augenbrauen, vorgebeugt, als könnte er damit den Lauf beschleunigen, verfolgt er angestrengt die Blasenbahn. Wenige Sekunden noch, dann erlebt er das schmetternde Getöse der Detonation. An der Bordwand seines Zieles schießt eine schmale hohe Wassersäule auf. Feuerschein taucht Oberdeck, Aufbauten und Schornsteine des getroffenen englischen Zerstörers in grelles Rot. Begeistert schlägt der Stabsmechaniker mit der Rechten durch die Luft und springt vom Rohrsatz herunter[1]).

„Erich Giese", die in kurzer Zeit 20 Treffer erhält und bereits über Steuerbord zu kentern droht, ist ein bewegungsloses, brennendes Wrack. Der Kommandant gibt den Befehl zum Verlassen des Zerstörers. Die Überlebenden sammeln sich an der Reling, werfen die drei noch verwendbaren Rettungsflöße in das Wasser, blasen ihre Schwimmwesten auf und gehen selbst außenbords.

Aber da ist einer, der sich um den Befehl nicht kümmert, der Feuerwerker. Trotz der stärker werdenden Schlagseite jagt er suchend umher. Irgendwo findet er noch drei Granaten samt den dazugehörigen Kartuschen. Wo, weiß der Teufel. Er schleppt die Chargierungen zum nächsten klaren Geschütz und sieht sich um, wer ihm helfen könnte. Eine 12,7 cm ist schließlich kaum von einem Mann allein zu bedienen. Da entdeckt er die Nummer Eins, den ältesten seemännischen Obermaaten an Bord, der sich gerade fertig zum Aussteigen macht. Er winkt ihm zu und der lacht grimmig auf, springt herbei und schwingt sich auf den Richtsitz, während der Feuerwerker den Verschluß aufreißt, die erste Granate ins Rohr rammt, die Messingkartusche hinterdreinklirren läßt und entsichert. Der Obermaat visiert den nächsten englischen Zerstörer an. Höhe und Seite sind bei dieser Kartoffelschmeißentfernung kurz, denkt er und drückt auf die Auslösung. Der

---

[1]) Der auch vom Kommandanten beobachtete Treffer ist in keinem englischen Bericht erwähnt und der Name des englischen Zerstörers nicht festzustellen. Vielleicht detonierte der Torpedo aber auch vorzeitig, wie zu dieser Zeit häufig, was von dem deutschen Boot aus nicht zu erkennen war.

Schuß donnert hinaus und trifft. Auch die nächsten beiden. Dann nickt er dem Feuerwerker vergnügt zu, haut ihm auf die Schulter. Zusammen treten sie zur Reling und jumpen über Bord. Als letzter verläßt der Kommandant sein Boot.

Um 14 Uhr 30 nachmittags versinkt *„Erich Giese"* kenternd im tiefen Wasser des Ofot-Fjords. Teils schwimmend, teils auf den drei Rettungsflößen hockend oder sich an den Greifleinen haltend, sucht der Rest der Besatzung das etwa 1000 m entfernte Ufer bei Framnes zu erreichen.

In der Hitze des Gefechts, vielleicht auch aus Zorn über den hartnäckigen deutschen Widerstand, ereignet sich nun einer der im zweiten glücklicherweise außerordentlich seltenen Fälle, die bei jedem anständigen Seemann nur tiefe Empörung auslösen können. Die Schiffbrüchigen werden von Bord englischer Zerstörer mit MG's beschossen. Korvettenkapitän Smidt selbst erhält erst hier seine schwere Kopfverletzung.

Im erfreulichen Gegensatz dazu steht, daß der englische Zerstörer *„Foxhound"*, Lieutenant-Commander Peters, später Befehl erhält, Überlebende, die das Ufer von Framnes noch nicht erreicht haben, zu bergen. *„Foxhound"* rettet 2 Offiziere und 9 Mann, von denen trotz aller Fürsorge noch zwei ihren Verwundungen und dem Schock erliegen. Gefallen sind im ganzen 3 Offiziere, 80 Unteroffiziere und Mannschaften.

Das Gefecht bei der Strömmen-Enge. „Georg Thiele" hält die Engländer auf. Der TO und sein letzter Torpedo. „Eskimo" verliert das Vorschiff. Der Kommandant am Ruder: „Aufsetzen und sprengen!" Drei Zerstörerwracks am Ende des Rombaksbotten.

Die vier Zerstörer, die den Befehl des FdZ, auszuweichen, durchführen können, jagen vor den nachfolgenden Engländern auf die Mündung des Rombaken-Fjords zu. Noch während der Fahrt werden Vorbereitungen zum Sprengen der Boote getroffen.

Als erste passieren *„Wolfgang Zenker"* und *„Bernd von Arnim"* die am Eingang nördlich Narvik gelegene Huk von Lillevik.

„Wir müssen sie aufhalten, sonst hindern sie uns an der Versenkung!" erklärt Fregattenkapitän Bey. „Nebeln!"

Der Befehl geht durch UK an alle Zerstörer. Eine dichte, undurchdringliche weiße Wand legt sich zwischen Verfolgte und Verfolger und läßt die mißtrauisch gewordenen Engländer nur zögernd folgen.

Die vier steuern nun mit verminderter Fahrt die Enge bei Strömnes an, etwa auf der Hälfte des Fjordverlaufs gelegen, die durch zwei Landzungen gebildet wird, welche vom Nord- und Südufer des Rombaken aufeinander zulaufend nur eine etwa 45 m breite Durchfahrt frei lassen. Mit weitem Abstand hinter *„Wolfgang Zenker"* und *„Bernd von Arnim"* folgen *„Hans Lüdemann"*, das Führerboot der 3.Z-Flottille, Chef Fregattenkapitän Gadow, und *„Georg Thiele"*, Führerboot der 1. Z-Flottille, Chef Fregattenkapitän Berger. Beide verfügen noch über einige Granaten und Torpedos, während WZ und BA sich bereits vollkommen verschossen haben.

Korvettenkapitän Wolff hat sich längst überlegt, was ihm mit *„Georg Thiele"* als letztem in der Kiellinie zu tun übrig bleibt und seine Absicht kurz mit dem Flottillenchef besprochen. Jetzt läßt er, während die niedrigen, kahlen Felshügel der Landzungen an Steuerbord und Backbord vorübergleiten, seinen IO auf die Brücke bitten. Dann erklärt er:

„Wir werden sie aufhalten, IO! Hier 4000 bis 5000 m hinter dieser Enge. HL wird uns dabei solange wie möglich unterstützen. Ich habe das mit Friedrichs verabredet. Sowie der Nebel dünner wird, kommen die Engländer! Und wir müssen sie stoppen, bis die anderen versenkt und die Männer gerettet sind."

Er geht zur Kartenhaustür und öffnet sie:

„Obersteuermann! Frage Entfernung?"

„4500, Herr Kaptän."

„Aye! Bei 5000 wahrschauen bitte!"

Noch wallt und wabert es über dem Wasser, schützt die beiden Zerstörer gegen Sicht und verbirgt auch den Feind.

„Entfernung 5000, Herr Kaptän!" ruft der Obersteuermann.

„Beide zwomal Stop! Hart Steuerbord!"

Wolff sieht den Rombaksbotten hinauf, wo gerade *„Wolfgang Zenker"* und *„Bernd von Arnim"* hinter einem mit verschneiten Tannen bestandenen Bergvorsprung verschwinden. Nachdenklich blickt er in die allmählich sich auflösenden Schwaden und macht den IO auf das dünner und durchsichtiger werdende Gewoge aufmerksam:

„Genügt nicht mehr, IO. Verfliegt zu schnell. Lassen Sie weiter nebeln, um Zeit zu gewinnen. Wir legen uns hier quer, damit wir alle Geschütze zum Tragen bringen können. Machen Sie inzwischen alles klar zum Versenken."

Der IO grüßt, steigt den Niedergang hinab und winkt dem Gefechtswachhabenden an Oberdeck zu:

„Klar bei Nebelbojen!"

Erneut wälzt sich eine dickflüssige und zähe Masse über das Wasser, klebt an der Oberfläche und zieht langsam steigend eine Wand, die mit dem Nordost allmählich nach draußen treibt. *„Hans Lüdemann"* und *„Georg Thiele"* liegen inzwischen quer zum Fjord. Alle Geschütze feuerbereit und die letzten Granaten und Kartuschen dahinter gestapelt, erwarten sie den Gegner.

Nach dem Tumult und dem Lärm des voraufgegangenen Gefechts herrscht nun ein geradezu unheimliches Schweigen, das nur von dem in langen Abständen über die Berge herüberrollenden Donner des Turmfeuers der *„Warspite"* unterbrochen wird. Das Schlachtschiff streut immer noch die Berghänge um die Hafenbucht ab. Hier und da tönt der Ruf eines die Arbeiten an Deck leitenden Bootsmaaten oder die Bemerkung eines Munitionsmannes durch die seltsam anmutende, geisterhafte Stille zur Brücke herauf.

Ganz allmählich lockert sich der Nebel wieder. Schon sind die Linien beider Landzungen der Enge auszumachen. Über den Felsen werden Masten sichtbar, drei, vier, schließlich fünf, von deren Toppen die großen weißen, rotgekreuzten englischen Kriegsflaggen mit dem Union Jack in der oberen Ecke, die White Ensings, wehen. Es sind die Zerstörer *„Eskimo"*, *„Forester"*, *„Hero"*, *„Bedouin"* und *„Icarus"*.

Die Offiziere auf den Brücken der beiden deutschen Boote haben die Doppelgläser vor den Augen. Dann schiebt sich der Vorsteven des ersten Engländers um die Ecke, die Back, die Buggeschütze, der hohe Brückenaufbau.

„Feuererlaubnis!

Scharf wie ein Peitschenhieb knallt die helle Stimme des Kommandanten der *„Georg Thiele"* in das schon unerträglich gewordene Schweigen. Oben im Leitstand hat der AO schon längst die Geschütze laden und auf die Durchfahrt richten lassen.

„Eine Salve!"

Wummrumwuuuuuum rollen fast gleichzeitig, von den steilen Berghängen vielfach zurückgeworfen, die ersten Breitseiten von *„Georg Thiele"* und *„Hans Lüdemann"* hinaus. Kurz vor der Brücke der *„Eskimo" steigen* Aufschlagsäulen hoch, Sprengstücke fliegen umher, und der schwarzbraune Rauch der Detonationen verdeckt für Augenblicke die Flagge des Engländers.

Auch die britischen Zerstörer haben sofort das Feuer eröffnet: *„Eskimo"*, *„Forester"* und *„Hero"*, letztere noch in der Enge stehend. Sie erzielen auf der weiter zurückstehenden *„Hans Lüdemann"* mehrere Treffer. Deren AO hat seine letzten paar Granaten bald verschossen und meldet dem Kommandanten:

„Feuer durch, Herr Kaptän! Keine Munition mehr!"

Korvettenkapitän Friedrichs bestätigt mit einem kurzen: „Aye!"

Nun bleiben nur noch die restlichen drei Torpedos.

„TO! Los dafür!"

Der Fächer wird geschossen, aber eine Wirkung von *„Hans Lüdemann"* aus nicht beobachtet. Sie zieht sich nun ebenfalls fjordaufwärts zurück. *„Georg Thiele"* jedoch feuert weiter.

Inzwischen haben sich *„Wolfgang Zenker"* und *„Bernd von Arnim"* auf die Felsen am Ende des Rombaksbotten gesetzt und planmäßig gesprengt. Die Besatzungen keuchen die steilen verschneiten Hänge hinauf, dem Schienenstrang der Erzbahn zu, als sie das Rollen der Salven der beiden Zerstörer erreicht. Viele halten inne und lauschen. Die eigenen und feindlichen Abschüsse sind gut auseinanderzuhalten. Sie haben am 10. und heute am 13. gelernt, den verschiedenartigen Klang zu unterscheiden. Ein Bootsmannsmaat der *„Wolfgang Zenker"* stößt den neben ihm stehenden Matrosengefreiten an:

„Hörst Du? Das sind *‚Georg Thiele'* und *‚Hans Lüdemann'!* Und das ... das die Engländer, sie greifen an ..."

Sie halten sich an den Fichtenstämmen fest, horchen angespannt:

„Jetzt feuert nur noch einer ... muß *‚Georg Thiele'* sein, die lief als letzte ... mein Himmel, wie die gegenballert! Hör' Dir das nur an!"

Sie können den Zerstörer, der ihre Rettung ermöglicht, nicht sehen. Die Fjordbiegung bei Sildviken, wo er mitten im Fahrwasser liegt, verdeckt ihn. Umso deutlicher ist das Krachen der Salven zu hören. Der Kommandant der *„Wolfgang*

Zenker", der neben dem FdZ durch den hohen Schnee bergan stapft, schüttelt den Kopf:

„Eine Salvenfolge hat der", meint er anerkennend, „einfach toll! Viel Munition kann er aber nicht mehr haben. Hoffentlich bekommt er seine Männer noch 'runter und kann sich versenken, ehe die Engländer 'ran sind!"

Fregattenkapitän Bey hält keuchend an und wischt sich mit dem Taschentuch den Schweiß von der Stirn:

„Na hör' 'mal", lächelt er beruhigend. „Wenn irgend einer, dann schafft ‚Päckchen Wolff' das. Wir kennen ihn doch!"

Korvettenkapitän Max Eckart Wolff, der diesen Spitznamen trägt, schafft es tatsächlich und fügt obendrein den verfolgendem Gegner erhebliche Verluste zu!

Das unermüdliche Bordflugzeug der *„Warspite"* fliegt wieder einmal und meldet sowohl das Einlaufen der beiden ersten Zerstörer in den Rombaksbotten wie die Stellung der beiden letzten hinter der Enge, die offenbar bereit sind, Widerstand zu leisten.

Als die hindernde Nebelwand verfliegt, entschließt sich Commander Micklethwait, Kommandant der *„Eskimo"*, in den Fjord einzudringen. Er eröffnet ebenso wie die hinter ihm noch in der Enge stehenden Zerstörer das Feuer auf die beiden deutschen Boote. Nach kurzem Schußwechsel will er gerade aufhören, als die Torpedos der *„Hans Lüdemann"* an ihren Blasenbahnen erkannt und gemeldet werden.

„Full speed ahead! -AK voraus!" ruft er.

Der Befehl kommt, als *„Eskimo"* eben dreht und nun im Begriff steht, mit der schnell aufgenommenen hohen Fahrt senkrecht auf die Felsen zu laufen.

„Stop! AK zurück!"

Micklethwait atmet auf, denn die Turbinen springen sofort an und ziehen den Zerstörer sowohl aus der Richtung der Blasenbahnen wie auch frei von dem bereits gefährlich nahen Ufer. Aber nun sind hinter ihm *„Forester"* und *„Hero"* genau in der Peilung der drei Laufbahnen. Da sie noch in der engen Durchfahrt stehen, haben sie wenig Raum zum Manövrieren. Lieutenant-Commander E. B. Tancock auf *„Forester"* und der Kommandant der ihr folgenden *„Hero"* gehen darum mit dreimal AK zurück und bringen es fertig, mit hoher Fahrt über den Achtersteven den Torpedos auszuweichen. Das geschieht, während *„Hans Lüdemann"* abdrehend den Rombaksbotten hinaufläuft und *„Georg Thiele"* nun allein die Engländer unter Feuer hält.

Die gefährlichen Manöver sind dank der Geschicklichkeit der Kommandanten ohne Ramming geglückt, und nun gehen sie gemeinsam wieder vor. Aus den Buggeschützen fährt rotgoldenes Mündungsfeuer. Die bei der geringen Entfernung flach heranjagenden Granaten hämmern auf die sich energisch wehrende *„Georg Thiele"* ein. Sie krachen in die Aufbauten, die Brücke, die Geschütze. Sprengstücke gellern als Querschläger abprallend umher. Tote und Verwundete stürzen, liegen an Deck. Brände lodern auf, greifen um sich.

„Treffer auf der Brücke!"

„Treffer in Abteilung III!"

Einzelne Matrosen schleudert der Luftdruck der Detonationen über Bord.

„Treffer am IV. Geschütz!"

Die ganze Bedienung fällt aus. Ersatzmannschaften springen hinzu, mannen Munition, laden, feuern. Gleich darauf haut eine Granate ganz nahe ins Oberdeck. Glühende, großzackige Stahlstücke fegen mitten unter die schweißnaß und atemlos arbeitenden Männer. Und wieder stürzen andere herbei und feuern weiter.

Granate auf Granate trifft den trotz aller Ausfälle und der an Oberdeck wütenden Brände tapfer kämpfenden deutschen Zerstörer. Ein Ruf aus heiserer, von Pulverqualm und Brandrauch fast erstickter Stimme tönt durch den Lärm:

„Munitionsaufzüge ausgefallen!"

Ein Seemann stürzt zu einem der Niedergänge. Ein Sprengstück schlägt ihm in den Oberschenkel, er fällt, verblutet wie die anderen, die das konzentrierte Feuer der weit überlegenen Engländer in kurzer Zeit hinwegrafft. Aber Ersatz kommt. Matrosen, deren Gefechtsstationen ausfielen, schleppen Granaten heran, Kartuschen, reißen sie aus den letzten Bereitschaftsracks, stoßen sie in die Geschütze, die keinen Augenblick das Feuer einstellen.

Wie ein von Jagddoggen gestellter, aus vielen Wunden blutender wütender Eber wehrt sich der Zerstörer. Noch blitzt es aus den Geschützen, noch rattern und bellen auch die Maschinenwaffen.

Auf der Brücke sind durch Treffer Telegrafen, Telefone und Sprachrohre ausgefallen. Durch eine Melderkette werden die Befehle an die Maschine weitergegeben, die den Zerstörer trotz des Gezeitenstroms mit den Schrauben auf der Stelle halten. Lange kann der Widerstand, dieses verzweifelte Auflehnen gegen das Schicksal nicht mehr dauern. Die Munition wird knapp. An Oberdeck steht der IO bei einer der Löschgruppen. Korvettenkapitän Wolff greift ein Megafon, ruft hinunter:

„Flöße und Schwimmwesten klarmachen!"

Der Erste Offizier zeigt verstanden, gibt den Befehl weiter und kommt den halbzertrümmerten Niedergang zur Brücke hinauf. Ein Treffer kracht ins Oberdeck, ein Granatsplitter schlägt ihm ein Bein ab, er stürzt und wird zum Gefechtsverbandsplatz getragen. Unmittelbar danach schmettert eine 12 cm in den Funkraum unter der Brücke. Ein Matrose fällt, drei, darunter ein Funkmaat, werden schwer verwundet. Gerade in diesem Augenblick hält der Kommandant den letzten, kurz vor dem Treffer abgehörten und entschlüsselt zur Brükke gebrachten Funkspruch in der Hand. Er liest halblaut den Text:

„Narvik unter allen Umständen halten!"

Er sieht auf das weiße, mit schwarzen Punkten linierte Papier. Alles ist sorgfältig und vorschriftsmäßig eingetragen: der Kopf mit der laufenden Nummer des Gebers und Empfängers, den beiderseitigen Uhrzeiten, dem Funkweg usw. Er runzelt die Stirne, steckt das Blatt in die Manteltasche und sieht kopfschüttelnd über sein Boot, über die Einschußlöcher, die Brände, die Feuerlöschgruppen. Da stehn die Männer, seine Männer, unter Toten und Verwundeten und feuern. Ob die im FHQ[1]) wissen, wie das aussieht, wenn sich eine Besatzung wie diese zwischen Tod und Schmerzen, Detonationen und Bränden aus Pflichtgefühl, Treue und Liebe zur Heimat bis zum Letzten einsetzt?

Und dann entdeckt er etwas, das ihm trotz der hoffnungslosen Lage ein Lächeln abzwingt. Er wendet sich an den WO:

„Sehn Sie sich das an da unten! der TO! Der will, weiß der Himmel, noch unseren letzten Aal losmachen! "

Auf dem von Treffern aufgerissenen, ausgezackten Eisendeck steht der TO mit einem seiner Leute auf dem nach Steuerbord ausgeschwenkten achteren Vierlingsrohrsatz. Unbe-

---

[1]) Führerhauptquartier

kümmert, unberührt von allem, was um sie herum vorgeht, beobachten die beiden den Gegner.

„Ob sie wirklich ... meine Tante! Da geht er hin, wahrhaftig!" ruft der Kommandant.

Der Torpedo zischt aus dem Rohr, fährt ins ausspritzende Wasser, geht ordnungsgemäß auf Tiefe und läuft schnurgerade auf den Zerstörer *„Eskimo"* zu. Der hat zu seinem Glück im gleichen Moment auf das Südufer des Fjords abgedreht, um ebenfalls zum Torpedoschuß zu kommen und gleichzeitig statt nur die Buggeschütze seine ganze Breitseite ins Gefecht zu bringen.

Plötzlich springt der Torpedo, mehrmals die Oberfläche durchbrechend, aus dem Wasser und scheint merkwürdig zu laufen. Entsetzt dreht sich der Obermatrose zum TO um:

„Der Aal, Herr Oberleutnant! Was macht der bloß?"

Ärgerlich winkt der TO ab, beugt sich vor und sieht erleichtert, daß der Torpedo wieder auf Tiefe geht und seine Richtung hält. Den Gefechtslärm übertönend zerreißt eine laute Detonation die Luft.

„Treffer! Hurra! Treffer!" brüllen die beiden auf dem Rohrsatz. Der Oberleutnant schwingt triumphierend den Arm und springt an Deck.

Flammen und Rauch schlagen aus dem getroffenen Gegner. Zwei der anderen Zerstörer gehen bei ihm längsseits.

Auf *„Eskimo"* erkennt der Kommandant, mit dem Wendungsmanöver beschäftigt, die Blasenbahnen erst im letzten Augenblick:

„Äußerste Kraft zurück!"

Ehe das Boot Fahrt aufnimmt, trifft der Torpedo unter der Back auf der Höhe der ersten 12 cm Doppellafette, die außer Gefecht gesetzt wird. Das ganze Vorschiff reißt durch die Explosion ab. Ein Durcheinander von Ankern, Ketten, Kabeln, Rohrleitungen und Trägern ragt bizarr in die Luft und ins Wasser hinein. Unter den Munitionsmannern und Leckgruppen, die im Zwischendeck auf ihren Gefechtsstationen stehen, treten schwere Verluste ein. Die oberen Buggeschütze auf der Plattform vor der Brücke aber feuern untentwegt und unbeirrt. Lieutenant-Commander F. B. Tancock, der Kommandant der nächststehenden *„Forester"*, schreibt später in seinem Bericht:

„Die B-Geschützbedienung war fabelhaft, sie schoß, als ob überhaupt nichts passiert sei!"

Micklethwait manövriert kaltblütig weiter über den Achtersteven, bis er eine günstige Schußposition erreicht hat und seinen letzten Torpedo losmachen kann. Dann erst zieht er sich aus dem Gefecht zurück. Nach Passieren der Enge fassen die unter dem Schiff an ihren Ketten hin und her schwingenden Anker auf 30 m Wasser Grund. *„Forester"* und *„Punjabi"* bleiben zur Hilfeleistung in der Nähe. Die übrigen, *„Hero"* und *„Icarus"*, zu denen noch die aus dem Ofot-Fjord kommende *„Kimberley"* stößt, laufen immer noch auf *„Georg Thiele"* feuernd den Rombaksbotten hinauf.

Der Torpedotreffer auf *„Eskimo"* und das durch ihn entstandene Durcheinander haben dem deutschen Zerstörer eine kurze Atempause geschenkt. Aber mit der Munition geht es zu Ende. Die Kammern sind leer, hinter den Geschützen liegen die letzten, mühsam zusammengesuchten Chargierungen.

Auf der Brücke ist nun außer dem verwundeten Kommandanten alles ausgefallen. Korvettenkapitän Wolff bedient selbst die Steuerwippe der Ruderanlage. Er bemüht sich verzweifelt, einen Befehl an die Maschine durchzubringen. Sprachrohre und Telefone sind zerfetzt, und die Matrosen der Meldekette gefallen oder verwundet. Aber auf irgendeine Weise muß es gehen. Er blickt zum Artillerieleitstand hinauf, sieht den AO und ruft ihm etwas zu. Doch da setzt von neuem das Artillerieduell ein, und der AO kann sich in dem Toben und Krachen nicht verständlich machen. Wohl sehen sie an Oberdeck, daß er winkt und wiederholt in das vor den Mund gehaltene Megaphon schreit, hören können sie kein Wort. Ein Bootsmaat, der die verzweifelten Bemühungen sieht, läuft zur Brücke, ruft es dem Nächststehenden zu, bis endlich der Befehl in die Turbinenräume gelangt:

„Beide Maschinen AK voraus!"

Unten in den Fahrständen drehen die Maate die Handräder herum, reißen die Ventile auf. Erst langsam, dann schneller werdend, nimmt der Zerstörer Fahrt auf.

„Aufsetzen und sprengen!" ruft Wolff, der das Boot zum Südufer des Fjords steuert.

Er blickt umher. Im Westen reckt sich das verschneite Felsmassiv des die ganze Landschaft beherrschenden und über zwölfhundert-Meter hohen Rombakstötta in den Himmel.

Fern und einsam schimmern die breiten Schneefelder seiner Gipfel. Auf halber Höhe der Uferberge zeichnet sich deutlich die Trasse der Erzbahn als dunkler Strich vom verschneiten Hang ab. Mein Himmel, denkt er, die Erzbahn, die Kiruna-Bahn, um die sich letzten Endes alles dreht! Die Bahn, die das Schwedenerz hinunter nach Narvik bringt, das Ziel des ganzen Unternehmens, Ursache des Kampfes, des Sterbens ringsum, das mit jedem einschlagenden Treffer neue Opfer fordert.

Wenige Minuten noch, dann stößt *„Georg Thiele"*, mit hoher Fahrt bis zur Brücke auflaufend, krachend und funkensprühend auf die Steinklötze des Ufers. Felsblöcke splittern. Der Kommandant tritt aus dem Ruderstand, reißt ein Megaphon vom Haken:

„Alle Mann außenbords!"

Die Männer lassen sich von der schräg aufragenden Back an Tampen in den Schnee hinab oder springen zu Dutzenden von der Reling in das eiskalte Wasser.

Die nachfolgenden Engländer feuern weiter. Ihre Granaten schlagen in den brennenden Zerstörer, detonieren zwischen den Schwimmern und den mühsam den steilen Hang hinaufkletternden Seeleuten. Die Matrosen tragen oder stützen ihre Verwundeten und suchen für sie und sich hinter den Felsen Deckung. Der Schiffsarzt bemüht sich um die Schwerverletzten.

Beim IO ist der Blutverlust noch ehe der Oberschenkel abgebunden werden konnte zu groß gewesen. Noch erkennt er den Kommandanten, der sich besorgt über ihn beugt. Mühsam hebt er ein wenig den Kopf:

„Sind die Engländer schon in Narvik?" fragt er leise.

Es ist der letzte Gedanke, der den Sterbenden quält. Als Korvettenkapitän Wolff verneinend den Kopf schüttelt, geht ein Lächeln über seine schon vom Tod gekennzeichneten Züge. Der Körper entspannt sich, der Kopf sinkt zurück. Es ist zu Ende. Der Kommandant zieht den schweren Handschuh von der Rechten und drückt seinem IO die Augen zu.

Auf *„Georg Thiele"* hat bis jetzt noch immer ein Geschütz auf die nachdrängenden Engländer gefeuert. Nun schweigt es, weil die letzte Granate verschossen ist. Auch die Gegner stellen das Feuer ein.

Die Überlebenden erreichen mit ihren Verwundeten nach langer und mühseliger Kletterei den Schienenstrang der Erzbahn, auf dem vorrückend sie am späten Nachmittag in Narvik eintreffen.

Als *„Hero"*, *„Icarus"* und *„Kimberley"* das Wrack der bei Sildviken aufgesetzten *„Georg Thiele"* passieren, können sie ein, zwei Meilen fjordaufwärts am Ende des Rombaksbotten zwei weitere Zerstörer erkennen. Den dritten sehen sie noch nicht, da er durch einen der anderen verdeckt wird. Alle haben sich durch Öffnen der Seeventile, Sprengladungen und Wasserbomben selbst versenkt. Ihre Besatzungen sind längst von Bord und steigen nun oberhalb des im Talgrund verlaufenden Pfades zur Erzbahn hinauf.

Die Engländer nähern sich jetzt *„Hans Lüdemann"*. Sie liegt auf ebenem Kiel. Über ihrem Achterschiff steht eine dunkle Rauchwolke, die sich ständig aus dem Inneren verstärkt.

Der Kommandant der *„Hero"* läßt Boote aussetzen. Unter Führung eines Offiziers sollen bewaffnete Seeleute das Wrack untersuchen. Noch auf dem Wege dorthin beobachtet der Leutnant, wie sich der zweite Zerstörer langsam auf die Seite legt, von den Uferfelsen abgleitet und sinkt. Es ist *„Wolfgang Zenker"*, die nun die Sicht auf die bisher verdeckte *„Bernd v. Arnim"* freigibt.

Die Bootsbesatzungen gehen an Bord der *„Hans Lüdemann"*, setzen über der deutschen Kriegsflagge das White Ensign und beginnen die Untersuchung. Vor allem nach Papieren, Dokumenten und Geheimsachen. Aber es ist umsonst. Die deutschen Offiziere haben vor dem Vonbordgehen, wie ein Haufen Asche auf der Brücke verrät, alles wesentliche vernichtet.

Nach dem Aussehen des Zerstörers, aufrecht und auf ebenem Kiel liegend, hatten die Engländer gehofft, ihn abschleppen und bergen zu können. Sie müssen sich aber bald überzeugen, daß das auf Grund der Beschädigungen wie der eigenen Mittel unmöglich ist. Hinzu kommt, daß das im Achterschiff wütende Feuer die am Heck lagernden Wasserbomben zu erreichen und zu zünden droht. Sehr enttäuscht läßt der führende Offizier die Flaggen niederholen und verläßt mit ihnen und seinen Leuten das gefährliche Wrack.

An Bord der *„Hero"* zurückgekehrt, meldet er dem Kommandanten, der nach kurzem Überlegen seinem Torpedooffizier den Befehl gibt, *„Hans Lüdemann"* durch einen Torpedo endgültig zu zerstören. Das geschieht um 17 Uhr 00. Das Boot legt sich nach dem Treffer auf die Backbordseite und sinkt ausgebrannt am Südufer des Rombaksbotten. Am Nordufer ist *„Bernd von Arnim"* gekentert und kieloben versunken. Zwischen beiden liegt, durch die Sprengungen in der Mitte auseinandergebrochen, *„Wolfgang Zenker"* auf Grund.

Inzwischen ist *„Eskimo"* durch *„Forester"* und *„Punjabi"* in tieferes Wasser geschleppt worden. Noch im Verlauf dieses Manövers stellt sich heraus, daß der Zerstörer vorn langsam aber sicher wegsackt. Es gelingt, durch rücksichtsloses Überbordwerfen aller an Oberdeck befindlichen schweren Gegenstände das Sinken abzustoppen. Der Kommandant, der die Möglichkeit, sein Boot schwimmend zu erhalten, als sehr gering beurteilt, befiehlt vorsichtshalber, alle Geheimsachen zu vernichten. Die Arbeiten zur Bekämpfung der Schäden, vor allem das Dichten und Abstützen der Abteilungen im Vorschiff und das Lenzen der vollgelaufenen Räume verläuft aber so erfolgreich, daß *„Eskimo"* gegen Abend als nahezu dicht und klar zum Fahren über den Achtersteven gemeldet werden kann.

Commander Micklethwait gibt alle Verwundeten und die nicht unbedingt benötigte Besatzung ab. Dann läuft er, Heck voraus, den Ofot-Fjord hinab und am folgenden Tage, dem 14. April, in den Skjel-Fjord auf den Lofoten ein. Das ist in dieser Zeit der Reparaturhafen der Engländer. Drei schwer beschädigte Kriegsschiffe liegen dort: der Zerstörer *„Hotspur"*, der während des Verfolgungsgefechts am 10. April mehrfach getroffen wurde, der Leichte Kreuzer *„Penelope"*, der am 11. auf einen Felsen lief und nun auch *„Eskimo"*, die hier notdürftig zusammengeflickt, später in der Werft in Barrow in Furness an der englischen Nordwestküste endgültig instand gesetzt wird.

Der letzte der 10 Zerstörer: „Diether von Roeder". „Warspite". „Gott sei Dank, sie feuern!" „Cossack" wird getroffen und läuft auf Grund. Im Tunnel. „Foxhound". „Los, Tietke! Zünden!" Der Bootsmaat mit dem voreiligen MG. „Diether von Roeder" wird gesprengt. Admiral Whitworth's Lagebeurteilung.

Als der Alarm der *„Hermann Künne"* in Narvik aufgefangen wird, sitzt die Besatzung der an der Postpier festgemachten *„Diether von Roeder"* friedlich beim Mittagessen. Korvettenkapitän Holtorf hat alle für diesen Fall erforderlichen Maßnahmen bereits mit dem „Ritter ohne Furcht und Tadel" durchgesprochen. Er läßt den noch auf dem Zerstörer verbliebenen Teil der Besatzung sofort abrücken. An Bord bleiben nur der IO, der AO, die Bedienung der Buggeschütze, die allein die Engländer bekämpfen können, wenn sie versuchen, in den Hafen einzudringen, eine Sprenggruppe und ein paar Mann für die E-Anlage. Der Kommandant selbst, nun für den Einsatz der weitaus meisten seiner Männer an Land verantwortlich, begibt sich ebenfalls zur Schutzstellung. Sie liegt über und nahe der Postpier in einem Tunnel, der zum Beis-Fjord führenden Abzweigung der Erzbahn. Von dort, 20 m über dem Hafen, beobachtet er mit dem Stoßtruppleutnant, wie die Zerstörer, einer nach dem anderen, den Hafen verlassen. Aus der Ferne läßt dumpfes Rummeln die Luft leise erzittern.

„Geschützfeuer!" sagt Holtorf. „*‚Hermann Künne‘* oder *‚Erich Koellner‘* müssen draußen bereits im Gefecht stehen."

Nach einer Weile wird das Grollen stärker, kommt näher und näher. Die eigenen Boote, die hinter den Bergen nach Westen verschwunden waren, tauchen wieder auf. Pulverrauch und Schneeböen ziehen vor dem Nordost über den Fjord und hindern die Sicht. Aufschläge springen wie verschneite Tannenbäume aus dem dunklen Wasser.

Fast eine Stunde lang dauert das Gefecht dort unten nun schon. Der Kommandant nimmt das Glas von den Augen, wischt mit dem Taschentuch über die schneenassen Okulare:

„Sie wehren sich ausgezeichnet! Sehn Sie bloß, wie schlecht die Engländer schießen. Da! Bei *‚Zenker‘* zum Beispiel, links vor der Einfahrt, drüben am anderen Ufer: weit, kurz, weit weit! Nicht gerade überzeugend. Ich glaube, sie haben noch keinen einzigen Treffer erzielt."

Dann verschwinden die deutschen Zerstörer hinter künstlichem Nebel nach Nordosten.

„Jetzt werden sie doch zurückgedrängt, gehn wahrscheinlich in den Rombaken-Fjord", meint Holtorf. „Kein Wunder. Haben Sie die Gegner zählen können?"

Der Leutnant verneint:

„Ausgeschlossen, Herr Kaptän! Bei diesem Durcheinander, den Schneeböen und dem Qualm ..."

„Soviel ich erkennen kann, scheinen sie ungefähr doppelt überlegen zu sein. Aha! *‚Erich Giese'* legt ab!"

Vom Malmkai über den Achtersteven zwischen den Wracks hindurch manövrierend strebt das Boot der Einfahrt zu. Gleich danach liegt es, noch im Hafen das Feuer eröffnend, in dekkenden feindlichen Salven. Es erhält mehrere Treffer und kriecht mit langsamer Fahrt und brennend ebenfalls um die Huk bei Framnes.

„Was ist los? Macht kaum noch Fahrt! Die Maschinen müssen ausgefallen sein. Jetzt schlagen sie *‚Giese'* zusammen, sechs gegen einen. Verflucht nochmal!"

Der Leutnant will eine Bemerkung machen, da steigt geisterhaft und schneeweiß ein himmelhoher Aufschlag und gleich danach ein zweiter in der Hafeneinfahrt hoch. Gleichzeitig rollt langhallender schwerer Donner über Fjord und Bucht. Wie eisstarrende Pylonen stehen die Wassersäulen sekundenlang still, brechen in sich zusammen und malen dann große Schaumkreise auf das ölschillernde, schmutzige Wasser.

„Donnerwetter! Haben Sie das gesehn? Menschenskind, die sind von einem dicken Schiff, mindestens 38 cm!" ruft Holtorf. „Da können wir uns auf was gefaßt machen, jetzt geht's erst richtig los! Junge, Junge!"

Der Leutnant nickt nur, die Riesenaufschläge verschlagen ihm die Sprache. Was sollten sie treffen? Etwa ihren Zerstörer dort unten an der Pier? Kaum anzunehmen. Die Stadt? Die hohen Anlagen und Gerüste beim Erzkai? Langsam schiebt sich der mächtige Rumpf der *„Warspite"* ins Bild. Fasziniert beobachten die beiden Offiziere, wie die schweren Geschütze in langen Abständen Einzelschüsse abgeben. Der Kommandant steckt sich eine Zigarette an:

„Das ist hundertprozentig das Ende", sagt er leise. „Ich glaube, es wird Zeit, daß die Männer im Tunnel verschwinden. Unsere mühsam aufgeworfenen Stellungen sind diesem Kaliber nicht gewachsen." Er schwenkt den Arm:

„'Rein mit Euch, verduftet! Aber schleunigst! "

Er selbst bleibt mit dem Leutnant und ein paar Meldern noch draußen. Was, um Gottes willen, soll ich machen, denkt er, wenn die Engländer kommen? Wieviele sind es eigentlich außer dem Schlachtschiff? Ob es Truppen an Bord hat? Und die Zerstörer? Ein paar der Tribal-Klasse hab' ich deutlich erkannt. Dazu drei oder vier ältere. Womöglich ist dies nur der

Anfang und draußen stehen Transporter, die folgen, wenn die ersten Stoßtrupps gelandet sind. Jedenfalls habe ich diese Stellung hier oben zu halten, und die Gebirgsjäger sind ja auch noch da. Prima Kerle, aber überall verstreut: am Hafen, an der Erzbahn, in den Bergstellungen, am Beis-Fjord und weiß der Teufel, wo. Andere sind abgerückt nach Elvegaardsmoen. Na egal, Rückzugsmöglichkeiten gibt's für uns ziemlich kümmerlich bewaffnete 250 Mann sowieso nicht. Paar Trampelpfade, neben denen der Schnee meterhoch liegt. Steiler Hang dazu, keine Schneeschuhe. Dann schon besser bis zur letzten Granate, nee, Patrone, wenn die Tommies landen!

Korvettenkapitän Holtorf hat sich mit dem Leutnant und den Meldern zu seinem sogenannten Gefechtsstand begeben, einem zwischen den Felsen ausgehobenen kleinen Etwas, das die Männer ihm stolz als solchen zeigten. Unten im Ofot-Fjord dreht jetzt ein britischer Zerstörer auf den Hafen zu. Es ist *„Cossack"*. Das Schlachtschiff liegt gestoppt dahinter.

„So, mein Lieber! Jetzt kommen wir dran!" meint der Kommandant gelassen und richtet das Doppelglas auf den die Einfahrt passierenden Engländer, der zu feuern beginnt. Plötzlich bellt irgend ein kleines Geschütz penggg, penggg. Hell und dünn klingen die Abschüsse und Holtorf, der verwundert aufhorcht, muß suchen, bis er entdeckt, wer und was da knallt. Er schüttelt lachend den Kopf:

„Grundgütiger Himmel! Unser Sub ist das, der Sub mit seinem Fischesel! Haben Sie ihn? Drüben in dem Winkel bei der Eisenbahnpier. Toller Vogel, mit der einen lächerlich kleinen Kanone gegen den Zerstörer anzuballern!"

Es kann nur noch Augenblicke dauern, bis auch *„Warspite"* eingreift, die sich behäbig, würdevoll und gemächlich drüben in Schußposition legt. Mitleidig, sorgenvoll sieht der Kommandant auf seinen Zerstörer hinunter. Er denkt an seine Leute dort unten an Bord.

„Sie sind verloren, restlos verloren", murmelt er vor sich hin, „wenn die da drüben loslegen. Ein Schlachtschiff und ein Zerstörer gegen die lahme Blechbüchse! Und das auf kürzeste Entfernung!"

Auf 8 Hektometer donnern die Buggeschütze der *„Diether von Roeder"*. Kurz danach ein zweites Mal. Und dann pausenlos im Salventakt.

„Gott sei Dank!" ruft Holtorf strahlend. „Sie feuern, Sub! Und wie sie feuern! Immer raus mit den Bouletten, AO, AO! Gib ihm, gib ihm!"

Der Gegner wird mehrmals hintereinander getroffen. Feuer bricht aus, Brandwolken kommen aus dem Innern.

„Treffer! Treffer!" schreit Holtorf. „Mindestens zwo, drei, ach wo: noch mehr! Bravo! AO!"

„Herr Kaptän", ruft der Leutnant dazwischen, „der Engländer dreht hart nach Steuerbord ab. Deubel auch! ... sieht fast so aus, als ob er aufgerannt ist!"

„Ist er auch! Siehst Du, mein Sohn, wir haben Niedrigwasser, das hast Du wohl nicht bedacht oder vergessen. Das kommt davon!"

Von irgendwoher werden drei Torpedos losgemacht. Zwei rasen auf die Postpier zu und detonieren unweit *„Diether von Roeder"*. Sie legen einen Teil der Pier und einen Lagerschuppen in Trümmer. In den übrigen entstehen Brände. Der dritte Torpedo schlägt in den Fuß des Kais. Der Zerstörer kommt ins Schlingern. Mehrere Festmacher brechen[1]).

Mit gemischten Gefühlen erkennen die beiden, Kommandant und Leutnant, wie das Schlachtschiff nach den ersten Salven des eigenen Bootes langsam die Türme schwenkt, bis die dunklen Rohrmündungen der 38 cm genau auf die Felsstellungen, auf sie hier oben, zu zeigen scheinen. Aus einem der vorderen Doppeltürme schlägt ein langer Feuerstrahl wie ein flammendes Schwert, schwerer Pulverqualm wälzt sich masthoch hinterher. Gleich danach schmettert der erste Einschlag in der Nähe der Postpier ohrenbetäubend in die Felsen. Steinbrocken fliegen umher, giftgrünlicher Pulverrauch steigt mit dem Aufwind langsam den Hang empor.

„Warspite" hält die Salven der *„Diether von Roeder"* zuerst für das Feuer einer Küstenbatterie und streut die Berghänge ab. Nach einiger Zeit erkennt man den Irrtum und nimmt einen Zielwechsel auf den Zerstörer vor. Dicht bei ihm, an beiden Seiten, wuchten hohe Aufschläge aus dem Wasser. Sie überschwemmen im Niederbrechen das ganze Vorschiff

---

[1]) Die Torpedos werden in keinem englischen Bericht, auch nicht in dem offiziellen Seekriegswerk erwähnt. Wenn nicht von den draußen stehenden Zerstörern, wurden sie möglicherweise von „Cossack" losgemacht.

mitsamt den unerschüttert ausharrenden Bedienungen der Buggeschütze.

Auch *„Cossack"* schießt zuweilen, während ihre Besatzung sich müht, die ausgebrochenen Brände zu löschen. Eine ihrer Granaten schlägt unter dem Artillerieleitstand der *„Diether von Roeder"* in die Brücke.

Der Kommandant, der diesen Treffer beobachtete, schlägt zornig mit der Faust durch die Luft:

„Verdammt! Hoffentlich hat der AO mit seinen Männern nichts abbekommen."

Aber da feuern die Buggeschütze schon wieder.

„Na also!" meint Holtorf erleichtert.

„Cossack", Kommandant Commander R. St. V. Sherbrooke, der den vom „Altmark"-Fall bekannten Captain Vian abgelöst hat, verfolgt zunächst einlaufend ungestört ihren Weg durch Handelsschiffe und Wracks. Dann kommt sie plötzlich in das unerwartete Schnellfeuer der *„Diether von Roeder"*. Sie erhält in kürzester Zeit, nach englischen Angaben, acht Treffer. Darunter sind zwei mit schweren Folgen, die erhebliche Ausfälle verursachen. Der erste durchschlägt krachend die Vorkante des vorderen Aufbaus, zertrümmert die Munitionsaufzüge und tötet oder verwundet die dort arbeitenden Munitionsmanner. Der zweite geht in den vorderen Kesselraum. Die gesamte Bedienung fällt. Inzwischen sind Steuerung und Maschinentelegraf ausgefallen, Telefon- und Sprachrohrverbindungen unterbrochen. Außerdem ist die Hauptdampfrohrleitung angeschlagen.

„Cossack" läuft aus dem Ruder, dreht hart nach Steuerbord ab und rennt wie im Amoklauf auf den felsigen Grund. Im Südteil der Hafenbucht gegenüber dem Malmkai. Alle Versuche der Besatzung, sie wieder flott zu bekommen, scheitern zunächst. Ab und an feuert sie auf *„Diether von Roeder"*, meist jedoch auf die Scharfschützen der Gebirgsjäger, die am Südufer bei Ankenes eine Stellung bezogen haben und gelegentlich sogar ihre kleinen Gebirgsgeschütze einsetzen.

Nach längerer Zeit erscheint draußen vor der Einfahrt der Zerstörer *„Foxhound"*. *„Diether von Roeder"* hat gerade vorübergehend das Feuer eingestellt. Der Kommandant der *„Cossack"*, der daher annimmt, sie sei inzwischen verlassen worden, gibt *„Foxhound"* den Befehl, das deutsche Boot zu nehmen. Lieutenant-Commander Peters, zeigt hocherfreut „Verstanden!" und läuft an, ahnungslos, was ihn erwartet.

Während der ganzen Zeit setzt *„Warspite"* ihr Einzelfeuer gegen *„Diether von Roeder"* fort. Treffer erzielt sie nicht. Aber die deutschen Weitschüsse, die in der Nähe des Tunnels und der Felsstellungen einschlagen, werden für die Besatzung höchst ungemütlich.

Huiiirummmwuuum, heulen und jaulen die schweren Koffer heran, detonieren mit Donnergetöse und schleudern Sprengstücke und Steinsplitter nach allen Seiten.

Ein großes Stahlstück fährt dicht vor dem Gefechtsstand ins Gestein. Holtorf bückt sich und besieht sich den Brocken:

„Mann, o Mann! Das hätte leicht ins Auge gehen können! 38 cm Granatspitze mit eingepreßtem Stempel!"

Die Pausen zwischen den Schüssen sind kürzer geworden und die Einschläge liegen zuweilen bedenklich nah. Die Drähte der elektrischen Leitungen der Bahnstrecke schwingen in den Luftwellen. Der Kommandant blickt hinüber zum Tunneleingang. Zeit für die Melder und uns zu verschwinden, denkt er. Der Tunnel ist 180 m lang, 22 m breit und gibt Platz für alle. Sicher ist er auch. Durch den gewachsenen Felsen schlägt kein noch so großkalibriges Geschoß. Bestimmt nicht. Er winkt:

„Mitkommen! Hier wird's allmählich zu ungemütlich!"

Die Männer drinnen kauern im Halbdunkel. Sie sehen fragend auf, als die anderen eintreten. Wie die Katzen, wenn's donnert, denkt Holtorf. Tüchtige Kerle, aber die untätige Warterei geht an die Nerven. Du mußt jetzt den starken Mann markieren, sagt er sich, sonst dreht womöglich noch jemand durch. Er zieht eine Zigarettenpackung hervor. Ein Matrosengefreiter springt auf, reicht Feuer. Er dankt, zündet die Zigarette an. Rauchend schreitet er, an diesen oder jenen ein Scherzwort richtend, auf und ab. Aus der Traum! Das ist es, was er wirklich denkt. Die Seeleute kennen ihren Alten nur zu gut. Sie sehen ihm an, daß er eine Stinkwut hat, eine entsetzliche Wut, weil er nichts, aber auch gar nichts tun kann solange die Schießerei anhält. Er schüttelt unwillkürlich den Kopf.

Neben ihm geht im gleichen Schritt der Leutnant. Schweigend.

„Unsinn!" sagt der Kommandant plötzlich laut. „Die Geschichte läuft und wir können sie nicht aufhalten. Bis ... ja, bis die lieben Vettern landen. Dann sind wir dran und werden sie wieder in den Bach schmeißen! Das ist sicher!"

Er verhält, lauscht auf das rollende, dröhnende Furioso draußen. Auch der Leutnant ist stehen geblieben :

„Einen Munitionsverbrauch haben die Burschen! Unglaublich. Jedenfalls keine Nachschubsorgen, Herr Kaptän!"

„Nee ... halt 'mal! Was ist das?"

Auch die anderen, aufmerksam geworden, spitzen die Ohren. Unten bellen nur noch vereinzelt die Geschütze der *„Diether von Roeder"*. Die kennen sie genau. Dazwischen ist ein anderer, neuer Ton zu hören: das helle, kurze Kläffen eines Gebirgsgeschützes in den Stellungen über ihnen. Dann ist plötzlich alles still. Schlagartig.

„Sofort 'raus! Da ist bestimmt 'ne Schweinerei im Gange! Los, Kameraden!"

Kommandant und Leutnant verlassen den Tunnel, die Männer folgen schnellstens.

„Gott sei Dank!" ruft ein Schreibersmaat einem neben ihm hinausstürzenden Signalgefreiten zu. „Bloß 'raus hier! Das war ja ekelhaft da drinnen!"

Tief Atem holend sehen sie sich um. Was ist eigentlich los? Nach zwei Stunden schwersten Artilleriefeuers plötzlich diese unheimliche Stille. Ob die Engländer mit Schiffsbooten ein Landungskorps ans Ufer werfen? Und unser Zerstörer ... großer Gott, der Zerstörer! Sie werden ihn doch nicht entern? An Bord kann doch kaum noch jemand am Leben sein.

Über die Hafenbucht hinweg fährt das harte Rattern einer mehrläufigen Fla-Maschinenwaffe. Wie der Blitz werfen sich Kommandant, Offiziere und Matrosen in den Schnee. Hart über ihre Köpfe hinweg pfeifen die Geschosse, Schnee stäubt auf und vom Gestein abprallende Querschläger gellern. *„Cossack"* hat die aus dem Tunnel kommenden Männer sofort bemerkt und nimmt sie unter Beschuß. Aus den höher gelegenen Stellungen der Gebirgsjäger antwortet MG-Feuer. Mitten im Pfeifen und Kreischen der zwischen den Schienen der Bahn aufschlagenden und vorbeijagenden Geschosse dreht Holtorf den Kopf zu dem neben ihm liegenden Leutnant:

„Gut, die alte Mutter Erde, was?"

Er richtet den Oberkörper auf, stößt den rechten Arm hoch:

„Vorwärts, Kameraden! Weiter!"

Die beiden Offiziere hasten in langen Sprüngen zum Gefechtsstand. Die Seeleute folgen und besetzen die Stellungen. Von dort spähen sie zur Postpier hinunter. Da liegt *„Diether von Roeder"*. Und hinter den Schutzschilden der Buggeschütze stehen tatsächlich noch die Bedienungen. Schießen können sie nicht mehr, die Munition ist restlos verbraucht. In den offenen Bereitschaftsspinden gähnen die leeren Racks. Haufen verschossener Kartuschen liegen an Deck.

„Unglaublich", sagt kopfschüttelnd und voller Bewunderung für Boot und Besatzung der Kommandant. „Bißchen Schlagseite, sonst nichts."

Dann beobachtet er, wie der IO nach vorn geht und offenbar irgendeinen Befehl ausruft. Die beiden GF's zeigen klar, die Geschützbedienungen sammeln und gehen von Bord. Zwei Verwundete mit weißen Verbänden kann er erkennen. Sonst sind trotz der schweren Beschießung keine Verluste eingetreten, so unglaublich das auch scheint.

An Deck schreiten IO und AO ruhig auf und ab. Dabei liegt *„Warspite"* noch immer vor der Einfahrt und der festgekommene Zerstörer feuert gelegentlich, als wollte er beweisen, daß er auch noch da sei. Auf der Pier tritt die restliche Besatzung an. Der IO dreht sich um und ruft hinüber:

„Herhören: unseren Zerstörer sollen sie nicht bekommen!"

Dann verschwindet er im Eingang des achteren Aufbaus. Da erscheint hinter der Huk der Landzunge bei Framnesodden ein britischer Zerstörer. Lang, schmal, ein dunkelgrauer Wolf. Er dreht in die Einfahrt und hält dann vorsichtig auf die Postpier zu. Es ist *„Foxhound"*, die sich anschickt, den Befehl des älteren *„Cossack"*-Kommandanten auszuführen.

Auf *„Diether von Roeder"* ist der IO aus seiner Kammer zurückgekehrt und winkt nun den Obermaaten Tietke mit seiner Sprenggruppe heran:

„Sehn Sie den Engländer?"

„Jawohl, Herr Kaleunt."

„H- oder F-Klasse!" bemerkt sachlich der AO.

„Was der vorhat, dürfte klar sein!" fährt der Erste Offizier fort.

„Foxhound" kommt näher.

„Längsseits kommen, entern, abschleppen!"

„Also, Tietke: wir jagen unser Boot im letzten Moment in die Luft. Sonst bringen sie es noch als Trophäe nach England. Klar?"

„Jawoll. Herr Kaleunt! Die beiden Wasserbomben sind klar, wie befohlen. Eine vor Ihrer Kammer. Brennzeit der Zündschnur 9 Minuten."

Der Abstand beträgt nur noch 300 m.

„Allmählich wird's Zeit, glaub' ich. Los, Tietke! Zünden!"

IO und Sprengmaat sehen hinauf zum Gefechtsstand. Dort steht die lange, schlanke Gestalt Korvettenkapitäns Holtorf, neben ihm der Leutnant und die Melder. IO und Obermaat nicken sich zu, winken hinauf. Dann laufen die Männer der Sprenggruppe los, einer verschwindet im Achterschiff, zwei stürzen nach vorn.

„Foxhound" ist jetzt auf etwa 250 m heran, vermindert Fahrt. Auf der Back erscheinen Seeleute, Leinen in den Händen.

Vom Gefechtsstand beobachtet Holtorf voll Spannung die Vorgänge:

„Sie zünden, Mensch! Großartig! Wenn bloß der Engländer noch vorher längsseits geht und mit zum Deubel geht!"

Auf *„Diether von Roeder"* kommen die drei Seeleute wieder zum Vorschein und gehen zusammen mit dem an Oberdeck wartenden IO schleunigst von Bord. Sie laufen über die Pier, verschwinden hinter Zollamt und Lagerschuppen, erscheinen wieder am Fuß des Berges und klettern den steilen Hang hinauf. Holtorf dreht sich um und erklärt den mit angehaltenem Atem hinter ihren MG's und Gewehren Hockenden:

„Sie haben unten die Zündschnur angeschlagen. Noch 9 Minuten, dann geht alles hoch!"

Die Entfernung zwischen den beiden Zerstörern beträgt jetzt 150 m, dann 100 m. Dem Kommandanten ist, als müßte er seinem englischen Kollegen zurufen, ja nicht zu stoppen.

„Mehr Fahrt, mehr Sprit, Mann!" sagt er beschwörend. „Nicht so laurig, komm' schon, komm' schon! Himmelherrgottsakra! Das ist vielleicht 'ne lahme Ente!"

„Foxhound" gleitet mit aufregender Langsamkeit durch das ölige, schmutzigbraune Wasser. 80 m, 60 m. Da sieht Lieutenant-Commander Peters das Sprengkommando aus dem Bootsinnern heraufkommen, über Oberdeck laufen, auf die Pier springen und verschwinden. Eine Ahnung durchzuckt ihn:

„Beide Stop!" ruft er durchs Sprachrohr.

„50 Meter!" stellt oben der deutsche Kommandant fest ... Rattatatttatatatttaatt!

„Verflucht! Ein MG. Welcher Idiot ..."

Aber nein: es ist keiner der Leute der *„Diether von Roeder"*, der da zur Unzeit das Feuer eröffnet. Aus einer Stellung der Gebirgsjäger hämmert pausenlos, verbissen und stur ein Maschinengewehr auf Back und Brücke des Engländers. Gewehrschüsse knallen vom Hafenviertel her.

Auf dem Vorschiff des britischen Zerstörers entsteht ein unbeschreibliches Durcheinander. Mit Blitzgeschwindigkeit ist die Back geräumt, alles sucht Deckung hinter den Aufbauten und Geschützschilden. Englische Rufe, Kommandos. Dreimal wiederholt das Klingeln von Maschinentelegrafen. Hinter dem Heck des Zerstörers wallt und schäumt das Wasser in breiter werdenden Kreisen. *„Foxhound"* geht langsam, dann schneller werdend mit dreimal AK zurück. Ihre Fla-Waffen eröffnen das Feuer, streuen die Wasserfront und die Berghänge ab. Als sie schon wieder 300 Meter von *„Diether von Roeder"* entfernt ist, brüllt dort der Donner zweier kurz aufeinander folgender Detonationen auf. Mit himmelhoher Stichflamme birst das Vorschiff, zwei Sekunden später das Achterschiff.

Von innen her brechen die Decks auseinander. Die Beobachter sehen grellgelben und krapproten Feuerschein zwischen dem Gerippe der Spanten hervorschießen, sehen, wie der achtere Rohrsatz durch die Wucht der Explosionen 150 m weit an Land geschleudert wird und die Kommandantenkajüte losgerissen auf die Postpier schmettert. Wie Kinderspielzeug werden die Geschütze angehoben und ihre Trümmerstücke umhergeworfen. Wrackteile wirbeln bis zum Tunnel hinauf. Erschüttert sehen die Männer, wie das zerfetzte Heck nach Backbord drehend versinkt. Schaudernd vernehmen sie die Todesgeräusche ihres Bootes: anderthalb Minuten lang klagt aus dem Bootsinnern das Knacken und Knirschen zerreißender Verbände. Langsam, zögernd, verschwindet der Vormast mit dem weißen Kommandowimpel. Dann ist auch von ihm nichts mehr zu sehen. Der Zerstörer, der sich bis zum Letzten so tapfer wehrte, hat Ruhe gefunden.

Dem Kommandanten treten Tränen in die Augen. Tränen der Trauer und Tränen der Wut. Alles hatte er vorher genau und bis in die letzten Einzelheiten mit dem IO festgelegt. Es war ja sehr wahrscheinlich, daß ein Gegner hereinkommen, längsseits gehen und einen Abschleppversuch machen würde. Selbst die Zündzeit war sorgfältig berechnet worden. Der Brite mußte mit in die Luft fliegen. Und nun das voreilige MG. Es hat den ganzen Plan zunichte gemacht. Und doch kann gegen niemanden ein Vorwurf erhoben werden, wie sich sehr bald herausstellt.

Ein Maat eines der am 10. gesunkenen Zerstörer liegt zufällig in einem MG-Nest der Gebirgsjägerstellung. Er beobachtet das Näherkommen der *„Foxhound"*, erkennt deren Absicht, *„Diether von Roeder"* zu entern. Von den Vorbereitungen zur Sprengung ahnt er nichts, hat auch die Sprenggruppe nicht bemerkt. Er rückt sich hinter seinem MG zurecht, nimmt die Back des Engländers ins Visier und lacht grimmig auf:

„Dich sollen die Brüder nicht kriegen! Und an Land kommen sie auch nicht! Verdammt nochmal!"

Und dann rattert das Maschinengewehr los. Leider und für ein Marine-MG erstaunlicherweise ohne jede Ladehemmung. Einen Toten und vermutlich mehrere von der englischen Schilderung nicht erwähnte Verletzte kostet *„Foxhound"* der Entschluß des Unteroffiziers.

Immer noch zieht der Zerstörer mit hoher Fahrt zurück. Lieutenant-Commander Peters sieht seinen NO mit vielsagendem Blick an:

„Da hat der liebe Gott aber kräftig seinen Daumen zwischen den Block gehalten, Pilot!"

„Das kann man wohl sagen, Sir!" lacht der NO.

Der Kommandant geht mit der Fahrt herunter, greift zu einem Megaphon und manövriert sein Boot in die Nähe der *„Cossack"*. Auf deren Brücke steht, den braunen Marinedüffel bis oben hin zugeknöpft und einen blauen Schal um den Hals gewürgt, es herrschen 19 Grad Kälte an diesem Tage, Commander Sherbrooke. Peters ruft ihn an.:

„Soll ich Sie abschleppen, Sir?"

„Danke! Besser nicht! Fürchte, wir werden mit dem Bug wegsacken, solange wir die Lecks nicht genügend gesichtert haben. Aber 'was anders: können Sie mir Ihren Arzt pumpen, ich habe leider neben zwölf Toten mehrere Verwundete. Mein Doc wäre dankbar, wenn er Mithilfe bekäme."

„Gern, Sir! Natürlich!"

Peters läßt ein Beiboot aussetzen. Dann erhält er Befehl, auszulaufen und die Überlebenden der *„Erich Giese"* zu retten.

Alles Schießen ist nun verstummt. Der seit den Mittagsstunden anhaltende Gefechtslärm schweigt. Als einziges deutsches Schiff liegt noch die völlig unbeschädigte *„Jan Wellem"* an der Erzpier. Aber es scheint nur so. Man hat, um sie nicht in Feindeshand fallen zu lassen, die Seeventile geöffnet, und sie ist auf ebenem Kiel gesunken. Kaum zu erkennen, da sie bei der geringen Wassertiefe nur wenig absackte.

„Cossack" schickt ihre transportfähigen Verletzten zu *„Punjabi"*, von wo sie weiter auf *„Warspite"* geschafft werden, die, umgeben von Zerstörern, vor dem Rombaken-Fjord steht.

Auf dem Schlachtschiff finden sich im Laufe des Tages noch weitere Gäste ein. Den Besatzungen der britischen Handelsschiffe, die am 9. April durch deutsche Prisenkommandos gesammelt und am 10. an Land geschafft worden waren, gelang es zu entkommen. Bei ihrem beschwerlichen Marsch über die Berge stießen sie zufällig auf die „Hardy"-Mannschaft. Gemeinsam werden sie nun mit Ausnahme der im Hospital zurückbleibenden auf *„Warspite"* übergesetzt.

Übrigens gab das Durcheinander am 13. auch den von *„Erich Giese"* geretteten „Hunter"-Seeleuten eine Gelegenheit zur Flucht. Sie gelangten ungehindert über die schwedische Grenze und kehrten später nach England zurück.

Nach den Ereignissen des Tages sieht sich Admiral Whitworth vor schwierige Fragen gestellt. Er überlegt, ob er hier bleiben und das Eintreffen der unterwegs befindlichen Heeresbrigade abwarten, vielleicht sogar eine Landungsabteilung gebildet aus der Royal Marines der *„Warspite"* und Zerstörerseeleuten nach Narvik werfen soll. Aus norwegischen Mitteilungen weiß er, daß General Dietl immerhin über rund 2000 Gebirgsjäger verfügt, jetzt auch über die Seeleute der versenkten Zerstörer. Viel kann er gegen den insgesamt rund 4100 Mann starken Gegner nicht einsetzen, bestenfalls einen Brückenkopf bilden und zu halten versuchen. Sehr gewagt, aber ...

Er äußert diesen Gedanken seinem Stab gegenüber.

„Ich kann doch die Stadt nicht zusammenschießen samt den unglücklichen Einwohnern? Ich ... was ist los? Flags? Schon wieder ein Funkbefehl aus London?"

Der Flaggleutnant erlaubt sich ein dünnes Lächeln:

„Noch nicht, Sir! Blinkspruch von *'Foxhound'*, Sir. Hat 2 Offiziere und 9 Mann der *'Giese'* aus dem Wasser gezogen. Der Kommandant meldet, daß beim Gefangenenverhör einer der deutschen Offiziere eine Bemerkung über U-Boote gemacht habe, die hier im Ofot-Fjord stehen . . ."

Kopfschüttelnd winkt der Admiral ab:

„Wissen wir doch längst. Hat Peters Näheres 'rausgekriegt? Einzelheiten, Verteilung, Anzahl?"

„Nein, Sir, leider nicht."

„Schön, kann mir denken, daß der Hund nichts weiter gesagt hat! Aber gut, daß wir daran erinnert werden! Ein Schlachtschiff ist immerhin ein gutes Ziel für einen U-Boots-kommandanten!"

Er erhebt sich, verschränkt die Hände auf dem Rücken und tritt an eins der Bulleyes. Eine Weile sieht er hinaus. Dann wendet er sich an den Stabschef:

„Wir laufen in den West-Fjord zurück. Zwei Zerstörer sollen zur Hilfeleistung für *„Cossack"* hierbleiben. Seeklar 19 Uhr 30."

„Kimberley" und *„Forester"* erhalten Befehl zu versuchen, *„Cossack"* bei Hochwasser abzuschleppen.

Noch während des Rückmarsches wird auf *„Warspite"* der übliche Abendfunkspruch der Admiralität abgehört, der unter anderem dem C-in-C eine sofortige Besetzung Narviks dringend empfiehlt, um für später die widerstandslose Landung der Truppen zu garantieren. Zur selben Zeit macht Admiral Whitworth den gleichen Vorschlag. Seine Meldung ist insofern bemerkenswert, als sie zeigt, welche unrichtigen Nachrichten ihm über die Kampfkraft und Moral der Deutschen von den Norwegern zugegangen sind. Es heißt darin u. a.:

„Mein Eindruck ist, daß die feindlichen Truppen in Narvik durch den Erfolg der Kämpfe dieses Tages schwer erschüttert und verängstigt sind. Hauptgrund hierfür ist die Anwesenheit der *'Warspite'*. Ich schlage vor, die Stadt ohne Verzug durch die Hauptlandungsstreitkräfte besetzen lassen."

Eine englische Kritik sagt, daß eine Landung am Abend des 13. zweifellos Erfolg gehabt hätte, wenn das britische Oberkommando nicht die Ausführung des Planes R4[1]) zuerst

---

[1]) der Plan R 4 ist in der Vorgeschichte ausführlich wiedergegeben.

widerrufen und dann drei Tage gebraucht hätte, um das vorgesehene Landungskorps, noch dazu in größter Unordnung, wieder einzuschiffen. Wenn, so wird gefolgert, das 1. Kreuzer-Geschwader mit den Truppen an Bord bis zur Klärung der Lage in Rosyth geblieben wäre, so konnte es am 13. vor Narvik stehen und der Erfolg des Admirals Whitworth ausnutzen. Tatsächlich fand die erste Landung alliierter Truppen am 15. April und nicht vor Narvik, sondern in Harstad am Vaags-Fjord nördlich von Narvik, an der Außenseite der Lofoten statt.

Am Abend des 13. unternimmt der Zerstörer *„Kimberley"* gegen 21 Uhr 00 einen vergeblichen Versuch, *„Cossack"* abzuschleppen. Während der Nacht vom 13./14. arbeitet die Besatzung des aufgelaufenen Zerstörers pausenlos an der Sicherung der bedrohten Räume. Um das Aufschwimmen zu erleichtern, wird alles, was irgendwie entbehrlich ist, von Bord gegeben. Um 04 Uhr 15 am Morgen des 14. gelingt es dem Kommandanten, sein Boot mit eigener Maschinenkraft freizubekommen.

Commander Sherbrooke manövriert über den Achtersteven in den Ofot-Fjord hinaus und im Geleit von *„Kimberley"* und *„Forester"* zum West-Fjord, wo er die noch an Bord verbliebenen Schwerverwundeten an *„Warspite"* abgibt. Von *„Forester"* gesichert, läuft er weiter zum Skjel-Fjord, wo *„Cossack"* vorläufig repariert werden soll, bevor sie zur endgültigen Instandsetzung in eine englische Werft gehen kann.

Über Narvik ist die Nacht herabgesunken. Hier und da steht der Schein von Bränden über der Stadt, eine Folge der Beschießung durch das Schlachtschiff. Unter dem Sternenhimmel, der über der weiten Hafenbucht blitzt und funkelt, gedenkt die Besatzung der *„Diether von Roeder"* ihres Zerstörers, des letzten der zehn der Gruppe I, die fern der Heimat nach hartem Kampf mit wehender Flagge sanken.

SCHLUSSBETRACHTUNG

Die Besetzung der norwegischen Häfen war geglückt. Das Überraschungsmoment hatte Früchte getragen. Nur in Oslo kam es zu schweren Kämpfen und Verlusten. Narvik, Drontheim, Bergen, Egersund, Kristiansand, Arendal, Oslo und das aus der Luft genommene Stavanger befanden sich in deutscher Hand. Die von den Kriegsschiffsgruppen überführten schwachen Einheiten des Heeres, nochzumal ohne schwere Waffen, reichten jedoch bestenfalls aus, diese Plätze zu sichern, nicht aber den nun einsetzenden norwegischen Widerstand zu brechen und das Hinterland zu säubern, geschweige denn alliierte Landungen wirksam zu bekämpfen. Der weitere Verlauf des Unternehmens hing daher weitgehend von einem reibungslosen Nachschub ab.

Schon seit dem 3. April befanden sich mehrere Staffeln Transporter auf dem Wege nach Norwegen. Sie allein waren in der Lage, Material und Heereseinheiten im erforderlichen Umfang zu befördern. Von den 7 Schiffen der Ausfuhrstaffel, davon je 3 für Narvik und Drontheim, 1 für Stavanger, erreichte tatsächlich nur *„Levante"* (4769 BRT) am 13. ihren Bestimmungshafen Drontheim. *„Bärenfels* (7569 BRT) mußte nach Bergen umgeleitet werden, traf dort am 10. ein und sank am 14. nach einem Luftangriff. *„Sao Paolo"* (4977 BRT) lief vor Bergen auf eine Mine, *„Rauenfels* (8460 BRT) wurde im Ofot-Fjord durch den britischen Zerstörer *„Havock"*, *„Roda"* (6780 BRT) vor Stavanger durch den norwegischen Zerstörer *„Aeger" und „Main"* (7624 BRT) vor Haugesund durch das norwegische Torpedoboot *„Draug" versenkt, „Alster"* (8514 BRT) nördlich Bodö durch englische Seestreitkräfte aufgebracht. Von den rund 11 600 t Gerät gingen 7 000 t verloren. Auch die Tankerstaffel hatte erhebliche Verluste. 2 der 3 großen Schiffe sanken, von den 5 kleineren gelang es dagegen 4 durchzukommen.

Die 1. Seetransportstaffel verließ am 6. und 7. April mit 15 Frachtern Stettin, die 2. am 8. April mit 11 Frachtern Gotenhafen und Königsberg und die 3. am 12. April mit 12 Frachtern Hamburg. Von den insgesamt 38 Schiffen gingen 7 sowie mehrere sichernde Fahrzeuge meist durch U-Boots-Angriffe verloren. Im ganzen waren 8 Seetransportstaffeln vorgesehen, deren Auslauftermine so festgesetzt wurden, daß teilweise die zurückkehrenden Dampfer wieder eingesetzt werden konnten. Vom 3. April bis 15. Juni haben 270 Schiffe mit 1 180 006 BRT auf 530 Fahrten 108 000 Mann, 16 000 Pferde, 20 000 Fahrzeuge und 101 000 t Material nach Norwegen gebracht. Die Verluste betrugen im gleichen Zeitraum 21 Schiffe mit 111 700 BRT und 2 000 Mann.

Die Durchführung der Seetransporte wurde dem Führer der Minensuchboote Ost, Konteradmiral Stohwasser, übertragen. Der Geleitschutz, den der Befehlshaber der Sicherungsstreitkräfte der Ostsee stellte, bestand neben einigen Minensuchbooten im wesentlichen aus Fischdampfern der Vorposten- und Hilfsminensuchflottillen, für die die mobilmachungsmäßig vorgesehenen Geschütze meist nicht vorhanden waren und die mit Holzatrappen eine Bewaffnung vortäuschen mußten. In unermüdlichem Einsatz bis zur Grenze der Leistungsfähigkeit und in Zusammenarbeit mit den Küstenfliegerverbänden, gelang es trotzdem sehr bald, der U-Boots- und Minengefahr Herr zu werden, den Nachschub sicherzustellen und eigene Netz- und Minensperren zu werfen. Nur ein einziges Mal versuchten feindliche Überwasserstreitkräfte und zwar 3 französische Zerstörer der „Fantasque"-Klasse[1]) in das Skagerrak einzudringen, stießen hier aber auf die 7. Vorpostenflottille und zogen sich nach kurzem Gefecht nach Westen zurück.

Die hartnäckigen und zähen Kämpfe führten auf alliierter Seite zum Verlust der U-Boote *„Thistle"*[2]), *„Tarpon"*[2]), *„Ster-*

---

[1]) 2569 ts, 5—13,8 cm, 4—3,7 cm, 9 TR—55 cm, 37 kn.

[2]) brit. 1090/1575 ts, 1—10,2 cm, 6 TR—53,3 cm, 15,2/9,0 kn.

let"[1]), *„Doris"*[2]) und *„Orzel"*[3]), während *„Seal"*[4]) aufgebracht wurde. Deutscherseits sanken das Artillerieschulschiff *„Brummer"* nach Torpedierung durch *„Sterlet"*, das Torpedoboot *„Leopard"* nach Kollision mit dem Minenschiff *„Preußen"* sowie 15 kleinere Kriegs- und Hilfskriegsschiffe.

Das Fehlschlagen der Versorgung von Narvik und Drontheim durch die Ausfuhrstaffel machte den Einsatz von U-Booten für diesen Zweck notwendig. Zwischen dem 12. und 16. April liefen U26, U29 und U43 mit je etwa 40 bis 50 t Munition und sonstigem Heeresbedarf nach Narvik aus, wurden aber wegen der dortigen unübersichtlichen Lage nach Drontheim umgeleitet. Am 27. April folgten UA, U32 und U101 mit Benzin und Fliegerbomben ebenfalls nach Drontheim und im Mai weitere Boote für die nach Bodö vorstoßenden Spitzen der 2. Gebirgs-Division. Insgesamt wurden 8 derartige Einsätze gefahren. Darüber hinaus brachten Torpedoboote, Flottenbegleiter, Schnellboote und andere flachgehende Fahrzeuge, die den Angriffen feindlicher U-Boote weniger ausgesetzt waren, meist im Pendelverkehr zwischen Dänemark und Norwegen, weitere Heereseinheiten in die südnorwegischen Häfen. Einen ganz besonderen Anteil hatte auch die Luftwaffe an der Überführung von Truppen und Material. In der Zeit vom 9. bis 30. April flogen 582 Transportmaschinen nicht weniger als 3018 Einsätze, die zeitweise durch die Wetterlage außerordentlich erschwert wurden. Eine derart gewaltige Transportaufgabe war bis dahin von einer Luftwaffe weder gefordert noch geleistet worden.

In Norwegen selbst stellte sich für die Marine in erster Linie die Aufgabe der Küstenverteidigung ebenso wie die der Abfertigung der Nachschubgeleite. Zu diesem Zwecke wurde die Dienststelle eines Kommandierenden Admirals Norwegens in Oslo eingerichtet und mit Admiral Boehm besetzt. Ihm unterstanden Konteradmiral Schenk als Admiral der norwegischen Südküste in Kristiansand und Vizeadmiral v. Schrader als Admiral der norwegischen Westküste in Bergen mit Stäben, Hafenkommandanturen, Versorgungseinrichtun-

---

[1]) brit. 670/960 ts, 1—7,6 cm, 6 TR—53,3 cm, 13,7/10,0 kn.

[2]) frz. 552/765 ts, 1—7,5 cm, 7 TR—55 cm, 14,0/7,5 kn.

[3]) poln. 980/1250 ts, 1—10 cm, 6 TR—55 cm, 38 Minen, 14,0/9,0 kn.

[4]) brit. 1520/2140 ts, 1—10,2 cm, 6 TR—53,3 cm, 120 Minen, 16,0/8,7 kn.

gen u. a., seit Mai zusätzlich der Admiral der norwegischen Nordküste. Schon mit den Kriegsschiffsstaffeln waren für alle Häfen Marineartillerie-Kompanien überführt worden, und zwar für Narvik 1, für Drontheim, Bergen und Kristiansand je 2, für Oslo 3, außerdem für jeden dieser Häfen und für Stavanger je 1 Marinenachrichtenzug. Es gelang im allgemeinen sehr bald, die vorhandenen norwegischen Küstenbatterien wieder einsatzbereit und bis Juni durch Einbau moderner Seeziel-, Fla- und Torpedobatterien sowie Netz- und Minensperren einen Überraschungsangriff unmöglich zu machen, überdies Drontheim als behelfsmäßigen Flottenstützpunkt auszurüsten. Britische Zerstörer, die am 11., 19. und 26. April in den Drontheim-Fjord einzudringen versuchten, wurden durch die Küstenabwehr erfolgreich bekämpft und zurückgewiesen.

Trotz aller Schwierigkeiten gelang es verhältnismäßig bald die durch die Kriegsschiffsstaffeln gelandeten Heereseinheiten durch See- und Lufttransporte soweit zu verstärken, daß sie aus der Sicherung der besetzten Plätze zur Offensive übergehen konnten. Das war zuerst in Oslo der Fall, wo der Kommandierende General der Gruppe XXI, General d. Inf. v. Falkenhorst, schon am 10. April eingetroffen war und wo bis zum 13. nicht nur das Gebiet beiderseits des Oslo-Fjords in Besitz genommen, sondern auch schwächere Kampfgruppen nach Nordosten und Nordwesten vorgeschoben wurden. Den Raum östlich der Hauptstadt säuberte ein Regiment der 196. Infanterie-Division und zwang die Reste der norwegischen 1. Division zum Grenzübertritt nach Schweden, während im Westen am 16. mit der Einnahme von Kongsvinger durch 3 Bataillone derselben Division die letzte der nach Schweden führenden Eisenbahnen in deutsche Hand fiel.

Da holten die Alliierten zum Gegenschlag aus. Seit dem 14. bzw. 15. April landeten sie starke Truppenabteilungen in Harstad (Narvik), Namsos[1]) und Andalsnes[2]) (nördlich und südlich Drontheim). Zur Abwehr der beiden letzten Gruppen wurde die 181. Infanterie-Division unter Generalleutnant Woytasch nach Drontheim überführt, der es zwischen dem

[1]) Britische 146. Infanterie-Brigade, 6 französische Jäger-Bataillone, dazu Teile der norwegischen 3. Division.

[2]) Britische 61. Division mit der 15., 147. und 148. Infanterie-Brigade, dazu Teile der norwegischen 5. Division.

20. und 27. gelang, die Stadt und Umgebung zu sichern und dann nach Süden, den von Oslo vorstoßenden Verbänden entgegen, vorzudringen. Zur Verstärkung wurde der Gruppe XXI die 2. Gebirgs-Division zur Verfügung gestellt.

Inzwischen hatten von Oslo aus die 196. Infanterie-Division, Generalmajor Pellengahr, unter Ausnutzung der Bahnlinie nach Drontheim, westlich davon die 163. Infanterie-Division, Generalmajor Engelbrecht, von der ein Regiment in Kristiansand stand, die aber durch je ein Regiment der 69. und 181. Infanterie-Division verstärkt worden war, den Vormarsch angetreten. Gegen hartnäckigen norwegisch-britischen Widerstand konnte am 30. April die Verbindung zwischen der 181. und 196. Infanterie-Division hergestellt und am 2. Mai Andalsnes besetzt werden. Im rückwärtigen Gebiet ergaben sich die Reste der norwegischen 2. Division. Vor der 163. Infanterie-Division kapitulierte am 30. April die abgekämpfte norwegische 4. Brigade und am 1. Mai trafen die Spitzen auf die aus Bergen vormarschierende 69. Infanterie-Division unter Generalmajor Tittel. Den Raum Stavanger kämpfte die seit dem 17. April dort eintreffende 214. Infanterie-Division unter Generalmajor Horn frei, während ein Regiment der 163. Infanterie-Division seit dem 13. von Kristiansand nach Norden in die Versammlung der norwegischen 3. Division stieß, deren dortige Teile sich am 15. ergaben. Wenige Tage später war auch die Küstenstraße Kristiansand—Stavanger in deutscher Hand.

Bei der Abwehr der alliierten Landungsoperationen fiel der Luftwaffe die Hauptaufgabe zu. Ebenso hatte sie das Vordringen des Heeres nachhaltig zu unterstützen. Um diesen Aufgaben gerecht werden zu können, wurde am 12. April die Luftflotte 5 unter Generaloberst Milch gebildet und ihm das X. Fliegerkorps, Generalleutnant Geißler, die Territorialbefehlshaber sowie sämtliche Transportverbände unterstellt. Dem X. Fliegerkorps standen zur Verfügung: die Kampfgeschwader 4, 26 und 30 Teile der Kampfgeschwader 40, 54 und 100, eine Gruppe des Sturzkampfgeschwaders 1, die später durch zwei weitere Gruppen verstärkt wurde, eine Gruppe des Jagdgeschwaders 77, je eine Gruppe der Zerstörergeschwader 1 und 76, dazu Aufklärungs-, Lufttransport- und Küstenfliegerstaffeln, ferner je eine Abteilung der Flak-Regimenter 32, 33 und 611 und vier Kompanien des 1. Fallschirmjäger-Regiments. Einschließlich der Heeres- und Marineflugzeuge[1]) belief sich die Gesamtzahl auf etwa 290 Bomber, 40 Sturzkampfbomber, 30 Jäger, 70 Zerstörer, 40 Fernaufklärer, 30 Seeaufklärer und 500 Transportmaschinen.

Der Einsatz gestaltete sich denkbar schwierig, litt unter den ungünstigen Witterungsverhältnissen und mußte zum großen Teil wegen des Mangels geeigneter norwegischer Flugplätze, die überdies feindlichen Angriffen von See und aus der Luft ausgesetzt waren, von Dänemark und Deutschland erfolgen. Trotzdem konnte die Luftherrschaft erkämpft und die Operation des Gegners stark behindert werden. Die britisch-französische Flotte erlitt empfindliche Verluste. Es sanken der Leichte Kreuzer *„Curlew"*[2]), die Zerstörer *„Ghurka"*[3]), *„Afridi"*[3]), *„Bison"*[4]) und *„Grom"*[5]) sowie eine Anzahl kleinerer Kriegsfahrzeuge und Handelsschiffe. Zahlreiche andere wurden mehr oder weniger schwer beschädigt. Der Leichte Kreuzer *„Effingham"*[6]) ging im West-Fjord durch Strandung verloren.

Die Kriegsmarine zog gegen die an den Landungen beteiligten feindlichen Seestreitkräfte neben den Booten *„U 50"* und *„U 52"* die 5 Boote der vor Bergen stehenden 3. Unterseebootsgruppe heran, weiterhin *„U 61"* und zwei kleine Boote aus Drontheim. Außerdem bekämpfte sie in den zahlreichen Fjorden norwegische Kriegs- und Hilfskriegsschiffe, von denen mehrere versenkt oder genommen wurden, und unterstützte das Heer bei dessen Operationen in Küstennähe. Ganz besonders zeichnete sich dabei das Minensuchboot *„M 1"* unter seinem Kommandanten Kapitänleutnant Bartels aus.

Anfang Mai befand sich Süd- und der größte Teil von Mittelnorwegen fest in deutscher Hand. Andalsnes war von den Briten geräumt, die Norweger hatten kapituliert. Am 3. Mai setzte die verstärkte 181. Infanterie-Division den Marsch auf Namsos fort, das sie bereits am 4. erreichte. Die norwegische 5. Brigade stellte den Widerstand ein. Nur noch schwache feindliche Kräfte hielten sich bei Mo und Bodö. Mit

---

[1]) F. d. Luft West und F. d. Luft Ost

[2]) brit. 4290 ts, 10—10,2 cm, 16—4 cm, 29 kn.

[3]) brit. 1870 ts, 8—12 cm, 4—4 cm, 4 TR—53,3 cm, 36,5 kn.

[4]) französ. 2436 ts, 5—13,8 cm, 4—3,7 cm, 6 TR—55 cm, 36 kn.

[5]) brit. ex poln. 1975 ts, 7—2 cm, 4—4 cm, 6 TR—53,3 cm, 39 kn.

[6]) brit. 9800 ts, 7—19 cm, 4—10,2 cm, 4—4,7 cm, 6 TR—53,3 cm, 29,5 kn.

der 2. Gebirgs-Division, verstärkt durch ein Regiment der 3., drang Generalleutnant Feurstein am 5. Mai weiter nach Norden vor und erreichte nach heftigsten Kämpfen und trotz der Schwierigkeit des Geländes am 20. Mai Mo und am 1. Juni Bodö.

Weniger erfreulich hatte sich währenddessen die Lage in Narvik gestaltet. Zeitweise war im Oberkommando der Wehrmacht erwogen worden, die Stadt aufzugeben, gegebenenfalls sogar die dortigen Teile der 3. Gebirgs-Division unter Generalleutnant Dietl in Schweden internieren zu lassen. Zwar konnte bis zum 16. April nach schweren Kämpfen gegen norwegische Kräfte die Erzbahn bis zur Grenze in Besitz genommen werden, doch verstärkte sich das alliierte Landungskorps allmählich bis auf 24 000 Mann mit Panzern und schweren Waffen, denen kaum noch 4000 deutsche Gebirgsjäger und Marinesoldaten gegenüberstanden, spärlich aus der Luft versorgt, krank, erschöpft und abgekämpft. Die Zuführung von einigen Gebirgs- und Fallschirmjägerkompanien durch Luftlandung oder Absprung konnte die Lage nicht wesentlich ändern. Unterstützt durch das Feuer seiner Kriegsschiffe, drängte der Gegner die 3. Gebirgs-Division langsam zurück und nahm schließlich am 28. Mai die Stadt Narvik.

Die 2. Gebirgs-Division hatte bisher auf dem Weg Drontheim—Narvik zum Entsatz der Gruppe Dietl rund 700 km zurückgelegt. Durch Instandsetzung der Straßen und Herstellung von Fährverbindungen über die von diesen geschnittenen Fjorde, die Eisenbahn endete bereits weit südlich, versuchte sie ihren Nachschub zu sichern. Gleichzeitig stellte sie drei verstärkte Bataillone unter Oberstleutnant Ritter v. Hengl bereit, die letzte, 150 km lange hochalpine Strecke zu überwinden. Der Einsatz von Kraftfahrzeugen war hier unmöglich, alles was sie brauchte, mußte die Truppe selbst tragen. Eine weitere Versorgung konnte nur aus der Luft erfolgen, an eine solche über See war wegen des überlegenen Gegners nicht zu denken. Die Gruppe Hengl trat am 2. Juni den Vormarsch an und erreichte unter unsäglichen Schwierigkeiten am 7. Hellemobotn, wurde aber am 9. nördlich davon angehalten, da sich die Lage bei Narvik grundsätzlich geändert hatte. Nur ein kampfkräftiger Zug setzte den Marsch fort und traf am 13. auf die Sicherungen der 3. Gebirgs-Division.

Deren Stoßtrupps fanden am 8. Juni keinen Gegner mehr vor den eigenen Stellungen. Die letzten alliierten Truppen hatten sich in der Nacht vom 7./8. eingeschifft. Nur die Norweger leisteten noch erbitterten Widerstand. Unter dem Druck des raschen deutschen Vormarsches in Frankreich, mußte sich das britische Kriegskabinett bereits am 24. Mai entschließen, das Unternehmen Norwegen abzubrechen. Vorher sollten jedoch Hafen- und Erzverschiffungsanlagen in Narvik weitmöglichst zerstört werden. Der Abtransport der Heereseinheiten begann am 6. Juni. König Haakon und die norwegische Regierung begaben sich nach England. Am 10. Juni morgens stellte die norwegische 6. Division ihren Widerstand ein und noch am Abend desselben Tages kamen die Kapitulationsverhandlungen zwischen der Gruppe XXI und dem norwegischen Oberkommando zum Abschluß. Der Kampf um Norwegen war beendet.

Aber schon Mitte Mai, als der Gegner bei Narvik erneut zum Angriff angetreten war und der Wehrmachtführungsstab befürchtete, daß der Widerstand der Gruppe Dietl sehr bald zusammenbrechen würde, entstand der Plan eines nochmaligen Einsatzes der Flotte. Bis Ende Mai hatte er seine endgültige Form[1]) angenommen und forderte: Vernichtung feindlicher Kriegs- und Transportschiffe und deren Stützpunkte im And- und Vaags-Fjord oder, falls Aufklärungsergebnisse dies lohnender erscheinen ließen, im Ofot-Fjord und bei Narvik selbst, ferner gleichzeitig oder später als Nebenaufgabe Schutz des eigenen Nachschubs über See und auf der Küstenstraße Drontheim—Mo—Bodö. Voraussetzung dazu war die Benutzung Drontheims als Basis, wohin mehrere Hilfsschiffe, Minensuch- und Minenräumverbände sowie schwere Fla-Batterien verlegt wurden. Zur Sicherung küstennaher Gewässer sollten später leichte Seestreitkräfte folgen.[2]) Die Troßschiffe *„Nordmark“*[3]) und *„Dithmarschen“*[3]) nahmen bestimmte Positionen ein, um gegebenenfalls ein Beölen in See sicherzustellen.

Die Durchführung des Unternehmens lag beim Flottenchef, Admiral Marschall. Ihm standen zur Verfügung: die Schlacht-

[1]) Operationsplan „Juno“

[2]) der Chef 5. T-Flottille traf mit den Torpedobooten „Greif“ und „Kondor“ am 10. Juni, der Leichte Kreuzer „Nürnberg“ am 13. Juni in Drontheim ein.

[3]) 18 053/22 850 ts, 21 kn.

kreuzer *„Gneisenau"* (Flaggschiff, Kapitän z. S. Netzband) und *„Scharnhorst"* (Kapitän z. S. K. C. Hoffmann), der B.d.A., Konteradmiral Schmundt mit dem Schweren Kreuzer *„Admiral Hipper"* (Kapitän z. S. Heye) und der F.d.Z., Kapitän z. S. Bey, mit den Zerstörern *„Hans Lody"* (Führerboot, Korvettenkapitän Frhr. v. Wangenheim), *„Hermann Schoemann"* (Korvettenkapitän Detmers), *„Erich Steinbrinck"* (Korvettenkapitän Johannesson) und *„Karl Galster"* (Korvettenkapitän Frhr. v. Bechtolsheim). Das Kräfteverhältnis wurde als im Augenblick günstig angesehen, da sich zahlreiche britische Schiffe zur Reparatur in den Heimathäfen befanden. Immerhin vermutete man in dem fraglichen Seegebiet noch zwei Schlachtschiffe, einen Flugzeugträger, sechs Kreuzer und mindestens sieben Zerstörer. Die gestellte Aufgabe war also nur unter vollem Einsatz des deutschen Flottenverbandes zu lösen.

Am 4. Juni um 08.00 Uhr lief Admiral Marschall mit den ihm unterstellten Seestreitkräften aus Kiel aus, bis zur Skagen Sperre zusätzlich gesichert durch den Sperrbrecher 4, einige Minensuchboote unter dem F.d.M. Ost, Konteradmiral Stohwasser auf *„Hai"*[1]) und die Torpedoboote *„Jaguar"* und *„Falke"*. Die Luftsicherung übernahmen am 5. Juni drei He 115, später je zwei He 111. Am 6. abends kam die *„Dithmarschen"* in Sicht. Die Ölübernahme war am 7. abends beendet, die Flotte noch ungesichtet zur Durchführung ihrer Aufgaben bereit. Bedauerlicherweise hatten sich aber bisher Luftaufklärung und Nachrichtenübermittlung als unzureichend erwiesen. Admiral Marschall wußte zwar, daß am 5. Juni nachmittags das britische Schlachtkreuzergeschwader mit *„Repulse"* und *„Renown"* Scapa verlassen hatte, wahrscheinlich um zur Norther Patrol zu stoßen, nicht aber die Verteilung der von der Funkaufklärung in Nordnorwegen erfaßten britischen Seestreitkräfte, des Schlachtschiffes *„Valiant"*[2]), die Flugzeugträger *„Glorious"*[3]) und *„Ark Royal"*[4]), die Kreuzer

---

[1]) ex „F 3", Flottenbegleiter, 740 ts, 2—10,5 cm, 4—3,7 cm, 28 kn.

[2]) 30 600 ts, 8—38,1 cm, 12—11,4 cm, 4—4,7 cm, 32—4 cm, 24 kn.

[3]) 22 500 ts, 10—12 cm, 4—4,7 cm, 24—4 cm, 48 Flugzeuge, 31 kn.

[4]) 22 600 ts, 16—11,4 cm, 32—4 cm, 60 Flugzeuge

„Devonshire"[1], *„Southampton"*[2], *„Vindictive"*[3]) und *„Coventry"*[4]) sowie der etwa 15 Zerstörer.

Am 7. Juni morgens meldete die Luftaufklärung einen englischen Geleitzug von sieben großen Passagierschiffen 360 sm nordwestlich Drontheims auf Südwestkurs. Der Flottenchef vermutete ein rücklaufendes Leergeleit[5]) und hielt vorläufig weiterhin an seinem Hauptziel Harstad fest. Erst als im Laufe des Tages Nachrichten über drei weitere Schiffsgruppen auf Westkurs eintrafen, schloß er auf eine mögliche Räumung Narviks. Entgegen dem Befehl der Marinegruppe West entschloß er sich nun, den für die Nacht zum 9. Juni beabsichtigten Überfall auf Harstad aufzugeben und auf einen der Geleitzüge, bestehend aus einem Kreuzer, zwei Zerstörern und zwei großen Dampfern, zu operieren. Er befürchtete sehr zu Recht einen Luftstoß zu machen und sah hierin die einzige Möglichkeit, noch einen Erfolg zu erringen.

Am 8. Juni um 05.55 Uhr kam der britische U-Bootjäger *„Juniper"*[6]) mit dem leeren Tanker *„Oilpineer"* (5600 t) in Sicht. *„Juniper"* sank nach einem Feuerüberfall durch *„Admiral Hipper"* in wenigen Minuten, 29 Überlebende wurden gerettet, der Tanker nach Aussteigen der Besatzung versenkt. Um 09.44 Uhr kreuzte das Lazarettschiff *„Atlantis"*, das unbehelligt blieb, den Kurs des deutschen Verbandes, um 10.17 Uhr der leere Truppentransporter *„Orama"* (19 840 t), den *„Admiral Hipper"* mit Artillerie und Torpedowaffe um 11.21 Uhr vernichtete. Da bis 13.00 Uhr weder das Geleit noch die durch Bordflugzeuge gemeldeten Schiffsgruppen in Sicht kamen, entschloß sich Admiral Marschall, den Schweren Kreuzer und die Zerstörer nach Drontheim zu entlassen, da ihm eine ungestörte Ölübernahme aus den Versorgungsschiffen nach der Feindberührung nicht mehr gewährleistet

---

[1]) Schwerer Kreuzer, 9750 ts, 8—20,3 cm, 8—10,2 cm, 4—4,7 cm, 8 TR—53,3 cm, 32,2 kn.

[2]) Leichter Kreuzer, 9300 ts, 12—15,2 cm, 8—10,2 cm, 4—4,7 cm, 8—4 cm, 6 TR—53,3 cm, 33 kn.

[3]) Leichter Kreuzer, ex „Cavendish", Seekadettenschulschiff und Netzleger, 9100 ts, 2—12 cm, 4—4,7 cm, 1—4 cm, 23kn.

[4]) Fla-Kreuzer, 4290 ts, 10—10,2 cm, 16—4 cm, 29 kn.

[5]) Tatsächlich waren die Schiffe voll mit Truppen besetzt.

[6]) Marinefischdampfer, etwa 560 ts, 1—7,6 cm, 12 kn.

erschien und *„Admiral Hipper"* von Drontheim aus gleichzeitig die zweite Aufgabe, die Operation in Küstennähe zur Unterstützung der 2. Gebirgs-Division, durchführen konnte.

Die Schlachtkreuzer liefen unterdessen nach Norden zur *„Dithmarschen"*, um zu ölen. Um diese Zeit befanden sich vier große Geleite mit den bisher bei Narvik eingesetzten alliierten Truppen in See, zu deren Sicherung der Flugzeugträger *„Ark Royal"*, die Kreuzer *„Southampton"* und *„Coventry"* sowie 16 Zerstörer eingesetzt waren. Das Schlachtschiff *„Valiant"* trat am 9. hinzu. Der Schwere Kreuzer *„Devonshire"* hatte die Aufgabe, den König und die norwegische Regierung nach England zu überführen, während der Flugzeugträger *„Glorious"* mit zwei Zerstörern auf dem Weg zur Brennstoffergänzung nach Scapa Flow war.

Diese Gruppe wurde von den deutschen Schlachtkreuzern am 8. Juni um 16.46 Uhr gesichtet. Admiral Marschall gewann dem Träger sehr geschickt die Luvstellung ab, um einen Start der Bordflugzeuge zu verhindern. Um 17.28 Uhr eröffnete *„Gneisenau"* auf 150 hm mit der Mittelartillerie das Feuer gegen den nördlich stehenden Zerstörer *„Ardent"*[1]), um 17.32 Uhr *„Scharnhorst"* auf 260 hm mit den schweren Türmen gegen *„Glorious"*, 17.46 Uhr auch *„Gneisenau"*, die sich inzwischen vor *„Scharnhorst"* gesetzt hatte. Es entwickelte sich ein laufendes Gefecht auf 250—125 hm gegen die etwa 30 sm laufende *„Glorious"*, in dessen Verlauf die beiden Zerstörer ausgezeichnet geführt, unter vollem Einsatz den Flugzeugträger zu decken versuchten, ohne dessen Schicksal allerdings abwenden zu können. Dichte Rauchschleier zwangen die Schlachtkreuzer vorübergehend das Feuer einzustellen, mehrere Torpedoangriffe konnten ausmanövriert werden.

Um 18.22 Uhr kenterte *„Ardent"* und versank. *„Alcasta"*[1]), die bisher südlich stand, schloß heran. Um 18.38 Uhr wurde *„Scharnhorst"*, deren Geschwindigkeit durch einen Rohrreißer auf 28,5 sm gesunken war und deren Abstand zu *„Gneisenau"* jetzt etwa 40 hm betrug, von einem ihrer Torpedos Steuerbord achtern getroffen. Turm C der schweren und Turm IV der Mittelartillerie fielen aus, die Munitionskammer mußte geflutet werden, die Höchstgeschwindigkeit sank auf 20 sm. 2500 t Wasser waren im Schiff, 2 Unteroffiziere und 46 Mann

---

[1]) 1350 ts, 4—12 cm, 2—4 cm, 8 TR—53,3 cm, 25 kn.

gefallen. Trotzdem setzte *„Scharnhorst"* das Gefecht fort, bis beide Schlachtkreuzer um 18.43 das Feuer auf die mit schwerer Schlagseite bewegungslos treibende, brennende *„Glorious"* einstellten. Sie sank um 19.08 Uhr. *„Gneisenau"* verfolgte nun die *„Alcasta"*, von der sie als einem manövrierunfähigen und brennenden Wrack um 19.16 Uhr abließ, um zu *„Scharnhorst"* zurückzukehren. Der Zerstörer sank bald darauf.

Das Seegefecht bei Jan Mayen hatte mit der Vernichtung des Gegners geendet. Die Schlachtkreuzer liefen zurück nach Drontheim, wo sie ohne weitere Gefechtsberührung am 9. Juni 16.00 Uhr eintrafen. Zwar hatte der Verband einen einwandfreien Erfolg errungen, jedoch zwang die Beschädigung der *„Scharnhorst"* zum Abbruch des Unternehmens und zog ihn somit von den weiter nördlich stehenden Räumungsgeleiten ab. Am 10. ging der Flottenchef mit *„Gneisenau"*, *„Admiral Hipper"* und den vier Zerstörern erneut in See, doch hatten sich inzwischen die englischen Sicherungskräfte durch das Schlachtschiff *„Valiant"* wesentlich verstärkt und von der französischen Kanalküste her war Admiral Forbes mit dem Schlachtschiff *„Rodney"*[1]), dem Schlachtkreuzer *„Renown"* und sechs Zerstörern im Anmarsch, zu denen später noch der Flugzeugträger *„Ark Royal"* stieß. Da der Vorstoß keinerlei Ergebnisse zeitigte, überdies die Bedrohung durch weit überlegene feindliche Seestreitkräfte jeden Erfolg in Frage stellte, liefen die deutschen Schiffe am 11. vormittags wieder in Drontheim ein.

Ein nochmaliger Einsatz von *„Gneisenau"* und *„Admiral Hipper"* am 20. Juni unter Vizeadmiral Lütjens[2]), der den Rückmarsch der *„Scharnhorst"* decken und gegen die Northern Patrol führen sollte, endete bereits 40 sm nordwestlich der Insel Halten, als *„Gneisenau"* von einem Torpedo des britischen U-Boots *„Clyde"*[3]) getroffen wurde. Dagegen erreichte *„Scharnhorst"* im Geleit der Zerstörer *„Hans Lody"*, *„Hermann Schoemann"*, *„Erich Steinbrinck"* und zeitweise *„Friedrich Ihn"* sowie der 5. Torpedobootflottille mit *„Greif"* und *„Kondor"*, später auch *„Jaguar"* und *„Falke"*, am 23. Juni

---

[1]) 33 900 ts, 9—40,6 cm, 12—15,2 cm, 6—12 cm, 4—4,7 cm, 16—4 cm, 2 TR—60,9 cm, 23,5 kn.

[2]) Admiral Marschall wurde am 18. Juni von Vizeadmiral Lütjens abgelöst.

[3]) 1850/2710 ts, 1—10 cm, 6 TR—53,3 cm, 15,2/10,0 kn.

Kiel. „*Gneisenau*" verließ nach behelfsmäßiger Reparatur am 25. Juli erneut Drontheim, gesichert von „*Admiral Hipper*", „*Nürnberg*" mit dem B.d.A. an Bord, den Zerstörern „*Karl Galster*", „*Friedrich Ihn*", „*Hans Lody*", „*Paul Jacobi*" und vier Torpedobooten und lief am 28. Juli abends in Kiel ein. Das Unternehmen „Juno" war nach achtwöchiger Dauer beendet.

Das Norwegenunternehmen wurde gegen alle Regeln des Seekrieges durchgeführt, die fehlende Seeherrschaft durch das Überraschungsmoment ersetzt. Es war gleichzeitig die erste gemeinsame Operation aller Wehrmachtteile, in deren Verlauf der Wille zur sachlichen Zusammenarbeit, besonders bei der mittleren Führung, alle Schwierigkeiten und Krisen meisterte. Es bleibt jedoch die Frage, ob sich Einsatz und Verluste lohnten.

Die deutsche Wehrmacht verlor:

1317 Gefallene
2375 auf Transporten oder sonstwie Vermißte
1604 Verwundete
117 Flugzeuge
1 Schweren Kreuzer („*Blücher*")
2 Leichte Kreuzer („*Karlsruhe*", „*Königsberg*")
10 Zerstörer („*Wilhelm Heidkamp*", „*Georg Thiele*", „*Hans Lüdemann*", „*Hermann Künne*", „*Diether von Roeder*", „*Anton Schmitt*", „*Wolfgang Zenker*", „*Bernd von Arnim*", „*Erich Giese*", „*Erich Koellner*")
1 Torpedoboot („*Albatros*")
6 Unterseeboote
15 sonstige Fahrzeuge, darunter das Artillerieschulschiff „*Brummer*"

Die Alliierten verloren:

1604 Engländer
1335 Norweger
530 Franzosen und Polen

87 Flugzeuge
1 Flugzeugträger (*„Glorious"*)
2 Kreuzer (*„Effingham", „Curlew"*)
9 Zerstörer (*„Glowworm", „Gurkha", „Hunter", „Hardy", „Afridi", „Bison", „Grom", „Alcasta", „Ardent"*)
6 Unterseeboote
mehrere Hilfsfahrzeuge und Transporter

Erreicht wurde die Sicherung der deutschen Erz- und Holzzufuhr aus Skandinavien, die Zurückverlegung der englischen Bewachungslinie aus der Linie Shetland—Norwegen um 600 sm, die Herabsetzung der Entfernungen zu den britischen Hauptstützpunkten in Nordengland und Schottland, schließlich die Erringung einer günstigen Ausgangsposition für Angriffe auf den Nachschub nach Nordrußland, was allerdings 1940 noch nicht vorauszusehen war. Insgesamt konnte die strategische Lage verbessert werden, wenn auch der Gegner durch die Besetzung Islands einen gewissen Ausgleich errang und im weiteren Verlauf des Krieges etwa 300 000 Mann für die Verteidigung Norwegens gebunden blieben, überdies sich auch die gewonnenen Vorteile dadurch weniger auswirkten, weil inzwischen in Westeuropa eine noch bessere Position gewonnen worden war.

Es ist wohl angebracht, zum Schluß der deutschen Soldaten zu gedenken, die diesen Kampf ausfochten. Ihre Haltung war über alles Lob erhaben. Das trifft in gesteigertem Maße auf die Männer in Narvik zu, die sich gegen eine erdrückende Übermacht an Menschen und Material auf fast aussichtslosen Posten bis zuletzt verteidigten. Für sie und alle anderen gilt sinngemäß die Inschrift über dem Totenfeld der Spartaner bei den Thermopylen: sie fochten und starben im besten Glauben für die Heimat „wie das Gesetz es befahl!"

LITERATUR UND QUELLENVERZEICHNIS

Vizeadmiral a. D. Kurt Assmann: Deutsche Schicksalsjahre, Verlag Eberhard Brockhaus, Wiesbaden 1950

Cajus Bekker: Die versunkene Flotte, Gerhard Stalling Verlag, Oldenburg/Hamburg 1961

Kapitänleutnant d. R. Alexander Bredt: Weyers Taschenbuch der Kriegsflotten, Jahrgang 1940 und 1953, J. F. Lehmanns Verlag, München 1940 und 1953

Dr. Harald Busch: So war der U-Bootkrieg, Deutscher Heimat Verlag, Bielefeld, 3. Auflage 1957

Rear-Admiral W. S. Chalmers: Max Horton and the Western Approaches, Hodder & Stoughton, London

Großadmiral Karl Dönitz: 10 Jahre und 20 Tage, Athenäum Verlag, Bonn 1958

Dr. Wolfgang Frank: Die Wölfe und der Admiral, Gerhard Stalling Verlag, Oldenburg, 3. Auflage 1957

Erich Gröner: Die Schiffe der deutschen Kriegsmarine und Luftwaffe 1939—45 und ihr Verbleib, J. F. Lehmanns Verlag, München 1959

Admiral z. V. Gottfried Hansen: Nauticus 1942, Verlag E. S. Mittler & Sohn, Berlin 1942

Fregattenkapitän Georg v. Hase: Die Kriegsmarine erobert Norwegens Fjorde, v. Hase & Köhler Verlag, Leipzig 1940

Kapitänleutnant Dr. Paul Heinsius, Kapitänleutnant Friedrich Rohlfink: Marine-Fibel, 6. Ausgabe, Teil I, Alfred Burkhard Verlag, Eutin 1956

Kapitänleutnant (Ing) August Wilhelm Heye: „Z 13", Von Kiel bis Narvik, Verlag E. S. Mittler & Sohn, Berlin 1941

Professor Dr. Walter Hubatsch: Die deutsche Besetzung von Dänemark und Norwegen 1940, Musterschmidt Verlag, Göttingen 1952

Admiral Sir W. M. James: The British Navies in the Second World War, Longmans Green and Co., London 1946

Lieutenant-Commander P. K. Kemp: H. M. Submarines, A Four Square Book, Landsborough Publications Limited, London 1960

Vizeadmiral a. D. Lohmann, Hans H. Hildebrand: Die deutsche Kriegsmarine 1939—1945, Verlag Hans-Henning Podzun, Bad Nauheim 1956

Captain Donald Macintyre: Narvik, Evans Brothers, Limited, London 1959

Großadmiral Dr. h. c. Erich Raeder: Mein Leben, Band II, Verlag Schlichtenmayer, Tübingen am Neckar 1957

Dr. Jürgen Rohwer: U-Boote, Gerhard Stalling Verlag, Oldenburg/Hamburg, ohne Jahrgang

Captain S. W. Roskill: The War at Sea 1939—1945, Volume I, Her Majesty's Stationary Office, London 1956

Vizeadmiral Friedrich Ruge: Der Seekrieg 1939—1945, K. F. Koehler Verlag, Stuttgart 1954

Rear-Admiral H. G. Thursfield: Brassey's Naval Annual 1948, Fuehrer Conferences on Naval Affairs, William Clowes & Sons, London 1948

Eigene Bücher des Verfassers:

Busch/Ramlow: Deutsche Seekriegsgeschichte, Verlag C. Bertelsmann, Gütersloh, 3. Auflage 1943

Busch/Ramlow: Traditionshandbuch der Kriegsmarine, J. F. Lehmanns Verlag München 1937

Busch: „7 Uhr 30 seeklar!" Mit der Flotte nach Norwegen, R. Voigtländer Verlag, Leipzig 1934

Die deutsche Kriegsmarine im Kampf, Vier Tannen Verlag, Berlin-Grunewald 1943

Narvik, Verlag C. Bertelsmann, Gütersloh, 10. Auflage 1940

Die Kriegsmarine in der Aktion Dänemark-Norwegen, Franz Schneider Verlag, 1941

10 Zerstörer, Adolf Sponholtz Verlag, Hannover 1959

Ferner:

Kriegstagebuch Schlachtschiff „Scharnhorst"

Zahlreiche deutsche und englische Zeitungsberichte, Zeitschriften und Magazine, die während bzw. nach dem Kriege erschienen

Interviews mit Augenzeugen 1940:

Fregattenkapitän Erdmenger, Kommandant „Wilhelm Heidkamp"
Korvettenkapitän Holtorf, Kommandant „Diether von Roeder"
Korvettenkapitän Smidt, Kommandant „Erich Giese"
Stabsfunkmeister Mülder
Maschinenmaat Hafner u. a.

Gespräche und Überlegungen der interviewten Augenzeugen sind größtenteils nach damaligen Notizen wiedergegeben.

Großen Dank schuldet der Verfasser dem langjährigen NO und IO der „Scharnhorst", Kapitän z. S. a. D. Helmuth Gießler. Er stellte neben dem KTB des Schlachtschiffs zahlreiches Material, Berichte, Zeitungsartikel, eigene Aufzeichnungen, See- und Gefechtskarten für die Fahrt des Schlachtschiffs nach Norwegen und das Schneesturmgefecht bei den Lofoten zur Verfügung.

Großen Dank schuldet der Verfasser auch Herrn Erich Gröner, Berlin, für die Übermittlung von Einzelheiten über den deutschen Blockadebrecher „Seattle", der gleichzeitig mit der Gruppe IV in Kristiansand einlief.

INHALT

Seite

Fritz Otto Busch schildert in diesem Buch den Einsatz der Kriegsmarine während der Besetzung Norwegens, einem der kühnsten Landungsunternehmen der Kriegsgeschichte. Hierbei spielten die Seestreitkräfte eine entscheidende Rolle, da sie die Voraussetzungen zum Gelingen der Gesamtoperation, nämlich die Öffnung der Häfen und die Durchführung bzw. Sicherung der Truppen- und Materialtransporte zu schaffen hatten.

In allgemeinverständlicher Art werden die politischen und militärischen Voraussetzungen des Unternehmens „Weserübung-Nord" aufgezeigt, die Planungen und der Verlauf der Operationen beider Seiten unter Auswertung deutscher und englischer Quellen. Alle vorkommenden Namen sind unverändert, Funksprüche und Signale im Originaltext bzw. in der Übersetzung angeführt.

Es ist dem bekannten Marineschriftsteller gelungen, die Ereignisse in spannendster Form darzustellen, die ohne Zweifel auch die weniger informierten Leser oder den Laien interessieren und fesseln wird.